Leveraging Your Russian with Roots, Prefixes, and Suffixes

Leveraging Your Russian with Roots, Prefixes, and Suffixes

Gary Browning
David K. Hart
& Raisa Solovyova

Bloomington, Indiana, 2001

SLAVICA

ISBN: 978-0-89357-302-7

Technical Editor: Elizabeth D. Teichrieb

Printed in the United States of America.

Slavica Publishers
Indiana University
2611 E. 10th St.
Bloomington, IN 47408-2603
USA

[Tel.] 1-812-856-4186
[Toll-free] 1-877-SLAVICA
[Fax] 1-812-856-4187
[Email] slavica@indiana.edu
[www] http://www.slavica.com/

Contents

Acknowledgments vi

Methodological Suggestions vi

Introduction 1

    Noun Prefixes and Suffixes 6

    Adjectival Prefixes and Suffixes 9

    Verbal Prefixes and Suffixes 10

    Alternations and Truncations Affecting Roots 17

    Review Sheet 21

    Roots Divided into Five Levels 22

Root List and Russian/English Examples 26

Comparison of Roots with Related Meanings 252

Russian-English Correspondences 274

Root Dictionary 299

Acknowledgments

Deep appreciation is expressed to the numerous student assistants who contributed much to this book. Among those who labored the longest and therefore contributed the most are Elizabeth D. Teichrieb, David Wilsted, Daniel Reneau, Tarasine Buck, Natalia Benner, Daniel Smith, Larissa François, Dana McCurdy, and Amylyn Woolley.

Methodological Suggestions

A world-wide-web page giving suggestions for use of this textbook in a range of classroom situations may be found at the following URL: http://www.slavica.com/lever.html. Suggestions for improvements in the book, corrections for any typos that may remain in the volume, and reports on additional ways the book is being used may be sent to the authors via links found at that page.

Introduction

Why is Russian word element (root, prefix, suffix) study so important?

Those who have not yet studied Russian often believe learning the Cyrillic alphabet looks difficult. In reality, the alphabet is not difficult at all! Or maybe Russian declensions and conjugations will prove to be the major impediment? Not easy, but definitely learnable. How about Russian grammar in general? Typically Russian grammar requires at least two years of formal study, but most of the important points of grammar can be learned within that time.

What most students of Russian lack at the end of a thorough course of study is an adequate vocabulary. When they read Russian printed material or watch a Russian TV news program, a greater problem than alphabet or grammar is the mountain of still unfamiliar words.

Fortunately, in one important way learning Russian vocabulary can be easier than you might expect. Russian, far more than English, is an *agglutinant* language ('glue' and 'agglutinant' share the same root). Simply stated, **Russians form thousands of words by 'gluing together' in various combinations a comparatively few productive roots, prefixes, and suffixes.**[1] When these word elements are mastered, the task of acquiring a large vocabulary becomes less daunting.

In English, agglutinant word elements primarily derive from Latin and Greek (Latin: *trans-form-at-ion*; Greek: *meta-morph-o-sis*). Common roots borrowed from Latin include **dict**: *predict, prediction, predictable, predictability, diction, contradiction, dictionary,* or **clude**: *include, exclude, conclude, preclude.* But in English this agglutinantive process is much less commonly utilized than in Russian.[2] Most of our frequently used English vocabulary words derive from Germanic (Old English and Scandinavian), a much less agglutinant language group.[3] In general, an English speaker tends to perceive vocabulary items as fixed and indivisible elements, not variable through combining prefixes and suffixes with roots.

On the other hand, Russian is highly agglutinate. Take for example the Russian root **вал**, *pile*. This one root is used to form approximately 170 Russian words with meanings both literal and abstract/figurative. A *few* examples follow:

вал	*earthen wall* (a pile of dirt)
вали́ть	*throw down* (pile down)
вали́ще	*heap* (a large pile)

---

[1] One way linguists classify languages by type is as isolating, agglutinating, and inflecting languages. Isolating languages, like Chinese and Vietnamese, feature words consisting of only one word element (a morpheme). Agglutinating languages, like Turkish, Hungarian, Finnish, and Japanese, often form words through combining two or, often, more word elements. Inflecting languages like Latin and Greek use variable word endings, vowel alternations, and consonant mutations to distinguish meaning. Russian, like many languages, combines important parts of all three types, but Russian makes much greater use of agglutinative and inflective potentials than does English.

[2] As an illustration, compare the English translation with the Russian original of Father Zosima's teaching on religious ecstacy from *The Brothers Karamazov* (part 2, book 6, chapter 3). Italicized words indicate those in which word element analysis could promote understanding for a student studying English or Russian. We note only one minor example in English, but thirteen instances in Russian:.

> When you are left alone, pray. Love to throw yourself on the earth and kiss it. Kiss the earth and love it with an *unceasing*, consuming love. Love all men, love everything. Seek that rapture and ecstasy. Water the earth with the tears of your joy and love those tears. Don't be ashamed of that ecstasy, prize it, for it is a gift of God and a great one; it is not given to many but only to the elect. (see Norton Critical Edition, p. 301)

> В *уединении* же *оствaясь*, молись. Люби *повергаться* на землю и лобызать её. Землю целуй и *неустанно*, *ненасытимо* люби, всех люби, всё люби, ищи *восторга* и *исступления* сего. *Омочи* землю слезами *радости* твоея и люби сии слёзы твои. Исступления же сего не *стыдись*, *дорожи* им, ибо есть дар *божий*, великий, да и не многим даётся, а *избранным*.

[3] Derek Offord, *Using Russian,* Cambridge: Cambridge University Press, 1996, p. 203.

валу́н	*boulder* (rock pile)
ввали́ть	*hurl into* (pile into)
взвали́ть	*load up onto* (pile up onto)
зава́л	*blockage* (a blocking pile)
обва́л	*landslide* [снежный обвал: *avalanche*] (a pile all around)
перевали́ться	*roll over* (pile over onto)
подва́л	*basement* (space from under which dirt was piled up)
провали́ться	*collapse*; *fail an exam* (fall through into a pile)
разва́лина	*ruin* (that which has fallen apart into a pile)
сва́лка	*garbage dump* (things piled together)

Notice that each of these Russian words contains the same root, **вал**, combined with various prefixes and suffixes. On the other hand, the English equivalents for these words as generally found in the *Oxford English-Russian Dictionary all* have different roots, although they can be paraphrased using the English word 'pile.'

In Russian the 228 most productive roots occur in approximately 20,000 words, an average of nearly 90 words per root.[4] Can you think of *any* root used in English capable of forming 90 words?

However, two cautions are important. Many times the non-native speaker of Russian will be unable to accurately determine the meaning of a Russian word without context. For example, *сва́лка* or *разва́лина* out of context would probably be unclear to most students.

Yet in context, a knowledge of these words' root and affixes (prefixes and suffixes) will promote understanding: *Они́ ве́рят, что коммуни́зм оказа́лся на* **сва́лке** *исто́рии.* (They believe communism has ended up on the garbage dump of history). Or, *Мы с интере́сом смотре́ли на разва́лины анти́чного хра́ма.* (We were looking with interest at the ruins of the ancient temple).

Further, with certain words, such as *произноше́ние* (pronunciation) in Russian (or the word *understand* in English), meaning has evolved greatly over time. Today it is best simply to learn such words' definitions without attempting to derive meaning through analyzing roots and prefixes.[5]

Having acknowledged certain difficulties in deciphering meaning through word element analysis, we nonetheless affirm that knowing productive Russian word elements is a powerful tool for students of Russian. Students' understanding of nuances will grow exponentially as they invest effort in learning Russian roots, prefixes, and suffixes.

What is the best way to learn Russian word elements and vocabulary?

No doubt the best way is through birth to a literate, patriotic Russian mother. Lacking that or other extensive in-country contact with the language, what is the second most effective approach?

We believe when appropriate material is well organized, defined, and illustrated in adequately full context, students can learn Russian word elements and develop a rich vocabulary faster than in any other way.

In this text we have decided against including entire stories illustrating roots in a "natural" context. This is an enjoyable but inefficient approach. In a given story, certain word elements will occur, but many others will not. The student must read hundreds of pages of text in order to encounter the most frequently used word element inventory.

In *Leveraging Your Russian* we show roots in the context of full sentences, a context in which the most information about word elements' meaning can be given in the least space. Further, we illustrate each root through several words in adjacent sentences, facilitating comparisons and enhancing memory.

What is this book's underlying methodological assumption?

In Boris Pasternak's *Doctor Zhivago*, Tonia Zhivago explains the difference between Lara and herself:

---

[4] А. И. Кузнецова и Т. Ф. Ефремова, *Словарь морфем русского языка,* Москва: Русский язык, 1986, с. 1122.

[5] Similarly, in certain instances in any language, contemporary meanings diverge markedly from those of an earlier time: the rape [kidnapping, abduction] of Persephone; God is no respecter of persons [God esteems all equally]; and Christ's passion [suffering].

"I was born to make life simple and to look for sensible solutions; she, to complicate it and create confusion."[6] In our book, we attempt to follow the *Tonia Tendency* to simplify and look for sensible solutions. **Our priority is for simple explanations and high frequency usage.**

Thus, we have decided against providing a more comprehensive treatment, such as found in Townsend, Gribble, and Cubberley,[7] particularly valuable for graduate students. **Our focus is on the most productive word elements, leaving the more sophisticated, exceptional, and esoteric for later study. This book's orientation is more immediately practical, less theoretical or scholarly. All is designed and ordered to be user-friendly to the student of Russian. Our work is not an exhaustive exercise in historical or comparative linguistics.**[8]

Our emphasis will be different. To illustrate, we will consider the basic and variant forms of the Russian root for "light," **льг (лег, лёг)**, and examples of the prefixes and suffixes utilized to "glue together" twenty-seven simple (non-compound, non-declined, non-conjugated) words used in contemporary Russian, including льгота (*perk*); облегчить (*to facilitate, lighten*); and лёгкость (*easiness, lightness*).

In this book we have included Russian examples and English translations for 550 roots which occur in approximately 20 or more words each. We feel that, in most cases, the energy required to memorize meanings of roots used less frequently could be equally well expended in merely learning the root's relatively few words in common usage.[9]

In summary, through utilizing the practical methodology of *Leveraging Your Russian*, we believe students will rapidly enlarge their Russian vocabulary, enabling them by degrees to read and understand, but also ultimately, to write and speak with greater fluency and precision.

Who will benefit from this book?

Students who have studied Russian for at least one semester can profitably begin systematic **word element** (**root**, **prefix**, **suffix**) study. This book is intended to assist students at all levels of Russian build their vocabulary base through an expanding knowledge of important Russian word elements. **On pages 22–25 we provide lists of roots recommended for students at five different levels, beginning with the second semester of first-year Russian and ending with the second semester of third-year Russian.**

At each level we follow a **gradual, systematic approach.** Roots on the first list are among the most common. They probably will have appeared in more than one word during the first year of Russian study. Lists two and three contain roots often included in materials from the second year. Roots from lists four and five are more likely to occur during third-year study. For students at any level, including beyond the third year, *Leveraging Your Russian* serves as a reference work facilitating essential review of the Russian language's most productive roots, prefixes, and suffixes.

Further, each root is illustrated through **several words** found in the context of **five or more sentences.** Students in their second semester of Russian study should focus on sentences marked by a '1' under each recommended root. These are the simplest sentences. Those in second year Russian courses could add sentences 2 and, later, 3[10]; while third-year students should also examine sentences 4 and, finally, 5. **Relatively advanced students just beginning formal word element study through *Leveraging Your Russian* could profitably peruse all sentences of all roots in order.**

We have attempted to make the sentences under each root progressively more challenging: in a sen-

---

[6] New York: Ballantine Books, 1991, p. 419.

[7] Charles E. Townsend, *Russian Word-Formation*, New York: McGraw-Hill, 1968; Charles E. Gribble, *Russian Root List,* 2d edition, Columbus: Slavica Publishers, 1981; Paul Cubberley, *Handbook of Russian Affixes*, Columbus: Slavic Publishers, 1994.

[8] These approaches might, for example, analyze the word *leverage* from our book's title, ultimately reconstructing it as the Indo-European root *legwh*, "light." The scholar may also discover that from this same Indo-European root the Russian *лёгкий* derives. The careful linguist working from the Indo-European *legwh* could establish and describe the historical sound changes and contemporary relationships between English 'light' and Russian 'лёгкий.'

[9] Thus, for example, we have not included the following roots which are in Gribble's most comprehensive list of nearly 1000 Russian roots: *ал,* scarlet (8 words); *алк (алч),* hunger; greed (7 words); *берег (береж, бреж),* river bank (17 words); and *блев (блёв)* vomit (6 words). Further, a few roots producing more than 20 words were omitted when the meaning was considered of narrow utility or largely archaic; for example, *пряд (пряж)* spin, twist fibers into thread (38 words). On the other hand, some roots producing fewer than 20 words are included below when the words seemed varied and common in contemporary Russian: *хваст,* boast (16 words)

[10] Generally sentences marked by a 3 illustrate a variety of prefixes and/or suffixes.

tence numbered 5, for instance, not only may the basic root appear in a mutated, truncated, or expanded form, but the meaning of the word may be less apparent. Evolutionary changes in the language have resulted in figurative, idiomatic connotations in many roots. **English translations of the Russian sentences are provided to help students immediately validate or revise their understanding.**

How should this book be used?

Leveraging your Russian may be used as part of a formal class or in independent study. In the classroom we have found the following to be among successful approaches:

While planning a course, the teacher locates on pages 22–25 the list of roots which would be most appropriate for a given semester/quarter. Having determined how many class periods may include word element study, the teacher divides that number into the number of roots to be mastered. Typically, students will then be assigned three to five roots per class period.

In preparing for class, students memorize the day's roots and their English equivalents. To help them remember the roots, students read the Russian sentences appropriate to their level which follow each root. Next, they analyze the italicized words containing the given root. Students should identify the root and establish the root's basic form, noting any mutations, truncations, and expansions. Finally, students identify any prefixes and/or suffixes, and attempt to determine what nuances these word elements contribute. Students should then compare their mental English translations with written translations found immediately below each root's Russian examples.

During class, the teacher may select for each root one or more sentences for brief discussion. For instance, in a certain sentence perhaps the root's form is particularly interesting or the prefix may deserve special comment. Students are to have read all assigned sentences before class and mark those discussed during class. As a small part of each test, teachers may choose four or so sentences from among all those marked since the last test, although other options exist. For example, a few of the discussed words could be placed in new contexts or new words containing assigned roots could appear in new sentences. In deference to students' and teachers' time pressures, we generally recommend the less complicated approach described above.

If test questions come directly from marked sentences (even so, more of a challenge for students than one might imagine), an occasional unmarked sentence might be included for extra points to reward the most diligent students. For each italicized word in a test sentence, students are to write the root in its basic form, the English meaning of the root, the prefix or suffix, the meaning of the prefix or suffix, and the meaning of the word in the sentence context.

As a rule, approximately five minutes during class should suffice for word element discussion. If done consistently over time, even this brief commitment will produce remarkable results, especially, but not only, in students' reading and listening comprehension skills.

What root and affix list has been used for this text?

A. I. Kuznetsova and T. F. Efremova's 1986 *Dictionary of Russian Morphemes* (see footnote 4 above) is an especially important book for those interested in the study of roots and affixes. This work contains the most exhaustive list ever published of Russian roots, prefixes, and suffixes, complete with variant forms and including an extensive list of words in which these elements occur. This dictionary makes it possible to grasp at a glance which word elements are particularly productive, in reference not to an individual word's frequency count, but to numbers of words derived from specific word elements. We have relied on this book extensively in *Leveraging Your Russian*.

However, in order to make Kuznetsova and Efremova's work more immediately beneficial to the English-speaking student of Russian, we have introduced the following modifications:

1. English equivalents for roots, prefixes, and suffixes are provided.

In this regard, an effort has been made to uncover underlying meanings of these word elements from which several related meanings may have evolved over time. We believe that by emphasizing the most inclusive core idea of each word element, students will better be able to remember and apply meanings. Thus, we assign the richly allusive prefix за- an inclusive core meaning of "beyond, behind," together with four variants of that meaning, rather than the dozen or more meanings given in some texts.

More specifically, for the root **пас**, George Patrick[11] provides the meanings *tend, herd*; C. Wolkonsky,[12] *pasture, herd, tending*; Charles Gribble, *tend, herd, pasture*; *store, supply*; and Charles Townsend, *tend, watch*; *save*. In this book, we give the general and more inclusive definition *providing security*. Or, for the root **греб** (**грёб, гроб, граб**), Patrick gives *dig, grab*; Wolkonsky, *interment, burial, excavation*; *thievery, spoliation*; Gribble, *dig, bury*; *row*; *comb*; and Townsend, *dig*; *row*. Our definition is *dig by scraping*. Finally, for the root **кат** (**кач**), Patrick provides *roll, ride*; Wolkonsky, *movement of wheels, traveling, rolling*; *riding*; Gribble, *roll, slope, rock, swing, sway*; and Townsend, *roll*. We offer *glide (rock, roll, swing)*.

2. One root is selected as the basic form. Other forms are placed in parentheses as variants.

In Kuznetsova, none of the forms is designated 'basic form.' Each form of the root is listed separately in alphabetical order with all other variants in parentheses. In our root dictionary at the end of this book, we also list each head root and variant separately and in alphabetical order to assist the student searching for the meaning of a particular root form.

Our preference is to list the simpler form as the head root with variants in progression from most similar to the head root to least similar. Thus, for the root meaning *lie, lay* we list as head root **лег** followed by the variants (**леж, лёж, лог, лож, лаг**). We typically list Russian forms before related Church Slavic forms: **волок** (**волоч, волак, влач, влек**) *drag*. **However, in keeping with the basic thrust of the book, if on the basis of frequency of usage we believe reversing the order will be more helpful to the student, we do so: *плен (полон) captivity*.**

As illustrated, in general we choose simpler consonantal head roots, expanding them through vowel insertions, as historically occurred when 'weak' (jer) vowels were replaced by full vowels: **гн** (**гон, ган**) *chase*, and **дл** (**дол**) *long*.

3. Unproductive root variants are omitted

In the interest of completeness, Kuznetsova lists *двиз* as a variant for the root **двиг** (**движ**) *movement*. **Двиз** occurs in only one word: подвизáться *to earn a living by*, while **двиг** forms 47 words and **движ**, 46 words. Rather than needlessly cluttering the student's memory, **двиз** is left out of our root list.

4. Historically related roots still close in meaning are combined.

To help the student see relationships and recall meanings, closely related roots are listed together in the main root list, although in Kuznetsova they are separate. In our root dictionary at the end of the book, they also are listed separately. For example, in the section listing roots and giving example sentences, **мзд** (**мезд**) and **мст** (**мест, мещ, мщ,**) *avenge* are combined.

5. We use the i-kratkoe without parentheses.

Unlike Kuznetsova, who places a (j) in parentheses at the end of roots which preserve the i-kratkoe in some words, we use the *i-kratkoe* itself without parentheses. This *i-kratkoe* often drops according to truncation rule 1 given below. For ease of recognition, we list the letter as й (without parentheses) rather than (j). Therefore, we spell *do/put* as **дей**, not **де(j)**.

---

[11] George Z. Patrick, *Roots of the Russian Language*, New York: Pitman, 1974.

[12] C. Wolkonsky and M. A. Poltoratzky, *Handbook of Russian Roots*, New York: Columbia Univ. Press, 1961.

Noun Prefixes and Suffixes

Common Noun Prefixes

Foreign prefixes (i.e., *вице-*, vice-, *вице*-президе́нт; *про-*, pro-, *профашйст*; *экс-*, ex-, *экс*-чемпио́н; and several others) are self evident and are not included below.

Russian prefixes are more numerous. We list those considered especially informative and common. Generally noun prefixes are prepositional in origin and retain their core prepositional meanings:

без-/бес-	without	бессла́вие	infamy
за-	beyond	Заво́лжье	area beyond Volga River
над-	over	на́дпись	superscript
пере-	across	перемеще́ние	shift, transfer
по-	covering part	Пово́лжье	area along Volga
под-	under	по́дпись	subscript; signature
при-	near	при́город	suburb
про-	through	про́пасть	precipice
раз-/рас-	intensity	раскраса́вица	very beautiful woman
с-/со-/су-	together	совреме́нник	contemporary
		су́мерки	dusk, twilight

Common Noun Suffixes

Foreign suffixes (i.e., *-ир*, банки́р, *banker*; *-ист*, пиани́ст, *pianist*; *-изм*, Маркси́зм, *Marxism*) are self-evident and are not included below. Russian suffixes are numerous, well over two hundred in number. Many of them today communicate relatively little information and often are perceived as fused to the root. For example, it would not be a good use of time to memorize the bold English or Russian suffixes: act**or**, artis**an**, engine**er**; or секрет**а́рь**, шахт**ёр**, and ди́кт**ор**. Only the most common and/or informative Russian noun suffixes are provided:

-ак/-як	associated with	рыба́к *fisherman*, рыба́чка *fisherwoman*,
-ачка/-ячка		моря́к *sailor*, моря́чка *female sailor*, чуда́к *eccentric*, земля́к *fellow countryman*
-анин/-янин/	from a place,	англича́нин *Englishman*, киевля́нка *woman*
-анка/-янка	position	*from Kiev*
-ец	one who does/is	боре́ц *fighter*, купе́ц *merchant*, глупе́ц *stupid man*, лжец *liar*, америка́нец *American*
	with a diminutive, affectionate nuance: 'small' and/or 'dear'	бра́тец *brother*, хле́бец *bread*
-ёнок/-онок	baby animal	телёнок *calf*, волчо́нок *wolf cub*

-ёнка/-онка	with a derogatory nuance: 'bad,' 'undesirable'	лошадёнка *horse*, шляпёнка *hat*, собачо́нка *dog*, девчо́нка *girl*
-ие-, -ение, -ание	a verbal noun	закры́тие *closing*, получе́ние *receiving*, писа́ние *writing*
-ик, -ник	one who does/is	хи́мик *chemist*, меха́ник *mechanic*, засту́пник *defender*
	with a diminutive, affectionate nuance: 'small' and/or 'dear'	бра́тик *brother*, до́мик *home*, но́жик *knife*
-ица, -ница	one who does/is	певи́ца *singer*, цари́ца *tsarina*, гре́шница *sinner*
-ишко/-ишка [-**ишко** with neut. and masc. inan. nouns/ -**ишка** with fem. and masc. anim. nouns]	with a derogatory nuance: 'bad,' 'undesirable'	городи́шко *city*, доми́шко *home*, мальчи́шка *boy*, вори́шка *thief*
-ище/-ища [-**ище** with neut. and masc. inan. nouns/ -**ища** with fem. and masc. anim. nouns]	with an augmentative nuance: 'large,' 'much'	городи́ще *city*, доми́ще *home*, грязи́ща *filth*
-ка	one who does/is	спортсме́нка *sportswoman*, недоу́чка *poorly educated person*
	with a diminutive, affectionate nuance: 'small' and/or 'dear'	ре́чка *river*, ру́чка *pen*, скри́пка *violin*, оши́бка *error*, улы́бка *smile*
-ок	with a diminutive, affectionate nuance: 'small' and/or 'dear'	городо́к *city*, сыно́к *son*
-ость	an abstract noun	бли́зость *nearness*, га́дость *vileness*, ста́рость *old age*
-ство	an abstract noun	му́жество *courage*, сопе́рничество *competition*
-тель	one who does/is	покупа́тель *buyer*, строи́тель *builder*, преподава́тель *teacher*
-ун	one who does much of	бегу́н *runner*, хвасту́н *boaster*, болту́н *chatter-box*, грызу́н *rodent*

-уха	one who does/is	стару́ха *old woman*, толсту́ха *fat woman*

-ушко/-ушка
[**-ушко** with neut.
  and masc. inan. nouns/
-ушка with fem.
  and masc. anim nouns]
	with a diminutive,
	affectionate nuance:
	'small' and/or 'dear'
		хле́бушко *bread*, стару́шка *old woman*,
		избу́шка *hut*, лову́шка *trap*

-чик	with a diminutive, affectionate nuance: 'small' and/or 'dear'	стака́нчик *glass*, чемода́нчик *suitcase*
-чик/-щик	one who does/is	газе́тчик *newspaper man*, аппара́тчик *functionary*, бараба́нщик *drummer*, гардеро́бщик *cloak room attendant*

Adjectival Prefixes and Suffixes

Common Adjectial Prefixes

Most adjectival prefixes are prepositions. They are similar to noun and verbal prefixes. Only three common intensivizing adjectival prefixes are given here:

наи-	highest degree	наивы́сший	the very highest
пре-	high degree	прему́дрый	most wise
раз-/рас-	high degree	развесёлый	extremely cheerful

Common Adjectival Suffixes

The following adjectival suffixes indicate the given quality is present to a considerable degree:

-аст	possessing quality	зуба́стый	large-toothed
-ист-	possessing quality	лучи́стый	radiant
-ищ-	possessing quality	чудо́вищный	monstrous
-лив-	possessing quality	бережли́вый	thrifty
		забо́тливый	thoughtful, solicitous
		стыдли́вый	bashful, modest
-оват-	somewhat	глупова́тый	kind of stupid
	possessing quality	слабова́тый	somewhat weak
-чат-	possessing quality	ступе́нчатый	notched
		стре́льчатый	pointed
		рассы́пчатый	crumbly
-чив-	possessing quality	разгово́рчивый	loquacious, talkative
		заду́мчивый	pensive

Verbal Prefixes and Suffixes

Common Verbal Prefixes

Carefully considering the various meanings of each prefix, **we have attempted to uncover the underlying idea or core significance from which variants have evolved.** Students should learn these prefixes well in order to grasp intended subtleties and nuances. In all cases below we list the basic meaning first, then, indented, meanings that appear to have evolved from it.

В-/ВО- *into* [Antonym: **вы-**]

вложи́ть в я́щик *place into a box*; въе́хать в Москву́ *drive into Moscow*

в-/во- + **-ся** *deeply into*

вду́маться в пробле́му *think carefully about a problem*; вчита́ться в кни́гу *get deeply into a book*; всмотре́ться в карти́ну *study a painting carefully*

в-/во- *up into, onto* [Antonym: **с-**]

[from second half of 19th century replaces вз- in some verbs]

влезть на де́рево *climb up into a tree*; вскочи́ть на мост *hop up onto the bridge*; вбежа́ть на го́ру *run up a mountain*; втащи́ть на пя́тый эта́ж *lug up onto the fifth floor*

ВЗ-/ВЗО-/ВС- *up* [Antonym: **с-**]

взлете́ть в не́бо *(fly up into the sky)*; взойти́/всходи́ть на тре́тий эта́ж *(go up to the third floor)*

вз-/взо-/вс- *up suddenly, intensely* [synonym: **за-** implying an emphasis on beginning]

вскрича́ть *let out a shout*; взреве́ть *let out a roar*; взорва́ть *explode*

ВОЗ-/ВОЗО-/ВОС- *up* [Antonyms: **низ-** and **с-**]

[Church Slavic synonym for Russian *вз-* with nuance of high literary style, abstractness]

восходи́ть *arise*; возлюби́ть *love, belove*

воз-/возо-/вос- *up again, re-*

восстанови́ть поря́док *reestablish order*; возобнови́ть тради́цию *renew a tradition*; возврати́ть *return*

ВЫ- *out* [Antonym: **в-**]

вы́лететь из страны́ *fly out of the country*; вы́прыгнуть из окна́ *jump out of the window*

вы-//вы- + **-ся** *out fully, successfully*

вы́играть *win*; вы́страдать *suffer to an end*; вы́лечить *heal*; вы́учить *memorize*; вы́спаться *have a good sleep*; вы́плакаться *have a good cry*

ДО- *to an end*

дое́хать до го́рода *travel as far as the city*; дожи́ть до весны́ *remain alive until spring time*; дописа́ть письмо́ *finish up the letter*; доши́ть пла́тье *finish sewing the dress*

до- *to an additional end*

доплати́ть 100 рубле́й *pay another 100 rubles*; дописа́ть эпило́г *add on an epilog*; довари́ть суп

10

cook the soup a little longer; доли́ть ча́ю *pour a little more tea*; докупи́ть еще оди́н торт *buy still another cake*

до- + **-ся** *to an end with effort*

дозвони́ться *finally get through on the telephone*; дожда́ться *wait long enough for someone/something to come*; добуди́ться *succeed in waking someone up*

ЗА- *beyond, behind*

забежа́ть за де́рево *run beyond/behind the tree*; заползти́ за шкаф *crawl behind the chest*; заложи́ть ру́ки за спи́ну *put hands behind one's back*

за- *beyond previous state: make full, firm, secure*   [with some verbs, Antonyms: **от-** and **раз-/рас-**]

закры́ть дверь *shut the door*; зачеркну́ть стро́чку *cross out a line*; зары́ть в зе́млю *bury in the ground*; застро́ить весь райо́н *cover the whole district with buildings*; зарабо́тать су́мму де́нег *earn a sum of money*; заслужи́ть уваже́ния *deserve respect*; захвати́ть *grab*; закрепи́ть *strengthen*; записа́ть *note down*; запо́лнить *fill out*; заключи́ть *conclude*; заби́ть свинью́ *slaughter a pig*; закупи́ть *stock up*; загото́вить *store, stockpile*; засы́пать сне́гом *cover with snow*

за-//за- + **-ся** *(too) much beyond previous state*

захвали́ть ее за статью́ *excessively praise her for her article*; заласка́ть дете́й *indulge children*; закорми́ть госте́й *stuff guests with food*; заму́чить слу́шателей *torture one's listeners with a long or bad presentation*; завра́ться *get carried away with lying*; засиде́ться *stay too long*; затеря́ться *become good and lost*

за-//за- + **-ся** *beyond a direction: make a side trip*

забежа́ть в бу́лочную *stop by the bakery*; завезти́ его́ домо́й *give him a ride to his house*; занести́ ей запи́ску *stop by with a note for her*; замести́ть *substitute for*; заступи́ться *intercede, step in for*

за- *beyond stasis: begin action*

[close in meaning to determinate verbs of motion with prefix *по-*: пойти́ *start, set off walking*; побежа́ть *start, set off running*; поплы́ть *start, set off swimming*]

заговори́ть *begin speaking*; закрича́ть *begin shouting*; запе́ть *begin singing*; зашуме́ть *begin making noise*; заходи́ть по ко́мнате *begin walking around the room*

ИЗ-/ИЗО-/ИС- *out*

[Church Slavic synonym for Russian *вы-*; with nuance of high literary style, abstractness]
избра́ть *select* (cf. вы́брать *elect*); изгна́ть *banish* (cf. вы́гнать *drive out*); исходи́ть *emanate, arise from* (cf. выходи́ть *go out of*)

из-/изо-/ис-//из-/изо-/ис- + **-ся** *out to high degree*

изра́нить *cover with wounds*; изъе́здить весь мир *travel all over the whole world*; избе́гать весь го́род *run all around the whole city*; изруга́ть *curse violently*; исписа́ть все черни́ла *use up all the ink writing*; изолга́ться *become an inveterate liar*; исхулига́ниться *become an out and out hooligan*

НА- *onto*   [Antonym: **с-**]

набро́сить шаль на пле́чи *throw a shawl on one's shoulders*; накле́ить ма́рку на конве́рт *glue a stamp onto an envelope*; натяну́ть чулки́ на но́ги *pull stockings onto one's feet/legs*; нае́хать на ка́мень *run over a rock*; навести́ на мысль *lead one to a thought*

на-//на- + **-ся** *onto a quanity (may imply 'too much')*

накупи́ть книг *buy several books*; напе́чь пирого́в *make lots of pirogs*; нарва́ть цвето́в *pick many flowers*; натопи́ть печь *heat the stove up high*; наболта́ть что-н. во вред челове́ку *blab things harmful to the person*

на- + -ся *onto an ample quantity*

наéсться *eat one's fill;* начитáться *read to heart's content;* наигрáться *play all one wants to;* насмотрéться *look as much as one wishes.*

НАД-/НАДО- *action over, additionally*   [Antonym: **под-**]

надстрóить дом *build on, raise height of a building;* надшúть *lengthen, stitch on to;* надрисовáть еще этáж *draw another floor on;* надбáвить дéнег к зарплáте *add money to one's wages*

над-/надо- *action over a part*

надкусúть *take a bite;* надорвáть *tear slightly;* надзирáть за порядком *supervise procedures*

НЕДО- *not achieve an end*   [Antonym: **пере-**]

недовыполнить *fulfill incompletely;* недооценúть *underrate;* недослышать *hear only part;* недоучúться *fail to complete one's study*

НИЗ-/НИЗО-/НИС- *down*

[Church Slavonic prefix with nuance of high literary style, abstractness]
[Antonym: **воз-**; Russian synonym with some verbs: **с-** свéргнуть *cast down* (cf. низвéргнуть *overthrow*)]
нисходúть *descend* [cf. widely used снисходúть, снисходúтельный, снисходúтельность *condescend, condescending, condescension*]

О-/ОБ-/ОБО- *around*

облетéть вокрýг гóрода *fly around the city;* объéхать пóле *drive around the field;* обойтú лес сторонóй *go around the side of the forest;* очúстить апельсúн *peel an orange*

о-/об-/обо- *around: encompassing*

обогатúть *enrich;* осиротéть *become an orphan;* осложнúть *complicate;* оробéть *be timid;* оклéить стéны обóями *paste wallpaper onto all the walls;* обсадúть клýмбу цветáми *set out flowers around the planter*

о-/об-/обо- *around and down*

опустúть монéту в кáссу *drop money into the cash box;* опадáть *fall* (лúстья опадáют *leaves are falling*); оседáть *settle down* (кусóчки грязи оседáют на дно *particles of dirt are settling down to the bottom*)

о-/об-/обо-//о-/об-/обо- + -ся *around to negating act*

обмéрить *cheat in measuring;* обсчитáться *make a mistake in counting;* оговорúться *make a mistake in speaking;* обыгрáть когó-н. *turn to advantage, defeat;* осудúть *condemn* (cf. *обсудúть discuss*); опустúться *let oneself go*

ОБЕЗ-/ОБЕС- *around: encompassing + without: eliminate*

обезбóлить *anaesthetize;* обезврéдить *render harmless;* обезорýжить *disarm;* обезýметь *lose one's senses*

ОТ-/ОТО//ОТ- + -СЯ *away*   [Antonyms: **под-, при-**]

отбежáть *run away;* отодвúнуть *move away;* оттащúть *lug away;* отвязáть лóшадь *untie the horse;* оторвáть *tear off*

от-/ото-//от-/ото- + -ся away to full measure, acquitting self of

отплатúть *pay back;* отрабóтать *work off a debt;* отшутúться *joke back;* отчитáться пéред нáми *give an account to us;* отсидéть *sit out an obligation;* отслужúть *serve out;* отыскáть *track down;* отпрáздновать встрéчу *celebrate the meeting as called for;* отозвáться *respond*

ПЕРЕ-// ПЕРЕ- + -СЯ *across*

переплы́ть ре́ку *swim across a river*; переступи́ть че́рез грани́цу *cross over the border*; пересе́сть в друго́й ваго́н *transfer to another train car*; перезимова́ть *spend the winter*; перегова́риваться *be exchanging remarks with*; перепи́сываться *be corresponding with*

пере- *across norm*   [Antonym: недо-]

перевари́ть *over cook*; переоцени́ть *over estimate*; переплати́ть *over pay*; пересуши́ть *over dry*; переспо́рить *out argue*; перехитри́ть *outwit*; переигра́ть *out play*; перемани́ть на свою́ сто́рону *win over to one's side*

пере- *across time, again, re-*

пересказа́ть *retell*; перекра́сить *repaint*; перестро́ить *rebuild*; перерабо́тать *rework*; перехорони́ть в друго́м ме́сте *rebury in another place*

пере- *across an area*

перекуси́ть *bite through*; *have a snack*; перере́зать *cut off*; переруби́ть *chop through*; перекоси́ть по́ле *mow the whole field*

пере- *across in sequence, one after another*

перецелова́ть *kiss all in a group*; перемы́ть *wash all in a group*; переслу́шать *listen to all in a group*; перепро́бовать все угоще́ния *try all the treats one after another*; переби́ть всю посу́ду *break all the dishes one after another*

ПО- *covering part*

побесе́довать *converse a while*; порабо́тать *work a bit*; поспа́ть *sleep some*; походи́ть *walk a while*; поотста́ть *fall behind a little*; попривы́кнуть *grow somewhat used to*; попо́ртить *spoil somewhat*; пома́лкивать *keep silent a while*

по- *covering part: beginning*

побежа́ть *set off running*; пое́хать *set off traveling* ; поду́ть *begin blowing*; почу́вствовать *start feeling*

по- + -ива-/-ыва- *covering part: from time to time, over time*

пома́хивать *wave from time to time*; почи́тывать *read from time to time*; погля́дывать *look from time to time*; позва́нивать *call from time to time*; посви́стывать *whistle from time to time*

ПОД-/ ПОДО- *under*

подплы́ть под мост *sail under the bridge*; подле́зть под бревно́ *crawl under a log*; подложи́ть поду́шку под го́лову *place a pillow under one's head*; подписа́ть бума́гу *sign a paper*; подчеркну́ть сло́во в те́ксте *underline a word in the text*; подши́ть ва́ту под пальто́ *sew cotton batting to the inside of a coat*; подпева́ть *sing along*; подсви́стывать *whistle as accompaniment*

под- *from under: up*

поддержа́ть *support*; подскочи́ть от ра́дости *leap up from joy*; подпры́гнуть от удивле́ния *jump up from surprise*; подкле́ить *glue (from under)*

под- *from under to a new position: up to*

подойти́ ко мне *come up to me*; подвести́ к отцу́ *bring one up to father*; пододви́нуть к стене́ *move up/push up to the wall*; подтащи́ть *lug up to*; подвести́ *lead up to*; подвезти́ *give a ride up to*

под- *from under: somewhat additionally*

подвари́ть *cook more*; подогре́ть *heat up again*; подкипяти́ть *boil more*; подболта́ть сыро́е яйцо́ в бульо́н *stir a raw egg into the broth*; подли́ть воды́ в графи́н *pour more water into the decanter*; подмеси́ть ещё те́сто *mix in more dough*; подрабо́тать *earn extra money*; подсоли́ть еду́ *add more salt to the food*

под- *from under: partially*

подта́ять *thaw a little*; подкра́сить *touch up, tint*; подсуши́ть *dry a little*; подогре́ть *to warm up*; подстри́чь *trim*

под- *underhanded, in secret*

подслу́шать *eavesdrop*; подде́лать *counterfeit, forge, fake*; подсказа́ть *prompt*; подвести́ *disappoint*; подкарау́лить *lie in wait for*

ПРЕ- *across to a high degree*

[Church Slavic synonym for Russian *пере-* with nuance of high literary style, abstractness]
преувели́чить *exaggerate*; претерпе́ть *endure*; преобразова́ть *reform*; прерва́ть *sever, interrupt*; прекрати́ть *cease*; преврати́ться в мудреца́ *be transformed into a wise man*

ПРЕД- *before*

[Church Slavic form with nuance of high literary style, abstractness]
предви́деть *foresee*; предсказа́ть *foretell*; предложи́ть *propose*; предостере́чь *forewarn*

ПРИ- *bring near*   [Antonym: **у-**]

прие́хать *arrive traveling*; прилете́ть *arrive flying*; пригна́ть коро́ву домо́й *drive a cow home*; приползти́ *crawl to a destination*

при-//при- + - ся *bring near, attach (to surface)*   [Antonym: **от-**]

приклеи́ть *glue to*; пристро́ить *build onto*; приши́ть *sew onto*; привяза́ть *tie up to*; прислу́шаться *listen intently*; присво́ить *master something*

при- //при- + - ся *bring near, attach partially*

привста́ть *stand up partially*; присе́сть *sit down on the edge of a seat*; приоткры́ть *open partially*; прикры́ть глаза́ *partially close one's eyes*; присмире́ть *grow quiet*; приободри́ться *feel more cheerful*; призаду́маться *become deeper in thought*

при- *bring near, attach a little more*

приписа́ть *add something written*; прикупи́ть *buy some more*; приплати́ть *pay additionally*; пририсова́ть *draw some more onto*; присви́стывать *whistle while saying "s" sound*; припева́ть *hum along*; пригова́ривать *keep repeating as accompaniment to given action*

ПРО-//ПРО- + -СЯ *through*

пройти́ че́рез зал *go through the hall*; проруби́ть окно́ в стене́ *cut a window in the wall*; проби́ть *make a hole in*; проколо́ть *pierce*; проре́зать *cut through*; проду́мать *think through*; промо́кнуть до после́дней ни́тки *get soaked through to the last thread*; проговори́ть це́лый час *speak for a whole hour*; просиде́ть де́сять мину́т *sit for ten minutes*; проспа́ть всю ночь *sleep the whole night*; проспа́ться *to sleep off too much drink*; пролете́ть две ты́сячи миль *fly 2000 miles*

про- *through space: by*

пробежа́ть ми́мо зда́ния *run past the building*; проскочи́ть ми́мо люде́й *dash by the people*

про-//про- + - ся *let through, slip*

просмотре́ть *overlook, miss*; проигра́ть *lose*; просчита́ться *make an error in counting*; проспо́рить *lose a wager*; проворова́ться *be caught stealing*; проговори́ться *blab something out*

РАЗ-/РАЗО-/РАС-//РАЗ-/РАЗО-/РАС- + -СЯ *intense action*

рассы́шать *listen intently*; рассмотре́ть *look carefully*; расспроси́ть *interrogate*; расхвали́ть *lavish praise on* ; разруга́ть *scold heartily*; раскрича́ться *bellow*; распла́каться *burst into tears*

раз-/разо-/рас-//раз-/разо-/рас- + -ся *intense action: apart, un-*   [Antonyms: **с-, за-**]

разби́ть стекло́ *break the glass*; разлома́ть стул *break a chair*; разре́зать *cut, slit*; расста́вить *place apart*; разъе́хаться *disperse*; разверну́ть поку́пку *unwrap the purchase*; раскры́ть посы́лку *open up the parcel*; распакова́ть чемода́н *unpack the suitcase*; расстегну́ть пиджа́к *unbutton the jacket*; разубеди́ться *be dissuaded*

С-/СО-//С-/СО- + -СЯ *alter position: together*   [Antonym: **раз-**]

скрепи́ть листы́ бума́ги *fasten the sheets of paper together*; сшить куски́ мате́рии *sew the pieces of material together*; связа́ть верёвку с верёвкой *tie the ropes together*; скле́ить сло́манные ча́сти *glue the broken pieces together*; сочу́вствовать *sympathize*; съезжа́ться *come together*; созвони́ться *reach each other by telephone*; смани́ть высо́кой зарпла́той *entice with a high wage*; смочи́ть салфе́тку водо́й *drench the napkin with water*; сбе́гать в магази́н *make a quick trip to the store*

с-/со-//с-/со- + -ся *alter position: downward*

сбежа́ть с горы́ *run down a hill*; скати́ться с горы́ на велосипе́де *ride a bike down a hill*; списа́ть фо́рмулу с доски́ *copy a formula down from the board*; сре́зать во́лосы *cut one's hair off*; стере́ть пыль со стола́ *wipe the dust from the table*; сколо́ть лёд с тротуа́ра *chop the ice from the sidewalk*; смыть грязь с рук *wash the dirt from one's hands*; срыть земляно́й вал *raze an earthen mound*

У- *away*

уе́хать *leave*; уползти́ *crawl away*; удали́ть больно́й зуб *remove a sore tooth*; удержа́ть часть де́нег *keep back part of the money*; уте́чь *flow away*

у-//у- + -ся *away to full attainment*

уговори́ть *persuade*; устро́ить *arrange*; устро́иться *make necessary arrangements*; усе́сться *get comfortable sitting*; улу́чшить *improve*; уско́рить *accelerate*; упроща́ть *simplify*; убеди́ть *convince*

Common Verb-Forming Suffixes

(Only those productive suffixes which today communicate significant meaning are listed.)

-ЕЙ-	*becoming*	толсте́ть (толсте́ю)	to gain weight
			[see truncation rule 1 below for loss of *й*]
		осироте́ть	to become an orphan
		беле́ть	to appear white
-И-	*make verb action a fact (factitive)*	осла́бить	to weaken
		уско́рить	to accelerate
		заме́длить	to decelerate
-ИВА-/ -ЫВА-	*derived imperfectives*	перегова́риваться	to exchange remarks with
		проѝгрывать	to lose
-НУ-	*single, quick action*	вскри́кнуть	to let out a scream
		чихну́ть	to sneeze
-НУ-	*become, change state (-ну- drops in past)*	окре́пнуть	to get stronger
		замёрзнуть	to freeze (to death)
		исче́знуть	to disappear
		поги́бнуть	to perish

-ОВА-/	*(forms verbs*	нормализова́ть	to normalize
-УЙ-	*mainly from*	фотографи́ровать	to photograph
(present	*foreign words)*	анализи́ровать	to analyze
tense)			

Alternations and Truncations Affecting Roots

Common Consonant Alternations in Word Formation

With few exceptions, basic roots end in a simple consonant or cosonant cluster (i.e., к, г, х, т, д, з, с, ск, ст). However, these final root consonants often mutate to ч, ц, ж, ш, щ, жд when a suffix is added. It is important to know the mutation possibilities in order to mentally transform the mutated consonant back to a simple one(s). Generally students are more likely to know the meaning of a root ending in the simple consonant.

Memorize this chart indicating the common mutations. Arrows show the direction of the mutation from simple consonants to mutated ones. Column 2 represents Russian mutations; column 4, Church Slavic mutations. In the latter case, be aware of the likelihood that the word containing a Church Slavic mutation will have a more abstract, less concrete meaning.

1		2		3		4		5
К	→	Ч, Ц	←	Т	→	Щ[13]	←	СК, СТ
Г	→	Ж	←	Д, З	→	ЖД		
Х	→	Ш	←	С				

Examples of these mutations:

суд-	*judge*	осужда́ть	*condemn*	обсужде́ние	*consideration*
лек-	*heal*	лека́рство	*medicine*	лече́бный	*medicinal*
лик-	*individual*	о́блик	*appearance*	ли́чный	*personal*
				лицо́	*face*

Notice these simple consonants add an -л- in mutated forms:[14]

М, П, Б, Ф, В	→	МЛ, ПЛ, БЛ, ФЛ, ВЛ
корм-	*nourish*	**корми́ть, кормлю́**
куп-	*buy*	**купи́ть, куплю́**
люб-	*love*	**люби́ть, люблю́**
граф-	*line paper*	**графи́ть, графлю́**
лов-	*catch*	**лови́ть, ловлю́**

Common Vowel Alternations

When attempting to recognize a root, one must remember that Russian often utilizes **vowel alternations** to indicate a shift in grammatical function or meaning. This can be seen to a lesser degree within roots in English as well:

---

[13] Church Slavic actually had ш [sht] here, but this is always represented by щ [shch] in Russian.

[14] In order to more easily remember these consonants, we might call them 'Milton-Bradley' consonants. One of the five is *M*, one is *Б*, which is *B* in English. *П* and *Ф* are just *Б* and *В* without voice. Also note that these five consonants are labials (articulated with the lips).

sing, sang, sung, song and heat, hot

In Russian, vowels may alternate with Ø (zero: no vowel) as well as with other vowels, and this may occur in roots (as in English), but also in prefixes:

жг- *burn* (this Russian root has a Ø, that is, no vowel in the basic form of the root, but *e, u,* or *o* in variant forms):

обо**жг**у́	*I will burn* (again, note a Ø in this first person singular perfective verb; also, Russian does not allow prefixes ending in a consonant to be placed next to a root beginning in two consonants; instead an **o** is inserted after the prefix)
об**же́ч**ь	*to burn* (perfective infinitive; vowel **e** alternates with a Ø and is inserted between the two consonants **жг**; **г** becomes **ч** according to truncation rule 6 below)
об**жиг**а́ть	*to burn* (imperfective infinitive)
о**жо́г**	*burn* (noun; vowel **o** alternates with Ø)

Learning all possible vowel alternations and their environments would be laborious. But students of Russian need to be aware that vowel alternation is common in Russian. If the student deletes a root vowel or substitutes another vowel, often the root is recognizable.

As representative examples, note these especially common vowel alternations, although, we emphasize, for most of us the effort to memorize them is not worthwhile:

Е	↔	А	**лезть/ла́зить**
Е	↔	Ё	**вести́/вёл; жена́/жёны; лечь/лёг**
Е	↔	О	**нести́/носи́ть; дели́ть/до́ля**
Ё	↔	О	**вёл/води́л**
Ё	↔	Ø	**тёмный/затме́ние**
И	↔	Ø	**бить/бью**
О	↔	А	**горе́ть/зага́р; договори́ться/догова́риваться**
О	↔	Ø	**собо́р/брать**
У	↔	Ы	**душа́/дыша́ть**
Ы	↔	О	**выть/вой**
Ø	↔	И	**набра́ть/набира́ть**
Ø	↔	Ы	**назва́ть/называ́ть**

Common Parrallel Russian and Church Slavic Forms

Generally in this book, roots are listed in their Russian forms. If students encounter a word containing a Church Slavic form and remember the Russian equivalent, they may be more likely to recognize the root.

Russian	*Church Slavic*	
-оро-	-ра-	го́**ро**д/Волгог**ра́**д *city/Volgograd*
-ере-	-ре-	де́**ре**во/д**ре́**во позна́ния добра́ и зла *tree/the tree of the knowledge of good and evil*
-оло-	-ла-	мо**ло**до́й/м**ла́**дший *young/junior*
-оло-	-ле-	мо**ло**ко́/м**ле́**чный путь *milk/Milky Way*
ро-	ра-	**ро́**вный/**ра́**вный *flat/equal*
-ё-	-е-	н**ё**бо/н**е́**бо *palate (anatomical)/sky* перек**рё**сток/к**ре**ст *(intersection/cross)*

Roots containing these forms also participate in vowel alternation. A few representative examples follow:

Roots	Examples
морок, мрак, мерк *dark*	óбморок (*a faint*); мрак (*darkness*); мéркнуть (*to grow dark*)
ворот, врат, верет, верт	ворóта *gate*; обратить *turn* (root is *врат*; *в* drops in accordance with truncation rule 7 below); веретенó *spindle*; вернýть *return* (root is *верт*; *т* drops in accordance with truncation rule 3 below)
мороз, мерз, мёрз *cold*	морóз *frost*; замерзáть *be freezing*; мёрзнуть *freeze*

Common Instances of truncation (Loss of Root Consonants) / Mutation

We have included this section adapted from Gribble's *Root List* to help students understand how final (and in the last case, initial) root consonants change in specific linguistic environments. In general, Kuznetsova's roots already reflect these changes.

Consonants affected in rules 1-5 are incorporated in Russian mnemonic words:

1. **внимáй!** [*heed!*] rule: root *final* **в, н, м, й** often will be lost before any consonant other than **й**:

    жив + ть > жить (*to live*)

    знай + ть > знать (*know*)

       but: семь + я (*after a* ь *or* ъ, я *contains both sounds* йа[15]) > семья́ (*family*)— the м is not lost before й

2. **под губóй** rule: *final* **п, д, г, б** may be lost before the verbal suffix **-ну**:

    двиг + нуть > двúнуть (*move*)

    за + сп > нуть > заснýть (*fall asleep*)

    взгляд + нуть > взглянýть (*glance at*)

    тяг + нуть > тянýть (*pull, stretch*)

3. **кто** rule: When **к** or **т** is the *second* consonant in a cluster, the **к** or **т** is lost before **-ну**:

    блеск + нуть > блеснýть (*sparkle*)

    верт + нуть > вернýть (*return*)

4. *Root final* **д, т** (remember the word **дéти**) will be lost before **л**:

    вед + л > вёл (*he was leading*)

    мет + л > мёл (*he was sweeping*)

5. *Root final* **д, т** (again, remember the word **дéти**) before **т** will become **с**:

    вед + ти > вести́ (*lead*)

    влад + ть > власть

    из + вед + т + ие > извéстие *(news)*

    мет + ти > мести́ (*sweep*)

6. *Root final* **г, к** before **ть** will become **чь**: мог + ть > мочь (*be able*); пек + ть > печь (*bake*)

---

[15] Remember that Russian has two sets of vowels: **а, э, ы, о, у** and **я, е, и, ё, ю**. The second set is used in three environments. Let capital *C* represent any consonant and capital *V* represent any vowel. Then the three rules can be written:

After a *C*: я, е, и, ё, ю theoretically could be written ь and one of the vowels а, э, ы, о, or у [семя (seed) could be written семьа].

After a *V*: я, е, и, ё, ю theoretically could be written й and one of the vowels а, э, ы, о, or у [стая (flock, pack, school) could be written стайа].

After a Сь or Съ: я, е, и, ё, ю theoretically could be written й and one of the vowels а, э, ы, о, or у [семья could be written семьйа].

7. *Root initial* **в** may be lost when a prefix ends in **б**:

об + вяз + а + ть >	обяза́ть *(obligate)* (but обвяза́ть *tie around* also exists)
об + влад + ать >	облада́ть *(possess)*
об + вык + ный >	обы́чный *(common)*
об + врат + ить >	обрати́ть *(turn)*

Review Sheet of Introduction

В-/ВО- *into* [*deeply into*; *up into, onto*]

ВЗ-/ВЗО-/ВС- *up* [*up suddenly, intensely*]

ВОЗ-/ВОЗО-/ВОС- *up* [Church Slavic synonym for Russian **вз-** with nuance of high literary style, abstractness] [*up again*, **re-**]

ВЫ- *out* [*out fully, successfully*]

ДО- *to an end* [*to an additional end*; *to an end with effort*]

ЗА- *beyond, behind* [*beyond previous state: make full, firm, secure*; *(too) much beyond previous state*; *beyond a direction: make a side trip*; *beyond stasis: begin action*]

ИЗ-/ИЗО-/ИС- *out* [Church Slavic synonym for Russian **вы-**; with nuance of high literary style, abstractness] [*out to high degree*]

НА- *onto* [*onto a quanity (may imply 'too much')*; *onto an ample quantity*]

НАД-/НАДО- *action over, additionally*; *action over a part*

НЕДО- *not achieve an end*

НИЗ-/НИЗО-/НИС- *down* [Church Slavonic prefix with nuance of high literary style, astractness]

О-/ОБ-/ОБО- *around* [*around: encompassing*; *around and down/*; *around to negating act*]

ОБЕЗ-/ОБЕС- *around: encompassing + without: eliminate*

ОТ-/ОТО//ОТ- + -СЯ *away* [*away to full measure, acquitting self of*]

ПЕРЕ-// ПЕРЕ- + -СЯ *across* [*across norm*; *across time, again*, **re-**; *across an area*; *across in sequence, one after another*]

ПО- *covering part* [*covering part: beginning*; **по- + -ива-/-ыва-** *covering part: from time to time, over time*]

ПОД-/ ПОДО- under [*from under: up*; *from under to a new position: up to*; *from under: somewhat additionally*; *from under: partially*; *from under: in secret*]

ПРЕ- *across to a high degree* [Church Slavic synonym for Russian **пере-** with nuance of high literary style, abstractness]

ПРЕД- *before* [Church Slavic form with nuance of high literary style, abstractness]

ПРИ- *bring near* [*bring near, attach (to surface)*; *bring near, attach partially*; *bring near, attach a little more*]

ПРО-//ПРО- + -СЯ *through* [*through time or space: by*; *let through, slip*]

РАЗ-/РАЗО-/РАС-//РАЗ-/РАЗО-/РАС- + -СЯ *intense action* [*intense action: apart*, **un-**]

С-/СО-//С-/СО- + -СЯ *alter position: together* [*alter position: downward*]

У- *away* [у *to full attainment*]

1		2		3		4		5
К	→	Ч, Ц	←	Т	→	Щ	←	СК, СТ
Г	→	Ж	←	Д, З	→	ЖД		
Х	→	Ш	←	С				

1. **внимáй!** [*heed!*] rule: root *final* **в, н, м, й** often will be lost before any consonant other than **й**

2. **под губóй** rule: *final* **п, д, г, б** may be lost before the verbal suffix **-ну**

3. **кто** rule: When **к** or **т** is the *second* consonant in a cluster, the **к** or **т** is lost before **-ну**

4. *Root final* **д, т** (remember the word **дéти**) will be lost before **л**

5. *Root final* **д, т** (again, remember the word **дéти**) before **т** will become **с**

6. *Root final* **г, к** before **ть** will become **чь**

7. *Root initial* **в** may be lost when a prefix ends in **б**

21

Roots Divided into Five Levels

First Year (second semester)

бег
бр
вер
говор
дай
дум
жи
знай
куп (buy)
пис
раб
слов
слух
ход

Second Year (first semester)

бел
бий
брос
быв
вар
вед (know)
вед (lead)
вез
вид
ворот
вяз
гн
гор (hill)
город
двиг
дей
держ
дух
ед
езд
жг
зр
им (have, take)
каз
кат
клад
кон
корм
крад
крас
креп
круг
крый
лег (lay; lie)
лет
лий
лом
мен (change)
мер
мест
мн
мый
нес
пад

пий
плав
прав
пуст (empty)
раз
рас
рв
рез
род
руб
рук
ряд
сад
свет
след
стой
строй
ступ
трав
тяг
ук
чин
ший

22

Second Year (second semester)

бед	маз	сторон
бог	мал (little)	страх
бол	ман	стрел
бред	масл	суд
вал	мах	сух
верх	меж	таск
вес	мет (hurl)	твор (create)
вет	мет (take note of)	тепл
вий	мех	тих
вин	мил	тр
влад	мир	треб
вод	мог	ум
вол	мок	форм
выс	мр	хват
гад (guess)	мут	хлоп
гб	мысл	хот
гляд	низ	цвет
год	общ	цел
голов	пал	цен
голос	пар	цеп
готов	пей	част
греб	перед	черк
груз	печат	черн
гул	пит	числ
дв	плат	чист
др	покой	чн
дуй	ползвб	чт
дур	полн	шед
един	прос	шиб
жал	прост	яв
жар	прыг	ясн
зв	прям	
зем	пуст (let go)	
игр	пут (tangle)	
ид	пут (path)	
иск	пыл	
кид	рис	
кип	ров	
клей	руг	
клон	свист	
ключ	сел	
кол (round)	серед	
коп (dig)	сил	
крик	сл	
кров	слуг	
кур	смей	
лез	смотр	
лек	соб	
лик	сол	
лов	сос	
льг	сп	
льд	спей	
люб	стар	
	стл	

Third Year (first semester)

баб	зл	плен	тормоз
бал	золот	плет	трат
бд	зрей	плод	трезв
берег	зуб	пляс	трог
бес	им (name)	подл	труд
близ	ков	позд	туг
бор	кол (strike and pierce)	полос	туп
брем	кол (amount)	пот	хвал
век	колот	пр	хит
вел	коп (amass)	прок	хоз
весел	копт	прят	холод
вой	корот	пуг	хорон
волок	кос (mow)	пух	худ
вр	кос (slanting)	пыт	цар
вред	кос (touch)	рд	черп
врем	кост	реш	черт
втор	крест	свят	член
гас	крыл	сек	чуй
глад	куп (bathe)	сем	шаг
глуб	кус (bite)	серд	шир
глух	кус (taste)	скольз	шум
гол	ласк	скор	шут
голод	лг	скук	щит
гор (burn)	лен	слаб	
горд	лес	слад	
гост	луч	слеп	
гран	льз	слой	
гром	льст	слон	
груб	медл	сов	
гряз	мен (less)	стерег	
густ	мк	страд	
дав	мног	стрек	
дал	молк	стрем	
дев	молод	стриг	
дел	мост	строг	
дл	мот	студ	
добр	мудр	стыд	
долг (long)	муж	сып	
дом	мяг	тай (melt)	
дорог	нем	тай (hide)	
дроб	нз	тверд	
дрог	ник	тек	
друг	нов	тем	
жд	ног	тер	
жен	нуд	терп	
жир	нюх	тесн	
жм	ок	толк(push)	
жн	остр	толк (interpret)	
звер	отц	толст	
зд	перек	том	
здоров	пих	тон	
зим	плак	топ (stomp)	
		топ (warm)	
		топ (drown)	

Third Year (second semester)

блест	лук (connect)	стряп
блуд	луп	стук
блюд	мал (paint)	сук
болт	мар	сут
брак	мг	сыт
брызг	мзд	сяг
важ	мол (grind up)	твор (close)
вей	мол (plead)	тес
вен	молв	тех
верг	молот	тиск
верст	мук	тк
винт	мя	тл
волн	нрав	торг (bargain)
вяд	ный	торг (thrust)
вык	ныр	тоск
гад (vile)	пай	треп
глот	пах (smell)	треск
гнет	пах (plough)	тряс
гни	пачк	тух
грей	перек	удар
грех	пестр	ух
гроз	пил	хваст
грыз	пин	хлеб
двор	писк	хлест
доб	пласт	хрип
долб	плев	царап
долг (debt)	плеск	цед
драз	плот	чар
жв	пол (half)	черед
жр	пол (weed)	чуд (wondrous)
зев	полоск	чуд (alien)
зяб	пор	шал
кал	порох	шарк
кап	порт	шат
квас	праздн	швыр
кис	прей	шеп
клев	прет	шлеп
клик	прыск	шлиф
клок	пряг	щелк
ковыр	пух	щеп
колеб	пят	щип
кор (bark)	ревн	щуп
кор (chasten)	рек	язв
крап	рет	
крив	рух	
крой	сал	
крут	свой	
кут	сей	
лад	скок	
леп	скреб	
лиз	снаст	
лих	стег	
лук (bow, bend)	стиг	
	строк	

Root List and Russian / English Examples

Superscripted numbers (i.e. [32]) represent the number of words listed in *Словарь морфем русского языка* by Кузнецова/Ефремова formed from that specific root[16] (i.e. БАБ). For productive roots, we often provide more than one sentence for each level from the easiest sentences, numbered one, to the most difficult sentences, numbered five. In the English translations provided we are less concerned with literary quality than with helping students see correspondences to the Russian. Thus you may find syntactic reversals as in the first English sentence below (rather than "An elderly woman lives in the neighboring apartment") and in many sentences semantic redundancy in examples of the same root, rather than variety through the use of synonyms. In Russian words having two acceptable stresses, both syllables are accented, e.g., на двéрú 'on the door.'

БАБ[32] *(older) woman*

1. В сосéдней квартúре живёт стáрая *бáбушка*.
2. Злáя *бáбка* чáсто ругáет детéй.
3. У меня мáленькая семья: пáпа, мáма, я и мáмина мáма—моя *бáбушка*. *Бáбушку* мы óчень любим и лáсково называем её *бабýля* или *бабýся*. Жáлко, что мáма *бáбушки*—моя *прабáбушка*—давнó умерлá и я никогдá её не вúдела.
4. Пáвел—неприятный человéк: карьерúст и *бáбник*.
5. Как тебé не стыдно—здорóвый, сúльный мужчúна, а совсéм *обáбился*: ничегó не дéлаешь, тóлько жáлуешься на всех и нóешь.

    1. In the neighboring apartment lives an elderly *grandmother*.
    2. The malicious *old lady* often scolds the children.
    3. I have a small family: Dad, Mom, I and my mother's mother—my *grandmother*. We love *Grandma* very much and affectionately call her "*Granny*" or "*Gram*." It's too bad that my *grandmother's* mother, my *great grandmother*, died long ago and I never got to see her.
    4. Pavel is an unpleasant person. He is a careerist and a *womanizer*.
    5. You should be ashamed of yourself! You are a healthy, strong man, but you *have turned into a regular little old lady*. You don't do anything but complain about everyone and whine.

БАЛ[25] *indulge*

1. Учёба в университéте—не *баловствó*, а серьёзное дéло.
2. Мать с улыбкой смотрéла на детéй, котóрые вéсело игрáли и *баловáлись* в садý.
3. С рáннего дéтства родúтели *бáловали* своегó едúнственного сына. В результáте онú егó совершéнно *разбáловали*, и он превратúлся в неприятного *избалóванного* ребёнка. Другúе дéти *побáлуются* немнóжко и перестáнут, а он обязáтельно *добáлуется* до тогó, что обúдит когó-нибýдь.
4. Любúмая внýчка—хорóшая дéвочка, дóбрая и весёлая *баловнúца*.
5. Ему всегдá везёт в жúзни, не зря его называют *бáловнем* судьбы.

    1. Studying at the university is not *an indulgence*, but a serious matter.
    2. With a smile mother watched her children happily playing and *playing around* in the garden.
    3. From his early childhood the parents had *pampered* their only son. As a result, they completely *spoiled* him, and he has turned into an unpleasant, *spoiled* child. Other children *play around* a little and then stop, but he just has to *play around* until he offends someone.
    4. The favored granddaughter is a good little girl, a nice and happy *little pet*.
    5. He gets all the breaks in life. No wonder he is called fortune's *favorite*.

---

[16] Кузнецова/Ефремова do not list conjugated or declined forms, or compound words.

БД⁶ (бж⁶)   *rouse*
БУД²¹ (бужд¹³) "
БОДР²⁹ (бадр³) "

1. Бу́дьте *бди́тельны*, не забыва́йте, что враг мо́жет напа́сть на го́род!

1. Мне не ну́жен *буди́льник*, я всегда́ ра́но встаю́.

1. По́сле холо́дного ду́ша я чу́вствовал себя́ *бо́дрым*.

2. Его́ слова́ *побужда́ли* нас к реши́тельным де́йствиям.

3. Брат спит о́чень кре́пко, его́ не мо́жет *разбуди́ть* да́же си́льный шум. Ма́ма говори́т, что у него́ *непробу́дный* сон. У́тром бра́та прихо́дится подо́лгу *буди́ть*, иногда́ полчаса́ не мо́жем его́ *добуди́ться*—шуми́м, толка́ем его́, *перебу́дим* всю семью́, а он *пробу́дится* на мгнове́ние, откро́ет глаза́ и опя́ть засыпа́ет.

4. Ребёнок си́льно *возбуждён*, на́до его́ успоко́ить и уложи́ть спать.

5. В тяжёлую мину́ту до́брое сло́во *подбодри́т*, помо́жет не теря́ть ве́ры в себя́.

1. Be *alert*. Don't forget that the enemy can attack the city!
1. I don't need an *alarm clock*. I always get up early.
1. After a cold shower I felt *invigorated*.
2. His words *roused* us to decisive action.
3. My brother sleeps very soundly—not even a loud noise can *wake* him. Mom says that his sleep is *impossible to disturb*. In the morning you've got to spend a long time *trying to wake* my brother up. At times we can't *wake* him *up after trying* for half an hour. We make noise and shove him, and *wake up* the whole family. *He'll wake up* for a moment, open his eyes, and then drift off again.
4. The child is all *wound up*. He's got to be calmed down and put to bed.
5. In a difficult moment, a kind word *can lift you up* and help you not lose faith in yourself.

БЕГ⁶³ (беж³⁸) *run*

1. *Бе́гство* от пробле́мы не реша́ет пробле́му.

2. Когда́ опа́здываешь, на́до *бежа́ть бего́м*.

3. Сосе́д *вы́бежал* из до́ма, *побежа́л* по у́лице, *перебежа́л* че́рез доро́гу и *добежа́л* до авто́бусной остано́вки.

4. Лю́ди стара́ются *избега́ть* опа́сных ситуа́ций.

5. В на́ше неспоко́йное вре́мя о́чень хо́чется найти́ *убе́жище* от трево́г и разочарова́ний.

1. *Running* away from a problem doesn't solve the problem.
2. When you are late, you need *to run fast*.
3. The neighbor *ran out* of the house, *set off running* along the street, *ran across* the road and *ran up* to the bus stop.
4. People try *to avoid* dangerous situations.
5. In our troubled times, you really want to find *refuge* from worries and disappointments.

БЕД⁴⁸ (бежд¹⁶) *make poorer*

1. Неожи́данно в семью́ пришла́ *беда́*: у́мер сын.

2. Старики́ живу́т *бе́дно*. Они́ *обедне́ли*, когда́ муж потеря́л рабо́ту.

3. Моя́ сосе́дка лю́бит расска́зывать, как си́льно она́ *бе́дствует*, что у неё нет ни де́нег, ни оде́жды. Сосе́ди её жале́ют, так как са́ми *набе́дствовались* за после́дние го́ды. Но мне ка́жется, что она́ то́лько *прибедня́ется*, а на са́мом де́ле живёт не пло́хо.

4. Студе́нтам не понра́вилась ле́кция о тво́рчестве изве́стной писа́тельницы, так как ле́ктор *обедни́л* содержа́ние её произведе́ний. Тракто́вка о́бразов знамени́того рома́на была́ пове́рхностной и *неубеди́тельной*.

4. Алекса́ндр Македо́нский—*непобеди́мый* полково́дец, во всех би́твах он оде́рживал *побе́ды*.

5. У меня́ *предубежде́ние* про́тив сли́шком улы́бчивых люде́й (я ду́маю, что они́ лицеме́ры), и никто́ не мо́жет *переубеди́ть* и́ли *разубеди́ть* меня́.

1. *Misfortune* unexpectedly befell the family—a son died.
2. The old folks live *in poverty*. They *became poor* when the husband lost his job.
3. My neighbor lady loves to tell how she *lives in dire poverty* and has neither money nor clothing. The other neighbors pity her, since they themselves *have experienced poverty* in recent years. But it seems to me that she is only *pretending to be poor* and in reality doesn't have it so bad.
4. The students didn't like the lecture on the works of the famous (female) writer because the lecturer *impoverished* the content of her works. His treatment of the famous novel's imagery was superficial and *unconvincing*.
4. Alexander of Macedonia was an *invincible* commander. In all his battles he won *victories*.
5. I have a *prejudice* against people who smile too much (I think they are hypocrites), and no one can *convince me otherwise* or *dissuade* me.

БЕЛ[117] *white*

1. Лицо́ *побеле́ло*, ста́ло соверше́нно *бе́лым*.
2. Снег то́лько что вы́пал, и *белизна́* его́ о́чень краси́ва.
3. Мы реши́ли покра́сить ко́мнату специа́льной *бе́лой* кра́ской—*побели́ть* сте́ны и потоло́к. Снача́ла мы *вы́белили* потоло́к и ве́рхние ча́сти стен, пото́м *добели́ли* сте́ны до конца́. К сожале́нию, получи́лось не о́чень краси́во и пришло́сь *перебе́ливать* ещё раз.
4. Когда́ нам нужна́ оде́жда, мы покупа́ем в магази́не не то́лько пальто́, пла́тья, костю́мы и руба́шки, но и ни́жнее *бельё*.
5. Ме́жду э́тими двумя́ слова́ми ну́жно сде́лать *пробе́л*, оста́вить пусто́е ме́сто.

1. His face *lost all its color*. It became completely *white*.
2. Snow has just fallen and its *whiteness* is very beautiful.
3. We decided to paint the room with a special *white* paint—to *paint white* the walls and ceiling. First we *made white* the ceiling and the upper parts of the walls and then *finished painting white* the walls. Unfortunately, it didn't end up looking very nice and we had *to repaint it white* all over again.
4. When we need clothing, we not only buy coats, dresses, suits, and shirts at the store, but *underwear* as well.
5. Between these two words you need *to put a space*—leave a blank place.

БЕРЕГ[11] (береж[7], брег[2], бреж[8]) [for береч[11] and бреч[2] see truncation rule 6] *protect*

1. Ба́бушка *берегла́* люби́мое пла́тье.
2. В *сберега́тельном* ба́нке пе́нсию выдава́ли по четверга́м.
3. *Бере́жнее* относи́сь к своему́ здоро́вью. Одева́йся тепле́е, э́то помо́жет тебе́ *убере́чься* от просту́ды. *Оберега́й* себя́ от конта́ктов с больны́ми гри́ппом людьми́. Ты уже́ не молодо́й челове́к, на́до *побере́чься*!
4. Де́вушка *небре́жно* бро́сила шля́пу на дива́н.
5. Не сле́дует *пренебрега́ть* сове́тами врача́.

1. Grandmother *took good care* of her favorite dress.
2. At the *savings* bank, pension money was given out on Thursdays.
3. *Take better care* of your health. Dress warmer—it will help you *to keep* from catching cold. *Protect* yourself from contact with people who have the flu. You are not a young man anymore. You need *to take good care of yourself*!
4. The girl *carelessly* threw her hat on the couch.
5. You ought not *to neglect* the advice of a doctor.

БЕС[19] (беш[5]) *evil spirit*

1. В ру́сских ска́зках чёрта ча́сто называ́ют *бе́сом*.
2. Ф. М. Достое́вский написа́л рома́н "*Бе́сы*" о *бесовщи́не* в о́бществе.
3. Я хоте́л споко́йно поговори́ть с нача́льником, но его́ на́глый и презри́тельный тон *взбеси́л* меня́. *Взбеси́вшись* от его́ пренебреже́ния, я в *бе́шенстве* наговори́л мно́го ре́зких слов. Нача́льник не мог

вы́терпеть э́того споко́йно, *взбешённый* мои́ми слова́ми, он с *бе́шеной* си́лой уда́рил кулако́м по столу́ и уво́лил меня́ с рабо́ты.

4. К ве́черу пошёл снег, ве́тер уси́лился, преврати́вшись в урага́н, и всю ночь за окно́м *бесновáлась* мете́ль.

5. В ста́рые времена́ ра́нние бра́ки счита́лись неуда́чными—"Ра́но жени́лись, не *перебеси́лись* ещё".

1. In Russian fairytales, a devil is often called *a demon.*
2. F. M. Dostoevsky wrote the novel *Devils* about the *demonic mess* in society.
3. I wanted to speak with my supervisor calmly, but his insolent and contemptuous tone infuriated me. *Infuriated* by his disregard, *in a rage* I uttered many sharp words. My supervisor couldn't take this calmly. *Infuriated* by my words, *with furious* force he pounded his fist on the table and fired me.
4. Towards evening, it began to snow. The wind became more powerful, having turned into hurricane force. All night the blizzard *raged* outside.
5. In times of old, early marriages were considered unlikely to succeed: "They got married too early without *sowing their wild oats* first."

БИЙ[171] (бой[72]) *beat*

1. Престу́пник до́лго *бил* же́нщину и *уби́л* её. *Уби́йцу* сра́зу арестова́ли.
1. Во вре́мя *бо́я* ка́ждого *бойца́* мо́гут *уби́ть*.
2. Ча́шка упа́ла и *разби́лась*.
2. Са́мая изве́стная *би́тва* ру́сских с а́рмией Наполео́на была́ недалеко́ от дере́вни Бородино́.
3. На тёмной у́лице хулига́ны си́льно *изби́ли* челове́ка. Они́ *сби́ли* его́ с ног, *проби́ли* го́лову, *отби́ли* пе́чень. Престу́пники хоте́ли *доби́ть* его́, но прие́хала поли́ция и спасла́ челове́ка.
3. Стари́нная ме́бель *оби́та* краси́вым шёлком. Шёлк закреплён ма́ленькими гвозди́ками, *вби́тыми* по края́м. Ка́ждый гвозди́к *заби́т* так глубоко́, что его́ почти́ не ви́дно. *Приби́тый* гвозди́ками шёлк краси́во обтя́гивает ме́бель.
4. Ты не даёшь мне расска́зывать, всё вре́мя *перебива́ешь* и говори́шь сам.
4. Авто́бус *битко́м наби́т*: люде́й так мно́го, что нельзя́ пошевели́ться.
5. Преподава́тель за́дал *уби́йственный* вопро́с—никто́ не смог бы на него́ отве́тить.
5. Я не хоте́ла обма́нывать, но моя́ сестра́ *подби́ла* меня́ сказа́ть непра́вду.

1. The criminal *beat* the woman for a long time and *killed* her. The *murderer* was immediately arrested.
1. During a *battle*, every *soldier* might *be killed*.
2. The cup fell and *shattered*.
2. The Russians' most famous *battle* with Napoleon's army was not far from the village of Borodino.
3. On a dark street, the hoodlums severely *beat up* the man. They *knocked* him from his feet, *smashed* his head, and *damaged* his liver. The criminals wanted *to beat him to death*, but the police arrived and saved the man.
3. The antique furniture is *covered* [*upholstered*] with beautiful silk. The silk is fastened with little tacks *driven in* along the edges. Each little tack is *embedded* so deeply that it is barely visible. The silk *attached* with tacks beautifully covers the furniture.
4. You're not letting me tell my story. You keep *interrupting* all the time and speaking yourself.
4. The bus is *jam-packed*. There are so many people that you can't move.
5. The instructor posed a *baffling* [*killing*] question. No one could have answered it.
5. I didn't want to deceive anyone, but my sister *incited* me to tell an untruth.

БЛЕСТ[6] (блёст[2], блист[9] блёск[2], блеск[7]) [for блес[4] see truncation rule 3] *shine*

1. Глаза́ де́вушки *блесте́ли* от слёз.
2. На пове́рхности мо́ря *поблёскивала* лу́нная доро́жка.
3. Свет ла́мпы упа́л на ру́ки же́нщины—*заблесте́ли* ко́льца с бриллиа́нтами, *о́тблески* золоты́х брасле́тов окра́шивали ко́жу рук желтова́тым цве́том, а изумру́ды *проблёскивали* зелёным.
4. Среди́ мои́х ученико́в мно́го спосо́бных и тала́нтливых, но ре́дко встре́тишь тако́го *блестя́щего* молодо́го челове́ка, как э́тот студе́нт!

5. Вы произнесли *блистательную*, прекрасную речь!

5. Ра́ньше А́нна никогда́ не носи́ла вече́рние пла́тья с *блёстками*.

    1. The girl's eyes *glistened* with tears.

    2. On the surface of the sea *shimmered* a thin ribbon [path] of moonlight.

    3. The light of the lamp fell on the woman's hands—her diamond rings *flashed*. The *reflections* from her golden bracelets adorned the skin of her hands with a yellowish color. The emeralds *gleamed* green.

    4. Among my students there are many who are capable and talented, but you will rarely meet such a *brilliant* young person as this student!

    5. You gave a *brilliant*, wonderful speech!

    5. Anna never used to wear evening gowns with *sequins*.

БЛИЗ[16] (ближ[10]) *close to*

1. Подойди́ *бли́же*, я хочу́ тебя́ лу́чше ви́деть.

2. *Вблизи́* же́нщина оказа́лась не тако́й краси́вой.

3. За после́дний ме́сяц мы си́льно *сбли́зились*, ста́ли *бли́зкими* друзья́ми. К сожале́нию, *приближа́ется* вре́мя расстава́ния, мы бо́льше не смо́жем жить *поблли́зости* друг от дру́га. Не зна́ю, сохрани́тся ли на́ша духо́вная *бли́зость*.

4. Ви́дите, как нам везёт: жда́ли ма́льчика, а роди́лись де́вочки-*близнецы́*.

5. В зал вошёл коро́ль в окруже́нии *приближённых*.

    1. Come *closer*. I want to see you better.

    2. *Up close* the woman turned out not to be so beautiful.

    3. Over the past month we *have grown* very *close to one another* and become *close* friends. Unfortunately, the time of our separation *is nearing* and we will no longer be able to live *close* to one another. I don't know if our deep [spiritual] *closeness* will last.

    4. See how lucky we are! We were expecting a boy, but *twin* girls were born.

    5. The king surrounded by his *retinue* entered the hall.

БЛУД[16] (блужд[7]) *go astray*

1. *Блу́дный* сын хоте́л жить легко́ и ве́село, он бро́сил ста́рого отца́ и ушёл из до́ма.

2. За столо́м сиде́л челове́к с неприя́тным лицо́м и *блудли́вым* взгля́дом.

3. Це́лый день де́ти *блужда́ли* по ле́су, не находя́ доро́ги. Наконе́ц, *проблужда́в* не́сколько часо́в, они́ по́няли, что *заблуди́лись* и не зна́ют, как вы́йти из ле́са.

4. Де́вочка спасла́ *приблу́дного* котёнка, вы́лечила и вы́кормила его́.

5. Свет не кара́ет *заблужде́ний*, но та́йны тре́бует для них (Пу́шкин).

5. Но́чью на боло́те видны́ *блужда́ющие* огни́.

    1. The *prodigal* [wayward] son wanted to live the easy and enjoyable life. He deserted his elderly father and left home.

    2. At the table sat a person with an unpleasant face and a *roving* gaze.

    3. All day long the children *wandered* in the forest, unable to find the road. Finally, *after wandering* for several hours, they realized that they *were lost* and didn't know how to get out of the forest.

    4. The little girl rescued the *stray* kitten. She nursed it back to health and cared for it.

    5. Society does not punish *waywardness*, but requires it be secret. (Pushkin)

    5. At night in the swamp, *flickering* lights [will-o'-the-wisp] can be seen.

БЛЮД[12] [for блюс[4] and блюст[2] see truncation rule 5] *observe*

1. Я не уча́стник игры́, а *наблюда́тель*.

2. О́бе кома́нды игра́ют, не *соблюда́я* пра́вил.

3. Ма́льчик внима́тельно *наблюда́л* за незнако́мой спорти́вной игро́й. *Понаблюда́в* не́сколько мину́т за игрока́ми, у́мный и *наблюда́тельный* ребёнок по́нял пра́вила игры́.

4. Во вре́мя уро́ка ну́жно *соблюда́ть* тишину́.

5. Полице́йский до́лжен быть настоя́щим *блюсти́телем* зако́на.

1. I am not a participant of the game, but an *observer*.
2. Both teams are playing without *observing* the rules [Neither team is following the rules.].
3. The boy attentively *observed* the unfamiliar game. *After observing* the players for serveral minutes, the bright and *observant* child understood the rules of the game.
4. During the lesson, silence needs *to be observed*.
5. A policeman should be a true *guardian* of the law.

БОГ²⁴ (бож²⁹) *god; wealth*

1. Атеи́стов в Росси́и ча́сто называ́ют *безбо́жниками*.
2. В де́тстве я люби́ла чита́ть ми́фы и леге́нды о гре́ческих *бога́х* и *боги́нях*. Осо́бенно мне нра́вился Зевс—гла́вное *божество́* на Оли́мпе.
3. Он не про́сто *бога́тый* челове́к, а настоя́щий *бога́ч*: его́ *бога́тство* огро́мно. Он *разбогате́л* на прода́же не́фти и сейча́с *обогаща́ется* ещё бо́льше во вре́мя нефтяны́х кри́зисов. Иногда́ он ка́жется челове́ком, кото́рый име́ет в жи́зни то́лько одну́ цель—*богате́ть*.
4. Они́ неда́вно пожени́лись и буква́льно *обожа́ют* друг дру́га.
5. Жаль старика́—жизнь он зака́нчивает больны́м, *убо́гим*, никому́ не ну́жным.

   1. Atheists in Russia are often called "*godless*."
   2. In my childhood, I loved to read myths and legends about Greek *gods* and *goddesses*. I especially liked Zeus, the head *deity* on Olympus.
   3. He is not just a *wealthy* person, but a genuinely *wealthy man*—his *wealth* is enormous. He *grew rich* from the sale of oil and now he *is getting even richer* during the oil crises. Sometimes he seems like a person who has only one objective in life—*to grow rich*.
   4. They recently were married and literally *worship* one another.
   5. I pity the old man. He's ending his life as a sick, *impoverished*, useless person.

БОЛ³⁷ (бал⁴) *hurt*

1. Будь здоро́в, не *боле́й*!
2. Е́сли вы чу́вствуете *боль* в го́рле, посове́туйтесь с врачо́м.
3. У де́душки *заболе́ло* плечо́. Он не хоте́л беспоко́ить ро́дственников и не говори́л им, как ему́ *бо́льно*. Он ду́мал: «Ничего́ опа́сного, немно́го *поболи́т* и переста́нет». Одна́ко вско́ре он по́нял, что плечо́ *разболе́лось* не на шу́тку и что ему́ на́до е́хать в *больни́цу*. Бе́дный де́душка *проболе́л* це́лую неде́лю.
4. Позво́льте мне вы́разить са́мые и́скренние *соболе́знования* по по́воду сме́рти Ва́шей ма́тери.
5. Сего́дня на стадио́не прохо́дит интере́сный футбо́льный матч, все *боле́льщики* уже́ за́няли свои́ места́ ли́бо на трибу́нах стадио́на, ли́бо у телеви́зора.

   1. Stay healthy! Don't *get sick*!
   2. If you feel *pain* in your throat, consult a doctor.
   3. Grandfather's shoulder *began to hurt*. He didn't want to worry his relatives, so he didn't tell them how he *hurt*. He thought, "It's nothing serious. *It'll hurt a little* and then stop." He soon realized, however, that *something was* very seriously *wrong with his shoulder* and that he needed to go to the *hospital*. Poor Grandpa *was ill* for an entire week.
   4. Allow me to express my most sincere *condolences* at the death of your mother.
   5. Today at the stadium there is going to be an interesting soccer match. All the *fans* have already taken their places either in the stadium bleachers or in front of the television.

БОЛТ⁴² (балт²⁴) *stir up*

1. Я опусти́ла ру́ку в во́ду и немно́го *поболта́ла* руко́й в тёплой воде́.
2. Положи́те в чай варе́нье, помеша́йте ло́жкой. Е́сли нет ло́жки, возьми́те ча́шку в ру́ки и *взболта́йте* чай.
3. Моя́ подру́га—стра́шная *болту́нья*, в э́том она́ похо́жа на своего́ отца́, кото́рый то́же удиви́тельный *болту́н*. Она́ мо́жет *проболта́ть* по телефо́ну не́сколько часо́в, мо́жет *заболта́ться* и забы́ть о

ва́жном де́ле, но никогда́ не *разболта́ет* чужи́х секре́тов, никогда́ не *наболта́ет* ничего́ во вред челове́ку, не *сболтнёт* по глу́пости чужу́ю та́йну.

4. В после́днее вре́мя мла́дший брат о́чень пло́хо себя́ ведёт—не хо́чет ходи́ть в шко́лу, це́лый день *болта́ется* на у́лице с друзья́ми, не слу́шает роди́телей.

5. Без присмо́тра роди́телей ребёнок соверше́нно *разболта́лся*.

1. I lowered my hand into the water and *swished* it in the warm water a little while.
2. Put some jam in the tea and stir it with a spoon. If you don't have a spoon, take the cup in your hands and *swish* the tea *back and forth*.
3. My girlfriend is a terrible *chatterbox*. In this way she is like her father, who is also an astonishing *gabber*. She can *gab* on the phone for several hours. She can *get carried away gabbing* and forget about important things. But she would never *give away* others' secrets. She would never *talk a lot of nonsense* harmful to another. She would never foolishly *blurt out* another's secret.
4. Lately my younger brother has been behaving himself very badly. He doesn't want to go to school. He *hangs out* with his friends on the street all day long, and he doesn't obey our parents.
5. Without parental supervision, the child *got completely out of hand*.

БОР²⁰ *battle*

1. Ме́жду боксёрами на ри́нге идёт настоя́щая *борьба́*.
2. Я не агресси́вный челове́к, но я всегда́ гото́в к *оборо́не* и могу́ защити́ть себя́.
3. Спортсме́ны-*борцы́* начина́ют соревнова́ться че́рез не́сколько мину́т. Они́ бу́дут *боро́ться* друг с дру́гом. Победи́телем ста́нет тот, кто смо́жет *поборо́ть* проти́вника. Для побе́ды на́до быть не то́лько физи́чески, но и психологи́чески си́льным—уме́ть *переборо́ть* не́рвное волне́ние пе́ред соревнова́ниями.
4. В спо́ре сестра́ всегда́ напада́ет на собесе́дника, кото́рый пыта́ется шу́тками *обороня́ться* от её ата́к.
5. Он при́нял тру́дное реше́ние, на его́ изму́ченном лице́ оста́лись следы́ вну́тренних *боре́ний* и глубо́ких разду́мий.

1. A real *battle* is going on between the boxers in the ring.
2. I am not an aggressive person, but I am always ready on the *defense* and am able to defend myself.
3. The *wrestlers* [athelete-wrestlers] begin to compete in a few minutes. They will be *wrestling* each other. The victor will be the one who can *overcome* his opponent. For victory, you have to be not only physically but psychologically strong as well. You must be able *to overcome* your nervous agitation before the competition.
4. In an argument my sister always attacks her conversation partner, who (in turn) tries *to fend off* her attacks with jokes.
5. He had made a difficult decision. On his tortured face remained the traces of internal *struggles* and deep deliberations.

БР⁶⁸ (бер¹, бир⁶², бор⁹³) *take*

1. На́до *брать* на уро́к ру́чку, и я всегда́ *беру́* её.
1. Пожа́луйста, *прибери́* в ко́мнате и помоги́ мне *прибра́ть* на ку́хне.
2. Не забу́дь свою́ игру́шку, *забери́* её с собо́й.
2. Пре́жде чем приня́ть реше́ние, на́до хорошо́ *разобра́ться* в ситуа́ции.
3. Я люблю́ *собира́ть* грибы́. Вчера́ я *набра́л* по́лную корзи́ну грибо́в. До́ма жена́ *перебрала́* грибы́, *отобрала́* са́мые хоро́шие и свари́ла вку́сный суп.
3. Оте́ц говори́л нам с бра́том, что *брак* - де́ло серьёзное. Прожи́ть до́лгие го́ды, разделя́я со свое́й *избра́нницей* и го́ре и ра́дость, так же тру́дно, как *взобра́ться* на высо́кую го́ру.
4. Ско́ро *вы́боры*: избира́тели бу́дут *выбира́ть* но́вого президе́нта.
4. Скажи́те, пожа́луйста, как *добра́ться* до Большо́го теа́тра?
5. Е́сли не *убира́ешь* свою́ ко́мнату, там грязь и *неразбери́ха*.

5. - Где ты рабо́таешь? - Ви́дишь зда́ние за *забо́ром*? Э́то типогра́фия, я там рабо́таю *набо́рщиком*. - Тру́дная рабо́та? - Дово́льно тру́дная, потому́ что на́до всё вре́мя быть о́чень *со́бранным*, чтобы не ошиби́ться в *набо́ре*.

1. You need *to take* a pen to class, and I always *take* one.
1. Please *tidy up* the room and help me *tidy up* the kitchen.
2. Don't forget your toy. *Take* it with you.
2. Before making a decision, you've got *to analyze* the situation well.
3. I love *to gather* mushrooms. Yesterday I *collected* a full basket of mushrooms. At home my wife *sorted through* the mushrooms, *selected* the best ones, and cooked a delicious soup.
3. Father told my brother and me that *marriage* is a serious matter. To live through long years while sharing with one's *chosen companion* both sorrow and joy is as hard as *climbing up* a high mountain.
4. *Elections* are coming soon. *Voters* will *be electing* a new president.
4. (Could you) please tell me how *to get* to the Bolshoi Theater?
5. If you don't *clean up* your room, there will be filth and *disorder* there.
5. Where do you work?—Do you see the building behind *the fence*? That's a printing house. I work there as a *typesetter*.—Is it hard work?—Quite hard because all the time you have to be very *focused* in order not to make an error in *type-setting*.

БРАК[26] *flaw*

1. Молодо́й рабо́тник мно́гого не зна́ет, поэ́тому в его́ рабо́те встреча́ется *брак*.
2. Мы отнесли́ *брако́ванный* телеви́зор обра́тно в магази́н.
3. *Брако́вщица* должна́ внима́тельно просма́тривать гото́вую проду́кцию и *отбрако́вывать* ве́щи с дефе́ктами. *Забрако́ванная* вещь не поступа́ет в прода́жу.
4. Я так стара́тельно рабо́тал, а нача́льник несправедли́во *забракова́л* всё, что я сде́лал.
5. Специали́сты *выбрако́вывают* лошаде́й, отбира́я лу́чших для ска́чек.

1. There's a lot the young worker doesn't know. That's why *flaws* are found in his work.
2. We took the *defective* television set back to the store.
3. The *quality control inspector* must carefully examine the finished products and *reject* the items with defects. A *rejected* item is not put on the market.
4. I worked so diligently, yet my boss unfairly *rejected* all that I did.
5. Specialists *sort out* the horses, selecting the best ones for racing.

БРЕД[19] (брод[29], брож[1]) [for брес[15] see truncation rule 5] *roam*

1. Ле́тним ве́чером я люблю́ *броди́ть* по ти́хим у́лицам ма́ленького городка́.
2. По у́лице бе́гали *бродя́чие* соба́ки, у кото́рых не́ было ни до́ма, ни хозя́ина.
3. Лю́ди *разбрели́сь* по ле́су, собира́я грибы́. Иногда́ кто-нибудь *забреда́л* сли́шком далеко́ от остальны́х. Никому́ не удало́сь *набрести́* на грибно́е ме́сто. К ве́черу все си́льно уста́ли и с трудо́м *добрели́* до до́ма.
4. Престу́пников, воро́в, хулига́нов, *бродя́г* иногда́ гру́бо называ́ют челове́ческим *сбро́дом*.
5. Вско́ре больно́й на́чал *бре́дить*. В *бреду́* он крича́л, звал кого́-то.
5. По́сле тру́дного разгово́ра с роди́телями у меня́ по́лный *разбро́д* в мы́слях: не понима́ю, кто из нас прав, не могу́ приня́ть никако́го реше́ния.

1. On a summer evening I love *to roam* along the quiet streets of the small town.
2. Along the street ran *stray* dogs that had neither home nor owner.
3. The people *spread out* through the forest, gathering mushrooms. At times, someone would *stray* too far from the rest. No one managed *to come across* a mushroom patch. By evening everyone was extremely tired and, with great effort, *made it* home.
4. Criminals, thieves, hoodlums, and *vagrants* are sometimes disparagingly called human *rabble*.
5. Soon the patient began *to be delirious*. In his *delirium* he was shouting and calling someone.
5. After a difficult conversation with my parents, my thoughts are in complete *disarray*. I don't know which of us is right. I can't make any kind of decision.

БРЕМ[14] (берем[5]) *burden*

1. Пле́чи старика́ опусти́лись под тяжёлым *бре́менем* тру́дных лет.

2. Не беспоко́йся, я не собира́юсь *обременя́ть* тебя́ про́сьбами!

3. Мы с жено́й о́чень хоте́ли ребёнка, но жена́ до́лго не могла́ *забере́менеть*. Мы почти́ потеря́ли наде́жду, но вчера́ жена́ сказа́ла, что она́ *бере́менна*. *Бере́менность* протека́ет норма́льно, и мы сча́стливы.

4. Наш друг *обременён* большо́й семьёй, поэ́тому у него́ всегда́ тако́й озабо́ченный вид.

5. Како́й прия́тный челове́к—его́ прису́тствие никогда́ не быва́ет *обремени́тельным*!

1. The old man's shoulders drooped under the heavy *burden* of difficult years.
2. Don't worry, I am not going *to burden* you with requests!
3. My wife and I really wanted a child, but for a long time my wife was not able *to get pregnant*. We had almost lost hope, but yesterday my wife said that she was *pregnant*. The *pregnancy* is progressing normally, and we are happy.
4. Our friend is *burdened* by a large family. That's why he always has such a worried look.
5. What a pleasant person—his presence is never *burdensome*!

БРОС[64] (брас[32], брош[2]) *throw*

1. Постара́йся *бро́сить* мяч пода́льше.

2. Баскетболи́ст си́льным *броско́м* отпра́вил мяч в корзи́ну.

3. Я давно́ проси́ла тебя́ *вы́бросить* все нену́жные бума́ги, но ты то́лько *перебра́сываешь* их с ме́ста на ме́сто. Вчера́ я уви́дела, что ты *забро́сил* часть бума́г на шкаф, а остальны́е бума́ги *разбро́саны* по ко́мнате. Пожа́луйста, *отбро́сь* лень и вы́полни мою́ про́сьбу.

4. Мой друг не уме́ет концентри́ровать внима́ние на рабо́те, кото́рой он занима́ется, поэ́тому его́ называ́ют *разбро́санным* челове́ком.

5. Е́сли дом стои́т далеко́ от други́х домо́в, к нему́ нет доро́ги, лю́ди ре́дко быва́ют в нём—мо́жно сказа́ть, что э́то *забро́шенный* дом.

1. Try *to throw* the ball a little farther.
2. The basketball player sent the ball into the basket with a powerful *toss*.
3. I asked you long ago *to throw away* all your nonessential papers, but all you do is *toss* them from one place to another. Yesterday I saw you *throw* some of the papers on the dresser, and the rest of the papers are *scattered* around the room. Please *throw off* [*get rid of*] your laziness and do what I asked.
4. My friend can't concentrate his attention on the work he is engaged in. That's why they call him a *scatterbrain*.
5. If a building is situated far away from other buildings, there is no road leading up to it, and people rarely visit it, you might say it's an *abandoned* building.

БРЫЗГ[29] [for брыз[8] see truncation rule 2] *splash*

1. Стака́н с водо́й упа́л и разби́лся, *бры́зги* воды́ попа́ли на мои́ ту́фли.

2. Ро́зы в ва́зе не вы́глядят све́жими, пожа́луйста, *взбры́зни* их водо́й.

3. Ле́том травяно́й газо́н на́до полива́ть, для э́того к середи́не газо́на проведена́ труба́, кото́рая зака́нчивается *разбры́згивателем*, кото́рый ча́ще называ́ют про́сто *бры́згалкой*. Вода́ *разбры́згивается* по всему́ газо́ну, ча́сто *обры́згивая* прохо́жих. В жару́ прия́тно, когда́ на тебя́ *бры́знет* све́жая вода́, поэ́тому прохо́жие не се́рдятся, гля́дя на *забры́зганную* оде́жду.

4. Рабо́чий си́льно уда́рил мо́лотом по ка́мню, ме́лкие оско́лки ка́мня *бры́знули* во все сто́роны.

5. Уви́дев соба́ку, ко́шка от стра́ха так и *бры́знула* в дом.

1. The glass of water fell and shattered. *Splashes* of water landed on my shoes.
2. The roses in the vase don't look fresh. Please *spray* them with water.
3. In the summer the lawn must be watered. For this purpose, a pipe has been laid to the center of the lawn with a *spraying device* at the end, often simply called a *sprinkler*. The water *sprays over* the entire lawn, often *spraying* passers-by. In the heat, it is nice when fresh water *sprinkles* you, so passers-by don't get

angry as they glance at their *sprinkled* clothing.
4. The worker struck the rock hard with the hammer, and little rock fragments *sprayed* in every direction.
5. Having seen a dog, the cat from fear *spurted* right into the house.

БЫВ[125] (бв[2], бав[76]) *being, be*

1. Когда́ я *была́* ма́ленькой, я боя́лась темноты́.
1. Сок в моём стака́не тёплый, пожа́луйста, *доба́вьте* немно́го льда.
2. Их встре́ча была́ *незабыва́емой*, они́ по́мнили о ней всегда́.
2. Рабо́тники фи́рмы получи́ли хоро́шую *надба́вку* к зарпла́те.
3. За свою́ жизнь путеше́ственник *перебыва́л* во мно́гих стра́нах, на мно́гих контине́нтах. Он *побыва́л* в А́фрике, люби́л вспомина́ть о своём *пребыва́нии* в Аме́рике, осо́бенно па́мятным *был* моме́нт *прибы́тия* парохо́да в Нью-Йо́рк.
3. Гля́дя на кло́уна в ци́рке, вы *избавля́етесь* от забо́т и трево́г. Вы чу́вствуете, как *убавля́ются* напряже́ние и стресс, но зато́ *прибавля́ются* здоро́вье и ра́дость.
4. Я всегда́ мечта́ла о хоро́шей семье́ и боя́лась, что э́ти мечты́ *несбы́точные*, но мои́ мечты́ *сбыли́сь*: у меня́ есть люби́мый муж и до́брые, краси́вые де́ти.
4. —Чай о́чень кре́пкий, пожа́луйста, *разба́вь* его́ водо́й.—Не понима́ю, как ты мо́жешь пить *разба́вленный* чай, он тако́й невку́сный.
5. Строи́тельство гости́ниц—о́чень *прибы́льное* де́ло. Ка́ждый год хозя́ин гости́ницы получа́ет бо́льше де́нег, чем тра́тит, поэ́тому у него́ есть *при́быль* и нет *убы́тков*.
5. Брат лю́бит смеши́ть друзе́й—расска́зывать им *заба́вные* исто́рии.

1. When I *was* little I was afraid of the dark.
1. The juice in my glass is warm. Please *add* a little ice.
2. Their meeting was *unforgettable*; they remembered it always.
2. The firm's employees received a nice *salary bonus*.
3. During his life, the traveler *visited* many countries and many continents. He *visited* Africa and loved to reminisce about his *stay* in America. Especially memorable *was* the *arrival* of his steamer in New York.
3. While watchin a clown in a circus, you *are freed* of cares and worries. You feel tension and stress *decreasing*, while at the same time your health and happiness *increase*.
4. I always dreamed of having a good family and feared that these dreams were *impossible to realize*, but now my dreams *have come true*. I have a dear husband and kind, beautiful children.
4. The tea is very strong. Please *dilute* it with some water. I don't understand how you can drink *diluted* tea. It's so unappetizing.
5. Hotel construction is a very *profitable* business. Each year, the hotel's owner receives more money than he spends. Therefore, he is has a *profit* and no *losses*.
5. My brother loves to make his friends laugh by telling them *amusing* stories.

ВАЖ[19] (ваг[2]) *importance*

1. Оконча́ние шко́лы—*ва́жное* собы́тие в жи́зни молодо́го челове́ка.
2. Де́ти должны́ люби́ть и *уважа́ть* свои́х роди́телей.
3. Мой друг стал нача́льником и *зава́жничал*: переста́л звони́ть, не хо́дит в го́сти. Э́то неприя́тно, но я ду́маю, что он *пова́жничает* немно́го и поймёт, как э́то глу́по. Наде́юсь, что он не *разва́жничается* до того́, что потеря́ет всех ста́рых друзе́й.
4. Ника́к не могу́ *отва́житься* и открове́нно поговори́ть с мои́м стро́гим отцо́м.
5. Ви́кингам пона́добилось мно́го *отва́ги* и му́жества, что́бы переплы́ть океа́н.

1. Graduation from school is an *important* event in the life of a young person.
2. Children should love and *respect* their parents.
3. My friend became the manager and *began to consider himself important*. He stopped calling and doesn't come to visit anymore. It's annoying, but I think that he'll *act arrogantly* for a little bit and then he'll understand how foolish it is. I hope that he'll not *become so extremely conceited* that he loses all his old friends.

4. I just can't seem *to get up the courage* to speak openly with my strict father.
5. The Vikings needed a lot of *courage* and manliness in order to sail across the ocean.

ВАЛ[167] *pile*

1. Высо́кий земляно́й *вал* окружа́л стари́нный за́мок.
1. От си́льного ве́тра де́рево начина́ет *вали́ться* и ме́дленно па́дает.
2. Он по́днял тяжёлую су́мку, *взвали́л* её на плечо́ и понёс.
2. Уже́ не́сколько дней на полу́ *валя́ются* твои́ тетра́ди, пожа́луйста, убери́ их!
3. Придя́ из магази́на, мать небре́жно *вы́валила* из су́мки поку́пки—тепе́рь весь стол *зава́лен* паке́тами, всё *сва́лено* в одну́ большу́ю ку́чу.
3. В ко́мнату с шу́мом *ввали́лась* больша́я гру́ппа уста́лых тури́стов. Они́ шли мно́го часо́в без *прива́лов*, т.к. пого́да в гора́х по́ртилась, могли́ нача́ться *обва́лы*, и тури́сты хоте́ли до темноты́ пройти́ опа́сный го́рный *перева́л*.
4. На мое́й маши́не опа́сно е́здить, она́ така́я ста́рая, что мо́жет *развали́ться* на доро́ге, не маши́на, а *разва́лина*.
4. Ребёнок провини́лся, но не призна́лся в своем посту́пке, а сказа́л, что винова́т мла́дший брат,— *свали́л* вину́ на бра́та.
5. Сро́чно ну́жен каранда́ш—дай мне любо́й, хоть са́мый плохо́й, *завали́щий*.
5. До́брого то́лстого челове́ка, кото́рый не лю́бит спеши́ть и́ли де́лать что-нибу́дь бы́стро, ча́сто называ́ют *ува́льнем*.

    1. A tall, earthen *embankment* encircled the ancient castle.
    1. From the strong wind the tree is beginning *to topple*, falling slowly.
    2. He picked up the heavy bag, *heaved* it onto his shoulder, and carried it off.
    2. For several days now your notebooks *have scattered* all over the floor. Please clean them up!
    3. Having arrived from the store, Mother carelessly *dumped* the purchases *out* of the bag. Now the entire table is *covered* with packages. Everything *has been heaped* into one big pile.
    3. A large group of exhausted tourists noisily *piled into* the room. They had walked for many hours without *stopping* since the weather in the mountains had changed for the worse. *Landslides* were likely to begin and the tourists wanted to get through the dangerous mountain *pass* before dark.
    4. It's dangerous to ride in my car. It's so old that it's likely *to fall apart* on the way. It's not a car, but a *pile of junk*.
    4. The child was guilty, but didn't admit his offense. He said that his younger brother was guilty. He *heaped* the blame on his brother.
    5. I need a pencil right away. Give me any one (you have), even the very worst, *worthless one*.
    5. A kind, plump person who doesn't like to hurry or do anything quickly is often called an *oaf*.

ВАР[124] *cook*

1. Суп не гото́в, его́ на́до *вари́ть* ещё 10 мину́т.
1. Люблю́ пить чай с *варе́ньем* из мали́ны.
2. В семье́ мое́й подру́ги оте́ц не мо́жет *свари́ть* да́же яйцо́, но мать—о́чень хоро́шая *повари́ха*.
2. К обе́ду мой друг из Ки́ева пригото́вил люби́мое украи́нское блю́до—*варе́ники* с ви́шней.
3. Я боя́лся, что о́вощи не *довя́рятся* и *перевари́л* их, *вы́варил* из овоще́й все витами́ны. О́вощи придётся вы́бросить, но *отва́р* мо́жно испо́льзовать для су́па.
3. *Ва́рка* су́па—не просто́е де́ло, нужны́ спосо́бности, чтобы стать не то́лько *по́варом*, но да́же его́ помо́щником—*поварёнком*. Если спосо́бностей нет, вме́сто су́па полу́чится неаппети́тное *ва́рево*.
4. Де́душка боле́ет: от обы́чной пи́щи у него́ быва́ет *несваре́ние*, его́ желу́док *перева́ривает* то́лько лече́бную диети́ческую пи́щу.
4. Де́вочка взяла́ *поварёшку*, зачерпну́ла из кастрю́ли немно́го горя́чего бульо́на и поднесла́ ко рту, но рука́ дро́гнула, де́вочка пролила́ горя́чий бульо́н и *обвари́лась*.
5. Металли́ческие дета́ли мо́жно кре́пко соедини́ть с по́мощью *сва́рки*, когда́ специа́льный рабо́чий-

сва́рщик, по́льзуясь *сва́рочным* аппара́том, при высо́кой температу́ре скрепля́ет, *сва́ривает* дета́ли одну́ с друго́й.

5.—Что происхо́дит в го́роде? Неуже́ли револю́ция?—Не волну́йся, ничего́ серьёзного, про́сто небольша́я *завару́ха*.

1. The soup isn't ready. It needs *to be cooked* another ten minutes.
1. I love to drink tea with raspberry *jam*.
2. In my girlfriend's family, her father can't even *boil* an egg, but her mother is a very good *cook*.
2. My friend from Kiev prepared his favorite Ukrainian dish for dinner—cherry *dumplings*.
3. I worried that the vegetables wouldn't *be completely cooked* and *overcooked* them. I *boiled* all the vitamins *out* of the vegetables. Now the vegetables have to be thrown away, but the *broth* can be used for soup.
3. *Preparing* soup is not a simple matter. Ability is required to become not only a *chef* but even his assistant—an *apprentice cook*. If ability is lacking, you get unappetizing *slop* instead of soup.
4. Grandpa is ill. He gets *indigestion* from ordinary food. His stomach *digests* only medicinal, dietetic food.
4. The girl took the *ladle*, scooped up a little hot broth, and lifted it to her mouth. Her hand trembled, however, and the girl spilled the hot broth, *scalding herself*.
5. Metal parts can be firmly joined by means of *welding*. A *welding specialist*, using a *welding* apparatus at a high temperature, fastens or *welds* the parts together.
5. What's going on in the city? Is it really a revolution? Don't worry, it's nothing serious—just a small *disturbance*.

ВЕД[107] (веж[7], вежд[1]) [for вест[59] and вещ[21] see truncation rule 5] *know, be in the know*

1. Он тако́й *изве́стный* челове́к: все его́ зна́ют.
1. Уже́ по́здно, а сы́на нет до́ма, он *неве́домо* где, я не зна́ю, где его́ иска́ть.
2. Кака́я но́вость для меня́, я об э́том не знал—не *ве́дал!*
2. Мно́гие вели́кие худо́жники умира́ют *безве́стными*, никто́ не зна́ет ни о них сами́х, ни об их *произведе́ниях*.
2. За́втра сва́дьба, жени́х и *неве́ста* ста́нут му́жем и жено́й.
3. Во вре́мя войны́ *разве́дчики* узнаю́т та́йные пла́ны врага́. *Разве́дка* должна́ *вы́ведать* вое́нные секре́ты и во́время переда́ть *све́дения* своему́ кома́ндованию, *уве́домить* его́ обо всём.
3. Мы получи́ли *изве́стие* о прие́зде сестры́, она́ *наве́дывается* к нам два ра́за в год и всегда́ *оповеща́ет* о прие́зде зара́нее. Я люблю́ разгова́ривать с сестро́й, она́ о́чень *све́дущий*, образо́ванный челове́к.
4.—Кто *заве́дует* ва́шим отде́лом?—У нас но́вая и о́чень симпати́чная *заве́дующая*.
4. Она́ мо́жет предска́зывать бу́дущее, зна́ет про́шлое незнако́мых ей люде́й—она́ настоя́щая *ве́дьма!*
5. Иногда́ челове́ку на́до *испове́доваться*: рассказа́ть о свои́х пробле́мах, оши́бках и сомне́ниях. Така́я *и́споведь* помога́ет лу́чше поня́ть себя́.
5. Ка́ждое воскресе́нье свяще́нник произно́сит в це́ркви *про́поведь*.

1. He is such a *famous* person—everyone knows him.
1. It's late already, but my son's not home. *Who knows* where he is? I don't know where to look for him.
2. That's news to me. I didn't know about it! I *had no idea!*
2. Many great artists die as *unknowns*; no one knows about them personally or about their works.
2. Tomorrow is the wedding; the groom and *bride* will become husband and wife.
3. During the war, *reconnaissance agents* find out the secret plans of the enemy. *Intelligence* should *discover* military secrets and turn the *information* over to their commander in a timely fashion. They must *inform* them of everything.
3. We received *news* of our sister's arrival; she *calls on* us twice a year and always *notifies* us of her arrival beforehand. I love to talk with my sister. She is a very *knowledgeable* and educated person.
4. Who *leads* your department? We have a new *(female) manager* who is very nice.
4. She can foretell the future and knows the past of people who are unknown to her. She is a genuine *witch!*
5. Sometimes a person needs *to make a confession*—to tell of his problems, mistakes, and doubts. Such a

confession helps in better understanding oneself.

5. Each Sunday, the priest delivers a *sermon* in church.

ВЕД³³ (вод¹⁷⁴, вож⁵, вожд⁸, важ¹⁰, важд¹) [for вес³⁹ see truncation rule 5] *lead*

1. Он *экскурсовод*. Он *водит* тури́стов по го́роду. Сейча́с *ведёт* гру́ппу в музе́й.

1. На пе́рвом уро́ке я *введу́* вас в но́вый материа́л.

2. Ско́ро я смогу́ *вести́* маши́ну, как профессиона́льный *води́тель*.

2. В конце́ ле́кции преподава́тель сде́лал интере́сные *вы́воды* из свои́х рассужде́ний.

2. Мне понра́вилось твоё выступле́ние, оно́ *наво́дит* на серьёзные размышле́ния о жи́зни.

3. Что́бы *привести́* ребёнка к ма́тери, мне ну́жно *повести́* его́ по у́лице, *обвести́* вокру́г пло́щади, *вы́вести* из па́рка, *завести́* во двор, *ввести́* в дом и *довести́* до кварти́ры.

3. У́тром оте́ц надева́ет на на́шу соба́ку оше́йник с дли́нным *поводко́м* и *выво́дит* её на прогу́лку. Они́ гуля́ют до́лго—оте́ц *заво́дит* соба́ку в ма́ленькие у́лочки, *дово́дит* до двере́й всех магази́нов, *перево́дит* по мо́стику на другу́ю сто́рону реки́, *подво́дит* ко всем па́мятникам на площадя́х, *прово́дит* по переу́лкам, *уво́дит* да́льше и да́льше от на́шей кварти́ры, но в конце́ концо́в *приво́дит* домо́й.

4. По́сле *разво́да* муж и жена́ не хоте́ли ви́деть друг дру́га, что ча́сто быва́ет с *разведёнными* супру́гами.

4. В ка́ждом языке́ есть *непереводи́мые* выраже́ния, е́сли *перевести́* их на друго́й язы́к, они́ теря́ют смысл.

5. Мать о́чень волнова́лась ка́ждый раз, когда́ де́ти по́здно возвраща́лись домо́й, она́ ужа́сно не́рвничала, соверше́нно *изводи́ла* себя́ плохи́ми предчу́вствиями.

5. Арти́стка пе́ла в *сопровожде́нии* орке́стра.

1. He is a *tour guide*. He *takes* tourists around the city. Right now he *is taking* a group to the museum.
1. At our first lesson I will *introduce* you to the new material.
2. Soon I will be able *to drive* a car like a professional *driver*.
2. At the end of the lecture, the instructor came to some interesting *conclusions* based on his arguments.
2. I enjoyed your speech; it *evokes* serious reflection on life.
3. In order *to bring* the child to his mother, I need *to take* him along the street, [*take him*]around the square, *out* of the park, *turn into* the courtyard, *go into* the building, and *take him* to the apartment.
3. In the morning, my father puts a collar with a long *leash* on our dog and *takes* her *out* for a walk. They walk for a long time—Father *takes* [*leads*]the dog *into* small lanes, *takes* her *as far as* the doors of all the stores, *takes* her *across* a little bridge to the other side of the river, *takes* her *up* to all the monuments on the public squares, *leads* her *along* all the side streets, *takes* her farther and farther *away* from our apartment, but finally *brings* her home.
4. After the *divorce*, the husband and wife didn't want to see one another, as often happens with *divorced* spouses.
4. In every language there are *untranslatable* expressions. If you *translate* them into another language, they lose their meaning.
5. The mother would really worry every time when the children returned home late. She would become terribly nervous and completely *distress* herself with bad premonitions.
5. The performer sang to the *accompaniment* of the orchestra.

ВЕЙ⁷⁰ *waft (blow lightly)*

1. По́сле дождя́ из са́да *ве́ет* прия́тной прохла́дой.

2. Весь день стоя́ла стра́шная жара́, но к ве́черу *пове́яло* све́жим *ветерко́м*.

3. Во дворе́ дереве́нского до́ма рабо́тала *ве́ялка*—маши́на, кото́рая с по́мощью пото́ка во́здуха очища́ет зерно́, *вывеивая* из него́ сор. Тёплый во́здух *взвеял* вверх му́сор, попа́вший в зерно́. *Прове́янное* зерно́ крестья́не собира́ли в аккура́тные ку́чки.

4. На кры́ше высо́кого до́ма *развева́лся* флаг.

5. Встре́ча со ста́рым дру́гом *навева́ла* воспомина́ния де́тства. Но прошло́ не́сколько дней и все

воспомина́ния *развея́лись*, как сон, кото́рый не по́мнишь у́тром.

1. After the rain, a pleasant coolness *wafts* from the garden.
2. All day the terrible heat lingered, but toward evening, a fresh *breeze began to blow*.
3. In the courtyard of the country house, a *winnowing machine* was running—a machine which, with the help of a stream of air, separates [cleanses] the grain by *blowing out* the chaff. Warm air *blew up* the refuse, which had gotten into the grain. Peasants gathered the *winnowed* grain into neat piles.
4. A flag was *fluttering* on the roof of the tall building.
5. The meeting with my old friend *brought back* memories of childhood. A few days passed, however, and all the memories *dissipated*, like a dream which you can't remember in the morning.

ВЕЗ²² (воз¹⁰⁴, вож²) *transport*

1. Но́вый дива́н не о́чень удо́бный, *увези́* его́ обра́тно в магази́н и *привези́* друго́й.
2. Ты идёшь домо́й пешко́м? Я могу́ *подвезти́* тебя́ на маши́не, э́то быстре́е.
3. На́до *вы́везти* тяжёлую ме́бель из двора́ и *отвезти́* её на другу́ю кварти́ру. Что́бы *довезти́* ме́бель до но́вого ме́ста, тре́буется бо́льше ча́са. Но са́мое тру́дное—*завезти́* ме́бель на большо́й маши́не в ма́ленький двор. *Перевози́ть* больши́е ве́щи дово́льно сло́жно.
4. Э́ти фру́кты вы́ращены в ва́шем шта́те и́ли они́ *привозны́е*?
5. Мой друг—*везу́чий* челове́к: успе́х в любо́м де́ле сам прихо́дит к нему́. Ему́ всегда́ *везёт*. Тако́е *везе́ние* ре́дко уви́дишь.
5. Мы опа́здываем, переста́нь *вози́ться* со вся́кими ме́лкими веща́ми, поторопи́сь!

1. The new couch is not very comfortable. *Take* it back to the store and *bring* back a different one.
2. Are you going home on foot? I can *give* you *a lift* in my car—it's faster.
3. (We've) got *to haul* the heavy furniture *out* of the courtyard and *haul* it to another apartment. In order to *transport* the furniture *all the way to* the new place takes more than an hour. The hardest thing, though, is *to haul* the furniture in this big truck into that small courtyard. *To transport* large things is fairly complicated.
4. Are these fruits grown in your state or are they *imported*?
5. My friend is a *lucky* person; success in whatever he does seems to come to him of itself. He's always *s lucky*. It's rare to see such *luck*.
5. We're late. Quit *fiddling* with all kinds of little things and hurry up!

ВЕК¹⁴ (веч¹⁵) *long time*

1. Не́сколько лет оста́лось до нача́ла но́вого *ве́ка*.
1. Дом о́чень ста́рый, ка́жется, что он стоя́л здесь всегда́ и бу́дет стоя́ть *ве́чно*.
2. Имена́ геро́ев *наве́чно* остаю́тся в исто́рии челове́чества.
3. *Вове́к* не забы́ть мне по́лный *веково́й* тоски́ взгляд изму́ченной стару́хи. Она́ смотре́ла на меня́ то́лько миг, но мне каза́лось, что прошла́ це́лая *ве́чность*.
4. Стар я, семью́ похорони́л, ви́дно, так и бу́ду тепе́рь до сме́рти *векова́ть* в одино́честве.
4. Во всех произведе́ниях писа́тель пыта́лся найти́ отве́т на оди́н и тот же *изве́чный* вопро́с о приро́де добра́ и зла.
5. В катастро́фе поги́б оди́н челове́к и че́тверо получи́ли тяжёлые *уве́чья*. У них *изуве́чены* но́ги, вряд ли они́ смо́гут ходи́ть.

1. Few years remain until the beginning of the new *century*.
1. The building is very old. It seems that it has always stood here and will continue to stand here *forever*.
2. The names of heroes *forever* remain in the history of humanity.
3. *Never ever* will I be able to forget the old tormented woman's gaze full of *endless* anguish. She looked at me for only a moment, but it seemed to me that an entire *eternity* had passed.
4. I'm old. I've (already) buried my family. It looks like I'm now going *to wait out my time* in loneliness until I die.
4. In all his works the writer tried to find the answer to one and the same *eternal* question about the nature of good and evil.

5. One person perished in the crash and four were seriously *injured*. Their legs are *mutilated*, and it is unlikely that they will be able to walk again.

ВЕЛ[42] *great*

1. Лев Толсто́й—*вели́кий* ру́сский писа́тель.
2. Гла́вный геро́й де́тской ска́зки—злой *велика́н*.
3. Совреме́нники *возвели́чивали* ри́мского импера́тора. Для э́того они́ *преувели́чивали* его́ ум, сме́лость, му́дрость. Но от э́того не *увели́чивались* ни его́ реа́льный ум, ни его́ реа́льная сме́лость.
4. Короле́ва прошла́ ми́мо нас *вели́чественной* похо́дкой.
5. В Росси́и, обраща́ясь к царю́, на́до бы́ло называ́ть его́ "Ва́ше *вели́чество*".

1. Leo Tolstoy is a *great* Russian writer.
2. The main character of the children's fairytale is an evil *giant*.
3. Contemporaries *extolled* the Roman emperor. In doing so they *exaggerated* his intellect, courage, and wisdom. But from this, neither his real intellect nor his real courage *increased*.
4. The queen passed by us with a *majestic* walk.
5. In Russia when addressing the tsar, one had to refer to him as "Your *Majesty*."

ВЕН[30] *crown*

1. На голове́ цари́цы все уви́дели стари́нный золото́й *вене́ц*.
2. Де́вочка сде́лала *вено́к* из цвето́в и оде́ла его́ на го́лову ма́тери.
3. Свяще́нник люби́л *венча́ть* жениха́ и неве́сту—ему́ нра́вился церко́вный обря́д, когда́ над голова́ми вступа́ющих в брак держа́ли *венца́*, торже́ственно пел хор. За го́ды слу́жбы он *перевенча́л* мно́го пар, *обвенча́л* их на совме́стную жизнь, но ка́ждый раз, ви́дя молоды́х люде́й, реши́вших *повенча́ться*, он ра́довался и волнова́лся за них, как в пе́рвый раз.
4. По́сле побе́ды в войне́ полково́дец был *уве́нчан* мно́жеством награ́д.
5. Необходи́мо *развенча́ть* лжи́вого поли́тика, показа́ть всем его́ и́стинное лицо́!

1. On the tsarina's head all could see an ancient golden *crown*.
2. The girl made a *garland* from flowers and placed on her mother's head.
3. The priest loved *to marry* a brides and groom—he liked the church ceremony when *crowns* were held over the heads of those entering marriage and the choir would sing exultantly. During his years of service he *had married* many couples and *joined* them together for life. But every time he would see young people who had decided *to be married*, he both rejoiced and was concerned for them, just as he had the first time.
4. After victory in the war, the commander was *awarded* a number of decorations.
5. It is absolutely necessary *to expose* the false politician, to reveal to all his true face!

ВЕР[92] *belief*

1. Я не *ве́рю* твоему́ расска́зу.
2. *Ве́ра* в добро́ и справедли́вость помога́ет лю́дям жить, а *неве́рие* прино́сит страда́ние.
3. Партнёр *заве́рил* меня́, что всё бу́дет в поря́дке. На́до бы́ло *прове́рить* его́ слова́, мо́жет быть, да́же *перепрове́рить* два́жды, но я про́сто *пове́рил* ему́—он уме́ет о́чень хорошо́ *уверя́ть*. По́зже я по́нял, что напра́сно *доверя́л* своему́ партнёру, он оказа́лся нече́стным челове́ком.
4. Тру́дно помо́чь челове́ку, когда́ он *изве́рился* во всём—его́ жизнь пуста́, он никому́ и ничему́ не *ве́рит*.
5. Его́ не про́сто уби́ли, но и *изуве́рски* му́чили пе́ред сме́ртью. Уби́йцы—настоя́щие *изуве́ры*.

1. I don't *believe* your story.
2. *Faith* in good and justice helps people live, but *unbelief* brings suffering.
3. My partner *assured* me that everything would be in order. Perhaps I should have *verified* his words, maybe even *reverified* them, but I just *believed* him—he really has the ability *to assure* people. Later I realized that I had *trusted* my partner foolishly. He turned out to be a dishonest person.
4. It is difficult to help a person when he *has lost faith* in everything. His life is empty, and he doesn't *believe*

in anyone or anything.

5. They didn't just kill him, but also *brutally* tortured him before his death. The killers are genuine *brutes*.

ВЕРГ[30] (верж[13]) *cast*

1. Прави́тельство *вве́ргло* страну́ в крова́вую войну́.

2. В Япо́нии произошло́ *изверже́ние* вулка́на.

3. Во вре́мя револю́ции *све́ргли* царя́, жизнь мно́гих люде́й *подве́ргли* суро́вым испыта́ниям. Страна́ *отве́ргла* ста́рую фо́рму правле́ния, но ещё не нашла́ но́вую.

4. В статье́ соде́ржится лжи́вая информа́ция, я тре́бую, что́бы вы опубликова́ли официа́льное *опроверже́ние*!

4. Смерть сы́на *пове́ргла* отца́ в глубо́кую печа́ль.

5. Престу́пник—жесто́кий челове́к, настоя́щий *и́зверг*.

   1. The government *cast* the country *into* a bloody war.
   2. In Japan a volcanic *eruption* occurred.
   3. At the time of the revolution, the king was *overthrown* and the lives of many people *were subjected* to severe trials. The country *rejected* the old form of government, but still had not found a new one.
   4. The article contains false information. I demand that you publish an official *retraction*!
   4. The death of his son *plunged* the father into deep sorrow.
   5. The criminal is a cruel person—a genuine *monster*.

ВЕРСТ[24] (вёрст[24]) *mark place*

1. *Верста́*—ста́рая ру́сская ме́ра длины́, кото́рая немно́го бо́льше киломе́тра.

2. Реда́ктор на́чал *верста́ть* газе́ту.

3. Молодо́й журнали́ст впервы́е до́лжен самостоя́тельно *сверста́ть* но́мер газе́ты. Он уже́ не́сколько раз *переверста́л* все материа́лы, попро́бовал *подверста́ть* серьёзную статью́ к информацио́нным сообще́ниям, но *вёрстка* не получа́лась.

4. Мы *све́рстники*—о́ба роди́лись в 1970 году́.

5. Я боле́л не́сколько дней, не мог рабо́тать, тепе́рь придётся рабо́тать с двойны́м напряже́нием, что́бы *наверста́ть* упущенное.

   1. A *verst* is an old Russian measurement of length which is slightly longer than a kilometer.
   2. The editor began *arranging* the newspaper *into columns*.
   3. The young journalist for the first time has *to arrange into columns* this edition of the newspaper by himself. He has already *rearranged* all the materials several times. He attempted *to place* a serious article along side news reports, but the *arrangement* did not work.
   4. We are *the same age*. We both were born in 1970.
   5. I was ill for several days and was unable to work. Now I will have to work with twice the effort in order *to make up for* what I missed.

ВЕРХ[28] (верш[54]) *top*

1. Семья́ живёт на *ве́рхнем*—второ́м—этаже́ двухэта́жного до́ма.

2. *Верху́шка* ёлки укра́шена золото́й звездо́й.

3. Мы поднима́ем го́ловы *кве́рху* и ви́дим *верши́ну* высо́кой горы́. Нам хо́чется подня́ться на неё и посмотре́ть на мир *све́рху*. Э́то нелегко́, так как *пове́рхность* горы́ покры́та льдом, но мы обяза́тельно *соверши́м* э́то восхожде́ние!

4. По́сле двух лет рабо́ты худо́жник *заверши́л* свою́ карти́ну. Друзья́ собрали́сь в его́ мастерско́й отпра́здновать *заверше́ние* большо́го труда́.

5. На друго́м конце́ у́лицы показа́лся *верхово́й*, он прекра́сно держа́лся в седле́, ви́дно бы́ло, что он с де́тства уме́ет е́здить *верхо́м*, понима́ет зако́ны *верхово́й* езды́, хорошо́ зна́ет пова́дки лошаде́й.

5. Тира́ны и дикта́торы счита́ют себя́ *верши́телями* су́деб наро́да, но исто́рия пока́зывает, что наро́ды са́ми *верша́т* свою́ судьбу́.

1. The family lives on the *upper*, second floor of a two-story building.
2. The *top* of the Christmas tree is adorned with a gold star.
3. We raise our heads *upward* and see the *peak* of a high mountain. We would like to ascend it and look at the world *from above*. It's not easy since the *surface* of the mountain is covered with ice, but we will certainly *accomplish* this ascent!
4. After two years of work the artist *completed* his picture. Friends gathered into his studio to celebrate the *completion* of the great labor.
5. At the other end of the street there appeared a *rider*. He held himself handsomely in the saddle. It was apparent that, from childhood, he has known how *to ride*, understands the rules of *riding*, and knows horses' behavior.
5. Tyrants and dictators consider themselves the *managers* of people's fates, but history has shown that the people themselves *manage* their own fate.

ВЕС[85] (веш[60]) *hang down, weigh (transitive); hang (intransitive)*
ВИС[41]   "

1. —Ско́лько *ве́сят* три я́блока?—Что́бы узна́ть э́то, на́до положи́ть я́блоки на *весы́* и *взве́сить* их.
1. Без ве́тра флаг не развева́лся, а *пови́с*.
2. —Здесь есть побли́зости кинотеа́тр?—Да, есть совсе́м ря́дом—ви́дите *вы́веску* на сосе́днем до́ме.
2. Одея́ло *свиса́ло* с крова́ти, почти́ каса́ясь по́ла.
3. Сте́ны ко́мнаты *уве́шаны* карти́нами, о́кна *занаве́шены* тёмными што́рами, похо́жими на театра́льный *за́навес*. На карти́нах изображены́ *разве́систые* дере́вья, расту́щие у реки́. Ве́тки дере́вьев ни́зко *нависа́ют* над водо́й.
3. На верёвке *виси́т* мо́крое бельё. Оно́ *повиси́т* не́сколько часо́в и вы́сохнет на со́лнце. Е́сли со́лнца нет, бельё мо́жет *провисе́ть* це́лый день и оста́ться мо́крым.
4. Ю́бка помя́та, а погла́дить не́чем, придётся *пове́сить* её на́ ночь на *ве́шалку*. Наде́юсь, что до утра́ ю́бка *отви́сится*.
4. Ма́ленькая страна́ сража́ется за свою́ *незави́симость*.
5. Мой друг—неплохо́й челове́к, но о́чень легкомы́сленный, одни́м сло́вом,—*пове́са*.
5. Неприя́тно, когда́ в магази́не тебя́ *обве́шивают*, то́ есть ты пла́тишь за бо́льший *вес*, чем реа́льный *вес* поку́пки.

1. How much do three apples *weigh*? In order to find that out, you need to place the apples on the *scales* and *weigh* them.
1. Without a wind, the flag did not flutter but just *hung* there.
2. —Is there a movie theater near here?—Yes, there is one quite close. See the *sign* on the building next door.
2. The blanket *hung* from the bed, almost touching the floor.
3. The walls of the room are *covered* with pictures. The windows *are hung* with dark blinds, similar to a theater *curtain*. In the pictures, *branching* trees are depicted growing near a river. The branches of the trees *hang* low over the water.
3. Wet laundry *is hanging* on a rope line. It *will hang* there for several hours and dry out in the sun. If there is no sun, the laundry can *hang out* the entire day and still remain damp.
4. The skirt is wrinkled and there is nothing to iron it with. I'll have *to hang* it overnight on a *hanger*. I hope that *through hanging, the skirt's wrinkles will be* gone by morning.
4. The small country is fighting for its *independence*.
5. My friend is not a bad person, but he is very silly. In a word, he's a *flake*.
5. It is annoying when you get *cheated* at a store; that is, you pay for a greater *weight* than the actual *weight* of the purchase.

ВЕСЕЛ[28] (весёл[4]) *cheerful*

1. Все лю́бят моего́ отца́ потому́, что он до́брый и *весёлый* челове́к.
2. Жела́ю вам ра́дости и *весе́лья*!
3. Брат пришёл домо́й гру́стным, но, уви́дев на́ши ра́достные ли́ца, *повеселе́л*. Мы стара́лись

развеселить его—шутили, пели, *веселили* его смешными историями.

4. Клоун—*весельчак*, который больше всего любит *повеселить* людей.

5. Нельзя сказать, что сосед пьян, но по его походке и разговору понятно, что он немного *навеселе*.

1. Everyone loves my father because he is a kind and *cheerful* person.
2. I wish you joy and *merriment*!
3. My brother came home sad, but upon seeing our glad faces, he *brightened up a little*. We tried *to cheer* him *up*—we joked, sang, and *amused* him with funny stories.
4. A clown is an *cheery fellow* who loves *to cheer* people up more than anything.
5. You can't say that our neighbor is drunk, but from his walk and speech you can tell that he is a little *tipsy*.

ВЕТ[58] (веч[6], вещ[23]) *declare*

1. Передай от меня *привет* твоей семье.

2. *Отвечайте* на мои вопросы! Кто *ответит* первым—выиграет соревнование.

3. В России создан Президентский *Совет*, члены *Совета* должны помогать президенту принимать решения, *соответствующие* ситуации в стране. На членах *Совета* лежит большая *ответственность*, они периодически собираются на *совещания*, чтобы *посоветоваться*, обсудить возникающие проблемы.

4. Войдя в комнату, она подошла к столу, открыла ключом секретный ящик и достала свою *заветную* шкатулку, где она хранила самые дорогие для неё письма.

5. Дедушка умер, когда прочли его *завещание*, узнали, что он *завещал* всё своё имущество внуку.

1. Give *greetings* to your family for me.
2. *Answer* my questions! Whoever *answers* first wins the contest.
3. In Russia a Presidential *Council* has been created. The members of the *Council* must help the president make decisions *appropriate* to the situation in the country. On the members of the *Council* lies a great *responsibility*. They periodically gather for *conferences* in order *to consult* one another and discuss problems which arise.
4. Having entered the room she walked up to the desk, unlocked a secret drawer, and got her *precious* case where she kept the letters most dear to her.
5. The grandfather died. When they read his *will* [*bequethment*], they discovered that he *had bequeathed* all his belongings to his grandson.

ВИД[69] [for вист[13] see truncation rule 5] *see*
ОБИД (обиж[3]) from об-вид (об-виж) [see truncation rule 7] *offense*

1. Из окна красивый *вид* на горы, но не *видно* моря.

1. В споре мы наговорили друг другу много *обидных* слов и долго не могли забыть *обиду*.

2. Мне нравится девушка, мы встретимся сегодня вечером—это наше первое *свидание*.

2. Я очень *обидчивый* человек, меня легко *обидеть*.

3. В детстве, стоило мне издали *завидеть* мать, я радостно бежала к ней. Сейчас я живу отдельно, и мы давно уже не *виделись*. Надо съездить *повидать* её. Она уже старенькая, трудно *предвидеть*, как долго она проживёт.

3. Что ты такой *обиженный*, на кого ты *обиделся*? Скажи мне, кто твой *обидчик*?

4. Приятель за что-то *разобиделся* на меня и не звонит.

4. Был один *свидетель* преступления. *Ввиду* этого только он мог *свидетельствовать* на суде.

5. Не ожидал от него такого злого и циничного поступка, всегда думал, что он совершенно *безобидный* человек.

5. —Он богатый, а я бедный—я *завидую* ему.—Не *завидуй*, *зависть*—плохое чувство.

5. *Ненависть*—тяжёлое чувство, но я *ненавижу* несправедливость, злобу и лицемерие.

1. From the window there is a beautiful *view* of the mountains, but the sea is not *visible*.
1. While arguing we said many *offensive* words to each other and, for a long time, were unable to forget the *offense*.

2. There's a girl I like. We are getting together this evening. It is our first *date*.

2. I am a very *sensitive* person. I am easily *offended*.

3. In childhood, I had only *to catch sight of* my mother from afar and I would joyfully run up to her. Now I live on my own and we *haven't seen each other* for a long time. I need to go *see* her. She is already quite old, and it is difficult *to foresee* how much longer she will live.

3. Why are you so *offended*? At whom *have you taken offense*? Tell me, who is your *offender*?

4. My friend for some reason *took offense* at me and doesn't call.

4. There was one *witness* to the crime. *In view* of this, only he could *testify* at the trial.

5. I did not expect such a malicious and cynical act from him. I always thought that he was a completely *inoffensive* person.

5. —He is rich and I am poor. I *envy* him.—Don't *envy*. *Envy* is a bad feeling.

5. *Hatred* is a disagreeable feeling, but I *hate* injustice, malice, and hypocrisy.

ВИЙ[138] (вьй[14], вой[7]) *wind up*
ВИЛ[21] "

1. Суп едя́т ло́жкой, а спаге́тти—*ви́лкой*.

2. В э́том зда́нии есть больша́я *витáя* лестница.

3. Ма́ленькая де́вочка *обвилá* рука́ми ше́ю ма́тери и испу́ганно прижа́лась к ней.

3. Пти́цы *вьют* гнездо́ на высо́ком де́реве. Им на́до успе́ть *свить* удо́бное гнездо́ до появле́ния птенцо́в. Пти́цы по о́череди *взвива́ются* в во́здух и улета́ют на по́иски материа́ла для гнезда́.

4. Мне надое́ли мои́ прямы́е во́лосы, хочу́ сде́лать *зави́вку*.

5. В семье́ бы́ло два здоро́вых, хорошо́ *ра́звитых* ребёнка, а тре́тий роди́лся больны́м и у́мственно *недора́звитым*.

1. Soup is eaten with a spoon and spaghetti *with a fork*.

2. In this building there is a large *spiral* staircase.

3. The small girl *wrapped* her arms *around* the neck of her mother and fearfully pressed herself to her.

3. The birds *are making [weaving]* a nest in a tall tree. They must have time *to weave* a comfortable nest before the appearance of nestlings. The birds take turns *winding up* into the air and flying out in search of material for the nest.

4. I'm tired of my straight hair; I want to get a *permanent*.

5. In the family there were two healthy, well-*developed* children, but the third was born sickly and mentally *underdeveloped*.

ВИН[39] *guilt*

1. Ма́ленькие *неви́нные* де́ти не должны́ страда́ть.

2. Accusative case по-ру́сски называ́ется *вини́тельным* падежо́м.

3. Престу́пник не признава́л свою́ *вину́*, он отрица́л *обвине́ния* в уби́йстве, не счита́л себя́ *вино́вным*. Каза́лось, что он страда́ет *безви́нно*. Но обще́ственный *обвини́тель* доказа́л, что и́менно э́тот челове́к был *вино́вником* сме́рти мно́гих люде́й, что он *винова́т* в наруше́нии зако́на. В конце́ концо́в *вино́вность обвиня́емого* была́ дока́зана, и суд вы́нес ему́ *обвини́тельный* пригово́р. Престу́пник так и не захоте́л *повини́ться* пе́ред людьми́, продолжа́л сохраня́ть вид по́лной *неви́нности*.

4. Ребёнок *провини́лся*—гру́бо разгова́ривал с ма́терью. Но он *извиня́лся* за свою́ *прови́нность* так и́скренне, его́ *извине́ния* бы́ли таки́ми тро́гательными, а *извиня́ющийся* го́лос таки́м гру́стным, что мать его́ бы́стро прости́ла.

5. В Росси́и существу́ет обяза́тельная во́инская *пови́нность*, э́то зна́чит, что все мужчи́ны, дости́гшие 18 лет, должны́ служи́ть в а́рмии.

1. Little *innocent* children should not have to suffer.

2. The accusative case in Russian is called the винительный падеж.

3. The criminal did not acknowledge his *guilt*. He denied *accusations* of murder and did not consider himself *guilty*. It appeared that he was suffering *innocently*. But the public *prosecutor* proved that this very

person was the *perpetrator* of the death of many people, and that he was *guilty* of breaking the law. Finally, the *guilt* of the *accused* was proven and the court passed a *guilty* verdict. The criminal even then didn't want *to acknowledge his guilt* before people and continued to maintain the appearance of complete *innocence*.

4. The child *misbehaved*—he spoke rudely to his mother. But he *apologized* for his *misconduct* so sincerely, his *apologies* were so touching, and his *apologetic* voice was so sad, that his mother quickly forgave him.

5. In Russia they have a compulsory military *obligation*. This means that all men upon reaching eighteen years of age must serve in the army.

ВИНТ[37] (винч[36]) *twist*

1. Мы шли по *винтовóй* лéстнице.
2. Налетéл урагáн, пóднял пыль с дорóги и *взвинтúл* её спирáлью высокó в нéбо.
3. В середúне нóжниц есть *винт*, котóрый соединяет две чáсти нóжниц. На мáленьких нóжницах *вúнтик* бывáет совсéм мáленьким. Иногдá от чáстого употреблéния *винт* мóжет *вывúнчиваться*, тогдá чáсти нóжниц *отвúнчиваются* друг от дрýга. Éсли винт не *завúнчен* до концá úли *развинтúлся* немнóго, егó нáдо *подвинтúть* так, чтóбы он крéпко держáл нóжницы.
4. Идёт бой, нéкоторые солдáты стреляют из автомáтов, а нéкоторые—из *винтóвок*.
5. Я рабóтал цéлые сýтки, совершéнно не спал, сегóдня чýвствую себя так, как бýдто ктó-то *развинтúл* все мои сустáвы. Ужáсная *развúнченность* в тéле и несобрáнность в мыслях.

   1. We were walking up a *winding* staircase.
   2. A hurricane swooped in, lifted dust from the road, and *twisted* it up in a spiral high into the sky.
   3. In the center of a pair of scissors there is a *screw* that joins the two parts of the scissors. In small scissors, the *little screw* can be quite tiny. Sometimes from frequent use the *screw* can *become unscrewed*. Then the parts of the scissors *come unscrewed* from each other. If the screw is not completely *screwed in* or if it *comes unscrewed* just a little, it must be *screwed in more snugly* so that it holds the scissors firmly in place.
   4. A battle is in progress. Some soldiers are shooting automatic weapons and others, *rifles*.
   5. I was working around the clock. I didn't sleep at all, and today I feel as if someone *has removed balance* in all my joints. [I feel] a terrible *lack of balance* in my body and of concentration in my thoughts.

ВЛАД[27] [for власть[15] and волость[3] see truncation rule 5] *power*
ОБЛАД (област[4]) from об-влад (об-власт) [see truncation rule 7] *control*

1. Царь имéл пóлную *власть* в странé.
2. —Вы не знáете, кто *владéлец* этого большóго дóма?
   —Мой отéц *владéет* дóмом ужé мнóго лет.
3. Корóль сосéднего госудáрства—óчень *влáстный* человéк, он хóчет *влáствовать* не тóлько над своéй странóй, но и над сосéдней. Он дéлает всё, чтóбы *завладéть* чужúм госудáрством. Однáжды нóчью егó áрмия перешлá гранúцу и *овладéла* столúцей сосéдней страны. Корóль стал *владыкой* страны, её жестóким *властелúном* и грóзным *властúтелем* сýдеб людéй. Емý тепéрь *подвлáстно* всё в егó нóвых *владéниях*.
4. Моя дочь—чемпиóнка Москóвской *óбласти* по бéгу. Онá *победúтель областных* соревновáний.
5. Пóсле гúбели президéнта в странé нéсколько дней царúло *безвлáстие*. Нé было человéка (úли пáртии)—*обладáтеля* достáточного для руковóдства странóй авторитéта. Ни у однóй пáртии нé было *преоблáдающего* влияния в странé.

   1. The tsar had complete *power* in the country.
   2. —Do you know who the *owner* of this large house is?
      —My father *has owned* the house for many years now.
   3. The king of the neighboring state is a very *domineering* person. He wants *to rule* over not only his own nation but also the neighboring one. He does everything in order *to take possession* of an other state. Once at night his army crossed the border and *took control of* the capital of a neighboring country. The

king became the *sovereign* of the nation, the cruel *ruler* and terrible *master* of the fate of its people. Everything now is *under* his *power* in his new *possessions*.

4. My daughter is the champion of the Moscow *region* in track. She is the winner of the *regional* competitions.

5. After the demise of the president, *anarchy* reigned in the country for several days. There didn't exist a person (or party)—*one possessing* sufficient authority for the leadership of the country. Not one of the parties had a *predominant* influence in the nation.

ВОД[48] (вож[3]) *water*

1. В о́зере чи́стая прозра́чная *вода́*. Прия́тно попла́вать в тако́й *води́чке*.

1. Мы купи́ли буты́лку вина́ и буты́лку *во́дки*.

2. Мой брат—капита́н *подво́дной* ло́дки. Он называ́ет себя́ *подво́дником*.

2. В ска́зках расска́зывается о *водяны́х* и руса́лках, кото́рые живу́т в ре́ках и озёрах.

3. Весно́й на́чал та́ять снег, пошли́ дожди́ и река́ си́льно разлила́сь, да́же старики́ не по́мнили тако́го *па́водка*. *Па́водковые во́ды* затопи́ли поля́ и огоро́ды. К сча́стью, дожди́ ко́нчились и *наводне́ние* не преврати́лось в стихи́йное бе́дствие.

3. По́сле *безво́дья* пусты́ни прия́тно ви́деть широ́кий просто́р реки́. Краси́вы ти́хие речны́е *за́води*, где ве́тви дере́вьев каса́ются *во́дной* гла́ди.

4. Незнако́мец ме́дленно перевёл на меня́ взгляд свои́х *водяни́сто*-голубы́х глаз.

4. Стари́к вы́глядел боле́зненно то́лстым, отёкшим, врачи́ говори́ли, что у него́ боле́знь, кото́рую ча́сто называ́ют *водя́нкой*.

5. Во вре́мя стра́нствий по пусты́не путеше́ственник мо́жет умере́ть в результа́те *обезво́живания* органи́зма.

5. По́сле покуше́ния на жизнь президе́нта страну́ *наводни́ли* слу́хи о гото́вящемся госуда́рственном переворо́те.

1. There is clean, transparent *water* in the lake. It is nice to go for a swim in such *fine water*.
1. We bought a bottle of wine and a bottle of *vodka*.
2. My brother is the captain of a *submarine*. He calls himself a *submariner*.
2. Fairytales tell of *water sprites* and mermaids who live in rivers and lakes.
3. In the spring the snow began to melt. The rains came and the river much overflowed its banks. Even the old people could not remember such *flooding*. The *flood waters* innundated the fields and gardens. Fortunately, the rains stopped and the *flooding* did not turn into a natural disaster.
3. After the *aridity* of the desert it is nice to see the broad expanse of a river. The quiet river *inlets* are beautiful where the branches of the trees touch the smooth *water* surface.
4. The stranger slowly cast the gaze of his *watery*, light-blue eyes on me.
4. The old man looked unhealthily heavy and swollen. The doctors said that he has an illness which is often called *dropsy*.
5. During wanderings in the deseret, a traveler can die as a result of bodily *dehydration*.
5. After the attempt on the president's life, rumors about preparations for a political coup *flooded* the country.

ВОЙ[36] *fight*

1. Солда́та уби́ли на *войне́*.

2. Мы победи́м, потому́ что на́ше *во́йско* состои́т из сме́лых *во́инов*.

3. А́рмия *вою́ет* уже́ не́сколько лет. Удало́сь *отвоева́ть* города́, за́нятые неприя́телем в нача́ле *вое́нных* де́йствий, и *завоева́ть* мно́го вра́жеских городо́в. Солда́ты, *провоева́в* мно́го лет, уста́ли, *навоева́лись*, хотя́т ми́ра.

4. *Завоева́тельные* похо́ды Наполео́на бессла́вно око́нчились в сожжённой Москве́.

5. Посмотри́, до чего́ мы *довоева́лись*—в стране́ разру́ха, го́лод, нищета́.

1. The soldier was killed in the *war*.
2. We will be victorious because our *army* is made up of brave *fighters*.

3. The army *has been at war* for several years now. They have managed *to win back* cities which were occupied by the enemy at the beginning *of military actions* and *to conquer* many enemy cities. The soldiers, *having fought* for many years, have become tired. *They have had enough of fighting* and want peace.

4. Napoleon's *aggressive* campaign ended ingloriously in a burned down Moscow.

5. Look what our *fighting has brought us to*—destruction, hunger, and poverty in our country.

ВОЛ[78] (вел[9]) *will*

1. Ты свобо́дный, *во́льный* челове́к!

1. Я реши́л, что у меня́ сла́бая *во́ля*.

2. Оте́ц *веле́л* сы́ну верну́ться домо́й не по́зже 7 часо́в ве́чера.

3. Брат о́чень *волево́й* челове́к, он уме́ет контроли́ровать свои́ чу́вства, сде́рживать эмо́ции, добива́ться поста́вленной це́ли. Брат не лю́бит *безво́лия* и всегда́ *недово́лен* безде́йствием.

4. Же́нщину *уво́лили* с рабо́ты, тепе́рь она́ безрабо́тная.

5. Спекта́кль был прекра́сным, мы получи́ли большо́е *удово́льствие* от посеще́ния теа́тра.

5. В недемократи́ческом госуда́рстве о́бществом управля́ет не зако́н, а *произво́л* вла́сти.

1. You are a free and *independent* person!

1. I have decided that I have a weak *will*.

2. The father *ordered* his son to return home no later than 7:00 p.m.

3. My brother is a very *strong-willed* person. He can control his feelings, hold back emotions, and reach a set goal. My brother doesn't like *weak willpower* and is always *dissatisfied* with idleness.

4. The woman was *fired* from her job. Now she is unemployed.

5. The performance was wonderful. We received great *satisfaction* from our visit to the theater.

5. In a non-democratic state, society is not governed by law, but by the *arbitrariness* of power.

ВОЛН[20] *agitate*

1. *Во́лны* мо́ря набега́ли на бе́рег.

2. Над на́ми плы́ли лёгкие *волни́стые* облака́.

3. Получи́в письмо́, же́нщина *разволнова́лась* так си́льно, что у неё затрясли́сь ру́ки. *Заволнова́вшись*, она́ не сра́зу откры́ла конве́рт. Прочита́в письмо́, она́ поняла́, что *переволнова́лась* напра́сно.

4. Ну, ма́льчики, заста́вили же вы нас *поволнова́ться*, когда́ ушли́ гуля́ть одни́.

5. Ви́дно, что челове́к си́льно *волну́ется*—он в *волне́нии* бы́стро хо́дит по ко́мнате и говори́т напряжённым, *взволно́ванным* го́лосом.

1. The *waves* of the sea rushed up against the shore.

2. Above us floated light, *billowing* clouds.

3. Upon receiving the letter, the woman *became so agitated* that her hands started to tremble. *Having become so upset*, she did not open the envelope immediately. After reading the letter, she realized that she *had become overly alarmed* for nothing.

4. Well, boys, you really made us *worry* when you left to go out on the town alone.

5. It is apparent that the person is greatly *worried*—in his *agitation* he is walking quickly around the room and talking in a tense, *agitated* voice.

ВОЛОК[25] (волоч[61], волак[35], влач[2], влек[26], влеч[35]) *drag*
ОБЛАК[1] (облач[21], оболоч[4]) [from об-влак, об-влач, об-волоч; see truncation rule 7] *cloud*

1. С де́тства у бра́та бы́ло *влече́ние* к му́зыке.

1. По си́нему не́бу плывёт бе́лое *о́блако*.

2. Меня́ *увлека́ет* мир иску́сства.

2. Краси́вые игру́шки *привлека́ли* внима́ние дете́й.

3. Чемода́н был сли́шком тяжёлым, поэ́тому я тяну́л его́ по земле́ *во́локом*. Не́сколько раз я с больши́м трудо́м *взвола́кивал* чемода́н на плечо́, но не надо́лго. *Волоча́* мой бе́дный чемода́н, я дошёл до до́ма.

3. Подро́стка дово́льно легко́ *вовле́чь* в престу́пную гру́ппу, *отвле́чь* его́ от учёбы и норма́льной

жи́зни, *привле́чь* к нарко́тикам и алкого́лю. Молоды́х люде́й *увлека́ют развлече́ния*, а не рабо́та и учёба. Они́ не понима́ют, что тако́й о́браз жи́зни мо́жет *навле́чь* на них больши́е неприя́тности в бу́дущем.

4. Передо мно́й шёл челове́к, слегка́ *подвола́кивающий* пра́вую но́гу, от э́того его́ похо́дка была́ неро́вной.

4. Из оши́бок на́до уме́ть *извлека́ть* поле́зный о́пыт, что́бы не повторя́ть одни́ и те же оши́бки мно́го раз.

5. Не верь своему́ знако́мому, когда́ он говори́т, что лю́бит тебя́. Я его́ хорошо́ зна́ю, он постоя́нно *волочи́тся* за же́нщинами. Он спосо́бен то́лько *приволокну́ться* за тобо́й, но не спосо́бен на серьёзное чу́вство.

5. Вы должны́ бы́ли офо́рмить мои́ докуме́нты уже́ два ме́сяца наза́д, но я до сих пор не получи́л отве́та. Всё вре́мя происхо́дят каки́е-то *проволо́чки*. Э́то бюрократи́зм и *волоки́та*!

1. Since childhood my brother had an *attraction* to music.
1. A white *cloud* is drifting across the dark blue sky.
2. I'm *attracted* to the world of art.
2. The beautiful toys *attracted* the children's attention.
3. The suitcase was too heavy, so I *dragged* it along the ground. Several times with great effort I *heaved* the suitcase onto my shoulder, but not for long. *Dragging* my poor suitcase, I made it home.
3. It is rather easy *to draw* an adolescent into a criminal crowd, *to distract* him from studies and ordinary life, and *to attract* him to drugs and alcohol. Young people *are led away* by *diversions* and not work and study. They don't understand that such a way of life can *bring upon* them great troubles in the future.
4. A man walked before me, slightly *dragging* his right leg, which made his stride uneven.
4. You must be able *to extract* useful experience from mistakes so as not to repeat the same mistakes many times.
5. Don't believe your acquaintance when he tells you that he loves you. I know him well, and he continually *chases* after women. He is only capable of *pursuing* [*dragging himself up to*] you, but he is not capable of serious feeling.
5. You should have already registered my documents two months ago, but I still have not received an answer. Some kind of *delays* are occuring the whole time. It's bureaucracy and *red tape*!

ВОРОТ[54] (вороч[13], ворач[26], врат[36], вращ[33])　　　　　　　　　　　*turn*
ВЕРЕТ (верт[38], вёрт[65], верч[15]) [for вер[32] see truncation rule 3]　　　"
ОБОРОТ (обора́ч[3], обрат[6], обращ[5]) [об-ворот, (об-ворач, об-врат, об-вращ), "
　　see truncation rule 7]

1. Ты спишь неспоко́йно, *воро́чаешься* во сне.
1. Смотри́ пря́мо, не *верти́* голово́й!
2. Сосе́дка се́рдится на меня́, *отвора́чивается*, когда́ я с ней здоро́ваюсь.
2. Встре́ча с бу́дущим му́жем ста́ла *поворо́тным* моме́нтом в мое́й жи́зни.
2. К Рождеству́ ма́ма *завора́чивает* пода́рки в краси́вую бума́гу.
2. Луна́ *враща́ется* вокру́г Земли́, а Земля́ *враща́ется* вокру́г Со́лнца.
3. Что́бы дое́хать до моего́ до́ма, сде́лай ле́вый *поворо́т*, пото́м поезжа́й пря́мо, а зате́м *поверни́* напра́во. *Повора́чивай* сра́зу по́сле светофо́ра.
3. Что́бы *предотврати́ть* крова́вые беспоря́дки в стране́, на́до поскоре́е *преврати́ть* страну́ в демократи́ческое госуда́рство и *возврати́ть* лю́дям свобо́ду.
3. Не смотри́ наза́д! Да́же е́сли тебя́ позову́т, не *обраща́й* внима́ния и не *обора́чивайся*.
4. Загово́рщики хоте́ли устро́ить госуда́рственный *переворо́т*: взять власть в свои́ ру́ки и измени́ть госуда́рственную систе́му.
4. Ты соверше́нно *изврати́л* мои́ слова́, прида́л им смысл, кото́рый противоре́чит мое́й иде́е.
4. В су́мке лежа́ли паке́ты и *свёртки* с ра́зными поку́пками.
5. Сове́тую быть осторо́жным с э́тим челове́ком: он о́чень *изворо́тливый*, никогда́ не зна́ешь, говори́т

ли он и́скренне и говори́т ли он пра́вду.

5. Нече́стность, преда́тельство, изме́на вызыва́ют у меня́ *отвраще́ние*.

5. Миссионе́ры *обраща́ли* язы́чников в христиа́нство.

1. You are sleeping restlessly, *tossing* in your sleep.
1. Look straight ahead. Don't *turn* your head!
2. My neighbor is angry with me. *She turns away* when I greet her.
2. Meeting my future husband became a *turning* point in my life.
2. For Christmas, Mom *wraps* the presents in beautiful paper.
2. The moon *revolves* around the earth and the earth *revolves* around the sun.
3. In order to reach my house, make a left *turn*, then go straight, and after that *turn* right. *Turn* immediately after the stoplight.
3. In order *to prevent* bloody disturbances in the country, they must quickly *transform* the nation into a democratic state and *return* freedom to the people.
3. Don't look back! Even if they call you, don't *pay attention* and do not *turn around*.
4. The conspirators wanted to organize a *coup d'etat*—to take power into their own hands and change the governmental system.
4. You completely *perverted* my words and attached a meaning to them that contradicts my idea.
4. In the bag lay packages and *bundles* containing various purchases.
5. I advise you to be careful with this person—he is very *wily*. You never know whether he is speaking sincerely and whether he is speaking the truth.
5. Dishonesty, betrayal, and treachery evoke *disgust* in me.
5. Missionaries *converted* the pagans to Christianity.

ВР[19] (вир[10]) *lie*

1. Никогда́ не *ври*, всегда́ говори́ пра́вду.
2. В расска́зе нет ни одного́ правди́вого сло́ва, одно́ *враньё*.
3. Ма́льчику нельзя́ ве́рить, он *врун*. Мо́жет *навра́ть* о чём уго́дно. Иногда́ так *разоврётся*, что *заврётся* до того́, что перестаёт понима́ть, где он *совра́л*, а где пра́вду сказа́л. Роди́тели не зна́ют, что с ним де́лать, совсе́м *изовра́лся* ребёнок.
4. Мой друг не обма́нщик, но лю́бит немно́го *приврать*, чтобы расска́з был интере́снее.
4. Снача́ла все пове́рили ему́, но он вы́дал себя́, *проврался* на како́й-то ме́лочи.
5. Рассе́янный ле́ктор *перевира́л* да́ты и имена́.
5. Твоя́ иде́я пое́хать в Голливу́д и стать кинозвездо́й соверше́нно *завира́льная*—вы́брось её из головы́.

1. Never *lie*. Always speak the truth.
2. In the story there is not one truthful word. It is all *lies*.
3. You can't believe the boy—he is a *liar*. He will *lie* about anything he pleases. Sometimes he *will lie so much* that *he gets carried away in his lies* and no longer knows when he has *lied* and when he has told the truth. His parents don't know what to do with him. The child *has become an inveterate liar*.
4. My friend is not a deceiver, but he loves *to fib* a little in order to make his story more interesting.
4. At first everyone believed him, but he gave himself away and *was caught in a lie* about some trivial thing.
5. The absent-minded lecturer *confused* dates and names.
5. Your idea to go to Hollywood and become a movie-star is complete *nonsense*. Get it out of your head.

ВРЕД[17] (вреж[3], вfocusжд[3], веред[10]) *harm*

1. Война́ принесла́ большо́й *вред* стране́
2. Грибы́ быва́ют поле́зные и *вре́дные*.
3. Тёмной но́чью мы пошли́ гуля́ть и то́лько *навреди́ли* себе́: упа́ли в глубо́кую я́му. При паде́нии я *повреди́л* ру́ку, *поврежде́ние* не о́чень серьёзное, но боле́зненное. К сча́стью, мой друг оста́лся *невреди́мым*.
4. Полице́йские *обезвре́дили* вооружённого престу́пника. *Обезвре́женный* престу́пник доста́влен в поли́цию.

5. Ребёнок устáл, капрúзничал и *врéдничал* весь вéчер.

5. Сегóдня к нам придýт óчень *привередлúвые* гóсти, им трýдно угодúть.

1. The war brought great *harm* to the country.
2. Mushrooms can be either useful or *harmful*.
3. On a dark night we went for a walk, but only ended up *bringing harm* to ourselves: we fell into a deep hole. I *hurt* my arm in the fall. The *injury* was not very serious, but painful. Fortunately, my friend remained *unharmed*.
4. The police officers *rendered* the armed criminal *harmless*. The *now harmless* criminal was delivered to the police station.
5. The child was tired. He was fussy and *unruly* all evening.
5. Today some very *particular* guests are coming to visit us. It will be difficult to suit them.

ВРЕМ[26] *time*

1. *Временáми* мне трýдно тебя понимáть.
2. Фильм начинáется чéрез полчасá, постарáйся не опáздывать, приходú *вóвремя*.
3. Мать считáла, что сыну рáно женúться, просúла егó *повременúть* с э́тим вáжным шáгом, говорúла, что егó любóвь—не постоя́нное чýвство, а *врéменное* увлечéние, что *врéмя* для женúтьбы ещё не пришлó.
4. Я люблю́ классúческую литератýру, но не óчень люблю́ *совремéнных* писáтелей.
5. Хорóших домóв в гóроде не стрóили, всю́ду стоя́ли однú *время́нки*.
5. В перúоды *безврéменья* в óбществе царя́т разочаровáние и скéпсис.

1. *At times* it is difficult for me to understand you.
2. The film begins in half an hour. Try not to be late—come *on time*.
3. The mother thought that it was too early for her son to be getting married and asked him *to delay* this important step. She said that his love was not an enduring feeling but a *temporary* attraction, and that the *time* for marriage had not yet come.
4. I love classical literature, but I don't like *contemporary* writers very much.
5. They didn't construct good buildings in the town. Only *flimsy [temporary] structures* were everywhere.
5. During periods of *hard times*, disillusionment and skepticism prevail in society.

ВТОР[18] *second*

1. *Вторóй* день недéли по-рýсски называ́ется *втóрник*.
2. На пéрвое дéти éли суп, на *вторóе*—мя́со, а на трéтье—пирóг.
3. Малы́ш *повторя́л* все движéния стáршего брáта, смешнó *втóрил* кáждому егó слóву. Егó *повтóры* бы́ли óчень забáвными, но брат сердúлся, когдá *повтóрно* слы́шал свои́ словá.
4. *Повторéнье*—мать учéнья.
5. Э́то бы́ло прекрáсное, *неповторúмое* врéмя!
5. Филóсофы-материалúсты считáют, что матéрия первúчна, а сознáние—*вторúчно*.

1. The *second* day of the week in Russian is called *вторник*.
2. For their first course, the children ate soup, for the *second*—meat, and for the third—pie.
3. The youngster *repeated* every move of his older brother and amusingly *echoed* his every word. His *repetitions* were very humorous, but his brother would get angry when he heard his own words *[repeated] a second time*.
4. *Repetition* is the mother of learning.
5. It was a wonderful, *never-to-be-repeated* time!
5. Materialist philosophers consider matter to be primary, and consciousness, *secondary*.

ВЫК[17] (выч[8])   *accustom*
ОБЫК (обыч[6]) [from об-вык, об-выч; see truncation rule 7]   "

1. Не держú рýки в кармáнах—э́то плохáя *привы́чка*.
1. *Обы́чно* урóки начинáются в [9] часóв.

2. Я *привы́кла* ра́но встава́ть.

2. Знамени́тый арти́ст *вы́глядел*, как *обыкнове́нный* челове́к.

3. Стари́к давно́ жил оди́н и *отвы́к* от о́бщества. Он *попривы́к* к своему́ одино́честву, *свы́кся* с тем, что всё до́лжен де́лать сам.

4. В дере́внях соблюда́ют все стари́нные *обы́чаи*.

5. В слу́чае *чрезвыча́йных* обстоя́тельств сра́зу вызыва́йте по́мощь.

    1. Don't hold your hands in your pockets—it's a bad *habit*.

    1. *Usually* the lessons begin at nine o'clock.

    2. I *am used to* getting up early.

    2. The renowned artist looked like an *ordinary* person.

    3. The old man had long since lived alone and *had become unaccustomed* to society. He *grew accustomed* to his loneliness, and *got used to* the fact that he must do everything himself.

    4. In the villages they observe all the ancient *customs*.

    5. In the event of an *emergency [extraordinary conditions]*, immediately call for help.

ВЫС[27] (выш[24]) *high*

1. Я живу́ в *высо́тном* до́ме, моя́ кварти́ра на тридца́том этаже́.

2. В соревнова́ниях победи́л молодо́й спортсме́н, он получи́л *вы́сший* ти́тул—ти́тул чемпио́на ми́ра.

3. На горизо́нте *вы́сились* го́ры. Са́мая *высо́кая* гора́ далеко́ уходи́ла *ввысь*, её верши́на пря́талась за облака́ми. *Высота́* была́ недоста́точной, чтобы счита́ть го́ру *высоча́йшей* в ми́ре, но верши́на го́рдо *возвыша́лась* над землёй и бо́лее ни́зкими гора́ми.

4. С де́тства он мечта́л стать бога́тым и с по́мощью де́нег *возвы́ситься* над други́ми людьми́, чтобы име́ть возмо́жность смотре́ть на всех *свысока́*.

5. Я *превы́сила* ско́рость на шоссе́ и наде́ялась, что э́того никто́ не заме́тил, но полице́йский всё-таки оштрафова́л меня́ за *превыше́ние* ско́рости.

    1. I live in a *high-rise* apartment building. My apartment is on the thirtieth floor.

    2. At the competition a young athlete won. He received the *highest* title—the title of world champion.

    3. Mountains *towered* on the horizon. The *tallest* mountain stretched far *upward*, it's peak hiding behind the clouds. The *height* was not sufficient for it to be considered the *tallest* in the world, but the peak proudly *towered* over the earth and the lower mountains.

    4. Since childhood he dreamed of becoming rich and, with the help of money, *rising* above other people in order to have the opportunity to look down on everyone *from on high*.

    5. I *exceeded* the speed limit on the highway and hoped that no one would notice, but a police officer nonetheless fined me for *speeding [exceeding the speed limit]*.

ВЯД[6] [for вя[32] see truncation rules 2 and 4] *fade*

1. О́сенью цветы́ *вя́нут*.

2. В октябре́ мо́жно наблюда́ть *увяда́ние* в приро́де—*завя́ли* цветы́ в сада́х, *повя́ла* трава́ в па́рках, *увяда́ют* ли́стья на дере́вьях.

3. Хозя́йка *вя́лит* во дворе́ све́жую ры́бу, потому́ что вся семья́ лю́бит *вя́леную* ры́бу. Ры́ба непло́хо *завя́лилась*, но чтобы она́ хороше́нько *вы́вялилась* и *провя́лилась*, необходи́мо не́сколько дней.

4. Ва́ша жизнь—*неувяда́емый* приме́р доброты́ и че́стности.

5. Посмотри́, како́й *вя́лый* сего́дня сыни́шка, не игра́ет, не бе́гает—бою́сь, что он заболе́л.

    1. Flowers *fade* in the fall.

    2. In October you can observe the *fading* of nature—the flowers in the garden *have faded*, the grass in the parks *has dried up*, and the leaves on the trees *are withering*.

    3. The housewife *dries* fresh fish in the yard because her whole family loves *dried* fish. The fish *dried out* pretty well, but, in order for it *to dry out* nicely and *cure*, several days are necessary.

    4. Your life is an *unfading* example of goodness and honesty.

    5. Look how *sluggish* our little son is today. He isn't playing and he isn't running around. I am afraid he has come down with something.

ВЯЗ[36] (вяж[1])   *bind*
ОБЯЗ[21] [from об-вяз; see truncation rule 7]"

1. *Привяжи́* соба́ку к столбу́, а то она́ убежи́т.

1. В предложе́нии ме́жду слова́ми есть *связь*.

2. У солда́та серьёзное ране́ние, на́до наложи́ть стери́льную *повя́зку* и меня́ть её два ра́за в день, то есть де́лать *перевя́зки*.

2. Твой расска́з невозмо́жно поня́ть, так как ты говори́шь *бессвя́зно*.

3. Заверни́ пода́рок в краси́вую бума́гу, *перевяжи́* я́ркой ле́нтой и *завяжи́* большо́й бант. Нет, э́тот бант нехоро́ш. *Развяжи́* и *завяжи́* сно́ва.

3. Ба́бушка лю́бит *вяза́ть* ша́почки из ше́рсти. Чтобы *связа́ть* ша́почку, ей ну́жно всего́ не́сколько часо́в. Она́ мо́жет *вы́вязать* краси́вый узо́р и *довяза́ть* вещь до конца́ о́чень бы́стро. Зате́м ба́бушка для красоты́ *обвя́зывает* ша́почку по кра́ю я́ркой шерстяно́й ни́тью.

4. У пе́сни была́ о́чень *навя́зчивая* мело́дия, она́ всё вре́мя звуча́ла в ва́шей голове́, да́же е́сли совсе́м вам не нра́вилась, *неотвя́зно* сле́довала за ва́ми.

4. Молодо́й челове́к ведёт себя́ *развя́зно*, он пло́хо воспи́тан.

5. Оста́вь меня́ в поко́е, *отвяжи́сь*, пожа́луйста, я уста́ла.

5. Не хочу́ *ввя́зываться* в бессмы́сленный спор.

   1. *Tie* the dog to the post; otherwise it will run away.
   1. There is a *connection* among words in a sentence.
   2. The soldier has a serious wound. A sterile *bandage* must be applied and changed two times a day—that is, it must be *rebandaged*.
   2. Your story is impossible to understand since you are speaking *incoherently*.
   3. Wrap the gift in pretty paper, *tie it up* with a bright ribbon, and *tie on* a large bow. No, this bow is not a good one. *Untie* it and *tie* it again.
   3. Grandmother loves *to knit* hats from wool. It takes her only a few hours *to knit* a hat. She can *knit out* a beautiful pattern and *finish* an item quickly. Then for beauty she *knits* around the border of the hat with a bright woolen thread.
   4. The song had a very *catchy* melody. It was always sounding in your head even if you didn't like it at all. It *persistently* followed you everywhere.
   4. The young man is behaving *too free-and-easy*. He was poorly brought-up.
   5. Leave me in peace. *Let me alone*, please. I'm tired.
   5. I don't want *to get caught up in* a meaningless argument.

ГАД[54] *guess*

1. Мно́гие ве́рят *гада́нию гада́лки* и отно́сятся серьёзно к тому́, что она́ *нагада́ет*.

2. Она́ така́я *догадли́вая*, горди́тся свое́й *догадли́востью*.

3. Путеше́ственники не зна́ли то́чной доро́ги и шли *наугад́*. Вдруг нежда́нно-*негада́нно* они́ уви́дели ма́ленький до́мик. Дом стоя́л одино́ко и вы́глядел *загадочно*. Тру́дно бы́ло *предугада́ть*, како́й приём ждёт путеше́ственников в э́том до́ме, невозмо́жно бы́ло *догада́ться*, почему́ хозя́ева до́ма посели́лись отде́льно от всех. Путеше́ственники стро́или ра́зные *дога́дки*, пыта́ясь *разгада́ть* та́йну до́мика и *угада́ть*, кто в нём живёт. Одна́ко они́ понима́ли, что ско́лько ни *гада́й*—ничего́ не *отгада́ешь*. На́до бы́ло войти́ в дом и найти́ *разга́дку загадочности* ма́ленького одино́кого до́мика.

4. Ты никогда́ ничего́ не де́лаешь без та́йного расчёта, всегда́ *выга́дываешь*, как бы не *прогада́ть*, как бы не получи́ть ме́ньше други́х.

5. Как ты хорошо́ *подгада́л* с прие́здом: как раз к семе́йному пра́зднику!

   1. Many people believe the *sayings* of a *fortune teller* and take seriously what she *divines*.
   2. She is quite *astute*. She is proud of her *astuteness*.
   3. The travelers didn't know the exact road and walked *at random*. Suddenly, quite *unexpectedly*, they saw a little tiny house. The house stood alone and looked *mysterious*. It was difficult *to guess* what kind of reception awaited the travelers in this house. It was impossible *to guess* why the owners of the house set-

tled here away from everyone else. The travelers formulated various *conjectures*, attempting *to guess* the secret of the tiny house and *guess* who lived in it. However, they realized that, no matter how much they *guessed*, they wouldn't *be able to guess correctly*. They had to enter the house and find the *solution* to the *mystery* of the little, tiny, solitary house.

4. You never do anything without secret calculations. You are always *figuring things out* so as not *to miscalculate*, so as not to receive less than others.
5. You sure *figured out* the right moment to arrive—just in time for a family celebration!

ГАД[18] (гаж[6]) *vile*

1. В ко́мнате был о́чень неприя́тный, *га́дкий* за́пах.
2. Е́сли съел каку́ю-нибу́дь *га́дость*, обяза́тельно заболи́т живо́т.
3. Ваш знако́мый—плохо́й челове́к: всегда́ стреми́тся хоть немно́го *подга́дить* друго́му, *изга́дить* хоро́шие отноше́ния.
4. *Гадю́ка*—змея́, уку́с кото́рой о́чень опа́сен.
5. Он тако́й нечистопло́тный челове́к, что вызыва́ет *гадли́вость*.

1. In the room there was a very unpleasant, *foul* smell.
2. If you ate something *vile*, your stomach will ache for sure.
3. Your acquaintance is a bad person. He is always trying hard *to play* at least a few *dirty tricks* on others and *spoil* good relationships.
4. A *viper* is a snake whose bite is very dangerous.
5. He is such a slovenly person that he arouses *disgust*.

ГАС[23] (гаш[5]) *extinguish*

1. Пора́ спать, *гаси́* свет.
2. Свеча́ *пога́сла*, в ко́мнате ста́ло темно́.
3. Слуга́ *погаси́л* все ла́мпы в до́ме и *загаси́л* ого́нь в ками́не. То́лько одна́ свеча́ *негаси́мо* горе́ла всю ночь, но к утру́ и она́ начала́ *га́снуть*.
4. Все жела́ния и наде́жды *уга́сли* в душе́ неизлечи́мо больно́го челове́ка.
5. Стремле́ние к свобо́де *неугаси́мо*.

1. It is time for bed. *Turn off* the light.
2. The candle *went out* and it became dark in the room.
3. The servant *put out* all the lamps in the house and *extinguished* the fire in the fireplace. Only one candle burned *without going out* the whole night, but by morning it began *to grow dim*.
4. All desires and hopes *were extinguished* in the soul of the terminally ill person.
5. Striving for freedom is *inextinguishable*.

ГБ[1] (гиб[72]) [for ги[2], г[42] see truncation rule 2] *bend*
ГУБ[14] *bend; destroy*

1. Кака́я *ги́бкая* э́та молода́я гимна́стка!
1. *Ги́бель* люде́й в тра́нспортных катастро́фах—больша́я траге́дия.
2. Дере́вья в саду́ *гну́лись* от си́льного ве́тра, *сгиба́ясь* почти́ до земли́.
2. Мужчи́на *отогну́л* рука́в руба́шки и посмотре́л на часы́.
3. Де́вушка бы́стро *нагиба́ется* и поднима́ет упа́вшую на зе́млю кни́гу. Ви́дно, что де́вушка мо́жет легко́ *согну́ться, разогну́ться*, доста́ть что́-нибудь из-за забо́ра, *перегну́вшись* че́рез него́. Подня́в кни́гу, де́вушка ви́дит, что страни́цы кни́ги *загну́лись* при паде́нии, она́ аккура́тно расправля́ет их, *отгиба́я за́гнутые* уголки́.
4. На после́дней войне́ *поги́бли* миллио́ны. Па́мять о *поги́бших* не должна́ исче́знуть.
5. Пыта́лись реализова́ть хоро́шую иде́ю, но то́лько *загуби́ли* её.

1. How *agile* that young gymnast is!
1. *A loss of life* in transportation accidents is a great tragedy.
2. The trees in the garden *were bent* from the strong wind, *bowing* almost down to the ground.

2. The man *turned back* his shirt sleeve and looked at his watch.

3. The girl quickly *stoops* and picks up the book which has fallen to the ground. It's obvious that the girl can easily *bend down, straighten herself up*, and retrieve something from behind the fence, *having bent over* it. Having picked up the book, the girl sees that the pages of the book *were bent over* in the fall. She carefully smooths them, *bending back* the *folded* corners.

4. In the last war millions *perished*. The memory of *those who perished* must not disappear.

5. They tried to bring their good idea to fulfillment, but they only *ruined it*.

ГЛАД[33] (глаж[30]) *smooth*

1. Мать не́жно *гла́дит* ребёнка по голове́.

2. Éсли вещь мя́тая, я *гла́жу* её на *гла́дильной* доске́.

3. На́до *погла́дить* ю́бку, хорошо́ её *разгла́дить*, *загла́дить* все скла́дки, *прогла́дить* че́рез вла́жную тря́почку, чтобы ю́бка вы́глядела, как но́вая. *Вы́глаженную* ю́бку пове́сим в шкаф.

4. Ора́тор говори́л бы́стро и *гла́дко*, но неинтере́сно.

5. От ра́дости морщи́ны на лице́ ста́рой же́нщины *разгла́дились*, и она́ сра́зу помолоде́ла.

1. The mother tenderly *strokes* the child's head.

2. If something is wrinkled, I *iron* it on the *ironing* board.

3. One must *iron* the skirt. One must *iron* it carefully, *iron* in all the creases, and *iron* it with a damp cloth so that the skirt looks like new. We will hang the *ironed* skirt in the closet.

4. The orator spoke quickly and *smoothly*, but not interestingly.

5. From happiness, the wrinkles on the old woman's face *smoothed out* and she immediately looked younger.

ГЛОТ[21] (глощ[4], глат[8]) *swallow*

1. Го́рло боли́т, о́чень тру́дно *глота́ть*.

2. Ребёнок не хоте́л пить молоко́, но *глотну́л* оди́н раз, второ́й—и вы́пил весь стака́н.

3. Ты ешь сли́шком бы́стро, *загла́тываешь* пи́щу, не замеча́я её вку́са. Наве́рное, да́же не заме́тил, что ты *проглоти́л*. Ра́зве э́то еда́—бы́стро *поглота́л* всё, что тебе́ да́ли. Мо́жно сказа́ть, что ты не нае́лся, а *наглота́лся*.

4. Борьба́ с тира́ном—э́то тот *глото́к* свобо́ды, без кото́рого челове́к не мо́жет жить.

5. Студе́нт с жа́дностью *поглоща́л* но́вую информа́цию.

1. My throat hurts. It is very difficult *to swallow*.

2. The child did not want to drink the milk, but he *took a sip* once, a second time, then drank the entire glass.

3. You are eating too fast. You are *swallowing* your food without noticing its taste. You probably didn't even notice what you *swallowed*. That's not eating—you've simply *gulped down* what was given you. One could say you haven't eaten your fill, but *gulped down your fill*.

4. A struggle against a tyrant is that *taste* of freedom without which a man cannot live.

5. The student *devoured* the new information greedily.

ГЛУБ[20] *deep*

1. Река́ о́чень *глубо́кая*.

2. Учёные пыта́лись изме́рить *глубину́* кра́тера вулка́на.

3. Для строи́тельства до́ма на́до бы́ло вы́копать я́му *поглу́бже*. У́тром мы на́чали *углубля́ть* котлова́н, копа́я всё да́льше и да́льше *вглубь*. Наконе́ц, мы реши́ли, что *углубле́ние* име́ет необходи́мые разме́ры.

4. Жизнь в столи́це отлича́ется от жи́зни в *глуби́нке*.

5. Де́вочка так *углуби́лась* в чте́ние, что не заме́тила, как наступи́л ве́чер.

1. The river is very *deep*.

2. The scientists attempted to gauge the *depth* of the volcano crater.

3. For the construction of the building, the hole needed to be dug *a little deeper*. In the morning we began

to deepen the foundation pit, digging farther and farther *into the depths*. At last we decided that the *depression* had the right dimensions.

4. Life in the capital differs from life in *remote areas*.

5. The girl *got* so *deeply* into her reading that she didn't even notice that evening had come.

ГЛУХ⁹ (глуш¹⁹, глох⁶) *muffled*

1. Старик *глухо́й*, ничего́ не слы́шит. Он не лю́бит говори́ть о свое́й *глухоте́*.

2. От постоя́нного шу́ма мо́жно *оглóхнуть*.

3. Роди́тели говоря́т о чём-то секре́тном *приглушёнными* голоса́ми. Невозмо́жно ничего́ расслы́шать ещё и из-за того́, что шум с у́лицы *заглуша́ет* их голоса́.

4. Как ты мо́жешь жить в тако́й *глуши́*, вдалеке́ от люде́й, от городо́в, от культу́ры?

5. Дед *на́глухо* заби́л две́ри и о́кна избы́ и отпра́вился в го́род.

1. The old man is *deaf*—he can't hear anything. He doesn't like to speak about his *deafness*.
2. One can *go deaf* from continual noise.
3. The parents are speaking about something secret in *muffled* voices. It is also impossible to catch anything because the noise from the street *drowns out* their voices
4. How can you live in such a *remote corner* far away from people, cities, and culture?
5. The old man *tightly* secured the doors and windows of the hut and set out for the city.

ГЛЯД⁶³ [for гля¹¹ see truncation rule 2] *look*

1. Стари́к внима́тельно *вгля́дывался* в карти́ну изве́стного худо́жника.

2. Я *вы́глянула* из окна́, *погляде́ла* на пусту́ю у́лицу—карти́на была́ *непригля́дной*: пыль, грязь, ста́рые дома́.

3. Де́вочки снача́ла бы́стро *взгляну́ли* на незнако́мого мальчи́шку, пото́м неторопли́во *огляде́ли* его с ног до головы́, по́няли, что он стесня́ется, хоть и стара́ется *вы́глядеть* незави́симым, *разгляде́ли* его смуще́ние, ве́село *перегляну́лись* и на́чали разгова́ривать ме́жду собо́й, то́лько и́зредка *погля́дывая* на ма́льчика.

4. Мы заме́тили, что де́вушка и ю́ноша сра́зу *пригляну́лись* друг дру́гу.

5. Ста́рший брат живёт с *огля́дкой*: беспоко́ится о ка́ждом своём посту́пке, о том, что поду́мают о нём окружа́ющие, а мла́дший предпочита́ет де́йствовать *безогля́дно*, не забо́тясь ни о чём, кро́ме свои́х и́скренних чувств.

1. The old man *looked intently* at the famous artist's painting.
2. I *glanced out* of the window and *looked* at the empty street—the scene was *unsightly*: dust, filth, and old buildings.
3. At first the girls quickly *glanced up* at the unknown boy. Then they slowly *examined* him from head to toe. They realized that he felt shy even though he tried *to look* composed. They *discerned* his embarrassment, merrily *exchanged glances*, and began to talk amongst themselves, *glancing* at the boy only occasionally.
4. We noticed that the girl and the youth immediately *appealed* to each other.
5. The older brother lives *looking over his shoulder*. He worries about his every action and about what others around him will think of him. The younger brother, however, prefers to act *as he pleases*, not caring about anything except his own true feelings.

ГН³¹ (гон¹⁰³) *drive*

1. Оте́ц рассерди́лся на сы́на и *вы́гнал* его из до́ма.

2. Он обману́л дру́га, и тот *прогна́л* его навсегда́.

3. Ви́дишь, впереди́ нас бы́стро е́дет маши́на, смо́жешь её *догна́ть*, *обогна́ть* и *перегна́ть*?

4. Не на́до *гна́ться* за бога́тством, за сла́вой—не в них сча́стье.

5. Ло́шадь вы́глядела уста́лой и *за́гнанной*, ви́димо, вса́дник бил её, заставля́я скака́ть быстре́е.

5. Де́вочка получи́ла *нагоня́й* от роди́телей за то, что по́здно пришла́ домо́й.

1. The father got angry at his son and *drove* him *out* of the house.

2. He deceived his friend, and his friend *left [banished]* him for good.
3. Do you see the car going fast in front of us? Can you *catch up* with it, *pass* it, and *leave it behind*?
4. There's no need *to chase* after riches and glory—happiness is not in those things.
5. The horse looked tired and *pushed beyond his strength.* Apparently the rider had whipped it, forcing it to gallop faster.
5. The girl received a *scolding* from her parents because she came home late.

ГНЕТ[16] (гнёт[4]) [for гнес[5] see truncation rule 5] *oppress*

1. Наро́д нахо́дится под *гнётом* диктату́ры.
2. Фильм произво́дит тяжёлое, *гнету́щее* впечатле́ние.
3. В стране́ с ка́ждым днём *нагнета́ется* напряже́ние. Забасто́вки, стрельба́ на у́лицах—всё это де́йствует *угнета́юще*, создаёт настрое́ние нестаби́льности.
4. *Угнетённые* наро́ды начина́ют борьбу́ за освобожде́ние.
5. *Нагнете́ние* междунаро́дной напряжённости мо́жет привести́ к войне́.

1. The people are under the *oppression* of a dictatorship.
2. The film produces a dark, *oppressive* feeling.
3. Tension in the country *mounts* with each day. Strikes, street shootings—all this has a very *oppresive* effect. It creates a feeling of instability.
4. *Oppressed* peoples begin the struggle for freedom.
5. The *heightening* of international tensions can lead to war.

ГНИ[33] (гной[22], гнай[8]) *rot*

1. Во вре́мя войны́ голо́дные лю́ди е́ли *гнилу́ю* карто́шку.
2. До́ски, из кото́рых постро́ен дом, ста́рые, от воды́ они́ на́чали *гнить*.
3. Больно́й чу́вствовал себя́ ху́же—его́ ра́на не зажива́ла, в ней появи́лся *гной*.
3. Мы ду́мали, что деревя́нные сте́ны на́шего до́ма то́лько немно́го *подгни́ли*, но вы́яснилось, что они́ *прогни́ли* наскво́зь, часть *сгнила́* по́лностью. На́до меня́ть *изгни́вшие* сте́ны, стро́ить но́вые.
4. По́сле неуда́чной опера́ции начало́сь *нагное́ние* ра́ны. Вско́ре ра́на *загнои́лась* так си́льно, что потре́бовалась повто́рная опера́ция.
5. Безрабо́тица, рост престу́пности, корру́пция—мы ви́дим в стране́ настоя́щий *гно́йник* социа́льных проблем.

1. During the war, starving people ate *rotten* potatoes.
2. The boards from which the house was built are old and water had caused them to begin *to rot.*
3. The patient felt worse. His wound had not healed, and *pus* had appeared in it.
3. We thought that the wooden walls of our house had only begun *to rot* a little, but it became clear that they *had rotted* through and a part of them *had rotted away* completely. The *rotted* walls must be removed and new ones built.
4. After the unsuccessful operation, the wound began to *fester.* Soon after, the wound *became so badly festered* that a second operation became necessary.
5. Unemployment, the growth of crime, corruption—we are seeing in our country a real *abscess* of social problems.

ГОВОР[88] (говар[28]) *speak*

1. Вы *говори́те* по-ру́сски?
2. Не на́до меня́ *отгова́ривать* от чте́ния э́той кни́ги: я всё равно́ бу́ду чита́ть её!
3. *Разгово́р* с дру́гом был дли́нным, потому́ что мой друг о́чень *разгово́рчивый*, лю́бит *поговори́ть*.
4. В стране́ откры́ли опа́сный *за́говор* про́тив прави́тельства. *Загово́рщики* аресто́ваны.
5. Втора́я мирова́я война́ зако́нчилась *безогово́рочной* капитуля́цией Герма́нии.

1. Do you *speak* Russian?
2. Don't try *to dissuade* me from reading this book. I am going to read it anyway!
3. The *conversation* with my friend was lengthy because my friend is very *talkative.* He loves *to chat.*

4. In the country they discovered a dangerous *conspiracy* against the government. The *conspirators* have been arrested.

5. The Second World War ended with the *unconditional* surrender of Germany.

ГОД[58] (гож[7], гожд[2]) *pleasing*; *pleasing unit of time*

1. У малыша́ сего́дня день рожде́ния—ему́ испо́лнился *год*.

2. Супру́ги отпра́здновали втору́ю *годовщи́ну* сва́дьбы.

2. *Него́дные* де́ти! Вы специа́льно разби́ли люби́мую ба́бушкину ча́шку!

3. Фи́рма заключи́ла о́чень *вы́годный* контра́кт с зарубе́жным партнёром.

3. Брат подари́л мне кни́гу и о́чень *угоди́л* мне э́тим пода́рком. Интере́сная кни́га *пригоди́тся* мне, что́бы скоре́е прошло́ вре́мя в по́езде. Я реши́ла пока́ не начина́ть её чита́ть, *погоди́ть* до путеше́ствия.

4. Не выбра́сывай э́тот я́щик: он мо́жет ещё *сгоди́ться* для чего́-нибу́дь.

4. Кака́я ми́лая, симпати́чная, *приго́жая* де́вочка!

5. *Непого́да* продли́тся два дня, а пото́м опя́ть *распого́дится*, дни ста́нут *пого́жими*, и до конца́ ме́сяца бу́дет тепло́ и я́сно.

5. Когда́ я узна́л про обма́н, меня́ охвати́ло *негодова́ние*. Не ду́мал, что мой знако́мый ока́жется таки́м *негодя́ем*!

   1. Today is the youngster's birthday—he has turned a *year* old.
   2. The couple celebrated their second wedding *anniversary*.
   2. *Worthless* children! You purposely broke Grandma's favorite cup!
   3. The firm entered into a very *favorable* contract with a foreign partner.
   3. My brother gave me a book and really *pleased* me with the gift. This interesting book *will prove pleasing* in passing the time on the train. I have decided not to begin reading it yet. I'll *wait a little* until my trip.
   4. Don't throw out that box. It may yet *come in handy* for something.
   4. What a nice, likeable, and *lovely* girl!
   5. The *foul weather* will last two days and then *it will clear up* again. The days will grow *pleasant*, and it will be warm and clear until the end of the month.
   5. When I found out about the fraud, I was overcome with *indignation*. I did not think that my acquaintance would turn out to be such a *scoundrel*.

ГОЛ[36] (гал[2]) *bare*

1. *Го́лый* ребёнок ве́село пла́вал в бассе́йне.

2. Тебя́ тру́дно узна́ть—где твой дли́нные во́лосы, заче́м ты подстри́гся *на́голо*?

3. Беспризо́рные де́ти вы́глядели ужа́сно: оде́жда порвала́сь, *оголи́лись* пле́чи, коле́ни. Иногда́ у малыше́й практи́чески нет оде́жды, и они́ хо́дят в холо́дную пого́ду почти́ *голышо́м*. *Оголённые* ча́сти те́ла худы́ и грязны́.

4. Снача́ла лес был о́чень густы́м, но постепе́нно ме́жду дере́вьями ста́ли встреча́ться широ́кие *прога́лины*.

5. Люде́й, у кото́рых нет де́нег и нет иму́щества, иногда́ оби́дно называ́ют "*голытьба́*".

   1. The *naked* child merrily swam in the pool.
   2. It is difficult to recognize you. Where is your long hair? Why did you shave yourself *bald*?
   3. The homeless children looked terrible—their clothing was torn, their shoulders and knees *exposed*. Sometimes the kids have practically no clothing, and they walk around in the cold weather almost *naked*. The *uncovered* parts of their body are thin and dirty.
   4. At first the forest was very dense, but gradually between the trees there began to be wide *bare areas*.
   5. People who have no money or possessions are sometimes offensively called "*the indigent*."

ГОЛОВ[36] (глав[24]) *head*

1. Ти́ше, у ма́мы боли́т *голова́*, вы зна́ете, что её *головна́я* боль уси́ливается от шу́ма.

2. Сего́дня ухо́дит на пе́нсию *гла́вный* реда́ктор на́шего журна́ла.

3. На столе́ лежа́ла кни́га, *загла́вие* кото́рой бы́ло мне незнако́мо. Я откры́л кни́гу и прочита́л *оглавле́ние*. Оказа́лось, что в кни́ге 12 *глав*. *Заголо́вок* ка́ждой *главы́* был кру́пно напеча́тан.

4. Когда́ в бою́ поги́б полково́дец, во́йско бы́ло *обезгла́влено*. *Обезгла́вив* а́рмию сопе́рника, проти́вник бы́стро доби́лся побе́ды.

5. *Уголо́вные* преступле́ния нака́зываются по зако́ну, *уголо́вные* престу́пники, кото́рых называ́ют *уголо́вниками*, отбыва́ют срок заключе́ния в тюрьме́.

  1. Quiet! Mom's *head* hurts. You know that her *headache* is worsened by noise.
  2. Today the *senior* editor of our magazine is retiring.
  3. On the table lay a book, the *title* of which was unfamiliar to me. I opened the book and read the *table of contents*. It turned out that there were twelve *chapters* in the book. The *heading* of each *chapter* was printed in large letters.
  4. When the commander died in battle, the army was *left leaderless*. *Having deprived* the rival army *of its leader*, the enemy quickly secured a victory.
  5. *Criminal* [cf. *capital/head*] offenses are punished according to law. *Criminal* offenders [law breakers], who are called *criminals*, serve out their time of interment in a prison.

ГОЛОД[18] (глад[16], глод[16]) *hunger*

1. В го́роде не́ было еды́, лю́ди *голода́ли*.

2. *Голо́дный* гость взял кусо́чек варёного мя́са с ко́сточкой, съел мя́со и с удово́льствием на́чал *глода́ть* ко́сточку.

3. Во вре́мя войны́ семье́ пришло́сь *наголода́ться*, иногда́ они́ не е́ли по не́сколько дней. *Поголода́ли* и де́ти, и взро́слые. Тяжело́ бы́ло ма́тери говори́ть *проголода́вшемуся* ребёнку, что еды́ нет. Соверше́нно *оголода́в*, они́ бы́ли ра́ды любо́му куску́ хле́ба.

4. В знак проте́ста про́тив наруше́ния прав челове́ка заключённый объяви́л *голодо́вку*. Че́рез неде́лю *го́лод изглода́л* его́ те́ло, сил не́ было, но *голода́ющий* не сдава́лся.

5. Живём тру́дно, *впро́голодь*, но так живу́т сейча́с все.

  1. In the city there was no food and people *were starving*.
  2. The *hungry* guest took a small piece of boiled meat on a bone, ate the meat, then began *to gnaw* on the bone with pleasure.
  3. During the war, the family had *to endure great hunger*. Sometimes they would not eat for several days. Both children and adults *were starving*. It was difficult for the mother to tell her *starved* child that there was no food. Completely *famished*, they were happy for any piece of bread.
  4. As a sign of his protest against the violation of human rights, the prisoner declared a *hunger strike*. After a week, *hunger had weakened* his body. He had no strength, but the *starving man* would not give up.
  5. We live in difficult circumstances, *half-starving*, but that is how everyone lives these days.

ГОЛОС[23] (глас[32], глаш[24]) *voice*

1. Како́й прекра́сный *го́лос* у э́той певи́цы!

2. За́втра все пойду́т *голосова́ть* за но́вого президе́нта.

3. Друзья́ *пригласи́ли* нас в го́сти, мы с ра́достью *согласи́лись* прийти́. Когда́ мы вошли́ в гости́ную, разда́лись приве́тственные *во́згласы*, а пото́м все краси́выми, *согласо́ванными* голоса́ми спе́ли пе́сню в на́шу честь.

4. Председа́тель жюри́ *огласи́л* спи́сок победи́телей ко́нкурса.

5. Я хочу́ *провозгласи́ть* э́тот тост за здоро́вье на́ших дете́й.

  1. What a beautiful *voice* that [female] singer has!
  2. Tomorrow everyone is going *to vote* for a new president.
  3. Our friends *invited* us over to visit and we gladly *agreed* to come. When we entered the living room, welcoming *exclamations* rang out. Then everybody in beautiful, *harmonious* voices sang a song in our honor.
  4. The chairman of the judging panel *announced* the list of contest winners.

5. I want *to propose* this toast to the health of our children.

ГОР²⁶ *hill*

1. На горизо́нте видны́ высо́кие *го́ры*.

2. Ро́дственники живу́т в *гори́стой* ме́стности, а мы—на равни́не.

3. Впервы́е ребёнок уви́дел настоя́щую *го́ру*. Ра́ньше он ви́дел то́лько невысо́кие *приго́рки*, небольши́е *наго́рья* и *взго́рья*. Да́же *предго́рье* порази́ло его́ свое́й высото́й, а вид верши́ны, уходя́щей в облака́, заста́вил замере́ть.

4. У́голь добыва́ют *горняки́*.

5. Мы вошли́ в дереве́нский дом, и хозя́йка приве́тливо пригласи́ла нас в *го́рницу*.

    1. High *mountains* are visible on the horizon.

    2. Our relatives live in a *mountainous* area, but we live on the plains.

    3. The child saw a genuine *mountain* for the first time. Earlier he had seen only little *hills*, small *knolls*, and *hillocks*. Even the *foothills* struck him by their height, and the sight of a peak reaching into the clouds left him speechless.

    4. *Mine workers* mine coal.

    5. We entered the village home and the woman of the house cordially invited us into her *quarters*.

ГОР¹²² (гар²¹) *burn (intransitive)*

1. Лёд холо́дный, а ого́нь *горя́чий*.

1. Како́е *го́ре*—у́мер оте́ц!

2. В са́мый *разга́р* вечери́нки, кто́-то гро́мко постуча́л в дверь.

2. Пиро́г *подгоре́л*: стал сни́зу совсе́м чёрным. Ты бу́дешь есть *подгоре́лый* пиро́г?

3. Был пожа́р, *загоре́лся* сосе́дний дом. Он *горе́л* не́сколько часо́в. Сейча́с он почти́ совсе́м *сгоре́л*, *догора́ют* оста́тки *обгоре́лых* стен.

3. Де́ти *загора́ли* на пля́же, купа́лись. Пото́м разожгли́ костёр. Он до́лго не *разгора́лся*, но пото́м *загоре́л* хорошо́. Де́ти пекли́ карто́шку на костре́, карто́шка немно́го *пригоре́ла*, но была́ о́чень вку́сной.

4. У роди́телей мно́го *огорче́ний* из-за мла́дшей до́чери: она́ пло́хо у́чится и пло́хо себя́ ведёт.

4. Извини́, я был непра́в, *погорячи́лся*, *сгоряча́* наговори́л мно́го ли́шнего.

5. —Что тебе́ дать: майоне́з, ке́тчуп и́ли *горчи́цу*?—*Горчи́цу*, пожа́луйста, мне нра́вится, когда́ еда́ немно́го *го́рькая*.

5. В душе́ надо́лго оста́лась *го́речь* оби́ды.

    1. Ice is cold, but fire is *hot*.

    1. What *grief*! Father has died.

    2. At the very *height* of the party someone loudly knocked at the door.

    2. The pie *got slightly burned*—underneath it turned quite black. Will you eat the *partially burned* pie?

    3. There was a fire—the neighboring building *caught on fire*. It *burned* for several hours. Now it has almost completely *burned down*. The remains of the *charred* walls *are burning up*.

    3. The children *sunbathed* at the beach and swam. Then they lit a fire. For a long time it wouldn't *start up well*, but then it *began to burn* well. The children cooked potatoes in the fire. The potatoes were *singed a little* but were very delicious.

    4. The parents have much *sorrow* because of their younger daughter. She studies poorly and behaves badly.

    4. Excuse me, I was wrong. I *got all worked up* and, *in the heat of the moment*, said a lot of excessive things.

    5. What should I give you—mayonnaise, ketchup or *mustard*? *Mustard*, please. I like it when food is slightly *bitter*.

    5. The *sting* of the insult stayed in my heart [soul] for a long time.

ГОРД¹² *proud*

1. Мать *горди́тся* сы́ном.

2. Наш ли́дер—*го́рдый* и краси́вый челове́к. Ви́дишь, как *гордел#во* он смо́трит вокру́г.

3. После побе́ды на соревнова́ниях молодо́й спортсме́н *загорди́лся*, реши́л, что он са́мый си́льный и лу́чший. Он *возгорди́лся* до того́, что переста́л уважа́ть да́же своего́ учи́теля. Коне́чно, мо́жно немно́го *погорди́ться* свои́ми успе́хами, но на́до знать ме́ру.

4. *Го́рдость*—хоро́шее ка́чество, но *горды́ня*, не зна́ющая преде́лов,—плохо́е.

5. Неприя́тная па́ра: муж—холо́дный *горде́ц*, а жена́—глу́пая *гордя́чка*.

1. The mother *is proud* of her son.
2. Our leader is a *proud* and handsome person. See how *proudly* he looks around.
3. After his victory at the competition, the young athlete *began to be too proud* and decided that he was the strongest and the best. He *became so proud* that he ceased to respect even his own teacher. Of course, you can *take a little pride* in your successes, but you need to know how far to go.
4. *Pride [self-esteem]* is a good quality, but *overweening pride [arrogance]* knowing no bounds is bad.
5. (They are) an unpleasant couple. The husband is a cold and *arrogant man*, and the wife is a foolish and *arrogant woman*.

ГОРОД[51] (гораж[21], горож[3], град[19], гражд[24]) *block off*

1. Мне нра́вятся ма́ленькие *города́*, я ду́маю, что ка́ждый *городо́к* интере́сен по-сво́ему.
2. Éсли живёшь в *при́городе*, мо́жно име́ть небольшо́й *огоро́д* во́зле до́ма.
3. Посереди́не ко́мнаты сде́лали *перегоро́дку*. *Перегороди́в* ко́мнату на две ча́сти, мы *отгороди́ли* часть ко́мнаты для спа́льни. Когда́ ма́ма уви́дела ко́мнату, она́ недово́льно сказа́ла: "Что э́то вы тут *нагороди́ли*, пройти́ невозмо́жно".
4. Отодви́нься, пожа́луйста: ты *загора́живаешь* мне сце́ну, я ничего́ не ви́жу.
5. Ма́льчик пыта́лся обвини́ть во всём своего́ това́рища, *выгора́живая* себя́, игра́я роль неви́нной же́ртвы и тре́буя *вознагражде́ния*.

1. I like small *towns*. I think that each *little town* is interesting in its own way.
2. If you live in the *suburbs*, you can have a small *garden* next to your home.
3. In the middle of the room we made a *partition*. *Having partitioned off* the room into two parts, we *sectioned off* part of the room for a bedroom. When Mom saw the room she said, dissatisfied, "Why have you *blocked* this *off*? It's impossible to get through."
4. Move to the side, please. You are *obstructing* my view of the stage. I can't see anything.
5. The boy tried to accuse his companion of everything while *shielding* himself, and playing the role of an innocent victim and demanding *recompense*.

ГОСТ[21] (гощ[3], гащ[2]) *guest*

1. Хозя́йка встреча́ла *госте́й* в большо́й *гости́ной*.
2. В го́роде постро́или но́вую *гости́ницу*.
3. Прие́хал домо́й *погости́ть* немно́го, но *загости́лся*—живу́ уже́ втору́ю неде́лю. Ника́к не могу́ *нагости́ться*: мне так хорошо́ и споко́йно до́ма, что, мо́жет быть, *прогощу́* ещё не́сколько дней. А когда́ *отгощу́сь*, верну́сь в свою́ одино́кую кварти́ру.
4. Ба́бушка лю́бит *угоща́ть* всех вку́сными пирога́ми. Коне́чно, от тако́го *угоще́нья* никто́ не отка́зывается.
5. Из любо́го путеше́ствия оте́ц всегда́ привози́т *гости́нцы* всей семье́.

1. The hostess received the *guests* in her large *living room*.
2. In the city they built a new *hotel*.
3. I came home *for a short visit*, but *I settled right in*—I am already in my second week here. I can't *get enough of my stay* here. It is so nice and peaceful at home that perhaps I *will stay* several more days. And when I *have stayed long enough*, I will return to my lonely apartment.
4. Grandma loves *to treat* everyone to delicious pies. Of course no one declines such a *treat*.
5. From every trip father always brings home *gifts* for the whole family.

ГОТОВ[60] (готав[15]) *prepare*

1. Гру́ппа *гото́ва* нача́ть рабо́ту? Прове́рьте ещё раз *гото́вность* всех чле́нов гру́ппы.

2. Я реши́л ле́том посеща́ть *подготови́тельные* ку́рсы, хочу́ лу́чше *подгото́вится* к учёбе в университе́те.

3. Ма́ма *гото́вит* обе́д. Она́ лю́бит *нагото́вить* мно́го ра́зных блюд, поэ́тому обы́чно *приготовле́ние* обе́да занима́ет бо́лее двух часо́в. Так что *пригото́вьтесь* к двухчасово́му ожида́нию.

4. Ба́бушка люби́ла *загота́вливать* варе́нье и сушёные грибы́ на́ зиму. *Загото́вка* занима́ла це́лый ме́сяц.

5. *Изготовле́ние* компью́теров—сло́жное де́ло, и заво́д-*изготови́тель* до́лжен име́ть хоро́шее обору́дование.

   1. Is the group *prepared* to begin work? Check once more the *readiness* of all the members of the group.

   2. I decided to attend *preparatory* courses this summer. I want *to prepare* better for my studies at the university.

   3. Mom *is making* dinner. She loves *to prepare* many different dishes, so *preparing* dinner usually takes more than two hours. So *prepare yourself* for a two hour wait.

   4. Grandmother loved *to stock up on* jam and dried mushrooms for the winter. The *process of stocking up* took a whole month.

   5. The *assembly* of computers is a complex undertaking, and the *assembly plant* must have good equipment.

ГРАН[53] *limit*

1. *Грани́ца* ме́жду стра́нами проходи́ла по реке́.

2. Аме́рика *грани́чит* с Ме́ксикой, и *пригани́чные* америка́нские городки́ похо́жи на мексика́нские.

3. По́ле ря́дом с до́мом на пе́рвый взгляд ка́жется *безграни́чно* больши́м. Пото́м замеча́ешь, что с одно́й стороны́ его́ *ограни́чивает* лес, а с друго́й—река́. Посреди́не по́ля стои́т забо́р, кото́рый *разграни́чивает* сосе́дские владе́ния.

4. По́сле сме́рти жены́ и дете́й челове́к находи́лся на *гра́ни* безу́мия.

5. Он необразо́ванный, *ограни́ченный* челове́к.

   1. The *border* between the countries ran along a river.

   2. America *shares a border* with Mexico, and American *border* towns resemble Mexican ones.

   3. At first glance, the field next to the house seems *infinitely* large. Then you notice that a forest *forms a boundary* on one side of it, and a river on the other. A fence stands in the middle of the field, which *divides off* the neighboring properties.

   4. After the death of his wife and children, the man found himself on the *brink* of insanity.

   5. He is an uneducated, *limited* person.

ГРЕБ[59] (грёб[8], гроб[16], граб[25]) [for грес[19] see truncation rule 5] *dig by scraping*

1. Под до́мом большо́й и холо́дный *по́греб*.

2. Ребёнок *разгрёб* опа́вшие ли́стья и уви́дел ма́ленького зверька́.

3. Река́ с си́льным тече́нием—е́сли *гребцы́* не о́пытные, им тру́дно *отгрести́* от бе́рега, *вы́грести* на середи́ну реки́, *догрести́* до друго́го бе́рега и суме́ть *подгрести́* к при́стани.

4. Я пыта́лся найти́ в карма́не ключ, но ника́к не мог, пришло́сь *вы́грести* из карма́на всё содержи́мое.

5. *Грабёж* произошёл но́чью, никто́ не ви́дел престу́пников. Об э́том *ограбле́нии* писа́ли все газе́ты.

   1. There is a large and cold *cellar* beneath the house.

   2. The child *raked aside* the fallen leaves and saw a tiny little animal.

   3. The river has a strong current. If *oarsmen* aren't experienced, it is difficult for them *to row away* from the bank, *row out* to the middle of the river, *row as far as* the other bank, and be able *to row up* to the pier.

   4. I tried to find the key in my pocket but I couldn't, so I had *to dig out* all the contents of my pocket.

   5. The *robbery* took place at night and no one saw the criminals. All the newspapers wrote about this *robbery*.

ГРЕЙ[70] *warm*

1. У тебя́ холо́дные ру́ки, дава́й я их *согре́ю*.

2. На у́лице хо́лодно, мы замёрзли и зашли́ в дом, чтобы *отогре́ться*.

3. Муж опозда́л к обе́ду, и еда́ осты́ла. Пришло́сь *греть* всё за́ново. Снача́ла *подогре́ли* суп, пото́м не́сколько мину́т *погре́ли* котле́ты, чтобы они́ *прогре́лись* внутри́, и *разогре́ли* макаро́ны. Че́рез коро́ткое вре́мя обе́д доста́точно *нагре́лся*, и всех позва́ли к столу́.

4. Ма́льчик *перегре́лся* на пля́же, он пло́хо себя́ чу́вствует.

5. Оте́ц меня́ си́льно отруга́л, *взгрел* так, что я распла́кался. Хорошо́, что он никогда́ меня́ не бьёт, а то мог бы и *огре́ть* чем-нибу́дь сгоряча́.

    1. You have cold hands. Let me *warm* them.

    2. It is cold outside. We were frozen and went into the house *to warm up*.

    3. The husband was late for dinner and the food got cold. Everything had *to be warmed* all over again. First the soup *was warmed some more*, then the cutlets *were warmed* for a few minutes so that they would *be warmed* inside, and then the macaroni *was warmed up*. After a short while, dinner *had been warmed* sufficiently and everyone was called to the table.

    4. The boy *got sunburned* at the beach and doesn't feel well.

    5. Father scolded me severely. He *roasted* me so roundly that I burst into tears. It's good he never beats me, or else he might *have given me a blow* with something in the heat of the moment.

ГРЕХ[4] (греш[19]) *sin*

1. Стари́к мно́го *греши́л* в мо́лодости.

2. У меня́ мно́го *грехо́в*, я сла́бый, *гре́шный* челове́к.

3. Прости́ меня́ за то, что я *согреши́л* и сказа́л непра́вду. Прости́ меня́, *гре́шника*, за э́то. Нема́ло я *нагреши́л* в жи́зни, нема́ло у меня́ на со́вести *прегреше́ний*, ка́юсь в э́том пе́ред тобо́й.

4. В статье́ есть небольши́е *погре́шности*, но они́ не принципиа́льны.

5. Нельзя́ счита́ть рабо́ту заверше́нной, сли́шком мно́го *огре́хов* вы оста́вили.

    1. The old man *had sinned* much in his youth.

    2. I have many *sins*. I am a weak, *sinful* person.

    3. Pardon me for *sinning* and telling a lie. Pardon me, a *sinner*, for this. I *have sinned* much in my life. There are not a few *grievous sins* on my conscience. I ask for your forgiveness for this.

    4. There are minor *inaccuracies* in the article, but they are not critical.

    5. The job can't be considered finished. You have left too many *deficiencies*.

ГРОЗ[13] (грож[2]) *threaten*

1. Не́бо ста́ло тёмным от *грозовы́х* облако́в, и начала́сь *гроза́*.

2. Е́сли оте́ц не найдёт рабо́ты, нам *угрожа́ет* бе́дность.

3. Де́душка стро́го посмотре́л на вну́ка, *гро́зно* сдви́нул бро́ви и *погрози́л* ему́ па́льцем. Ма́льчик снача́ла испуга́лся, но пото́м по́нял, что дед *пригрози́л* ему́ в шу́тку.

4. Безрабо́тица в стране́ приняла́ *угрожа́ющие* разме́ры.

5. В 1939 году́ в ми́ре чу́вствовалось *предгрозово́е* напряже́ние.

    1. The sky turned dark from the *thunder* clouds and a *thunder storm* began.

    2. If Father doesn't find work, we *will be faced [threatened]* with poverty.

    3. Grandpa looked sternly at his grandson, *menacingly* knit his eyebrows and *shook* his finger at him. The boy was frightened at first, but then he realized that Grandpa *upbraided* him in jest.

    4. Unemployment in the country reached *threatening* proportions.

    5. In 1939, a *threatening [ominous]* tension was felt throughout the world.

ГРОМ[23] (грем[12]) *thunderous*

1. Ле́ктор говори́л о́чень *гро́мким* го́лосом.

2. Поду́л си́льный ве́тер, пошёл дождь, *загреме́л гром*.

3. На фро́нте шло успе́шное наступле́ние, а́рмия *громи́ла* врага́. Слы́шно бы́ло, как в ра́зных места́х *громыха́ли* пу́шки, раздава́лся *громово́й* шум артилле́рии. То́лько че́рез не́сколько дней *отгреме́ли* зву́ки боёв и ста́ло ти́хо.

4. Мы встре́тили люде́й, пережи́вших евре́йский *погро́м*. Они́ смотре́ли на нас *огро́мными* печа́льными глаза́ми, в кото́рых засты́л у́жас.
5. Вы написа́ли не про́сто крити́ческую, а по-настоя́щему *разгро́мную* статью́ о расска́зе молодо́го писа́теля.

1. The lecturer spoke in a very *loud* voice.
2. A strong wind began to blow, rain fell, and *thunder began to roar*.
3. On the front, a successful invasion was in progress. The army *was routing* the enemy. One could hear the *booming* of cannons in various places. The *thunderous* roar of artillery rang out. Only after several days did the sounds of battle *cease roaring* and all become quiet.
4. We met some people who had lived through a Jewish *pogrom*. They looked at us with *enormous*, saddened eyes in which horror was etched.
5. You wrote not simply a critical, but a truly *devastating* article about the young writer's story.

ГРУБ²³ *coarse*
1. Продаве́ц о́чень *гру́бый* и неве́жливый.
2. Шко́льника наказа́ли за *гру́бость* с учи́телем.
3. Подро́стки ча́сто *грубя́т* взро́слым. Они́ мо́гут *сгруби́ть* без вся́кого по́вода, мо́гут *нагруби́ть* роди́телям, кото́рые их лю́бят. Э́то тру́дный во́зраст, когда́ все де́ти стано́вятся *грубия́нами*.
4. От тру́дной рабо́ты ко́жа на рука́х красне́ла и *грубе́ла*.
5. Каки́ми жесто́кими ста́ли э́ти лю́ди, каки́е у них *огрубе́лые* ду́ши!

1. The salesman is very *coarse* and impolite.
2. The schoolboy was punished for his *rudeness* to the teacher.
3. Teenagers *are* often *rude* to adults. They can *be rude* for no reason, and can even *be rude* to their parents who love them. This is a difficult age when all children become *coarse-mannered*.
4. The skin on the hands *appeared* red and *coarse* from hard labor.
5. How cruel these people have become! What *hardened hearts [souls]* they have!

ГРУЗ⁶² (груж²⁷) *load*
1. В маши́не нахо́дится тяжёлый *груз*.
2. Подво́дная ло́дка начала́ ме́дленно *погружа́ться* в во́ду.
3. По у́лице с шу́мом прое́хала *грузова́я* маши́на—*грузови́к*. *Грузови́к* останови́лся о́коло до́ма, и *гру́зчики* на́чали *выгружа́ть* коро́бки. По́сле того́, как *разгру́зка* была́ зако́нчена, в маши́ну *загрузи́ли* я́щики. Их оказа́лось сли́шком мно́го, поэ́тому часть *погру́женных* я́щиков *сгрузи́ли* обра́тно на зе́млю, и тяжело́ *нагру́женная* маши́на уе́хала.
4. Передо мной сиде́л пожило́й *гру́зный* челове́к. Я с трудо́м узна́л ста́рого знако́мого, кото́рый си́льно соста́рился и *погрузне́л*.
5. До́ктор сказа́л, что мне необходи́мо похуде́ть, поэ́тому два ра́за в неде́лю у меня́ *разгру́зочные* дни, когда́ я ем то́лько я́блоки и пью во́ду.

1. There is a heavy *load* in the car.
2. The submarine slowly began *to be submerged* into the water.
3. A *freight* vehicle [*truck*] passed noisily by on the street. The *truck* stopped near a building and the dock *workers* began *to unload* boxes. After the *unloading* was finished, they *loaded up* some boxes into the vehicle. It turned out that there were too many of them, so part of the *loaded* boxes were *unloaded down* back onto the ground and the heavily *loaded* vehicle drove off.
4. Before me sat a *portly* middle-aged man. With difficulty I recognized my old acquaintance who *had* aged greatly and *grown heavy*.
5. The doctor said that I must lose weight. So twice a week I have *slimming down* days when I eat only apples and drink water.

ГРЫЗ⁵⁷ (грыж⁴) *gnaw*
1. Кро́лик *грызёт* морко́вь.

2. Ребёнок не смог доесть *яблоко* и положил *огрызок* на тарелку.

3. Мышь нашла кусок сыра. Сначала она *обгрызла* его со всех сторон, потом *отгрызла* небольшую часть и *сгрызла* её, затем *перегрызла* остаток посредине и немножко *погрызла* одну из половинок. Чуть-чуть подождала и *догрызла* сыр до конца.

4. Аморальный человек никогда не испытывает *угрызений* совести.

5. Как неприятно быть свидетелем постоянной *грызни* между коллегами.

5. Разговаривай вежливо, не *огрызайся* в ответ на каждое слово.

1. The rabbit is *nibbling* at the carrot.

2. The child couldn't finish eating the apple and placed the *apple he had gnawed around* on the plate.

3. The mouse found a piece of cheese. First it *gnawed around* at it, then it *gnawed off* a small piece and *ate it up*. Then it *gnawed through* the remainder along the middle and *nibbled a little* on one of the halves. It paused a little, then *completely finished off* the cheese.

4. An amoral person never experiences *remorse* [*pangs of conscience*].

5. How unpleasant to be a witness to constant *squabbles* between colleagues.

5. Speak politely. Don't *snap* in answer to every word.

ГРЯЗ[33] *filth*

1. После дождя на деревенской улице *грязь*.

2. Какой ты *грязнуля*—руки *грязные*, лицо не мытое.

3. Когда-то вода в реке была очень чистой, но сейчас она *грязнеет* с каждым годом. Завод *загрязняет* реку отходами производства. Он *перегрязнил* воду во всех реках района. Даже цвет воды стал *грязновато*-серым.

4. *Загрязнение* атмосферы—одна из важных проблем охраны окружающей среды.

5. Молодой учитель не хотел *погрязнуть* в скуке и пошлости провинциальной жизни.

1. After raining there is *mud* on the village street.

2. What a *filthy thing* you are–your hands are *dirty* and your face is not washed.

3. At one time the water in the river was very clean, but now it *grows more filthy* with each year. The factory *pollutes* the river with industrial waste. *One by one*, it *has polluted* the water in all the rivers of the region. Even the color of the water has become a *dirtyish* grey.

4. *Pollution* of the atmosphere is one of the significant problems in protecting the environment.

5. The young teacher did not want *to become mired down* in the tedium and banality of provincial life.

ГУБ (see ГБ)

ГУЛ[63] *stroll*

1. Утром, днём и вечером муж *гуляет* с нашей собакой.

2. Школьники хотели *погулять* подольше, чтобы *прогулка* длилась несколько часов.

3. Я надеялся, что вчера соседи *отгуляли* свадьбу и теперь наступит тишина, но ошибся. Оказывается, они не *нагулялись*, поэтому взяли *отгул* на работе и будут *догуливать* ещё день. Вот уж не думал, что мои соседи такие *гуляки*!

4. —Ты был сегодня в школе?—Нет, я *прогулял*. Не говори моим родителям, пожалуйста, я больше не буду *прогуливать* школу.

5. Муж моей знакомой пустился в *загул*: не ночует дома, пьёт водку, бросил работу. Не пойму, почему его потянуло к *разгульной* жизни.

1. In the morning, afternoon, and evening my husband *strolls* with our dog.

2. The schoolchildren wanted *to go* a little longer so that their *outing* would last several hours.

3. I hoped that yesterday the neighbors *had finished celebrating* the wedding and that now there would be quiet, but I was mistaken. It turns out they hadn't *had their fill of fun*, so they have taken a *day off* from work and will *enjoy themselves* for another day. I certainly did not think that my neighbors were such *carousers*!

4. Were you in school today? No, I *played hooky*. Don't tell my parents, please. I won't *skip school* any-

more.

5. My friend's husband has sunk to *heavy drinking*. He doesn't sleep at home, he drinks vodka, and he quit his job. I can't understand why he was drawn to the *wild* life.

ГУСТ[18] (гущ[8]) *thick*

1. У сестры́ краси́вые *густы́е* во́лосы.

2. Лес *густе́ет*, дере́вья стоя́т о́чень бли́зко друг к дру́гу.

3. Со́ус сли́шком жи́дкий, на́до его́ *подгусти́ть*. Доба́вьте немно́го муки́, посмотри́те, доста́точно ли *погусте́л* со́ус. Ва́жно не *перегусти́ть* его́. Е́сли со́ус ма́ло *сгусти́лся*, не торопи́тесь добавля́ть в него́ что-либо ещё—пусть постои́т не́сколько мину́т, со вре́менем он *загусте́ет*.

4. Ваш сын—о́чень акти́вный ребёнок, настоя́щий *сгу́сток* эне́ргии.

5. Ду́маю, меня́ уво́лят с рабо́ты, чу́вствую, что над мое́й голово́й *сгуща́ются* ту́чи.

1. My sister has beautiful *thick* hair.
2. The forest *is growing thicker*. The trees stand very close to one another.
3. The sauce is too runny. It needs *to be thickened up*. Add a little flour, then check if the sauce *has thickened* enough. It is important not *to over-thicken* it. If the sauce *has thickened* too little, don't be in a hurry to add something else to it. Let it stand for a few minutes. With time it *will become thick*.
4. Your son is a very active child, a real *ball* of energy.
5. I think I am going to be fired from my job. I feel like clouds *are gathering* over my head.

ДАВ[71] *press*

1. Постуча́л не́сколько раз в дверь, *надави́л* на звоно́к—никто́ не открыва́л.

2. Гость говори́л напряжённым, ти́хим, *сда́вленным* го́лосом.

3. Для получе́ния вина́ на́до положи́ть виногра́д в *дави́льный* аппара́т—в *дави́льню*. В аппара́те я́годы *сда́вливаются* и *придавливаются* тяжёлым пре́ссом. Постепе́нно они́ *раздавливаются* по́лностью. В результа́те *давле́ния* из я́год *выда́вливается* сок, из кото́рого и де́лают вино́.

4. Восста́ние рабо́чих фа́брики бы́ло *пода́влено* поли́цией.

5. На вы́борах *подавля́ющее* большинство́ населе́ния проголосова́ло за президе́нта.

1. I knocked several times at the door and *pressed* the doorbell, but no one opened the door.
2. The guest spoke in a tense, quiet, *constrained* voice.
3. To get wine, grapes must be placed in a *pressing* device–a *wine-press*. In this device the grapes *are squeezed together* and *compressed* with a heavy press. Gradually they *become* completely *crushed*. As a result of the *compression*, from the fruit *is pressed out* juice, from which wine is made.
4. The uprising of the factory workers was *suppressed* by the police.
5. At the elections, the *overwhelming* majority of the population voted for the president.

ДАЙ[282] *give*

1. Вчера́ я *дал* тебе́ кни́гу, когда́ ты мне её *отда́шь*?

1. Не на́до плати́ть за я́блоки, бери́ их *да́ром*.

2. Роди́тели *подари́ли* ребёнку *пода́рок* на день рожде́ния.

2. У нас есть кварти́ра в го́роде и *да́ча* в дере́вне.

3. Мой друг—*выдаю́щийся*, гениа́льный фи́зик—*одарённый*, тала́нтливый музыка́нт, но плохо́й, *безда́рный* поли́тик.

3. У нас сего́дня о́чень тру́дное дома́шнее *зада́ние—преподава́тель за́дал* реша́ть математи́ческие *зада́чи*.

4. —Это но́вый расска́з?—Нет, расска́з ста́рый, но *изда́ние* кни́ги но́вое.—Краси́вая кни́га, како́е *изда́тельство изда́ло* её?

4. Мне доста́лся после́дний биле́т на самолёт—кака́я *уда́ча*!

5. Нельзя́ *поддава́ться* тру́дностям, на́до боро́ться с ни́ми. Верь в свою́ мечту́ и никогда́ не *предава́й* её.

5. *Продáжа* книг в магазúне начинáется в 9 часóв утрá, а *распродáжа*, на котóрой ценá книг мéньше,— в 11 часóв.

1. Yesterday I *gave* you a book. When will you *return* it to me?
1. You don't need to pay for the apples. Take them *free of charge*.
2. The parents *gave* the child a *present* for his birthday.
2. We have an apartment in the city and a *summer house* in the country.
3. My friend—an *outstanding* and brilliant physicist—is a *gifted* and talented musician, but he is a poor, *ungifted* politician.
3. Today we have a very difficult homework *assignment*. The *teacher assigned* us math *problems* to work on.
4. Is this a new story? No, the story is old, but the *edition* of the book is new. It's a beautiful book. Which *publishing house published* it?
4. I happened to get the last plane ticket. What *luck*!
5. You shouldn't *give in* to difficulties. You need to struggle with them. Believe in your dream and never *betray* it.
5. Book *sales* in the store begin at 9:00 in the morning. The *clearance sale*, at which the book prices are lower, is at 11:00.

ДАЛ[33] *far*

1. *Далекó* за рекóй мы увúдели дерéвню.
2. Э́тот человéк—наш *дáльний* рóдственник.
3. Когдá смóтришь с горы́, перед тобóй открывáются необъя́тные *дáли*. Видны́ *далёкие* городá, *вдалú* вúдишь лúнии дорóг и *отдалённые* огнú деревéнь. Кáжется, что вся *дальнéйшая* жизнь расстилáется пéред тобóй, как э́тот прекрáсный пейзáж, что прóшлое *отдаля́ется* и ты летúшь в бýдущее.
4. Врач сказáл, что мне нáдо немéдленно *удалúть* больнóй зуб.
5. Неприя́тно общáться с глýпым и *недалёким* человéком.

1. *Far* beyond the river we saw a village.
2. This person is our *distant* relative.
3. When you look down from a mountain, immense *distances* open up before you. You can see *distant* cities, and *in the distance* you can see the lines of roads and the *faraway* lights of the villages. It seems that your whole *future* life is spread out before you like this beautiful landscape, that the past *is moving away* and that you are flying into the future.
4. The doctor said that it will be necessary *to extract* my bad tooth right away.
5. It is unpleasant to associate with a foolish and *dull-witted* person.

ДВ[58] *two*

1. Мне нáдо дéлать *двойнýю* рабóту: не тóлько своё задáние, но и задáние дрýга, котóрый болéет.
2. У подрýги родилáсь *двóйня—две* дéвочки. Онú не *двойня́шки*, совсéм не похóжи друг на дрýга.
3. В нáшем клáссе ýчатся *двóе* мáльчиков, они всё дéлают *вдвоём*. Прáвда, э́то не *удвáивает* их спосóбностей к учёбе, онú получáют по всем предмéтам тóлько *двóйки*. Поэ́тому все называ́ют их *двóечниками*.
4. В харáктере нáшего знакóмого чýвствуется *двóйственность*: от негó мóжно ожидáть и благорóдных, и бесчéстных постýпков.
5. В ромáнах Ф.Достоéвского у герóя чáсто бывáет *двойнúк*—как бы вторóе «я» персонáжа. Обы́чно э́то говорúт о *раздвóенности* сознáния герóя.

1. I need to do *double* the work–not only my assignment, but also my sick friend's assignment.
2. My girlfriend gave birth to *twins – two* girls. They are not *identical twins*. They do not look at all like one other.
3. There are *two* boys in our class who do everything *together*. True, this does not *double* their abilities to study. They get only Ds [2s] in all subjects. That's why everyone calls them *D-students*.
4. You can sense a *duality* in the character of our new acquaintance. You can anticipate both noble and dis-

honorable deeds from him.

5. In the novels of F. Dostoevsky, the main character often has a *double* – like a second "I" of the character. Usually this shows a *bifurcation* of the hero's consciousness.

ДВИГ⁴⁶ (движ⁴⁶) [for дви³¹ see truncation rule 2] *move*

1. Моя́ но́вая маши́на мо́жет бы́стро *дви́гаться* по любо́й доро́ге, потому́ что у неё о́чень си́льный *дви́гатель*.
1. Ша́пка ни́зко *надви́нута* на лоб, поэ́тому вы не мо́жете ви́деть глаза́ челове́ка.
2. Мы *раздви́нули* ве́тки кусто́в и уви́дели за куста́ми краси́вое о́зеро.
2. Она́ подошла́ к шка́фу, *вы́двинула* я́щик, взяла́ из него́ что-то и *задви́нула* я́щик на пре́жнее ме́сто.
3. *Отодви́нь* стул от стены́, *передви́нь* его́ на середи́ну ко́мнаты, *придви́нь* к столу́ и сади́сь.
3. Мы ме́дленно *продвига́лись* по у́зкой го́рной доро́ге. Вся́кое *передвиже́ние* в гора́х должно́ быть осторо́жным, осо́бенно но́чью и́ли в плоху́ю пого́ду.
4. Пе́ред вы́борами в прави́тельство происхо́дит *выдвиже́ние* кандида́тов, за кото́рых бу́дут голосова́ть избира́тели.
4. Он не про́сто учёный, но настоя́щий *подви́жник* нау́ки, спосо́бный пойти́ ра́ди неё на любы́е же́ртвы.
5. В тру́дных обстоя́тельствах иногда́ са́мые просты́е лю́ди стано́вятся геро́ями и соверша́ют вели́кие *по́двиги*.
5. Ру́сских худо́жников, перевози́вших вы́ставки свои́х карти́н из одного́ го́рода в друго́й, называ́ли «*передви́жниками*».

1. My new car can *travel* fast on any road because it has a very powerful *engine*.
1. [His] cap is *pulled* low over the forehead, so you cannot see the person's eyes.
2. We *parted* the branches of the bushes and saw a beautiful lake beyond the bushes.
2. She went up to the cupboard, *pulled out* the drawer, took something from it, and *pushed* the drawer back to its previous position.
3. *Move* the chair *away* from the wall. *Move* it over to the middle of the room. *Move* it *up* to the table and sit down.
3. We slowly *moved along* the narrow mountain road. Any *movement* in the mountains should be cautious, especially at night or in bad weather.
4. Before governmental elections, a *nomination* of candidates takes place for whom the electorate will be voting.
4. He is not just a scientist but a genuine *devotee* of science. He is capable of making any sacrifice for it.
5. In difficult circumstances, sometimes the most ordinary people become heroes and perform great *feats*.
5. Russian artists who transported exhibitions of their paintings from one city to another were called "*Peredvizhniki*" [artists displaying their art through traveling exhibitions].

ДВОР³⁹ *(court)yard*

1. Во *дворе́* о́коло до́ма росли́ цветы́.
2. Коро́ль и *придво́рные* при́были во *дворе́ц*.
3. *Дво́рник* ка́ждое у́тро аккура́тно подмета́л доро́жки ря́дом с до́мом, да́же на *задво́рки* загля́дывал и наводи́л там поря́док. Не люби́л он бездо́мных соба́к-*дворня́г*, счита́л их свои́ми врага́ми.
4. Де́ти ба́ловались, и их *вы́дворили* за дверь ко́мнаты.
5. По́сле сва́дьбы сы́на в до́ме *водвори́лась* но́вая хозя́йка.

1. Flowers grew in the *courtyard* near the house.
2. The king and his *retinue* arrived at the *palace*.
3. Every morning the *caretaker* carefully swept the paths near the building. He would even check the *backyard* and put it in order. He didn't like stray *mutts* and considered them his enemies.
4. The children were behaving badly and *were scooted* out of the room.
5. After the son's wedding, the new lady of the house *settled into* the home.

ДЕВ[22] *maiden*

1. У до́чери мно́го подру́г—хоро́ших и весёлых *де́вочек*.
2. На карти́не нарисо́вана *Де́ва* Мари́я с Христо́м.
3. По стари́нному обы́чаю пе́ред сва́дьбой неве́ста устра́ивает *деви́чник*, приглаша́я знако́мых же́нщин и *де́вушек*. Э́то как бы проща́ние с *деви́чеством*.
4. В Сиби́ри больши́е простра́нства покры́ты *де́вственным* ле́сом.
5. Опя́ть забы́л, о чём я тебя́ проси́л? У тебя́ *де́вичья* па́мять.

   1. My daughter has many friends–good and happy *girls*.
   2. In the picture is depicted the *Virgin* Mary with Christ.
   3. According to ancient custom, before a wedding the bride arranges a *maiden's party*, inviting women and *girls* she knows. This is like a farewell to *girlhood*.
   4. In Siberia the large expanse is covered with *virgin* forests.
   5. Have you forgotten again what I asked you to do? You have a *poor* memory [a *maiden's* memory].

ДЕЙ[247] (дё[23]) *do; put*

1. Прия́тно *де́лать де́ло*, кото́рое тебе́ нра́вится.
1. На у́лице хо́лодно, не забу́дь *наде́ть* тёплый сви́тер.
1. Ты мой са́мый ве́рный, *надёжный* друг!
2. Не зна́ю, куда́ мне *дева́ться* от всех *дел*, так хо́чется немно́го отдохну́ть.
2. Она́ реши́ла акти́вно *де́йствовать*, что́бы помо́чь лю́дям. И, *действи́тельно*, её *де́йствия* измени́ли ситуа́цию.
3. *Доде́лай*, пожа́луйста, э́то упражне́ние до конца́ и дай мне на прове́рку. Е́сли я найду́ мно́го оши́бок, тебе́ придётся *переде́лать* рабо́ту, *сде́лать* её ещё раз.
3. Ма́ленькие де́ти не уме́ют са́ми *одева́ться* и *раздева́ться*, поэ́тому кому́-нибу́дь на́до их *одева́ть* пе́ред прогу́лкой и *раздева́ть*, когда́ они́ возвраща́ются домо́й.
3. Снача́ла результа́ты лече́ния больно́го вы́глядели *обнадёживающими*, но вско́ре врачи́ по́няли, что состоя́ние больно́го *безнадёжно*.
4. Е́сли хо́чешь доби́ться чего́-нибу́дь в жи́зни, на́до *наде́яться* на лу́чшее и не *безде́льничать*.
4. *Неде́ля* состои́т из семи́ дней, пе́рвый *день неде́ли—понеде́льник*.
5. Тако́го *издева́тельства* он не мог вы́терпеть и бы́стро вы́шел из ко́мнаты.
5. —Э́та карти́на—по́длинная рабо́та Пикассо́?—Нет, к сожале́нию, э́то *подде́лка*.
5. В ка́ждом твоём сло́ве звучи́т *издёвка*, насме́шка. Почему́ ты хо́чешь оби́деть меня́?

   1. It's pleasant *to do something* that you like.
   1. It is cold outside. Don't forget *to put on* a warm sweater
   1. You are my most faithful, *reliable* friend!
   2. I don't know where *to escape* from all *I have to do*. I would sure like to rest a little.
   2. She decided actively *to take action* to help people. And, actually, her actions did changed the situation.
   3. *Finish doing* this exercise to the end, please, and give it to me to check. If I find many mistakes, you will have *to redo* the work – *do it all over* again.
   3. Small children are not able *to dress* and *undress themselves*, so someone needs *to dress* them before taking a walk and *undress* them when they return home.
   3. At first the results of the patient's treatment appeared *hopeful*, but soon the doctors realized that the patient's situation was *hopeless*.
   4. If you want to obtain anything in life, you need *to hope* for the best and not *be idle*.
   4. A *week* is made up of seven days. The first *day of the week* is *Monday*.
   5. Such *mockery* he could not tolerate, and he quickly left the room.
   5. Is this painting an original work of Picasso? No, unfortunately it's a *forgery*.
   5. *Insult* and ridicule are heard in your every word. Why do you want to offend me?

ДЕЛ[117] (дол[30]) *divide*

1. На на́шем факульте́те два *отделе́ния*: ру́сского языка́ и неме́цкого языка́.

1. Ту́фли ку́пим в обувно́м *отде́ле* магази́на.

2. В те́ксте больши́ми бу́квами *вы́делены* все глаго́лы.

2. Одно́ из мора́льных пра́вил—*дели́ться* всем, что у тебя́ есть.

3. У тебя́ есть 10 конфе́т и 5 друзе́й, *раздели́* конфе́ты ме́жду друзья́ми так, что́бы ка́ждый получи́л по 2 конфе́ты, то есть *подели́* по́ровну.

3. В большо́й семье́ ма́тери на́до *распределя́ть* своё вре́мя ме́жду все́ми детьми́, *уделя́ть* внима́ние ка́ждому.

4. Иногда́ в опа́сной ситуа́ции в челове́ке просыпа́ются огро́мные, неизве́стные ему́ самому́, *запреде́льные си́лы*, кото́рые помога́ют ему́ вы́жить. Челове́к как бы переступа́ет за *преде́л*, да́нный ему́ приро́дой.

4. Мать почи́стила апельси́н и дала́ ка́ждому ребёнку по две *до́льки*.

5. Лю́ди, ве́рящие в судьбу́, счита́ют, что всё в жи́зни *предопределено́* зара́нее. Челове́к подчиня́ется э́той *предопределённости*, тако́в уж челове́ческий *уде́л*.

5. Брат лю́бит боро́ться с тру́дностями, *преодолева́ть* препя́тствия.

1. In our department there are two *sections*: Russian and German.
1. We buy shoes in the footwear *department* of the store.
2. All verbs are *indicated* in the text with large letters.
2. One of the moral principles is *to share* everything that you have.
3. You have ten pieces of candy and five friends. *Divide* the candy among your friends so that each gets two pieces of candy. That is, *divide* it evenly.
3. In a large family, the mother needs *to apportion* her time among all her children, *devoting* attention to each child.
4. Sometimes in a dangerous situation a *superhuman* powers, previously unknown even to himself, awaken in a person which help him to survive. It's as if a person steps beyond the *bounds* set for him by nature.
4. Mother peeled the orange and gave each child two *sections*.
5. People who believe in fate think that everything in life is *predetermined* earlier. A person submits to this *predestination*. Such is one's *lot*.
5. My brother loves to struggle with difficulties and *overcome* obstacles.

ДЕРЖ[98] *hold*

1. На́до *держа́ть* чемода́н, что́бы не упа́л!

1. *Подержи́* мои́ кни́ги не́сколько мину́т.

2. Ра́ди своего́ ребёнка мать мо́жет *вы́держать* любы́е тру́дности.

2. Не *уде́рживай* меня́ до́ма, я уже́ взро́слая и хочу́ жить самостоя́тельно.

3. Мой колле́га по рабо́те о́чень *вы́держанный* челове́к—он никогда́ не раздража́ется из-за мои́х оши́бок и́ли моего́ незна́ния. Така́я *вы́держанность*—результа́т и хоро́шего воспита́ния, и *сде́ржанности*, кото́рая есть в его́ хара́ктере от приро́ды.

3. В тяжёлую мину́ту моя́ семья́ *поддержа́ла* меня́, помогла́ нача́ть жить за́ново. Ва́жно чу́вствовать *подде́ржку* бли́зких люде́й, что́бы *одержа́ть* побе́ду над тру́дными обстоя́тельствами.

4. —Расскажи́ мне *содержа́ние* рома́на «Преступле́ние и наказа́ние».

4. Сего́дня я приду́ домо́й по́зже, так как мне придётся *задержа́ться* на рабо́те.

5. Врач сказа́л, что из-за моего́ сла́бого здоро́вья мне на́до *воздержива́ться* от сли́шком жи́рной пи́щи. Уже́ до́лгое вре́мя *воздержа́нность* в пи́ще—зако́н для меня́.

5. Я *издержа́ла* все де́ньги на поку́пку пода́рков, мой кошелёк пуст.

1. You've got *to hold* the suitcase so it won't fall!
1. *Hold* my books for a few minutes.
2. For the sake of her child a mother can *endure* any difficulty.
2. Don't *keep* me at home. I'm an adult now and want to live on my own.
3. My colleague at work is a very *restrained* person. He never gets irritated because of my mistakes or my

lack of knowledge. Such *restraint* is the result both of a good upbringing and *self-control* which is by nature a part of his character.

3. During a difficult time my family *supported* me, helping me to start to live all over again. It's very important to feel the *support* of people close to you in order *to gain a victory over* difficult circumstances.

4. Tell me the *plot* of the novel *Crime and Punishment*.

4. Today I'll come home later since I will have *to stay longer* at work.

5. The doctor said that, because of my poor health, I need *to abstain* from food that is too fatty. For a long time already, *abstemiousness* in food has been a law for me.

5. I *expended* all the money on the purchase of gifts. My wallet is empty.

ДЛ[29] (дол[14]) *long*

1. Разгово́р *дли́лся* не́сколько часо́в.

1. Я прошёл *дли́нный* путь, что́бы встре́титься с тобо́й.

2. Маши́на е́дет *вдоль* у́лицы.

2. В э́той ча́сти страны́ есть и го́ры, и *доли́ны*.

3. Заня́тия спо́ртом *продля́т* ва́шу мо́лодость и *удлиня́т* жизнь.

3. Он ждал отве́та всего́ не́сколько мину́т, но *длина́* ка́ждой мину́ты была́ бесконе́чной. Па́уза показа́лась ему́ *дли́тельнее*, чем год. Наконе́ц, *дли́нное* молча́ние прерва́лось.

4. Како́е *раздо́лье* открыва́ется взгля́ду с верши́ны холма́!

4. Не лги, скажи́ мне о свои́х *по́длинных* чу́вствах.

5. *Доло́й* ста́рое прави́тельство! Да здра́вствует но́вый президе́нт!

5. Не ве́рю, что пе́ред на́ми *по́длинник*, по-мо́ему, э́то ко́пия.

    1. The conversation *lasted* several hours.

    1. I have come a *long* way to meet with you.

    2. The car is moving *along* the street.

    2. In this part of the country there are both mountains and *valleys*.

    3. Playing sports will *prolong* your youth and *extend* your life.

    3. He waited for an answer for only a few minutes, but the *length* of each minute was endless. The pause seemed to him *longer* than a year. Finally, the *long* silence was broken.

    4. What an *expanse* opens to your gaze from the top of a hill!

    4. Don't lie. Tell me about your *real* feelings.

    5. *Down with* the old government! Long live the new president!

    5. I don't believe that we have the *original* before us. I think it is a copy.

ДОБ[32] *fitting*

1. Ва́ше лицо́ прекра́сно, никогда́ не ви́дел лица́, *подо́бного* ему́.

2. Дива́н о́чень *удо́бный*, на нём мо́жно и сиде́ть, и лежа́ть.

3. Ве́чером приду́т го́сти, *на́добно* пригото́вить *подоба́ющий* у́жин. Коне́чно, не сто́ит де́лать что-нибу́дь *наподо́бие* у́жина в дорого́м рестора́не, но мы мо́жем испе́чь большо́й *сдо́бный* пиро́г.

4. Солда́т прояви́л *до́блесть* в бою́, ему́ да́ли меда́ль.

5. Ста́ло хо́лодно, ребёнку для прогу́лки *пона́добилось* пальто́.

    1. Your face is lovely. I have never seen a face *like* it.

    2. The couch is very *comfortable*. You can both sit on it and lie on it.

    3. Guests are coming this evening. *I've got to* prepare a *proper* supper. Of course it is not worth it to make something *similar to* a supper in an expensive restaurant, but we can bake a large, *rich* pie.

    4. The soldier displayed *valor* in battle and was given a medal.

    5. It turned cold and the child *needed* a coat for the outing.

ДОБР[28] (дабр[8]) *good, kind*

1. Де́душка—о́чень *до́брый* челове́к, настоя́щий *добря́к*.

2. Роди́тели *одо́брили* реше́ние сы́на.

3. Чтобы *задóбрить* капрúзного старикá, приготóвили прекрáсный обéд. Пóсле обéда старúк действúтельно *подобрéл*, нáчал расскáзывать истóрии из своéй жúзни, котóрые он любúл *сдóбрить* грубовáтой шýткой. В концé вéчера он *раздóбрился* до тогó, что захотéл всем сдéлать подáрки.

4. Ботúнки не нóвые, но *добрóтные.*

5. Как ты сúльно *раздобрéла* за послéдний год, навéрное килогрáммов прибáвила.

    1. Grandfather is a very *kind* person, a genuinely *fine man.*

    2. The parents *approved* the son's decision.

    3. In order *to win over* the capricious old man, they prepared a lovely meal. After dinner, the old man actually *became kinder.* He began telling stories from his life that he loved *to spice up* with a coarse joke. At the end of the evening, he *had become so amiable* that he wanted to give everyone gifts.

    4. The boots are not new, but *durable.*

    5. How you *have filled out* over the past year! You've probably put on ten kilograms.

ДОЛБ²² (далб¹⁶) *chisel*

1. Рабóчие цéлый день *долбúли* кáмни мóлотом.

2. Пóсле нéскольких удáров нам удалóсь *вúдолбить* небольшóе углублéние в стенé, а потóм *продолбúть* в ней прохóд.

3. *Раздолбúте* крýпные кáмни. *Долблёные* кáмни мы испóльзуем для стрóительства дорóги. Нáдо *надолбúть* мнóго камнéй, поэ́тому придётся *подолбúть* сегóдня подóльше.

4. *Задолбú* это на всю жизнь и никогдá не забывáй!

5. Учúтельница старáется *вдолбúть* нам в гóлову свéдения, котóрые нам совершéнно не нужнú.

    1. The workers *chiseled* the rocks with a hammer the entire day.

    2. After several blows we were able *to chisel out* a small depression in the wall, then *chisel a passage through* it.

    3. *Break up* the large rocks. We use the *broken* rocks in road construction. We need *to break up* a large number of rocks, so we will have *to break rocks* a little longer today.

    4. *Chisel* this into your memory for life and never forget it!

    5. The teacher is trying *to pound into* our heads information that is completely useless to us.

ДОЛГ¹² (долж⁹) *long*

1. Отéц никогдá не уезжáл из дóма *надóлго.*

2. Óсенью идýт *продолжúтельные* дождú.

3. *Дóлгий* лéтний день никáк не кончáлся. *Продолжáло* светúть сóлнце, хотя́ дéло шло к вéчеру. *Долготá* жáркого дня утомля́ла, хотéлось прохлáды и сýмрака.

4. У стáршей сестрú крýглое румя́ное лицó, а у млáдшей—*продолговáтое* и блéдное.

5. В критúческой статьé совремéнного писáтеля называ́ют *продолжáтелем* классúческих традúций.

    1. Father never went away from home *for a long period of time.*

    2. In the autumn, *prolonged* rains fall.

    3. The *long* summer day would not end. The sun *continued* to shine although it was getting to be evening. The *length* of the hot day was wearisome, and we wanted coolness and twilight.

    4. The older sister has a round, ruddy face, while the younger's is *longish* and pale.

    5. In the critical article they call the contemporary writer a *continuer* of classical traditions.

ДОЛГ² (долж²⁶, далж¹) *debt*

1. Зáвтра нáдо отдáть дéньги, котóрые я взял в *долг.*

2. Не кричú—ведú себя́ *дóлжным* óбразом.

3. Недéлю назáд мать *одолжúла* у сосéдей дéньги. Онá óчень переживáла, что стáла их *должнúцей*, что *задолжáла* им дéньги и не знáет, смóжет ли вóвремя отдáть.

4. Сдéлай *одолжéние*, не курú в э́той кóмнате!

5. Отéц получúл нóвую *дóлжность* и бýдет зарабáтывать горáздо бóльше дéнег.

1. Tomorrow I must return the money that I took on *loan*.
2. Don't shout. Behave yourself the way *you should*.
3. A week ago, Mother *borrowed* money from our neighbors. She was really worried that she had become a *debtor* to them, that she *owed* them money and did not know if she would be able to repay it on time.
4. Do me a *favor* – don't smoke in this room!
5. Father received a new *assignment* and will earn a lot more money.

ДОМ[35] *home*

1. Ве́чером ты идёшь в теа́тр и́ли бу́дешь *до́ма*?
2. Скоре́е *домо́й*! Хочу́ уви́деть наш ма́ленький *доми́шко*, кото́рый мне доро́же, чем любо́й большо́й и бога́тый *доми́ще*.
3. Мно́го лет стари́к мечта́л о ти́хом *до́ме*, где он, наконе́ц, переста́нет чу́вствовать себя́ *бездо́мным* стра́нником. Он мечта́л о тихи́х *дома́шних* вечера́х, о *домови́той* хозя́йке и о том, что в до́ме бу́дет жить до́брый ма́ленький волше́бник—*домово́й*.
4. С да́вних времён лю́ди *одома́шнивали* ди́ких живо́тных: соба́ку, ло́шадь, ко́шку.
5. У сестры́ ма́ленький ребёнок, поэ́тому она́ не хо́дит на фа́брику, а рабо́тает *надо́мницей*.

1. This evening are you going to the theater or will you be *at home*?
2. Let's *go home* quickly! I want to see our little *hovel* which is dearer to me than any large and wealthy *mansion*.
3. For many years the old man dreamed of a quiet *home* where he, at last, could stop feeling like a *homeless* wanderer. He dreamed about quiet evenings *at home*, about a *good domestic* housewife, and about how a kind, small magical being would live in the house–a *house spirit*.
4. From ancient times people have *domesticated* wild animals: the dog, the horse, and the cat.
5. My sister has a small child, so she doesn't go to the factory but works as a *homemaker*.

ДОРОГ[5] (дорож[13], драж[1]) *of high price*

1. *Дорога́я* ма́ма, наш пода́рок не *дорого́й*, мы сде́лали его́ са́ми.
2. Э́та маши́на *дорогова́та* для меня́.
3. Проду́кты опя́ть *подорожа́ли*. Осо́бенно заме́тно *вздорожа́л* хлеб. Ре́зкое *удорожа́ние* проду́ктов пита́ния—при́знак нездоро́вой эконо́мики. От *дорогови́зны* страда́ет большинство́ населе́ния.
4. Я всегда́ *дорожи́л* на́шей дру́жбой.
5. Ну, вот, *продорожи́лся*—не купи́л ну́жную вещь, счита́л, что сли́шком высо́кая цена́, а тепе́рь по́здно: друго́й челове́к купи́л её.

1. *Dear* Mom, our gift is not *expensive*. We made it ourselves.
2. This car is a *little too expensive* for me.
3. Groceries *went up in price* again. Especially [Especially notably] bread *has become more expensive*. A sharp *increase* in the price of food products is a sign of an unhealthy economy. The majority of the population suffers from the *high prices*.
4. I always *valued* our friendship.
5. Well then, you *were too frugal*. You didn't buy what you needed because you thought the price was too high, and now it is too late. Another person has bought it.

ДР[41] (дир[52], дор[20], дер[23], дёр[30]; дерг[5], дёрг[55]) *jerk*

1. Не *дёргай* де́вочек за во́лосы, будь хоро́шим ма́льчиком.
1. Брат всегда́ начина́л все *дра́ки* ме́жду мальчи́шками.
2. Врач бы́стрым движе́нием *вы́дернул* мой больно́й зуб.
2. Мужчи́на бы́стро *сдёрнул* ша́пку с головы́.
3. Он вошёл в ко́мнату, *задёрнул* што́ры на о́кнах, подошёл к ками́ну и протяну́л ру́ки к огню́, но бы́стро *отдёрнул* их, что́бы не обже́чься. Вошла́ жена́, сказа́ла, что в ко́мнате темно́ и *раздёрнула* што́ры.
3. Учи́тель не лю́бит меня́ и *придира́ется* ко мне. Он счита́ет, что я всегда́ говорю́ *вздор*, его́ *приди́рки*

не даю́т мне поко́я. Роди́тели се́рдятся на меня́ за плохи́е оце́нки, у нас до́ма постоя́нно происхо́дят *раздо́ры* из-за э́того.

4. Ма́льчики на́чали шуме́ть, но взро́слые стро́го *одёрнули* их, и де́ти замолча́ли.

4. Я услы́шал гро́мкий, стра́шный, *раздира́ющий* ду́шу крик.

5. В тече́ние дня все не́рвничали и к ве́черу чу́вствовали себя́ уста́лыми и *задёрганными*.

5. По́сле до́лгой и тру́дной доро́ги он вы́глядел настоя́щим *ободра́нцем*: ста́рая и гря́зная оде́жда была́ по́рвана, на лице́ и рука́х сса́дины.

1. Don't *pull* the girls' hair. Be a good boy.

1. My brother always used to start all the *fights* among the boys.

2. With a quick movement, the doctor *pulled out* my aching tooth.

2. The man quickly *pulled* the cap off his head.

3. He walked into the room, *drew* the blinds on the windows, walked up to the fireplace and stretched his hands toward the fire. He quickly *jerked* them *back*, however, so as not to burn himself. His wife walked in, said it was dark in the room, and *opened* the curtains.

3. The teacher doesn't like me and *finds fault* with me. He thinks that I always speak *nonsense*. His *criticisms* give me no peace. My parents are angry with me for my bad grades, and there is constant *discord* at home because of it.

4. The boys began to make noise, but the adults sternly *reprimanded* them and the children quieted down.

4. I heard a loud, frightening, soul-*rending* cry.

5. During the course of the day everyone was nervous, and by evening they felt tired and *worn out*.

5. After a long and difficult journey he looked like a real *ragamuffin*—his old and dirty clothes were torn, and there were scratches on his face and hands.

ДРАЗ[15] (драж[12]) *irritate*

1. Не *дразни́* и не обижа́й ма́леньких!

2. Шко́льники *задразни́ли* но́вого ученика́ до слёз.

3. Мальчи́шка реши́л немно́го *поддразни́ть* де́вочку. Он на́чал *передра́знивать* ка́ждое её сло́во и ка́ждое движе́ние. *Подразни́в* её не́сколько мину́т, он по́нял, что *раздразни́л* её не на шу́тку, что она́ о́чень серди́та на него́.

4. От постоя́нного шу́ма повыша́ется *раздражи́мость* не́рвной систе́мы.

5. Почему́ ты *раздража́ешься* от ка́ждого моего́ сло́ва, почему́ говори́шь со мной *раздражённым* го́лосом? Любо́й мой посту́пок вызыва́ет твоё *раздраже́ние*!

1. Don't *tease* and don't offend the little ones!

2. The schoolchildren *teased unmercifully* the new student to the point of tears.

3. The boy decided *to tease* the girl a little. He began *to mimic* her every word and move. *Having teased* her for several minutes, he realized that he *had teased* her way beyond measure and that she was very angry with him.

4. Continual noise heightens *irritation* of the nervous system.

5. Why do you *get irritated* at my every word, and why are you speaking to me in an *irritated* voice? Everything I do provokes your *irritation*!

ДРОБ[33] *small entities*

1. Специа́льная *дроби́льная* маши́на *дроби́ла* больши́е ка́мни на ма́ленькие кусо́чки.

2. Кто-то стуча́л в дверь коро́ткими, бы́стрыми, *дро́бными* уда́рами.

3. На ме́лких звере́й охо́тник люби́л охо́титься с ружьём, кото́рое называ́ется *дробови́к*. Из него́ стреля́ют не обы́чными пу́лями, а *дро́бью*—ма́ленькими свинцо́выми пу́льками. Тако́й пу́лькой мо́жно уби́ть зве́ря и́ли опа́сно ра́нить, *раздроби́в* ему́ кость.

4. С нетерпе́нием жду твоего́ *подро́бного* расска́за о путеше́ствии.

5. *Раздро́бленность* и неорганизо́ванность меша́ют на́шей рабо́те.

1. A special *crushing* machine *crushes* rocks into small pieces.

2. Someone was knocking at the door in short, quick, *staccato* knocks.

3. The hunter loved to hunt small animals with a gun called a *shotgun*. It doesn't shoot ordinary bullets, but *buckshot* – small lead shot. With such shot one can kill an animal or seriously wound it, *splintering* its bone.

4. I am impatiently awaiting the *detailed* account of your travels.

5. *Fragmentation* and disorganization are hindering our work.

ДРОГ[9] (дрож[8], драг[3]) *shudder*

1. От неожи́данного кри́ка ребёнок *вздро́гнул*.

2. Е́сли оте́ц не́рвничает, у него́ начина́ют немно́го *подра́гивать* па́льцы рук.

3. От си́льного взры́ва всё вокру́г *содрогну́лось*. Не́сколько мину́т мы чу́вствовали *содрога́ния* земли́ под нога́ми. От у́жаса нас охвати́ла *дрожь*, каза́лось, что *задрожа́л* ка́ждый нерв, ка́ждый му́скул. Мы разгова́ривали *вздра́гивающими* голоса́ми и *дрожа́ли* от испу́га и беспо́мощности.

4. Не вы́держав напо́ра на́шей а́рмии, проти́вник *дро́гнул* и на́чал бы́стро отступа́ть.

5. Пошёл дождь, заду́л холо́дный ве́тер, мы си́льно *продро́гли* и верну́лись домо́й.

     1. From the unexpected scream the child *shuddered*.

     2. If Father becomes nervous, his fingers begin *to tremble* a little.

     3. From the powerful explosion everything around *shook*. For several minutes we felt the earth *quaking* under our feet. From terror we were overwhelmed by *trembling*. It seemed that every nerve and every muscle *began to tremble*. We spoke in *quivering* voices and *trembled* from fear and helplessness.

     4. Unable to bear the thrust of our army, the enemy *faltered* and quickly began to retreat.

     5. It started to rain and a cold wind began to blow. We *were chilled to the bone* and returned home.

ДРУГ[5] (друж[30]) *friend*

1. Это мой ста́рый шко́льный *друг*. Мы *дру́жим* мно́го лет.

2. На́ши отноше́ния нельзя́ назва́ть *дру́жескими*, но при встре́че мы *дру́жественно* улыба́емся друг дру́гу.

3. На рабо́те у нас о́чень *дру́жный* коллекти́в. За го́ды совме́стной рабо́ты мы кре́пко *подружи́лись*, *передружи́лись* се́мьи колле́г, *сдружи́лись* де́ти. Ка́жется, мы никогда́ не смо́жем *раздружи́ться*, да́же е́сли поменя́ем рабо́ту.

4. Ну и *удружи́л* ты мне—сказа́л роди́телям, что я не был в шко́ле! Они́ меня́ руга́ли весь ве́чер.

5. *Вдруг* из-за угла́ показа́лся автомоби́ль, а че́рез мину́ту его́ догна́л *друго́й*.

     1. This is my old school *friend*. We *have been friends* for many years.

     2. You couldn't call our relationship *friendly*, but when we meet we give each other a *friendly* smile.

     3. At work we have a very *friendly* team. During years of working together we *have become close friends*. *All* our colleagues' families *have become friends*, and our children *have become friends*. It seems that we would never [be able to] *lose this friendship*, even if we were to change jobs.

     4. Well, you sure *did* me *a good turn*. You told my parents that I wasn't in school! They scolded me the entire evening.

     5. *Suddenly*, out from around the corner came a car, and after a minute another caught up with it.

ДУЙ[100] *blow*

1. С мо́ря *ду́ет* прия́тный ве́тер.

2. О́сенью я до́лго гуля́л без пальто́, и меня́ *проду́ло* холо́дным ве́тром.

3. С утра́ *поду́л* лёгкий ветеро́к. Он прия́тно *обдува́л* лицо́, *сдува́л* пыль с у́лиц, *раздува́л* ю́бки же́нщин. К обе́ду ве́тер стал холо́дным и *заду́л* сильне́е, *выдува́я* тепло́ из домо́в.

4. Что ты така́я *наду́тая* це́лый день? Переста́нь *ду́ться* на меня́, не серди́сь.

4. Мне ка́жется, что авторите́т э́того челове́ка *ду́тый*, не настоя́щий.

5. Весь ве́чер игра́л в ка́рты о́чень неуда́чно, соверше́нно *проду́лся*, не оста́лось ни копе́йки де́нег.

5. Не ве́рьте ему́: его́ расска́з—обма́н, чи́стое *надува́тельство*!

     1. A pleasant breeze *is blowing* from the sea.

     2. In the fall I strolled for a long time without a coat and I *was blown through* by a cold wind.

3. In the morning, a light breeze *started blowing*. It pleasantly *blew around* my face, *blew* the dust from the streets, and *fanned* the skirts of the women. By dinner time the wind turned cold and *began blowing harder*. It *blew* the warmth *from* the houses.

4. Why have you been so *sulky* all day? Stop *sulking* at me. Don't get angry.

4. I think that the authority of this man is *overblown* and not genuine.

5. All evening I played cards very unsuccessfully. I completely *blew my wad*. There wasn't even a kopeck left.

5. Don't believe him. His story is a deception–pure *trickery*.

ДУМ[82] *think*

1. Вопро́с тру́дный, хорошо́ *поду́май* и отве́ть.

2. Мой брат—*вду́мчивый* челове́к, он ча́сто *заду́мывается* над жи́зненными пробле́мами.

3. Пробле́ма непроста́я, но ты мо́жешь с ней спра́виться. Ско́лько тебе́ ну́жно вре́мени на *разду́мья*? Я хочу́, что́бы ты *обду́мал* пробле́му со всех сторо́н, *проду́мал* возмо́жные реше́ния и *приду́мал* оригина́льный отве́т. Наде́юсь, ты не *переду́мал* и по-пре́жнему хо́чешь занима́ться реше́нием э́той пробле́мы?

4. Расска́зывай то́лько пра́вду, ничего́ не *выду́мывай*, мне не нужны́ твои́ *вы́думки*.

5. Её слова́ и посту́пки неесте́ственны, *наду́манны*.

1. The question is difficult. *Think* hard and answer it.

2. My brother is a *thoughtful* person. He often *ponders* life's problems.

3. The problem is complex, but you can handle it. How long do you need for *pondering* it? I want you *to think* the problem *over* from all sides, *think through* all possible solutions and *arrive at* an original answer. I hope that you haven't *changed your mind* and that you still want to work on solving this problem.

4. Only tell the truth; don't *fabricate anything*. I don't need your *fabrications*.

5. Her words and actions are unnatural and *contrived*.

ДУР[68] *bad; foolish*

1. Доро́гу перешла́ чёрная ко́шка—э́то *дурно́й* знак!

2. Мы *неду́рно* провели́ вре́мя на мо́ре: купа́лись и загора́ли.

3. Гла́вный геро́й мно́гих ру́сских наро́дных ска́зок—Ива́н-*дура́к*, кото́рого ча́сто ла́сково называ́ют Ива́нушкой-*дурачко́м*. У него́ обы́чно *дура́цкий* вид. Но в конце́ ска́зки ока́зывается, что он *одура́чил* всех свои́х враго́в и жени́лся не на како́й-нибудь бе́дной *дурну́шке*, а на прекра́сной принце́ссе.

4. —Что э́то у тебя́ вид како́й-то *одуре́лый*?—Я и впра́вду совсе́м *одуре́л* от рабо́ты: не отдыха́ю, ма́ло сплю, да́же пое́сть не́когда.

5. Но́вая подру́жка соверше́нно *задури́ла* го́лову бра́ту: он не ду́мает об учёбе, не слу́шает роди́телей, ду́мает то́лько о ней.

1. A black cat crossed the path–that's a *bad* sign!

2. We didn't spend our time at the seashore *badly*. We swam and sunbathed.

3. The main character of many Russian folk tales is Ivan the *Fool*, who is often affectionately called "Ivanushka the *Little Fool*." His appearance is usually *foolish*. But at the end of the tale it turns out that he *fooled* all his enemies and didn't marry some poor *plain girl* but a beautiful princess.

4. —What's with this *stupefied* appearance you have?—I really *have grown completely stupefied* from work: I don't relax, I sleep little, and there's not even time to eat.

5. The new girlfriend *has caused* my brother *to lose* his head completely. He doesn't think about his studies, doesn't listen to his parents, and thinks only about her.

ДУХ[14] (душ[74]); ДОХ[32] (дош[1]); ДЫХ[38] (дыш[13]) *spirit; breathe*

1. Она́ ве́рит, что у ка́ждого челове́ка есть *душа́*.

1. Хорошо́ *дыша́ть* чи́стым *во́здухом*.

2. Неве́ста вы́глядит о́чень краси́вой в *возду́шном* бе́лом пла́тье.

2. Как прия́тно в но́вом знако́мом найти́ доброту́ и *душе́вность*!

3. Мой нача́льник—соверше́нно *безду́шный* челове́к. Он *равноду́шен* к лю́дям, не понима́ет, что у них мо́гут быть и материа́льные, и *духо́вные* пробле́мы, что ва́жно проявля́ть *душе́вный* интере́с к жи́зни челове́ка. Его́ *безду́шие* мо́жет *задуши́ть* любу́ю инициати́ву.

3. У́тром я откры́л окно́ и *вдохну́л души́стый* морско́й *во́здух*. Пе́рвый же *вдох* напо́лнил меня́ све́жестью. Я задержа́л *вы́дох*. Я по́нял, что прекра́сно *отдохну́* у мо́ря. Коне́чно, хоте́лось бы продли́ть *о́тдых* подо́льше, но да́же коро́ткая *передышка* в рабо́те бу́дет поле́зна для здоро́вья.

4. Настоя́щее произведе́ние иску́сства создаётся тогда́, когда́ худо́жника посеща́ет *вдохнове́ние*.

4. Почему́ ты гру́стно *вздыха́ешь*? Мы ведь тебя́ так лю́бим, *надыша́ться* на тебя́ не мо́жем!

5. По́сле ре́чи ора́тора все почу́вствовали *воодушевле́ние*, жела́ние жить по́лной и интере́сной жи́знью. То́лько хоро́ший ора́тор мо́жет так си́льно *воодушеви́ть* аудито́рию.

5. У сосе́да смерте́льно больна́ соба́ка, бе́дное живо́тное *издыха́ет*, а мы ниче́м не мо́жем ему́ помо́чь.

1. She believes that every person has a *soul*.

1. It is nice *to breathe* clean air.

2. The bride looks very beautiful in her *gauzy* white dress.

2. How nice it is to find goodness and *sincerity* in a new acquaintance.

3. My boss is a completely *heartless* person. He is *indifferent* to people and does not understand that they could have both material and *spiritual* problems, or that it is important to show *heartfelt* interest in a person's life. His *heartlessness* can *suffocate* any initiative.

3. In the morning I opened the window and *inhaled* the *fragrant* sea air. The very first *breath* filled me with freshness. I held my *breath*. I realized that I *would rest* well at the sea. Of course I would like to extend my *vacation* a little longer, but even a short *breather* from work will be good for my health.

4. A genuine work of art is created when *inspiration* visits the artist.

4. Why are you *sighing* sadly? After all, we love you so much that we can't *dote on* you *enough*!

5. After the orator's speech everyone felt *inspired* and had a desire to live a full and interesting life. Only a good orator can *inspire* an audience so deeply.

5. The neighbor's dog is deathly ill. The poor animal *is dying*, and there is nothing we can do to help.

ЕД[76] (яд[5]) [for ес[28] see truncation rule 5] *eat*

1. Я голо́дная и хочу́ *есть*.

1. У́тром—за́втрак, днём—*обе́д*, ве́чером—у́жин.

2. *Недоеда́ние* пло́хо влия́ет на разви́тие дете́й.

2. Брат лю́бит *пое́сть*. Он о́чень хоро́ший *едо́к*.

3. Я люблю́ *еду́*, пригото́вленную мои́м отцо́м. Она́ никогда́ мне не *приеда́ется*, я могу́ ка́ждый день *наеда́ться* одни́м и тем же блю́дом и ка́ждый раз *доеда́ть* его́ до после́днего кусо́чка. Никогда́ мне не ка́жется, что я *перее́ла*.

3. Гру́стно ду́мать, что не́которые лю́ди *едя́т* неуме́ренно мно́го, *объеда́ются*, *проеда́ют* огро́мные де́ньги, а други́е голода́ют и́ли *недоеда́ют*, не име́ют возмо́жности *обе́дать* да́же раз в не́сколько дней, вы́нуждены пита́ться *объе́дками*, кото́рые они́ нахо́дят в му́сорных ба́ках.

4. —Мне *надое́ло* слу́шать му́зыку, дава́й вы́ключим ра́дио.—Стра́нно, что тебе́ ка́жется *надое́дливой* така́я краси́вая му́зыка.

4. Как вку́сно, про́сто *объеде́нье*!

4. Не ешь э́тот гриб, он *ядови́тый*, соде́ржит смерте́льный *яд*!

5. У нас о́чень *въе́дливый* учи́тель: обяза́тельно спра́шивает все са́мые ма́ленькие подро́бности дома́шнего зада́ния. Осо́бенно он *взя́лся* на меня́—никогда́ не проща́ет ни мале́йшей нето́чности, *е́дко* комменти́рует мои́ отве́ты. Мы все уста́ли от его́ *въе́дливости*.

5. Мать *снеда́ла* трево́га за больно́го ребёнка.

5. Оте́ц—*зая́длый* рыболо́в, мо́жет це́лый день просиде́ть с у́дочкой на берегу́ реки́.

1. I am hungry and want *to eat*.

1. In the morning (we have) breakfast, in the afternoon, *dinner*, and in the evening, supper.
2. *Malnutrition* badly influences the development of children.
2. My brother loves *to eat*. He is a very good *eater*.
3. I love the *food* prepared by my father. I never *get tired of it*. I can *eat my fill* every day of the same dish and each time *finish* it to the last bite. I never feel as if I *have eaten too much*.
3. It is sad to think that some people *eat* immoderately much. They *overeat* and *spend* enormous amounts of money *on food*, while others starve or *don't get enough food*. They don't have the opportunity *to eat* a full meal even once in several days and are forced to live off of the *scraps* they find in trash bins.
4. —I'm *tired of* [*fed up with*] listening to music. Let's turn off the radio.—It's strange that such beautiful music seems *annoying* to you.
4. How tasty! It's simply *delicious*!
4. Don't eat this mushroom–it's *poisonous*. It contains a deadly *poison*!
5. We have a very *caustic* teacher. He never fails to ask all the very smallest details of the homework. He especially *chewed* me out. He never forgives even the smallest inaccuracy, and *harshly* comments on my answers. We are all tired of his *caustic nature*.
5. The mother *was consumed* with alarm for the sick child.
5. Father is an *incurable* fisherman. He can sit all day on the river bank with a fishing rod.

ЕДИН[61] (оди́н[15], одн[3]) *single unit*

1. Са́мая плоха́я оце́нка в ру́сской шко́ле - *едини́ца*.
1. Мы сильны́, когда́ мы *заодно́*, *еди́нство* прино́сит побе́ду.
2. На краю́ дере́вни стои́т *одино́кий* до́мик. В до́мике мно́го лет в по́лном *одино́честве* живёт зла́я стару́ха.
2. В семье́ три до́чери и *оди́н* сын. Оте́ц бо́льше всех дете́й лю́бит своего́ *еди́нственного* сы́на.
3. Не *однáжды* я проси́ла тебя́ о разгово́ре *наедине́*. *Одна́ко* ка́ждый раз ты *одина́ково* реаги́ровал на мои́ слова́: боя́лся *уедини́ться* со мной и неме́дленно *присоединя́лся* к како́й-нибудь компа́нии. Почему́ мы с тобо́й ведём э́тот глу́пый *поеди́нок*?
4. Сейча́с происхо́дит тру́дный проце́сс *разъедине́ния* на два незави́симых и равнопра́вных госуда́рства Украи́ны и Росси́и, *воссоедини́вшихся* в 17 ве́ке. Но как бы ни скла́дывались полити́ческие обстоя́тельства, украи́нцев и ру́сских всегда́ бу́дут *объединя́ть* бли́зкие языки́, *соединя́ть* о́бщая исто́рия и культу́ра.
4. Раздала́сь автома́тная о́чередь, а пото́м не́сколько *одино́чных* вы́стрелов из пистоле́та. Мы реши́ли, что безопа́снее бу́дет продвига́ться вперёд не всем вме́сте, а *поодино́чке*. .
5. В го́роде соверша́ются преступле́ния, но э́то кра́йне ре́дкие, *едини́чные* слу́чаи.
5. В ска́зке говори́тся о старике́, кото́рый дожива́ет свой век *оди́н-одинёшенек*.

1. The lowest grade in a Russian school is a *one*.
1. We are strong when we are *as one*. *Unity* brings victory.
2. At the edge of the village is a *solitary* little house. A mean-tempered elderly woman has lived many years in the little house in complete *solitude*.
2. In the family are three daughters and *one* son. The father loves his *only* son more than any of the children.
3. More than *once* I have asked you for a *private* conversation. *However*, every time you reacted to my words the *same way*. You were aftraid *to seclude yourself* with me and quickly *joined* the company of other people. Why do you and I carry on this stupid *duel*?
4. The difficult process is now underway of *separating* Ukraine and Russia, *unified* in the 17th century, into two equal and independent states. But however the political circumstances are formed, similar languages will always *unite* Ukrainians and Russians, and their common history and culture will *unify* them.
4. An automatic round rang out, followed by several *single* shots from a pistol. We decided that it would be less dangerous to move forward not all together, but *separately*.
5. In our city crimes are committed, but they are extremely rare, *isolated* cases.
5. In the fairy tale is told of an old man who is living out his years *all by himself*.

ЕЗД[72] (езж[52]; ех[20]) *go (by vehicle)*

1. Я люблю́ *е́здить* на любо́м ви́де тра́нспорта, но осо́бенно мне нра́вится бы́страя *езда́* на маши́не.

1. Семья́ *прие́хала* в го́род на *по́езде*.

2. Де́душка и ба́бушка мно́го лет *безвы́ездно* прожи́ли в ма́леньком городке́ в прови́нции. Но ско́ро они́ *перее́дут* в наш го́род, и мы бу́дем жить вме́сте.

2. *Пое́здка* к мо́рю была́ прия́тной.

3. Мы хоте́ли оста́вить грузови́к на ближа́йшей стоя́нке, но уви́дели знак, запреща́вший *въезд* больши́м маши́нам. Пришло́сь *прое́хать* да́льше по у́лице, *вы́ехать* на большу́ю пло́щадь, *объе́хать* её круго́м, *пое́хать* по одно́й из сосе́дних у́лиц и, наконе́ц, *прие́хать* на стоя́нку для грузовико́в.

3. Роди́тели реши́ли *съе́здить* в го́сти к до́чери. Они́ до́лго гото́вились к *отъе́зду*: проду́мали маршру́т, реши́ли, в каки́х города́х по пути́ к до́чери они́ хоте́ли бы побыва́ть *прое́здом*. Дочь собира́лась *е́хать* в о́тпуск, поэ́тому на́до бы́ло договори́ться о вре́мени *прие́зда*, что́бы не *разъе́хаться*.

4. Он мно́го путеше́ствовал, *объе́здил* весь мир.

4. Я быва́ю в э́том го́роде то́лько и́зредка, *нае́здами*.

5. Доро́га была́ тако́й *изъе́зженной*, что появи́лись я́мы.

5. Не покупа́й мне биле́т в авто́бусе—у меня́ *проездно́й* на ме́сяц.

1. I love *to ride* in any mode of transportation, but I especially like *driving* fast in a car.

1. The family *arrived* in the city by *train*.

2. Grandfather and Grandmother lived many years in a tiny little town in the provinces *without ever leaving*. But soon they *will move* to our city, and we will live together.

2. The *trip* to the seashore was pleasant.

3. We wanted to leave the truck at the nearest parking lot, but we saw a sign prohibiting the *entry* of large vehicles. We had *to continue* farther *along* the street, *drive out* onto a large square, *circle* it, *go along* one of the neighboring streets, and finally *arrive* at the place for parking trucks.

3. The parents decided *to go* visit their daughter. They prepared long for their *departure*. They thought through a route and decided which cities they would want to stay in *along the way* to their daughter's. The daughter was preparing *to go on vacation* so they had to agree on an *arrival* time in order not *to miss one another*.

4. He traveled a great deal and *circled* the whole world.

4. I am only in this city from time to time *on brief visits*.

5. The road was so *heavily traveled* that potholes had appeared.

5. Don't buy me a bus ticket. I have a monthly *pass*.

ЖАЛ[44] *pity*

1. Всегда́ *жа́лко* ребёнка, когда́ он пла́чет.

2. Сын *пожа́ловался* ма́тери, что его́ обижа́ет ста́рший брат.

3. Вчера́ до́чка нашла́ котёнка на у́лице. Он так *жа́лобно* мяу́кал, как бу́дто *жа́луясь* на свою́ судьбу́, что мгнове́нно *разжа́лобил* до́чку. Она́ по хара́ктеру о́чень *жа́лостливая* де́вочка, *жале́ет* всех, чу́вствует *жа́лость* ко всем несча́стным, ей *жаль* и люде́й, и живо́тных.

4. Суд вы́нес сме́ртный пригово́р подсуди́мому, одна́ко адвока́т реши́л *обжа́ловать* пригово́р. *Обжа́лование* бы́ло отклонено́, и пригово́р приведён в исполне́ние.

5. За наруше́ние во́инской дисципли́ны лейтена́нта *разжа́ловали* в солда́ты. *Разжа́лованный* офице́р с трудо́м привыка́л к своему́ но́вому положе́нию.

1. You always *feel sorry for* a child when it cries.

2. The son *complained* to his mother that his older brother was mean to him.

3. Yesterday my little daughter found a kitten on the street. It meowed so *pitifully*, as if *complaining* about its fate, that it instantly *moved* my daughter *to pity*. She is by nature a very *compassionate* girl. She *pities* everyone and feels *sympathy* for all unfortunate people. She *feels sorry for* both people and animals.

4. The court passed the death sentence on the defendant. However, his attorney decided *to appeal* the sen-

tence. The *appeal* was denied and the sentence carried out.

5. For his breach of military discipline, the lieutenant *was demoted* to the ranks. It was hard for the *demoted* officer to grow accustomed to his new situation.

ЖАР[72] *heat*

1. Ле́том в го́роде стра́шная *жара́*.

2. На сосе́дней у́лице *пожа́р*, гори́т большо́й дом. *Пожа́рные* бо́рются с огнём. Мо́жет быть *пожа́р* на́чался не случа́йно.

3. Ба́бушка прекра́сно гото́вит *жа́реный* карто́фель: она́ *обжа́ривает* его́ со всех сторо́н в ма́сле, *зажа́ривает* насто́лько, что он гото́в, но не *пережа́рен*. Ба́бушкин карто́фель идеа́льно *поджа́рен*— есть прия́тная хрустя́щая *поджа́ристая* ко́рочка.

4. *Жари́ща* стои́т ужа́сная, когда́ выхо́дишь на у́лицу, ка́жется, что ты *жа́ришься*, как мясно́е *жарко́е* в *жаро́вне*.

5. Охо́тничьи соба́ки о́чень *поджа́рые*: у них совсе́м нет живота́.

1. During the summer there is terribly *hot weather* in the city.
2. On the neighboring street there is a *fire*. A large house is burning. The *firemen* are fighting the fire. Perhaps the *fire* was not started by accident.
3. Grandmother prepares *fried* potatoes wonderfully. She *fries* them on all sides in oil, *frying* them to the point that they are ready but not *over-cooked*. Grandma's potatoes are *fried* to perfection. They have a nice crunchy *browned* crust.
4. The *heat wave* is terrible. When you go out on the street it seems like you're *frying* like a *roast* on a *grill*.
5. Hunting dogs are very *lean*. They don't have a belly at all.

ЖВ[2] (жев[19], жёв[16]) *chew*

1. За обе́дом на́до *жева́ть* ме́дленно, не торопи́ться.

2. Коро́ва—*жва́чное* живо́тное. Це́лый день она́ *жуёт* свою́ *жва́чку*.

3. Жа́реное мя́со о́чень жёсткое—я *пожева́л* не́сколько мину́т и по́нял, что никогда́ не смогу́ *прожева́ть* его́ по́лностью. Одна́ко я не хоте́л оби́деть хозя́йку, поэ́тому продолжа́л стара́тельно *пережёвывать* кусо́чек мя́са, пыта́ясь *дожева́ть* его́ до конца́. По́сле до́лгих уси́лий я *сжева́л* всё, проглоти́л и запи́л водо́й.

4. Нельзя́ идти́ на рабо́ту в тако́й *изжёваной* ю́бке, обяза́тельно погла́дь её.

5. Учи́тель счита́ет нас не о́чень у́мными—он *разжёвывает* но́вый материа́л так, что нам сами́м и ду́мать не на́до.

1. At dinner you need *to chew* slowly. Don't rush.
2. The cow is a *cud-chewing* animal (ruminant). The entire day it *chews* its *cud*.
3. The fried meat is very tough. I *chewed* for several minutes and realized that I would never be able *to chew it up* completely. However, I did not want to offend our hostess, so I continued with an effort *to chew all up* the piece of meat, trying *to chew* it *to the finish*. After a long effort I *chewed it up*, swallowed it, and drank some water.
4. You can't go to work in such a *crumpled* skirt. You must iron it.
5. The teacher thinks that we are not very smart. He *goes over [chews up]* the new material so thoroughly that we don't even need to think ourselves.

ЖГ[2] (жж[8], жог[9], жиг[58]) [for жеч[27] see truncation rule 6] *burn (transitive)*

1. Си́льное со́лнце *жжёт* ко́жу, оно́ о́чень *жгу́чее*.

2. Оте́ц забы́л до́ма *зажига́лку* - пришло́сь прикури́ть сигаре́ту от спи́чки.

3. Я *зажёг* спи́чку, *поджёг* сухи́е ве́тки и *разжёг* костёр. К сожале́нию, я немно́го *обжёг* ру́ку. Ко́жа покрасне́ла и чу́вствовалось небольшо́е *жже́ние*, но *ожо́г* не был серьёзным.

4. Керами́ческие ве́щи *обжига́ют* в специа́льных печа́х.

5. Геро́ем фи́льма был *прожжённый* моше́нник, кото́рый знал ты́сячи спо́собов обма́на люде́й.

5. До́ктор, помоги́те, меня́ соверше́нно изму́чила *изжо́га*.

1. The hot sun *burns* the skin. It's absolutely *blistering*.
2. Father forgot his *lighter* at home. He had to light his cigarette from a match.
3. I *lit* a match, *set* dry branches *on fire*, and *kindled* a campfire. Unfortunately, I *burned* my hand a little. The skin turned red and I felt a little *burning*, but the *burn* wasn't serious.
4. Ceramic objects *are fired* in special kilns.
5. The main character of the film was an *out and out [burned through]* scoundrel who knew thousands of ways to deceive people.
5. Doctor, help me. My *heart burn* has driven me completely wild [tormented me].

ЖД[11] (жид[15]) *wait*

1. Ве́чером жена́ *ждёт* возвраще́ния му́жа с рабо́ты.
2. По́езд опа́здывает, на́ше *ожида́ние* дли́тся уже́ не́сколько часо́в.
3. Мла́дший брат шёл ме́дленнее ста́ршего, отстава́л. Он попроси́л *подожда́ть* его́, но ста́ршему не хоте́лось *дожида́ться* малыша́. Ста́рший брат *обожда́л* одну́ мину́тку и опя́ть бы́стро пошёл по доро́ге. Мла́дший не *ожида́л* э́того и от *неожи́данности* запла́кал.
4. Нача́льник се́рдится, сове́тую *пережда́ть* его́ плохо́е настрое́ние. Са́мая лу́чшая пози́ция для тебя́ сейча́с—*выжида́тельная*.
5. Я давно́ тебя́ *поджида́ю*, совсе́м *зажда́лся*.

     1. In the evening the wife *waits* for her husband to return from work.
     2. The train is late. Our *wait* has already lasted several hours.
     3. The younger brother walked slower than the older one and was falling behind. He asked him *to wait up* for him, but the older did not want *to wait* for the youngster. The older brother *waited around* a minute and again set out walking quickly along the road. The younger did not *expect* this and from *unexpectedness* began to cry.
     4. The director is angry. I advise you *to wait through* his bad mood. The best approach for you now is *waiting it out*.
     5. I *have been waiting* for you for a long time. I am *all waited out*.

ЖЕН[23] (жён[2]) *woman*

1. Семья́ небольша́я—муж, *жена́* и две до́чки. Оте́ц шу́тит, что в семье́ сли́шком большу́ю роль игра́ют *же́нщины*.
2. Ста́рший брат *жена́т*, а мла́дший не хо́чет *жени́ться*.
3. Молоды́е лю́ди реши́ли *пожени́ться*. Они́ нра́вились друг дру́гу, да и все их знако́мые давно́ *пережени́лись*, пора́ бы́ло и им поду́мать о *жени́тьбе*.
4. Жела́ю вам до́лгой семе́йной жи́зни, что́бы никогда́ вам не пришло́сь *разжени́ться*.
5. *Жени́х* смотре́л на неве́сту влюблёнными глаза́ми.

     1. The family is small–a husband, *wife*, and two daughters. The father jokes that *women* play too great a role in the family.
     2. The older brother is *married*, but the younger does not want *to marry*.
     3. The young people decided *to get married*. They liked each other and, besides, all their friends *had* long since *gotten married one after another*. It was now time for them to think about *marriage* as well.
     4. I wish you a long family life so that you will never have *to become separated*.
     5. The *groom* looked at his bride with eyes filled with love.

ЖИВ[186] *live*

1. Моя́ ма́ма не молода́я, но и не ста́рая, она́ *пожила́я*.
2. Не ешь так мно́го—заболи́т *живо́т*.
3. Его́ *жизнь* была́ дли́нной, он *пережи́л* жену́ и дете́й. Сейча́с он *дожива́ет* в одино́честве, потому́ что у него́ плохо́й хара́ктер, и он не мо́жет *ужи́ться* с вну́ками.
4. Стару́шка така́я гру́стная, потому́ что *пережива́ет* из-за сме́рти до́чери. Да, смерть бли́зкого челове́ка—тяжёлое *пережива́ние*.

5. Бо́льно? Не плачь, ско́ро всё *зажива́т*, и ты бу́дешь здоро́ва.

   1. My mom is not young, but she is not old either. She is *middle-aged*.

   2. Don't eat so much–your *stomach* will ache.

   3. His *life* was long. He *outlived* his wife and children. Now he *is living out his life* in loneliness because he has a bad disposition and cannot *get along* with his grandchildren.

   4. The old woman is sad because she *is suffering* from the death of her daughter. Yes, the death of a loved one is terrible *suffering*.

   5. Does it hurt? Don't cry. Soon everything *will heal* and you will be healthy.

ЖИР[27] *fat*

1. Стара́йся не есть *жи́рную* пи́щу.

2. В после́днее вре́мя я ма́ло дви́гаюсь и ви́жу, что те́ло на́чало покрыва́ться *жирко́м*.

3. Ста́рая же́нщина страда́ет от *ожире́ния*. Она́ начала́ *жире́ть* не́сколько лет наза́д и бы́стро *ожире́ла*. Сейча́с её те́ло покры́то то́лстым *жировы́м* сло́ем. Она́ *разжире́ла* так си́льно, что не мо́жет самостоя́тельно ходи́ть.

4. Мно́гие америка́нцы едя́т то́лько *обезжи́ренные* проду́кты.

5. Все глаго́лы вы́делены в те́ксте *жи́рным* шри́фтом.

   1. Try not to eat *fatty* food.

   2. Lately I have been moving around very little, and I see that my body has begun to be covered *with a sheath of fat*.

   3. The old woman is suffering from *obesity*. She began *to put on weight* several years ago and quickly *became obese*. Now her body is covered with a thick *fatty* layer. She *has grown* so *obese* that she cannot even walk by herself.

   4. Many Americans eat only *fat-free* foods.

   5. All verbs are marked in the text with *bold* type.

ЖМ[4] (жим[67], жа[34]) *press*

1. При встре́че мы *пожа́ли* друг дру́гу ру́ки.

2. На за́втрак обы́чно ма́ма *выжима́ет* сок из апельси́на.

3. Что́бы его́ не заме́тили пресле́дователи, бегле́ц си́льно *вжа́лся* в сте́ну. Он пло́тно *прижа́лся* к камня́м, *сжа́лся*, что́бы стать ма́леньким. Вдруг он уви́дел дверь в стене́, подошёл к ней, *нажа́л* плечо́м, *поднажа́л* ещё немно́го—дверь откры́лась. Он вошёл и почу́вствовал, как внутри́ него́ начала́ *разжима́ться* пружи́на стра́ха.

4. Мой брат—настоя́щий *жмот*: никогда́ не даёт де́нег взаймы́.

5. Как глу́по ведёт себя́ э́та де́вушка, неуже́ли она́ не понима́ет, что её *ужи́мки* вы́глядят смешно́.

   1. Upon meeting we *shook [pressed]* hands.

   2. For breakfast Mom usually *squeezes* juice from an orange.

   3. To go unnoticed by his pursuers, the fugitive *flattened himself* firmly against the wall. He *pressed* closely against the rocks, *drawing himself* in to become smaller. Suddenly he saw a door in the wall. He went up to it, *pressed* against it with his shoulder, *pressed* a little more, and the door opened. He went in and sensed the coil of fear inside him began *to relax*.

   4. My brother is a real *tightwad*. He never lends money.

   5. How foolishly the girl is behaving! Does she really not realize that her *grimaces* look ridiculous?

ЖН[9] (жин[21], жа[9]) *reap*

1. О́сенью крестья́не *жнут* пшени́цу и рожь.

2. В ста́рые времена́ *жнецы́* и *жни́цы жа́ли* вручну́ю.

3. Молодо́й парене́к рабо́тает на *жа́тке*. За день он до́лжен *нажа́ть* мно́го пшени́цы, мо́жет быть придётся *дожина́ть* по́сле захо́да со́лнца. *Сжа́тое* по́ле вы́глядит пусты́м.

4. В ру́сских были́нах жесто́кую би́тву ча́сто называ́ют крова́вой *жа́твой*.

5. Ты всегда́ жил то́лько для себя́, поэ́тому не жа́луйся на одино́чество в ста́рости—ты *пожина́ешь*

го́рькие плоды́ тако́й жи́зни.

1. In the fall, peasants *reap* the wheat and rye.
2. In olden times, *reapers (male and female) reaped* by hand.
3. The young fellow works on a *reaping machine.* In a day he has *to reap* a lot of wheat, and he may have *to finish reaping* after the setting of the sun. The *harvested* field looks empty.
4. In Russian folk epics, cruel battles are often called bloody *harvests.*
5. You have always lived only for yourself, so don't complain about loneliness in your old age. You *are reaping* the bitter fruits of such a life.

ЖР[14] (жир[7], жор[12]) *grub down*

1. Свинья́ бы́стро и мно́го е́ла, *жрала́* всё, что ей дава́ли.
2. Пья́ный муж кри́кнул испу́ганной жене́: "Дава́й *жратву́* на сто́л!"
3. Почему́ ты так гру́бо разгова́риваешь? Никогда́ не ска́жешь "съем, пое́м, объе́мся, нае́мся", а всегда́ "*вы́жру, пожру́, обожру́сь, нажру́сь*". Э́ти слова́ неприя́тно слы́шать.
4. Прие́хал в го́сти земля́к и оказа́лся *прожо́рливым обжо́рой*—всё вре́мя ест и всё вре́мя голо́дный.
5. Ого́нь бы́стро *пожира́ет* дом, пожа́рные ничего́ не мо́гут сде́лать.

1. The pig ate fast and much. It *grubbed downed* everything it was given.
2. The drunken husband shouted at his frightened wife, "Get the *grub* on the table!"
3. Why do you talk so crudely? You never say, "I will eat, have a bite, overeat, or eat my fill," but always, "*I will grub it down, inhale* it, *pig out,* and *stuff myself.*" These words are unpleasant to hear.
4. A fellow countryman visited us, and he turned out to be a *voracious glutton.* He constantly eats and is constantly hungry.
5. The fire *is* quickly *devouring* the house. The firemen can't do anything.

ЗВ[31] (зов[6], зыв[42])   *call; sound*
ЗВОН[32] (зван[12], звен[5]) "
ЗВУК[5] (звуч[22])   "

1. —Как тебя́ *звать*?—Меня́ *зову́т* Са́ша.
1. Ма́ленький бра́тик си́льно испуга́лся, ничего́ не мог сказа́ть, то́лько *беззву́чно* открыва́л рот.
2. В ночно́м лесу́ слы́шишь таи́нственные *зву́ки*.
2. У ба́бушки в мо́лодости был необыкнове́нно *зву́чный* го́лос.
3. Ра́но у́тром *зазвони́л* телефо́н. В у́тренней тишине́ *звоно́к* был осо́бенно *зво́нким*. Мне не хоте́лось брать тру́бку, но телефо́н *звони́л* до́лго, ви́димо кто́-то реши́л *дозвони́ться* во что бы то ни ста́ло. Я поду́мал: "Неуже́ли непоня́тно, что на́до *перезвони́ть* по́зже?!" Подня́в тру́бку, я услы́шал го́лос дру́га, кото́рый *позвони́л* мне, что́бы сказа́ть, что моя́ сестра́ хо́чет *созвони́ться* со мной за́втра.
3. Кто́-то *позва́л* меня́. Го́лос, *зову́щий* из темноты́ и *звеня́щий*, как колоко́льчик, *звучи́т призы́вно*.
4. Моя́ подру́га—о́чень *отзы́вчивый* челове́к, всегда́ сочу́вствует лю́дям и помога́ет им. Все высоко́ це́нят подру́гу за её *отзы́вчивость*.
4. *Отзвуча́ли* после́дние вы́стрелы до́лгой войны́. Наступи́ла ми́рная тишина́.
5. Де́ти зна́ли, что *обзыва́ться* нехорошо́, но всё-таки *называ́ли* друг дру́га ра́зными оби́дными слова́ми.
5. Здравомы́слящие лю́ди *отзыва́лись* отрица́тельно о *вызыва́ющем* то́не, в кото́ром революционе́ры написа́ли свои́ *воззва́ния*.

1. What's your *name* [How *to call* you?]? They *call* me Sasha.
1. My tiny little brother was so frightened that he was unable to say anything. He just *soundlessly* opened his mouth.
2. In the forest at night you can hear mysterious *sounds.*
2. In her youth, Grandmother had an unusually *sonorous* voice.
3. Early in the morning the telephone *rang.* In the morning quiet the *ring* was especially *loud.* I did not feel like picking up the receiver, but the phone *rang* so long that apparently someone wanted *to reach* me no

matter what. I thought, "Is it possible they don't understand that they need *to call back* later?!" After picking up the receiver, I heard the voice of a friend who *had called* me to say that my sister wanted *to reach* me by phone tomorrow.

3. Someone *called* me. The voice, *calling* from the darkness and *ringing* like a little bell, *sounds appealing*.

4. My girlfriend is a very *responsive* person. She always sympathizes with people and helps them. Everyone highly values my girlfriend for her *responsiveness*.

4. The *sound faded away* of the long war's last shots. A peaceful quiet set in.

5. The children knew that *name calling* was bad, but they *called* each other various offensive names anyway.

5. Sensible people were *responding* negatively to the *defiant* tone in which the revolutionaries had written their *appeals*.

ЗВЕР²¹ *beast*

1. Тигр—большо́й и стра́шный *зверь*.

2. От за́паха кро́ви лев *звере́л* сильне́е и с но́вой си́лой рвал зуба́ми те́ло уби́того оле́ня.

3. В *звери́нце* мо́жно уви́деть ре́дких живо́тных и птиц. Есть там и ма́ленькие *зверьки́*, и заба́вные *зверю́шки*, и больши́е опа́сные *зверю́ги*.

4. Дава́йте поскоре́е обе́дать—по́сле прогу́лки у меня́ *зве́рский* аппети́т.

5. По́сле Второ́й мирово́й войны́ лю́ди узна́ли, как *зве́рствовали* фаши́сты на оккупи́рованных террито́риях. Тру́дно пове́рить, что лю́ди мо́гут дойти́ до тако́го *озвере́ния* и жесто́кости.

1. A tiger is a large and frightening *beast*.

2. From the smell of blood the lion *turned* more *savage* and, with a new strength, tore the body of the dead deer with his teeth.

3. In a *menagerie* you can see rare animals and birds. There also are little *wild animals*, amusing *little critters*, and big dangerous *beasts* there.

4. Let's hurry up and eat. After our walk I've got a *savage* appetite.

5. After the Second World War, people found out what *atrocities* the Fascists *committed* in the occupied territories. It is hard to believe that people can stoop to such *bestiality* and cruelty.

ЗД¹⁷ (зид⁸, зижд³, зод³) *create*

1. На друго́й стороне́ у́лицы нахо́дится *зда́ние* городско́й больни́цы.

2. Писа́тель в рома́не прекра́сно *воссозда́л* жизнь 19 ве́ка.

3. Челове́к до́лжен быть *созида́телем*, а не разруши́телем. Он мо́жет *создава́ть* но́вые города́ и но́вые иде́и, он мо́жет *пересоздава́ть* то, что устарева́ет. На уме́ и тала́нте челове́ка *зи́ждется* прогре́сс челове́чества.

4. Зи́мний дворе́ц в Петербу́рге—*созда́ние* знамени́того *зо́дчего* Растре́лли.

5. Я уже́ взро́слый, переста́нь говори́ть со мной *назида́тельным* то́ном!

1. Across the street is the city hospital *building*.

2. In his novel the writer beautifully *recreated* life in the 19th century.

3. Man should be a *creator*, not a destroyer. He can *create* new cities and new ideas, and he can *recreate* that which is becoming obsolete. The progress of humankind *depends* on people's minds and talent.

4. The Winter Palace in Petersburg is the *work* of the renowned *architect* Rastrelli.

5. I am an adult now. Stop talking to me in a *patronizing* tone!

ЗДОРОВ²⁶ (здорав³, здрав¹⁵) *health*

1. *Поздоро́вайся* с детьми́, скажи́: "*Здра́вствуйте*, де́ти".

2. Врача́ мо́жно *поздра́вить* с успе́шной опера́цией—по́сле опера́ции больно́й бы́стро *выздора́вливает*.

3. С утра́ мне *нездоро́вилось*, и я, *здра́во* обду́мав ситуа́цию, реши́ла не ходи́ть на рабо́ту. Весь день чу́вствую себя́ *нездоро́вой*. Сестра́ посове́товала принима́ть табле́тки, сказа́ла, что они́ *здо́рово* помога́ют при просту́де.

4. Éсли я расскажу́ о твоём плохо́м поведе́нии, тебе́ не *поздоро́вится*, роди́тели тебя́ стро́го нака́жут.

5. Оди́н чемода́н ма́ленький, а второ́й—*здорове́нный*.

    1. *Say "hello"* to the children. Say, *"hello* children."

    2. You can *congratulate* the doctor on the successful operation–the patient *is* quickly *recovering* following surgery.

    3. I *haven't felt well* since morning, and, thinking over the situation *sensibly*, I decided not to go work. All day I have felt *unwell*. My sister advised me to take some pills and said that they will *really* help with a cold.

    4. If I tell about your bad behavior, it won't *be well* with you. Your parents will sternly punish you.

    5. One suitcase is small, but the second is *hefty*.

ЗЕВ[17] (зёв[5]) *yawn*

1. Уже́ по́здно, де́ти *зева́ют*, пора́ идти́ спать.

2. Ле́кция така́я ску́чная, что слу́шатели не мо́гут скрыть *зево́ту*.

3. От до́лгого и ску́чного ожида́ния я на́чал *позёвывать*. Снача́ла *зевну́л* оди́н раз, пото́м друго́й. Тре́тий *зево́к* был тако́й широ́кий, что слёзы вы́ступили на глаза́х. Закры́в рот, я огляну́лся и уви́дел, что *прозева́л* того́ челове́ка, кото́рого дожида́лся. Он сел в маши́ну и уе́хал.

4. Стару́ха на мину́ту *зазева́лась*, и хулига́ны вы́хватили у неё су́мку с деньга́ми.

5. Во вре́мя футбо́льного ма́тча врата́рь пропусти́л гол, и весь стадио́н возмущённо крича́л ему́: "*Зева́ка!*".

    1. It's late already–the children *are yawning*. It is time to go to bed.

    2. The lecture is so boring that the audience can't hide its *yawning*.

    3. Due to the long and boring wait I began *to yawn*. At first I *yawned* once, then again. The third *yawn* was so wide that tears appeared in my eyes. Closing my mouth, I looked around and saw that *while yawning I had missed* [*I yawned through a period of time and missed*] the person I was waiting for–he got in a car and drove away.

    4. The old woman *let up* her *guard* for a minute, and the thieves grabbed her bag with the money.

    5. During the soccer game, the goalie let a goal past and the whole stadium indignantly shouted, "You *slacker!*"

ЗЕМ[55] (зём[6]) *earth*

1. По́сле полёта косми́ческий кора́бль возвраща́ется на *Зе́млю*.

1. Из окна́ видна́ высо́кая *земляна́я* гора́.

2. Сего́дня встре́тил на у́лице *земляка́*, мы с ним вы́росли в одно́м го́роде.

2. В ста́ром за́мке бы́ло большо́е *подземе́лье*, и де́ти ве́рили, что там живу́т привиде́ния.

3. В Росси́и 19 ве́ка *земля́* принадлежа́ла поме́щикам. Крестья́не, как пра́вило, не име́ли *земе́льной* со́бственности. Ча́сто из-за бе́дности они́ жи́ли не в обы́чных дома́х, а в *земля́нках*, где бы́ло о́чень хо́лодно.

3. Косми́ческий кора́бль до́лжен *приземли́ться* в за́данном райо́не. Все *назе́мные* и *подзе́мные* це́нтры управле́ния полётом гото́вы к *приземле́нию*.

4. Из всех я́год я бо́льше всего́ люблю́ не мали́ну, не сморо́дину, не ви́шню, а лесну́ю *земляни́ку*. Как прия́тно зимо́й откры́ть ба́нку *земляни́чного* варе́нья и почу́вствовать за́пах ле́та.

4. Ты бо́лен? У тебя́ нездоро́вый, *земли́стый* цвет лица́.

5. Вошёл невысо́кий кре́пкий *приземи́стый* челове́к.

5. *Позёмка*—ве́тер, ду́ющий ни́зко над *землёй*.

    1. After its flight, the space ship is returning to *Earth*.

    1. From the window a high *earthen* mountain is visible.

    2. Today I met a *fellow-countryman* on the street. He and I grew up in the same city.

    2. In the old castle there was a large *dungeon*, and the children believed that ghosts lived there.

    3. In Russia in the 19th century, the *land* belonged to the landowners. The peasants, as a rule, didn't have

their own *property*. Due to their poverty, they often lived not in normal houses, but in *dugouts* where it was very cold.

3. The space ship must *land* in the designated area. All *surface* and *underground* flight control centers are ready for the *landing*.

4. Of all berries, I like neither raspberries, nor currants, nor cherries the best, but *wild* forest *strawberries*. How nice it is in the winter to open a jar of *wild strawberry* jam and smell the scent of summer.

4. Are you ill? You have an unhealthy, *sallow*-colored face.

5. A short, solid, *stocky* person walked in.

5. A *ground wind* is a wind which blows low over the *ground*.

ЗИМ[29] *winter*

1. Краси́в лес *зимо́й*, когда́ *зи́мний* во́здух чист и дере́вья стоя́т неподви́жно.

2. По́здней о́сенью (э́то вре́мя называ́ют *предзи́мьем*) иногда́ холодне́е, чем *зимо́й*.

3. В декабре́ старики́ не ве́рили, что *перезиму́ют* и уви́дят весе́ннее со́лнце. О́ба бы́ли ста́рыми и больны́ми, а *прозимова́ть* три до́лгих ме́сяца непро́сто. Но де́лать бы́ло не́чего—*зазимова́ли*. Наступи́л март, и старики́ по́няли, что *отзимова́ли*, что жизнь продолжа́ется.

4. О́сенью се́ют *ози́мую* рожь и пшени́цу.

5. Экспеди́ция останови́лась на *зимо́вку*, не дойдя́ до Се́верного по́люса.

1. The forest is beautiful *in the winter* when the *winter* air is clean and the trees stand motionless.

2. In late fall (this time is called the *pre-winter*), it is sometimes colder than *in winter*.

3. In December, the old people did not believe that they would *make it through the winter* and see the spring sun. Both were old and ill, and *to live through* three long *winter* months was not easy. But there was nothing they could do–they *hunkered down for the winter*. March arrived and the old people realized that they *had made it through the winter* and that life would continue.

4. In autumn, the *winter* rye and wheat are sown.

5. The expedition stopped for *winter camp* without having reached the North pole.

ЗЛ[41] *malice*

1. Почему́ ты *зли́шься* на меня́? Отку́да така́я *зло́ба*?

2. Несправедли́вость сде́лала челове́ка *зло́бным*, он *обозли́лся* на всех, в любо́м его́ сло́ве слы́шится *злость* на весь мир.

3. Во дворе́ живёт *зла́я* соба́ка. Сосе́дский мальчи́шка реши́л, что её мо́жно немно́го *позли́ть*. Он *разозли́л* соба́ку так си́льно, что, *озли́вшись, злю́щая* соба́ка искуса́ла его́.

4. В мо́лодости он был *незло́бивым* челове́ком, но от тяжёлой жи́зни к ста́рости   *озло́бился*. Тру́дно пове́рить, что этот *злю́ка* был когда́-то *беззло́бным* и прия́тным челове́ком.

5. Па́рень соверши́л не́сколько *зло́стных* правонаруше́ний.

1. Why are you so *malicious* toward me? Where did this *malice* come from?

2. The injustice made the man *malicious*. He *is filled with malice* toward everyone, and in his every word can be heard *malice* against the whole world.

3. In the courtyard lives a *mean* dog. The neighbor boy decided that he would *provoke* the dog a little. He *infuriated* the dog so much that, *enraged*, the *furious* dog bit him.

4. In his youth he was a *gentle* person, but in old age he *became bitter* from a hard life. It is hard to believe that this *bitter man* was once a *kindly* and pleasant person.

5. This guy has committed several *malicious* offenses.

ЗНАЙ[65] *know*

1. Я *зна́ю* э́того студе́нта, но мы не *знако́мы*. *Познако́мь* нас, пожа́луйста.

2. Мой брат—настоя́щий *знато́к* иску́сства.

3. *Призна́йся*, что ты забы́л, как вы́глядит наш ста́рый *знако́мый* и *обозна́лся*, не *узна́л* его́.—Хорошо́, хорошо́, *признаю́* свою́ оши́бку.

4. Я не ви́дела тебя́ два го́да, ты о́чень измени́лся, стал *неузнава́емым*.

5. После того, как его *назначили* на высокий пост, он *зазнался*—думает, что он самый умный.

    1. I *know* (of) this student, but we're not *acquainted*. *Introduce* us, please.

    2. My brother is a real art *connoisseur*.

    3. —*Admit* it. You forgot what our old *acquaintance* looks like and *took* him *for someone else*. You did not *recognize* him.—All right, all right. I *admit* my mistake.

    4. I haven't seen you for two years. You have really changed and have become *unrecognizable*.

    5. After they *appointed* him to a high post he *became conceited* – he thinks that he is the very smartest.

ЗОЛОТ[28] (золоч[4], золач[5], злат[5], злащ[2]) *gold*

1. Мать подарила дочери красивый *золотой* браслет.

2. Волосы у неё были светло-рыжие, *золотистые*. Особенно красиво они *золотились* на солнце.

3. В моде украшения из *золота* или *позолоченные* украшения из других металлов. Модницы ходят *раззолоченные*, сверкая *позолотой*, как новогодние ёлки.

4. Не согласен работать в вашей фирме, даже если вы *озолотите* меня!

5. У старика была самая грязная и унизительная работа—он работал *золотарём*.

    1. The mother gave her daughter a beautiful *gold* bracelet.

    2. Her hair was light red with a *golden* tint. It was especially pretty when it *glistened golden* in the sun.

    3. *Gold* jewelry or *gold-plated* jewelry of other metals is in style. Fashionable women walk around *covered with gold*, glittering *with gilding* like New Year's trees.

    4. I will not agree to work for your firm even if you *shower* me *with gold*!

    5. The old man had the dirtiest and most degrading work–he worked as a *gilder*.

ЗР[57] (зер[16], зор[55], зар[13], зир[12]) *see* (with nuance of high literary style, abstractness)

1. По дороге идут два человека, один из них слепой, поэтому второй, *зрячий*, ведёт его за руку.

1. У дедушки до старости были *зоркие* глаза. Такую *зоркость* редко встретишь даже у молодых.

2. В тюрьме *надзиратели* жестоко били заключённых.

2. Ребёнок потерялся, он стоял на улице и испуганно *озирался* кругом.

3. Каждый вечер в театр приходили сотни *зрителей*, получавших удовольствие от весёлого *зрелища*. Хотя театральные *обозреватели* невысоко оценивали пьесу, спектакль был ярким, *зрелищным*, и *зрительский* успех превзошёл все ожидания.

3. Все *презирали* его за предательство. Он *опозорил* себя трусостью, и *презрение* окружало его, как *прозрачная* стена. В молодости никто из его друзей не мог даже *заподозрить*, что он закончит жизнь *презренным* существом.

4. *Подозрительность*—плохая черта характера: человек никому до конца не верит, *подозревает* всех в обмане.

4. После революции в России появилось много *беспризорных* детей. Таких детей называли *беспризорниками*.

5. Я открыл дверь и увидел человека самой *невзрачной* наружности: маленького, худенького, плохо одетого, некрасивого.

5. Новая идея пришла мне в голову неожиданно, как *озарение*.

    1. Two people are walking along the road. One of them is blind. So the other, the *one who can see*, leads him by the hand.

    1. Grandfather had *sharp* eyes right up until old age. Such *sharp-sightedness* is rarely encountered even among the young.

    2. In prison the *supervisors* cruelly beat the prisoners.

    2. The child was lost. He stood on the street and fearfully *looked* around.

    3. Every evening there came to the theater hundreds of *spectators*, who received pleasure from the light-hearted *show*. Although the theatrical *reviewers* did not highly rate the play, the performance was bright and *showy*, and the success with the *audience* surpassed all expectation.

    3. Everyone *despised* him for his betrayal. He *disgraced* himself with cowardice. *Contempt* surrounded him

like a *transparent* wall. In his youth, none of his friends could have even *suspected* that he would end his life as a *despicable* being.

4. *Suspicion* is a bad character trait. The person doesn't fully believe anyone and *suspects* everyone of deception.

4. After the revolution in Russia, many *homeless [unlooked after]* children turned up. Such children were called *urchins*.

5. I opened the door and saw a person of the most *unattractive* appearance: small, thin, poorly dressed, and ugly.

5. A new idea came into my head unexpectedly, like an *illumination*.

ЗРЕЙ[24] *mature*

1. Ёблоки *зре́ют*, стано́вятся кра́сными и сла́дкими.
2. Со́рок лет—э́то во́зраст не ста́рости, а *зре́лости*.
3. Фру́кты почти́ *вы́зрели*, ду́маю, че́рез не́сколько дней они́ оконча́тельно *дозре́ют*. Когда́ фру́кты *созре́ют*, на́до бу́дет убира́ть урожа́й.
4. Бе́дный молодо́й челове́к вы́нужден жени́ться на *перезре́лой* бога́той неве́сте.
5. В отноше́ниях двух стран *назрева́л* кри́зис, напряжённость нараста́ла с ка́ждым днём.

   1. The apples *are ripening*, becoming red and sweet.
   2. Forty years old–this is the time of life not of old age, but of *maturity*.
   3. The fruit *has* almost *fully ripened*. I think that in a few days it *will finish ripening* completely. When the fruit *matures*, the harvest must be gathered.
   4. The poor young man is compelled to marry a wealthy bride who is *past* her *prime*.
   5. A crisis *was brewing* in the two countries' relations and tension grew with each day.

ЗУБ[48] *tooth*

1. У малыша́ вы́рос пе́рвый *зу́бик*.
2. Не люблю́ ходи́ть к *зубно́му* врачу́, но прихо́дится, потому́ что на́до лечи́ть *зу́бы*, что́бы не стать *беззу́бым*.
3. К экза́мену на́до *вы́учить назубо́к* падежи́ и оконча́ния. Придётся *зубри́ть* всю ночь. На́до *вы́зубрить* то, что я совсе́м не зна́ю, *подзубри́ть* немно́го то, что чуть-чуть забы́л, и *позубри́ть* то, что не то́чно по́мню.
4. Ста́рый *зазу́бренный* нож пло́хо ре́зал.
5. Для рабо́ты пригото́вь молото́к и *зуби́ло*.

   1. The youngster's first *baby tooth* appeared.
   2. I don't like to go to the *dentist*. I have to, though, because I must take care of problems with my *teeth* in order not to become completely *toothless*.
   3. For the exam I need to learn all the cases and endings *by heart*. I will have *to cram* all night. I need *to memorize* everything I don't know, *review* a little the things I have sort of forgotten, and *cram* for the things I don't quite remember.
   4. The old *serrated* knife cut poorly.
   5. Prepare a hammer and a *chisel* for the job.

ЗЯБ[20] *chill*

1. Де́вочке хо́лодно, она́ *зя́бнет*.
2. Ма́ма боле́ет, ей *зя́бко*, она́ про́сит горя́чего ча́ю, что́бы согре́ться.
3. Во вре́мя прогу́лки де́ти *озя́бли*, но не хоте́ли возвраща́ться домо́й. В результа́те они́ *иззя́блись* так, что их ру́ки *зазя́бли* и ничего́ не чу́вствовали, а но́ги *перезя́бли* и не хоте́ли дви́гаться. *Назя́бшиеся* де́ти побежа́ли гре́ться домо́й.
4. Не хочу́ всю жизнь *прозяба́ть* в неизве́стности, хочу́ сла́вы, хочу́ стать знамени́тым!
5. Под кусто́м сиде́ла ма́ленькая пти́чка-*зя́блик*.

   1. The girl feels cold. She *is chilled*.

2. Mom is ill. She feels *chilled* and is asking for some hot tea to warm her up.
3. During the outing the children *got cold*, but they did not want to return home. As a result they *got so chilled* that their hands *became numb* and they couldn't feel anything. Their legs *were freezing* and did not want to move. The *frozen* children ran home to get warm.
4. I don't want *to vegetate* my whole life in obscurity. I want glory! I want to become famous!
5. Underneath the bush sat a small bird–a *copper finch*.

ИГР[67] (ыгр[29]) *play*

1. Баскетбо́л—интере́сная спорти́вная *игра́*.
2. Ребёнок лю́бит но́вые *игру́шки*, он *игра́ет* це́лый день и не мо́жет *наигра́ться*.
3. Дава́й *разыгра́ем* роди́телей: сде́лаем вид, что мы не сда́ли экза́мен. Я *сыгра́ю* гла́вную роль, а ты мне *подыгра́ешь*, ла́дно? По́сле на́шего *ро́зыгрыша* им ещё прия́тнее бу́дет узна́ть, что мы хорошо́ сда́ли экза́мен.
4. *Игроки́* в ка́рты ча́сто *игра́ют* не для того́, чтобы обогати́ться, а чтобы *переигра́ть* судьбу́, *обыгра́ть* её и победи́ть.
5. Мне не нра́вится э́та же́нщина: неприя́тна её неи́скренняя, *наи́гранная* мане́ра говори́ть. Я чу́вствую *наи́грыш* во всём, что она́ де́лает.

1. Basketball is an interesting *game [sport]*.
2. The child loves the new *toys*. He *has been playing* all day and can't *get enough playing*.
3. Let's *play a trick* on our parents. We will pretend like we didn't pass the exam. I *will play* the main role, and you *will play along*, okay? After our *prank* it will be even more pleasant for them to find out that we did well on the exam.
4. Card *players* often *play* not for the sake of growing rich, but *to out play* fate, *beat* it, and be victorious.
5. I don't like that woman. Her insincere, *affected* manner of speaking is unpleasant. I sense *artificiality* in everything she does.

ИД[2] (и[26], ид[7], ыд[1]) *go (by foot)*

1. Челове́к, который *идёт* ря́дом с твое́й сестро́й, о́чень симпати́чный.
2. Я не по́нял смысл *предыду́щего* предложе́ния.
3. На остано́вке на́до *вы́йти* из авто́буса, *перейти́* че́рез доро́гу, *пойти́* по у́лице, *найти́* са́мый высо́кий дом, *дойти́* до него́ и *войти́* в него́.
4. На́ши доро́ги должны́ *разойти́сь*: ты—нале́во, а я—напра́во.
5. Он *непревзойдённый* специали́ст, никто́ не зна́ет де́ло лу́чше, чем он.

1. The person who *is walking* next to your sister is very attractive.
2. I didn't understand the meaning of the *previous* sentence.
3. At the bus stop you need *to exit* the bus, *cross* the road, *set off walking* along the street, *find* the tallest building, *walk up to* it, and *go in*.
4. Our paths must *diverge*. You [are going] to the left, and I, to the right.
5. He is an *unsurpassed* expert. No one knows his business better than he does.

ИМ[36] (ним[83], ня[59], я[28], йм[17], ым[14], ем[16], ём[66]) *have; take*

1. Я хочу́ *име́ть* большу́ю и дру́жную семью́.
1. Он о́чень бе́дный челове́к, у него́ нет никако́го *иму́щества*.
2. *Подъём* на высо́кую го́ру—серьёзное испыта́ние для путеше́ственника.
2. Обрати́ *внима́ние* на правописа́ние глаго́лов: ты де́лаешь мно́го оши́бок.
3. Мне вдруг захоте́лось *обня́ть* ма́му, как я *обнима́ла* её в де́тстве, посиде́ть ря́дом с ней в *обни́мку*, не *разнима́я* рук, чу́вствуя её *объя́тие*.
3. Ба́бушка не мо́жет *подня́ть* тяжёлую су́мку, да́же немно́го *приподня́ть* су́мку с земли́ у стару́шки нет сил. Я всегда́ помога́ю ей *поднима́ть* и нести́ су́мку.
4. Ру́сские ико́ны—*неотъе́млемая* часть общечелове́ческой культу́ры.
4. В произведе́ниях П. Чайко́вского мо́жно встре́тить *заи́мствования* из ру́сской наро́дной му́зыки.

5. Разгово́р с роди́телями *возыме́л* де́йствие, и сын стал лу́чше себя́ вести́.

5. Ты сего́дня впервы́е уви́дишь моего́ жениха́, я хочу́ знать твоё *непредвзя́тое* мне́ние о нём.

1. I want *to have* a large and loving family.

1. He is a very poor person; he has no *possessions*.

2. The *ascent* up a high mountain is a serious challenge for a traveler.

2. Pay *attention* to the spelling of the verbs. You are making many mistakes.

3. Suddenly I wanted *to embrace* Mom as I *used to embrace* her in childhood, to sit a while close to her in a *hug*, not *removing* my arms, feeling her *embrace*.

3. Grandmother cannot *lift* a heavy bag. The elderly woman doesn't even have the strength *to barely lift* it off the ground. I always help her *lift* and carry her bag.

4. Russian icons are an *integral* part of universal human culture.

4. In the works of P. Tchaikovsky, *borrowings* from Russian folk music can be found.

5. The conversation with his parents *had* an effect, and the son began to behave himself better.

5. Today you will see my fiancé for the first time. I want to know your *unbiased* opinion of him.

ИМ²⁷ (ым⁴) *name*

1. Учи́тельница зна́ет всех ученико́в в кла́ссе по *имена́м*.

2. Хо́чется познако́миться *и́менно* с э́тим челове́ком.

3. Города́ с дре́вних времён *именова́лись* в честь изве́стных, *имени́тых* люде́й и́ли ва́жных собы́тий. Иногда́ тру́дно то́чно установи́ть, что послужи́ло осно́вой *наименова́ния*. За до́лгую исто́рию мно́гие города́ не́сколько раз *переимено́вывались*.

4. У до́чки сего́дня *имени́ны*, и она́ пригласи́ла госте́й.

5. Нельзя́ забыва́ть о *безымя́нных* геро́ях, поги́бших во вре́мя войны́.

1. The teacher knows all the students in the class by *name*.

2. I would like to become acquainted with this person *in particular*.

3. Since ancient times, cities *have been named* in honor of famous, *distinguished* people or important events. Sometimes it is difficult to establish exactly what served as the basis for *naming*. Over their long history, many cities *have been renamed* several times.

4. Our daughter's *name-day party* is today and she has invited guests.

5. One must not forget the *nameless* heroes who perished during the war.

ИСК⁴⁴ (ищ², ыск⁴⁸, ыщ³) *search*

1. Я *ищу́* для подру́ги пода́рок уже́ не́сколько дней, но пока́ ни до чего́ не *доиска́лся*.

2. В *по́исках* поте́рянных де́нег мы *обыска́ли* все ко́мнаты, но *отыска́ть* ничего́ не смогли́.

3. На *соиска́ние* Но́белевской пре́мии бы́ло предста́влено не́сколько кандида́тов. Ка́ждый из них *сниска́л* уваже́ние и изве́стность в свое́й стране́. Отбо́рочная коми́ссия была́ о́чень *взыска́тельной*, поэ́тому вско́ре оста́лись то́лько дво́е—оди́н *соиска́тель* и одна́ *соиска́тельница*.

4. Рабо́тник *заи́скивал* пе́ред нача́льником, смотре́л ему́ в глаза́ пре́данным, *заи́скивающим* взгля́дом, как бу́дто хоте́л зара́нее угада́ть все его́ жела́ния.

5. Посмотри́те на э́ту краси́вую же́нщину—кака́я *изы́сканность* мане́р, како́й прекра́сный, *изы́сканный* костю́м, како́е изя́щество во всём о́блике.

1. I *have been searching* already several days for a gift for my girlfriend, but I haven't *found* anything yet.

2. In our *search* for the lost money we *searched* all the rooms, but we weren't able *to find* anything.

3. For the Nobel prize *competition*, several candidates were nominated. Each of them *had gained* respect and fame in his or her own country. The selection committee was very *demanding*, so soon only two were left—one *male* and one *female competitor*.

4. The worker was *ingratiating* himself to his boss. He looked him in the eyes with a devoted, *ingratiating* gaze, as if he wanted to divine all his wishes in advance.

5. Look at that beautiful woman! What *refinement* of manners, what a beautiful, *tasteful* suit, what elegance in her whole countenance!

КАЗ[164] (каж[7], кажд[1]) *show*

1. Что ты хо́чешь мне *показа́ть*?

2. Попроси́ о по́мощи моего́ бра́та, он *безотка́зный* челове́к: *ока́зывает* по́мощь всем и всегда́.

2. Старику́ ста́ло *каза́ться*, что жизнь конча́ется. До́лгими осе́нними вечера́ми *ка́жется*, что ничего́ нет впереди́.

3. Твои́ обвине́ния *бездоказа́тельны*. В твоём *расска́зе* нет ни одного́ *доказа́тельства* вины́ э́того челове́ка. Могу́ *предсказа́ть*, что его́ не признаю́т вино́вным.

3. На у́лице мы уви́дели *указа́тель* в ви́де большо́й стре́лки, кото́рый *ука́зывал* доро́гу к о́зеру. Одна́ко наш шофёр *отказа́лся* е́хать э́той доро́гой. Он *вы́сказал* сомне́ние в том, что направле́ние пра́вильное.

3. Ма́льчик рос *прока́зником*, но он *прока́зничал* из-за своего́ *прока́зливого* хара́ктера, а не потому́, что хоте́л кого́-нибудь оби́деть. *Напрока́зив*, он ча́сто проси́л проще́ния.

4. Де́вушка соверши́ла не́сколько плохи́х посту́пков, но ни ра́зу не была́ *нака́зана*. *Безнака́занность* оконча́тельно испо́ртила её.

4. Вы устра́иваете телевизио́нную програ́мму, в кото́рой *напока́з* демонстри́руете всему́ ми́ру, как бога́то и счастли́во живу́т лю́ди в ва́шей стране́. Но ведь э́то не пра́вда, а *показу́ха*!

5. В шко́ле де́ти ча́сто *подска́зывают* друг дру́гу, хотя́ учителя́ запреща́ют э́то де́лать.

5. Мать стро́го *наказа́ла* сы́на за обма́н. Ребёнок надо́лго запо́мнил э́то *наказа́ние*.

5. Он не понима́л, что происхо́дит, потому́ что име́л *искажённое* представле́ние о лю́дях и их отноше́ниях.

   1. What do you want *to show* me?

   2. Ask my brother for help. He is a *generous* person. He always *offers* help to everyone.

   2. It started *to seem* to the old man that life was coming to an end. During the long autumn evenings *it seems* as if there is nothing up ahead.

   3. Your accusations are *unsubstantiated*. There is not one *proof* of this man's guilt in your *story*. I can *tell* you *in advance* that he will not be found guilty.

   3. On the street we saw a *sign* in the shape of a large arrow that *pointed out* the road to the lake. However, our driver *refused* to take this road. He *expressed* doubt that this was the right direction.

   3. The boy grew up to be a *mischievous child*, but he *was mischievous* as a result of his *mischievous* nature and not because he wanted to offend someone. *After being mischievous for awhile*, he would often ask for forgiveness.

   4. The girl committed several misdeeds, but not once was she ever *punished*. This *lack of punishment* completely ruined her.

   4. You are creating a television program in which you *portray* to the whole world how richly and happily people live in your country. But this isn't the truth, you know. It's all *for show*.

   5. In school, children often *whisper answers* to each other, although teachers forbid them to do this.

   5. The mother *punished* her son severely for his deceit. The child remembered this *punishment* for a long time.

   5. He did not understand what was going on because he had a *distorted* conception of people and their relationships.

КАЛ[71] *grow hot*

1. Под си́льным со́лнцем песо́к *раскали́лся*.

2. Коро́вам ста́вили ме́тки *калёным* желе́зом.

3. Утю́г ещё холо́дный, на́до его́ немно́го *подкали́ть*. Но смотри́ не *перекали́* его́, *накали́* не сли́шком си́льно, что́бы не испо́ртить ве́щи при гла́жке.

4. На соревнова́ниях *нака́л* борьбы́ за пе́рвое ме́сто дости́г вы́сшей то́чки.

5. Роди́тели с де́тства купа́ли ребёнка в холо́дной воде́, что́бы *закали́ть* его́.

   1. In the intense sun the sand *became burning hot*.

   2. The cows were branded with a *red-hot* iron.

3. The iron is still cold; it needs *to be heated up* a little. But be careful not to *overheat* it. Don't *heat* it up too much so as not to ruin things while ironing.

4. At the competition, the *heat* of battle for first place grew intense [reached its highest point].

5. The parents had bathed the child in cold water since childhood in order *to toughen* him *up*.

КАП[43] *drop*

1. *Ка́пельки дождя́* стуча́т по око́нному стеклу́.
2. Врач вы́писал мне глазны́е *ка́пли* и сказа́л, чтобы я *зака́пывал* их ка́ждые два часа́.
3. Больно́му на́до вводи́ть лека́рство постоя́нно, но ма́лыми до́зами. Медсестра́ поста́вила *ка́пельницу*—с её по́мощью лека́рство *ка́пает* ме́дленно и мо́жно постепе́нно *вка́пать* необходи́мое коли́чество.
4. Люблю́ звук весе́нней *капе́ли.*
5. По́сле пе́рвого шу́много успе́ха и́мя молодо́го худо́жника *ка́нуло* в неизве́стность.

1. *Droplets* of rain pound against the window glass.
2. The doctor prescribed eye *drops* for me and told me to *apply* them every two hours.
3. The patient needs to be given medicine constantly, but in small doses. The nurse set up an *IV*. This way, the medicine *drips* slowly, and the necessary quantity can gradually *drip in.*
4. I love the sound of *dripping water* [from melting snow] in the spring.
5. After his first sensational success, the name of the young artist *sank* into obscurity.

КАТ[176] (кач[79]) *glide (rock, roll, swing)*

1. Фигу́рное *ката́ние*—популя́рный вид спо́рта.
1. Зимо́й я хожу́ на *като́к ката́ться* на конька́х.
2. Де́ти лю́бят бы́стро *скати́ться* со сне́жной го́рки.
2. Незнако́мый мужчи́на с трудо́м *вы́катил* из ко́мнаты тяжёлый чемода́н на колёсиках.
3. Ребёнок толкну́л ного́й мяч, лежа́вший у де́рева, мяч *откати́лся* от де́рева, *покати́лся* по доро́жке, *докати́лся* до её конца́ и останови́лся недалеко́ от скаме́йки.
3. Пе́ред поку́пкой но́вой маши́ны, на́до её *обката́ть*. Когда́ пое́дешь её проверя́ть, возьми́ меня́ с собо́й, *покача́й* немно́жко по го́роду. Е́сли маши́на тебе́ не понра́вится, не бу́дем её покупа́ть, а возьмём маши́ну *напрока́т* на не́сколько дней.
4. «Сми́р-р-р-рно!»—*раска́тистая* кома́нда заста́вила солда́т замере́ть в строю́.
4. Сестра́ прие́хала в го́сти на неде́лю, но ей ста́ло ску́чно, и она́ *укати́ла* обра́тно че́рез два дня.
5. Пока́ я говори́л, она́ слегка́ *пока́чивала* голово́й из стороны́ в сто́рону. Я не понима́л, что означа́ет э́то *пока́чивание*: сочу́вствие, удивле́ние, несогла́сие?
5. У тебя́ ши́на на колесе́ спусти́ла, останови́ маши́ну, на́до *подкача́ть* ши́ну.

1. Figure *skating* is a popular sport.
1. In the winter I go to the *rink to ice skate.*
2. Children love *to sled* quickly *down* a snowy mound.
2. With difficulty, the stranger *rolled* the heavy suitcase *from* the room on its little wheels.
3. The child kicked the ball which was lying near the tree. The ball *rolled away* from the tree, *rolled along* the path, *finished rolling* to the path's end, and stopped near a bench.
3. Before purchasing a new car, you need *to take it for a spin.* When you go to try it out, take me with you and *drive me* around town a little. If you don't like the car, we won't buy it. We'll *rent* a car for a few days instead.
4. "Atten-n-n-tion!" The *booming* command compelled the soldiers to freeze at attention.
4. My sister came to visit for a week, but it got boring for her and she *scooted away* after two days.
5. As I spoke, she gently *rocked* her head from side to side. I did not understand what this *rocking* meant. Sympathy? Surprise? Disagreement?
5. The tire on the wheel is low. Stop the car. The tire needs *to be pumped up.*

КВАС[26] (кваш[23]) *bitter*

1. Ба́бушка де́лает вку́сный *квас* из чёрного сухо́го хле́ба.

2. На́ зиму соли́ли огурцы́ и *ква́сили* капу́сту.

3. *Ква́шеная* капу́ста—прекра́сная заку́ска, но на́до уме́ть пра́вильно *заква́сить* её. Важна́ пра́вильная пропо́рция воды́ и со́ли, что́бы не *переква́сить*. Та́кже ва́жно знать, как происхо́дит проце́сс *ква́шения*, ина́че мо́жно *проква́сить* капу́сту, испо́ртить её вкус.

4. Мальчи́шке в дра́ке *расква́сили* нос.

5. Дед был челове́ком ста́рой *заква́ски* и но́вых ве́яний не люби́л.

   1. Grandma makes delicious *kvass [bitter Russian beverage]* from dry black bread.
   2. For the winter they salted cucumbers and *pickled* cabbage.
   3. *Sauerkraut* is a wonderful appetizer, but you need to be able *to ferment* it correctly. The correct proportion of water and salt is important in order not *to ferment* it *too much*. It is also important to know how the *fermenting* process takes place. Otherwise, you may *make a mistake in fermenting* the cabbage and spoil its taste.
   4. The young boy had his nose *messed up* in a fight.
   5. Grandpa was an *old-fashioned* man *[a man of old yeast]*, and he didn't like new trends.

КИД[89] [for ки[38] see truncation rule 2] *toss*

1. *Кинь* мне мяч, я пойма́ю! Ну, *кида́й* скоре́е!

2. Сего́дня я *вы́кинула* все ста́рые, нену́жные ве́щи.

3. По́сле си́льного снегопа́да дверь открыва́ется с трудо́м—на́до *отки́дывать* снег от входно́й две́ри. Оте́ц посмотре́л на сугро́б сне́га; *запроки́нув* го́лову, взгляну́л на не́бо; *прики́нул*, ско́лько вре́мени потре́буется на рабо́ту: *ски́нул* пальто́, *наки́нул* лёгкую ку́ртку и при́нялся за де́ло.

4. Же́нщина стоя́ла, ни́зко склони́в го́лову, но, услы́шав гру́бые слова́, бы́стро *вски́нула* го́лову, посмотре́ла оби́дчику в глаза́, а пото́м *оки́нула* его́ холо́дным взгля́дом с головы́ до ног.

5. В рома́не расска́зывается о судьбе́ ребёнка, кото́рого в де́тстве мать *подки́нула* чужи́м лю́дям. Таки́х дете́й называ́ли *подки́дышами*, их жизнь была́ о́чень тяжёлой.

   1. *Throw* me the ball and I'll catch it! Well, hurry up and *throw* it!
   2. Today I *threw out* all the old, unneccesary things.
   3. After a heavy snowfall, it is difficult to open the door. The snow must be *shoveled away* from the door entrance. Father looked at the snowdrift. Then, *tossing his head back*, he glanced up at the sky and *figured* how much time the work would require. He *threw off* his coat, *threw on* a light jacket, and got down to work.
   4. The woman stood there, bowing her head low. But upon hearing course words, she quickly *jerked* her head *up*, looked the offender right in the eye, and then *glared* at him coldly from head to toe.
   5. The novel tells the story of the fate of a child whose mother *abandoned* him to the care of strangers. Such children were called "*abandoned children*" and their lives were very difficult.

КИП[56] *boil*

1. *Закипе́л* ча́йник, нале́й мне, пожа́луйста, горя́чего ча́ю.

2. *Прокипяти́* хороше́нько речну́ю во́ду, её опа́сно пить *некипячёной*.

3. В кастрю́ле *кипе́ла* вода́, она́ уже́ давно́ *кипяти́лась*, и часть кипятка́ *вы́кипела*. Ви́димо, кому́-то пона́добилась *кипячёная* вода́, он реши́л *вскипяти́ть* це́лую кастрю́лю, но забы́л во́время снять её с плиты́.

4. У моего́ бра́та *купу́чий* темпера́мент. Иногда́ он мо́жет неожи́данно рассерди́ться на что́-нибудь, мгнове́нно *вскипе́ть*, накрича́ть, но тут же успоко́иться и попроси́ть проще́ния.

5. На́до почи́стить ча́йник, смотри́ ско́лько *на́кипи*.

   1. The teapot *has started to boil*. Pour me some hot tea, please.
   2. *Boil* river water *thoroughly*. It's dangerous to drink it *unboiled*.
   3. Water *was boiling* in a pan. It *had already been boiling* for some time and part of the *boiled water had boiled away*. Apparently, someone needed some *boiled* water and decided *to boil up* an entire pan, but they forgot to take it from the stove in time.

4. My brother has a *violent* temper. Sometimes he will unexpectedly get angry at something, instantly *flare up*, and shout. But then he immediately calms down and asks forgiveness.

5. The teapot needs to be cleaned. Look how much *sediment* there is.

КИС[70] *sour*

1. Я́годы не сла́дкие и не *ки́слые*. Они́ немно́го *кислова́тые*, но прия́тные на вкус.

2. На уро́ке хи́мии мы изуча́ем *кисло́ты*.

3. Не ешь вчера́шний суп, он *проки́с*. Вчера́ не поста́вили его́ в холоди́льник, и но́чью он на́чал *закиса́ть*. У́тром не вспо́мнили о нём, коне́чно, он *скис* оконча́тельно. Чу́вствуешь, како́й у него́ неприя́тный *переки́сший* за́пах.

4. От до́лгого дождя́ дереве́нская доро́га соверше́нно *раски́сла*, прое́хать нельзя́.

5. Что ты сего́дня *ки́снешь* весь день? Переста́нь, ты же по хара́ктеру не *кисля́й*.

1. The berries are neither sweet nor *sour*. They are a little *sourish*, but pleasant to the taste.

2. In chemistry class we are studying acids.

3. Don't eat yesterday's soup, it *is soured*. Yesterday we didn't put it in the refrigerator, and during the night it began *to go sour*. In the morning we forgot about it, and, of course, it *went* completely *sour*. You can smell what an unpleasant, *overly sour* odor it has.

4. The country road *has become* completely *soggy* from the long rain, and it is impossible to drive through it.

5. Why *have* you *been so sour* all day? Stop it! You're not usually a *sourpuss*.

КЛАД[144] (клаж[1]) [for клас[4] see truncation rule 5] *put*

1. Не *клади́*, пожа́луйста, гря́зную о́бувь на стол.

1. Учёный сде́лал интере́сный *докла́д* на конфере́нции.

2. В ба́нке появи́лся но́вый *вкла́дчик*, сего́дня он откры́л ба́нковский счёт и сде́лал свой пе́рвый *вклад*.

2. До по́езда оста́лось всего́ полчаса́, а мы да́же не начина́ли *укла́дывать* ве́щи в чемода́н.

3. Ко́мната така́я ма́ленькая, что не́где поста́вить две крова́ти, поэ́тому оди́н ребёнок спал на крова́тке, а друго́й на *раскладу́шке*, кото́рая *раскла́дывалась* на́ ночь, *скла́дывалась* днём. *Складна́я* ме́бель необходи́ма, е́сли кварти́ра небольша́я.

3. Когда́ хозя́йка *перекла́дывала* кни́ги с по́лки на по́лку, из то́лстого то́ма вы́пала *закла́дка*—конве́рт от ста́рого письма́.

4. Друзья́ устро́или вечери́нку в *скла́дчину*: ка́ждый принёс что́-нибудь из еды́ и напи́тков и́ли дал немно́го де́нег.

4. Ико́на была́ стари́нная, в сере́бряном *окла́де*, закрыва́вшем ико́ну по края́м.

5. Когда́ де́нег нет, прихо́дится *закла́дывать* еди́нственную дорогу́ю вещь—часы́. Под *закла́д* я получа́ю немно́го де́нег.

5. Для сиби́рской зимы́ тебе́ ну́жно пальто́ на тёплой *подкла́дке*. Шерсть и́ли пух—са́мый лу́чший *подкла́дочный* материа́л.

1. Please don't *put* your dirty shoes on the table.

1. The scientist gave an interesting *report* at the conference.

2. A new *depositor* showed up at the bank. He opened a bank account today and made his first *deposit*.

2. Only half an hour remained until our train left, and we hadn't even begun *packing* our things in the suitcase.

3. The room is so small that there isn't enough space for two beds. Therefore, one child slept in the bed, and the other slept on a *cot* that was *folded out* at night and *folded up* during the day. *Folding* furniture is a neccessity if your apartment is small.

3. When the housewife *was moving* the books from one shelf to another, a *bookmark* fell from a thick volume–an envelope from an old letter.

4. The friends arranged a *pot luck* party. Each brought some kind of food or drink or contributed a little money.

4. The icon was an ancient one in a silver *frame* that covered the icon along the edges.

5. When there is no money, it becomes necessary *to pawn* the only valuable thing (I have)–a watch. I get a little money by *pawning* things.

5. For the Siberian winter you need a coat with a warm *lining*. Wool or down is the best *lining* material.

КЛЕВ[18] (клёв[28], клюв[1]) [for клю[7] see truncation rule 1] *peck*
КЛЕВЕТ   *slander*

1. Цыпля́та ма́ленькими *клю́виками* бы́стро *клева́ли* корм.
2. Се́рая пти́чка *клю́нула* хлеб оди́н раз, огляну́лась и сде́лала второ́й бы́стрый *клево́к*.
3. Воробьи́ *исклева́ли* я́годы ви́шни. Часть из них они́ то́лько немно́жко *поклева́ли*, часть—*склева́ли* по́лностью, *доклева́ли* до конца́.
4. Мне ка́жется, что у нас *наклёвывается* интере́сное реше́ние пробле́мы.
5. Не сове́тую знако́миться с э́тим спле́тником и *клеветнико́м*. Неда́вно он *оклевета́л* прекра́сного челове́ка.

1. The chicks *pecked* rapidly at the feed with their tiny little *beaks*.
2. The grey bird *pecked* the bread once, looked around, then made another quick *peck*.
3. The sparrows *pecked all over* the fruit on the cherry tree. Some of the cherries were only *slightly pecked*, some were completely *pecked off—pecked away* right up to the end.
4. It seems to me that an interesting solution to our problem *is hatching*.
5. I advise you not to become acquainted with this gossiper and *slanderer*. Not long ago he *slandered* a wonderful person.

КЛЕЙ[98] *glue*

1. Я не могу́ чита́ть: страни́цы кни́ги *скле́ились*, невозмо́жно *расклеи́ть* их.
2. В апре́ле на дере́вьях появи́лись пе́рвые *кле́йкие* зелёные листо́чки.
3. Мы реши́ли *накле́ить* фотогра́фии в альбо́м, но оказа́лось, что ну́жен но́вый *клей*, так как ста́рый пло́хо *прикле́ивал*: приходи́лось всё вре́мя *подкле́ивать* то оди́н, то друго́й *откле́ившийся* уголо́к. Мы *кле́или* весь ве́чер, *вкле́или* в альбо́м мно́го но́вых фотогра́фий. Не́которые фотогра́фии пло́хо держа́лись, и нам пришло́сь *перекле́ить* их.
4. *Окле́йка* ко́мнаты но́выми обо́ями заняла́ мно́го вре́мени.
5. Мне не нра́вится, что на столе́ в ку́хне лежи́т не ска́терть, а ста́рая *клеёнка*.

1. I can't read–the pages of the book *are stuck together*. It is impossible *to unstick* them.
2. In April the first *sticky* green leaves appeared on the trees.
3. We decided *to glue* the photographs into the album, but it turned out that we needed new *glue* since the old glue *stuck* poorly. We had to keep *adding glue* to corner after corner that had come *unglued*. We *glued* the entire evening and *glued* many new photographs *into* the album. Several of the photograps didn't hold well and we had *to reglue* them.
4. *Hanging* the room with new wallpaper took a lot of time.
5. I don't like the fact that an old *oilcloth* is lying on the kitchen table and not a tablecloth.

КЛЕП[24] (клёп[42]) *rivet*

1. Я рабо́таю на *клепа́льной* маши́не.
2. Нача́льник сказа́л, что на́до *склепа́ть* две ча́сти механи́зма.
3. *Клепа́льщица* ста́вит *заклёпки*, *приклёпывает* желе́зные дета́ли друг к дру́гу, де́лает на пове́рхности дета́ли *наклёпки*.
4. Гроб с те́лом уме́ршего поста́вили в фами́льный *склеп* и на́крепко замурова́ли.
5. Не ве́рьте ему́, он *наклепа́л* на меня́, э́то не пра́вда! Он—изве́стный *поклёпщик*, его́ люби́мое заня́тие—возвести́ *поклёп* на че́стного челове́ка.

1. I work on a *riveting* machine.
2. The supervisor said that the two parts of the mechanism need *to be riveted together*.
3. The *(female) riveter* is installing *rivets*. She *rivets* the iron parts together, making *rivets* on the surface of the parts.

4. The coffin containing the body of the deceased was placed in a family *burial vault* and tightly bricked up.
5. Don't believe him! He *slandered* me; it is not true! He is a well-known *slanderer*. His favorite pastime is to spread *slander* against an honest person.

КЛИК³³ (клиц³, клич³) *call*

1. Вдруг кто́-то *окли́кнул* меня́ по и́мени. *О́клик* был гро́мким и неожи́данным.
2. Не говори́ о плохо́м—мо́жно *накли́кать* беду́.
3. Мать ра́достно *воскли́кнула*, уви́дев сы́на. В *восклица́нии* слы́шались и слёзы, и сча́стье. Сын всей душо́й *откли́кнулся* на ра́дость ма́тери.
4. Прекрати́ исте́рику, не *клику́шествуй*, успоко́йся.
5. У престу́пников есть *кли́чки*, под кото́рыми они́ изве́стны в криминальном ми́ре.

1. Suddenly, somebody *called* me by name. The *call* was loud and unexpected.
2. Don't speak about bad things, it might *invite* misfortune.
3. Having caught sight of her son, the mother *exclaimed* joyfully. In her *exclamation* both tears and happiness were heard. The son *responded* wholeheartedly to his mother's joy.
4. Stop the hysterics. Quit *shrieking* and calm down.
5. The lawbreakers have *aliases* by which they are well known in the criminal world.

КЛОК⁸ (клоч¹⁶) *clump*

1. Снег па́дал больши́ми *кло́чьями*.
2. Коро́ва подошла́ к сто́гу се́на, вы́рвала *клок* и ста́ла с удово́льствием жева́ть.
3. По не́бу плыву́т *клочкова́тые* облака́. Ме́жду облака́ми видне́ется ма́ленький *клочо́к* си́него не́ба.
4. Передо мной стоя́л стра́нный челове́к с *всклоченными* волоса́ми и безу́мными глаза́ми.
5. Ка́ждый день сосе́ди ссо́рятся, ка́ждый день у них *скло́ка*. Ви́димо, из-за *скло́чного* хара́ктера они́ постоя́нно *скло́чничают*.

1. The snow was falling in large *clumps*.
2. The cow went up to the hay stack, tore off a *clump*, and began to chew it with pleasure.
3. *Clusters* of clouds are floating across the sky. Between the clouds, little *patches* of blue sky are visible.
4. Before me stood a strange man with *disheveled* hair and crazy eyes.
5. The neighbors quarrel every day. Every day they have a *squabble*. Evidently, they constantly *squabble* due to their *quarrelsome* natures.

КЛОН⁶⁰ (клан⁵) *incline*

1. Ю́ноша *наклони́лся* и по́днял с земли́ краси́вый лист.
1. При встре́че с царём на́до ни́зко *кла́няться*.
2. *Покло́нники* и *покло́нницы* мечта́ли получи́ть авто́граф люби́мого актёра.
2. *Склоня́ются* ли слова́ "кафе́", "ко́фе", "шоссе́", "пальто́"?—Нет, э́то *несклоня́емые* существи́тельные.
3. Кора́бль мно́го дней *неукло́нно* дви́жется к ме́сту назначе́ния. Внеза́пно начина́ется шторм, и капита́н вы́нужден *отклони́ться* от маршру́та. Капита́н не мо́лод, он *прекло́нного* во́зраста. Его́ о́пыт подска́зывает, что лу́чше *отклоне́ние* от ку́рса, чем риск.
3. При встре́че ста́рые знако́мые хо́лодно *раскла́нялись*. Ка́ждый из них ве́жливо *наклони́л* го́лову. *Накло́н* головы́ пока́зывал ве́жливость, а лёгкий *покло́н* демонстри́ровал нежела́ние возобнови́ть бли́зкое знако́мство. Ни оди́н из них не прояви́л *скло́нности* прости́ть былы́е оби́ды.
4. Бы́ло по́здно, го́сти оди́н за други́м *откла́нялись* и ушли́.
4. Славя́не-язы́чники *поклоня́лись* ду́хам приро́ды и ду́хам уме́рших пре́дков. Это *поклоне́ние* игра́ло ва́жную роль в жи́зни дре́вних славя́н.
5. *Преклоня́юсь* пе́ред умо́м и благоро́дством э́того челове́ка!
5. Я не доверя́ю твоему́ дру́гу: у него́ *укло́нчивый* взгляд, он никогда́ не смо́трит в глаза́.

Уклóнчивость егó взгля́да раздража́ет и вызыва́ет недовéрие.

1. The youth *bent down* and picked up a beautiful leaf from the ground.
1. Upon meeting the tsar you must *bow* low.
2. The *fans* (*male* and *female*) dreamed of getting the autograph of their favorite actor.
2. Do the words "cafe," "coffee," "highway," and "coat" *decline*? No, they are *indeclinable* nouns.
3. The ship has been moving *undeviatingly* towards its appointed destination for many days. Suddenly, a storm begins and the captain is forced *to deviate* from his course. The captain is not young. He is of *advanced* years. His experience suggests that *deviating* from the course is better than taking a risk.
3. Upon meeting, the old acquiantances coldly *exchanged bows*. Each of them politely *bowed* his head. The *bowing* of the heads showed politeness, but their slight *bows* demonstrated an unwillingness to renew their close acquaintance. Neither one of them showed an *inclination* to forgive past offenses.
4. It was late. The guests *took* their *leave* one after another and departed.
4. The Slavic pagans *worshipped* spirits of nature and the spirits of deceased ancestors. This *worship* played an important role in the lives of ancient Slavs.
5. I *admire [bow down before]* the intelligence and nobility of this person.
5. I don't trust your friend. He has an *evasive* look—he never looks you in the eye. This *evasiveness* of his irritates one and evokes distrust.

КЛЮЧ[66] *connect to*

1. В кóмнате темнó, *включи́* свет, пожа́луйста. Нет, свет сли́шком я́ркий, *вы́ключи* егó.
2. *Переключи́ть* кана́л телеви́зора мóжно с пóмощью *переключа́теля.*
3. *Ключ* к понима́нию худóжественного тéкста—язы́к произведéния. На́до найти́ в тéксте *ключевы́е* слова́. Иногда́ в однóм слóве *заключён* глубоча́йший смысл.
4. За плохóе поведéние ученика́ *исключи́ли* из шкóлы. Роди́тели пыта́лись доказа́ть, что *исключéние* не реша́ет проблéмы, но ничегó не доби́лись.
5. Я люблю́ чита́ть *приключéнческие* рома́ны. *Приключéния* смéлых герóев увлека́ют меня́, ка́жутся мне *исключи́тельно* интерéсными, позволя́ют *отключи́ться* от повседнéвных дел.

1. It is dark in the room – *turn on* the light please. No, the light is too bright. *Turn it off.*
2. You can *switch* the television channel by using a *channel knob.*
3. The *key* to understanding a literary text is the language of the work. You need to find *key* words in the text. Sometimes the deepest meaning *is contained* in one word.
4. For bad behavior, the student *was expelled* from school. The parents tried to show that *expulsion* does not solve problems, but they weren't successful.
5. I love to read *adventure* novels. The *adventures* of brave heroes fascinate me. They seem *exceptionally* interesting to me and allow me *to escape* from everyday concerns.

КОВ[88] (куй[7]) *forge*

1. *Кузнéц* цéлый день рабóтает в *ку́знице.*
2. Тяжёлый мóлот бьёт по *накова́льне.*
3. На́до *подкова́ть* лóшадь. Попрошу́ ма́стера *вы́ковать* хорóшую *подкóву.* Éсли не понра́вится, то он *перекуёт* её ещё раз. Наш ма́стер хорошó зна́ет *кузнéчное* дéло.
4. Морóз *скова́л* вóду в рекé до весны́.
4. Веди́ себя́ свобóдно, *раскóванно,* ничегó не бóйся.
5. Человéк сам *куёт* своё сча́стье.
5. Интерéсный докла́д *прикова́л* внима́ние слу́шателей.

1. The *blacksmith* works the entire day in the *smithy.*
2. The heavy hammer is beating on an *anvil.*
3. The horse needs *to be shod.* I will ask the craftsman *to forge out* a good *shoe.* If I don't like it, then he *will reforge* it one more time. Our craftsman knows the *blacksmith's* trade well.
4. The freezing temperatures *have frozen* [*hardened*] the water in the river until spring.
4. Act naturally and *in an unfettered way.* Fear nothing.

5. A person *forges* his own happiness.

5. The interesting report *gripped* the attention of the audience.

КОВЫР[49] *pick at*

1. Не *ковыряй* в зубах, это некрасиво и негигиенично!

2. Кто *расковырял* торт?

3. Увидев хлеб с изюмом, дети начали *выковыривать* изюм из хлеба. Они *исковыряли* весь хлеб, *наковыряли* много сладкого изюма, *проковыряли* несколько дырок в мягкой хлебной середине и даже *отковырнули* маленькие изюминки с корочки.

4. У брата тяжёлый характер: он сосредоточен на себе—постоянно *ковыряется* в своих чувствах.

5. На экзамене преподаватель задал вопрос, который казался простым, но на самом деле был с *подковыркой*. Наш преподаватель любит такие *заковыристые* вопросы.

1. Don't *pick* your teeth–it is unsightly and unsanitary!

2. Who *has been picking at* the cake?

3. Having seen the raisin bread, the children began *to pick out* the raisins from the loaf. They *picked away at* the entire loaf. They *picked* out many sweet raisins, *picked* several holes in the middle of the soft bread, and even *picked* tiny little raisins *out* of the crust.

4. My brother has a difficult personality. He is focused on himself. He is constantly *probing* his own feelings.

5. At the exam the teacher posed a question that seemed simple, but it was actually a question with a *catch*. Our teacher loves such *nit-picking* questions.

КОЛ[76] (кал[38]) *strike and pierce*

1. Мама шила платье и *уколола* иголкой палец.

1. Девушка *приколола* к платью свежий цветок.

1. Сегодня с утра у старухи сильно *колет* в правом боку и немного *покалывает* в левом.

2. Зеркало упало и разбилось на множество *осколков*.

3. Больному делают несколько *уколов* каждый час. Его руки сильно *исколоты*, поэтому медсестра особенно осторожно *вкалывает* иглу в кожу.

3. Надо *наколоть* много дров на зиму. Но дерево очень крепкое, трудно *отколоть* от него даже маленький кусочек, а *расколоть* на части совсем тяжело.

4. Сегодня на улице *колючий* мороз, закрой лицо.

4. *Раскольники* скрывались от властей в Сибири.

5. Увидев на груди приятеля татуировку, я спросил: "Давно *наколку* сделал?"

5. У подруги плохой характер, даже друзьям она постоянно говорит *колкости*.

1. Mom was sewing a dress and *pricked* her finger with a needle.

1. The girl *pinned* a fresh flower to her dress.

1. Since this morning, the elderly woman has had an intense, *sharp pain* in her right side and in her left side she feels little *occasional pricks*.

2. The mirror fell and shattered into innumerable *fragments*.

3. The patient is given several *shots* every hour. His arms are *pricked all over*, so the nurse *injects* the needle especially carefully *into* the skin.

3. A lot of firewood must *be split* for the winter. However, the tree is very solid. It's hard *to split away* even the smallest piece, and *splitting* it into pieces is extremely difficult.

4. Today there is a *biting* frost outside–cover your face.

4. The *dissenters* hid from the authorities in Siberia.

5. Seeing a tattoo on my friend's chest I asked, "Did you get that *tattoo* a long time ago?"

5. My girl friend has a bad personality. She constantly makes *cutting remarks* even to her friends.

КОЛ[49] *round*

1. Мы ехали по *кольцевой* дороге, которая идёт вокруг Москвы.

2. Все обрати́ли внима́ние на ба́бушкино стари́нное *кольцо́* с больши́м бриллиа́нтом.

3. По доро́ге, кото́рая идёт *о́коло* дере́вни, прое́хало так мно́го маши́н, что видны́ две глубо́кие *колей*, вы́давленные *колёсами*.

4. Перелётных птиц *кольцу́ют* (надева́ют им на ла́пку *коле́чко*). За *окольцо́ванными* пти́цами учёные наблюда́ют, что́бы узна́ть маршру́ты перелётов.

5. Что за глу́пости ты говори́шь, каку́ю *околе́сицу* несёшь!

   1. We were traveling along the *beltway [ring road]* which goes around Moscow.
   2. Everyone turned their attention to grandmother's ancient *ring* with the large diamond.
   3. So many cars have traveled past on the road which goes *near* the village that you can see two deep *ruts* gouged out *by the wheels.*
   4. Migratory birds *are ringed* (little *rings* are placed around their talons). The *ringed* birds are observed by scientists in order to learn their migratory routes.
   5. What's this foolishness you are saying? What *nonsense* you are talking!

КОЛ²¹ *amount*

1. Мне ва́жно не *коли́чество*, а ка́чество ва́шей рабо́ты.

2. Никто́ не знал, *наско́лько* серьёзно заболе́ла ба́бушка.

3. Учи́тель *не́сколько* раз повтори́л вопро́с. *Поско́льку* никто́ не хоте́л отвеча́ть, он серди́то спроси́л: "*Ско́лько* раз я до́лжен задава́ть оди́н и тот же вопро́с?"

4. Де́вочка упа́ла и уда́рилась, но она́ не хоте́ла расстра́ивать ма́му и говори́ла, что ей *ниско́лечко* не бо́льно.

5. *Доко́ле* мы бу́дем терпе́ть униже́ния и го́лод?

   1. The quality and not the *quantity* of your work is important to me.
   2. No one knew *how* seriously ill Grandmother had become.
   3. The teacher repeated the question *several* times. *Since* no one wanted to answer, he angrily asked "*How many* times do I need to pose the same question?"
   4. The girl fell and hurt herself, but she didn't want to upset her mom. She said that it didn't hurt *in the least.*
   5. *How long* will we endure humiliation and hunger?

КОЛЕБ¹⁵ *wave; waver*

1. Флаг слегка́ *колеба́лся* от ве́тра

2. В ти́хую пого́ду почти́ незаме́тно *колеба́ние* волн океа́на.

3. Поду́л ветеро́к, ли́стья дере́вьев слегка́ *заколеба́лись*. Каза́лось, что весь ночно́й сад запо́лнен *коле́блющимся* све́том луны́.

4. Жесто́кость войны́ *поколеба́ла* во мно́гих лю́дях ве́ру в ра́зум и благоро́дство.

5. Несмотря́ ни на что, я *непоколеби́мо* ве́рю в си́лу добра́.

   1. The flag *waved* gently in the wind.
   2. In calm weather, the *oscillation* of ocean waves is almost unnoticeable.
   3. The breeze blew and the leaves of the trees gently *began to rustle*. It seemed that the entire nocturnal garden was filled *with the shimmering* light of the moon.
   4. The cruelty of war *shook* many people's faith in reason and nobility.
   5. Regardless of anything, I believe *unwaveringly* in the power of good.

КОЛОТ³⁸ (колач³⁵, колоч²) *pound*

1. Кто́-то гро́мко *колоти́л* кулако́м в дверь.

2. Хо́дит сто́рож и стучи́т свое́й деревя́нной *колоту́шкой*.

3. Семья́ уезжа́ет из дере́вни. Уже́ сложи́ли ве́щи в больши́е, *ско́лоченные* из до́сок я́щики, *заколоти́ли* о́кна до́ма. Оста́лось закры́ть дверь и *вколоти́ть* в неё не́сколько кре́пких гвозде́й.

4. Во вре́мя семе́йной ссо́ры жена́ *переколоти́ла* всю посу́ду.

5. В дра́ке хулига́ны так *исколоти́ли* ма́льчика, что его́ жизнь была́ в опа́сности.

1. Someone *was pounding* loudly on the door with a fist.
2. A guard is walking around and tapping with his wooden *stick*.
3. The family is leaving the village. They have already layed their things in big *wooden crates [boxes put together with boards]*, and *nailed up* the windows of the house. They still have to close the door and *pound* several sturdy nails *into* it.
4. During the family quarrel, the wife *smashed* all the dishes.
5. In the fight the hoodlums *beat* the boy *up* so *badly* that his life was in danger.

КОН[69] (кан[10]) *end*

1. Скажи, что произошло в *конце* рассказа.
1. В прошлом году он *окончил* университет и нашёл хорошую работу.
2. Человечество должно навсегда *покончить* с войнами.
2. Дома *кончился* сахар, надо съездить в магазин и купить.
3. *Наконец*, после долгих размышлений он принял *окончательное* решение порвать с дурной компанией. *Конечно*, это решение обрадовало его родителей.
3. Жизнь граждан должна охраняться *законом*. Если *законодательство* не гарантирует безопасности, в стране царят *беззаконие* и насилие.
4. Вчера *скончался* великий художник. Его *кончина*—тяжёлый удар для всех   любителей искусства.
4. В математике есть понятие *бесконечности*.
5. Известие о гибели сына *вконец доконало* бедную мать, она умерла от горя.
5. По берегам реки Днепр лежат *исконные* славянские земли. Славяне *испокон* веку жили на этих территориях.

1. Tell me what happened at the *end* of the story.
1. Last year he *graduated* from the university and found a good job.
2. Humankind must *put an end* to war forever.
2. We *ran out* of sugar at home. We need to go to the store and buy some.
3. *Finally*, after long deliberation, he made a *final* decision to break with his bad friends. *Of course* this decision delighted his parents.
3. The lives of citizens must be protected *by law*. If the *legal structure* does not guarantee security, *lawlessness* and violence reign in a country.
4. Yesterday a great artist *passed away*. His *passing* is a terrible blow for all who love art.
4. In mathematics there is the concept *of infinity*.
5. The news about the death of her son *completely destroyed* the poor mother. She died from grief.
5. Along the banks of the river Dnieper lie the *primordial* Slavic lands. The Slavs have lived in these regions *from time immemorial*.

КОП[72] (кап[35]) *dig*

1. Дети *копали* ямки в мокром песке.
2. Каждую весну мы *вскапываем* землю под окнами нашего дома и садим цветы.
3. Рабочие *выкопали* яму во дворе. Работали не торопясь: *копнут* один раз—остановятся, *копнут* ещё раз—отдохнут. На следующий день оказалось, что яма не в том месте и надо её *закапывать*.
4. Мы опаздываем, перестань *копаться*, поторопись! Нельзя же быть такой *копушей*!
5. В Сибири много полезных *ископаемых*.

1. The children *dug* holes in the wet sand.
2. Each spring we *dig up* the soil beneath the windows of our home and plant flowers.
3. The workers *dug* a pit in the yard. They worked unhurriedly–they *would shovel* once, pause, *shovel* again, then rest. The next day it turned out that the hole was in the wrong place, so they needed *to fill* it *in*.
4. We are late. Stop *dawdling* and hurry up! Don't be such a *slow poke*!
5. In Siberia there are many useful *minerals*.

КОП[28] (кап[6]) *amass*

1. Сынишка решил *накопить* денег и купить себе велосипед.

2. На столе́ стоя́ла ста́рая *копи́лка* в ви́де большо́й ко́шки.

3. Хорошо́ бы *поднакопи́ть* де́нег и купи́ть дом. Как ты ду́маешь, смо́жем мы за не́сколько лет *прикопи́ть* де́нег и *скопи́ть* доста́точную су́мму?

4. На восто́ке мы заме́тили большо́е *скопле́ние* грозовы́х туч.

5. Все несча́стья и неприя́тности навали́лись на семью́ *ско́пом*.

1. Our dear son decided *to save* some money and buy himself a bicycle.

2. On the table stood an old *money bank* in the shape of a big cat.

3. It would be nice *to save up* some money and buy a house. What do you think, can we *put a little* money *aside* over several years and *save up* a sufficient amount?

4. In the east we noticed a large *mass* of thunder clouds.

5. All the misfortunes and troubles piled on the family *at once [in a big heap]*.

КОПТ[26] (копч[8], капч[12], ко́пот[2]) *smoke*

1. *Копчёный* сыр о́чень вку́сен.

2. В *копти́льне копти́лась* колбаса́.

3. Мы подошли́ к до́мику, загляну́ли в *закопте́лое* око́нце и уви́дели, что ма́ленькая ко́мната е́ле-е́ле освещена́ ла́мпой-*копти́лкой*. Ма́сло в ла́мпе почти́ ко́нчилось, ла́мпа *копти́т* сильне́е с ка́ждой мину́той. Чёрная *ко́поть* поднима́ется к *закопчённому* ни́зкому потолку́.

4. В де́тстве мы с бра́том бо́льше всего́ люби́ли есть ры́бу-*копчу́шку*.

5. Уста́лый, *прокопчённый* ды́мом машини́ст парово́за пришёл домо́й по́сле рабо́ты.

1. *Smoked* cheese is very tasty.

2. Sausage *was being smoke-cured* in the *smokehouse*.

3. We went up to the little house, peered in the *sooty* little window, and saw that the small room was barely lit *by a smokey oil lamp*. The oil in the lamp was almost gone, and the lamp *gave off* more *smoke* every minute. The black *smoke* was rising to the *smoke-blackened*, low ceiling.

4. In childhood, my brother and I loved most of all to eat *smoked fish*.

5. Tired and *blackened* by smoke, the steamer mechanic came home after work.

КОР[25] *bark, crust*

1. Де́рево ста́рое, *кора́* покры́та тре́щинами.

2. Брю́ки *кори́чневого* цве́та, а пиджа́к—светло-*коричнева́тый*.

3. Ба́бушка испекла́ пиро́г с *кори́цей*. У плохо́го пирога́ то́лстая и гру́бая *ко́рка*, а у ба́бушкиного—вку́сная поджа́ренная *ко́рочка*.

4. Психо́логи изуча́ют проце́ссы, происходя́щие в *подко́рке* головно́го мо́зга.

5. Письмо́ бы́ло напи́сано таки́м *коря́вым* по́черком, что я не мог разобра́ть ни стро́чки.

1. The tree is old. The *bark* is covered with cracks.

2. The pants are *brown* and the jacket is a light *brownish* color.

3. Grandma baked pie with *cinnamon*. An bad pie has a thick, coarse *crust*, but Grandma's has a delicious, browned *crust*.

4. Psychologists study the processes which occur in the brain *stem*.

5. The letter was written in such *rough* handwriting that I was unable to decipher even a line of it.

КОР[28] (кар[7]) *chasten*

1. За дурны́е дела́ тебя́ ждёт стра́шная *ка́ра*.

2. Наро́д ма́ленькой страны́ не *покори́лся* агре́ссорам.

3. Раб *поко́рно* выполня́л все тре́бования хозя́ина. Никогда́ ничего́ не де́лал *напереко́р* жела́ниям господи́на. То́лько иногда́ он с *уко́ром* смотре́л на жесто́кого владе́льца, но никогда́ не смел *укоря́ть* его́ вслух. Раб наде́ялся, что судьба́ *покара́ет* бессерде́чного хозя́ина.

4. В гости́ную вошёл молодо́й челове́к, оде́тый с *безукори́зненным* вку́сом.

5. Состоя́лся суд над вое́нными престу́пниками, служи́вшими в фаши́стских *кара́тельных* отря́дах.

1. For your nasty behavior you are going to get a terrible *punishment.*
2. The people of the small country did not *submit* to the aggressors.
3. The slave *submissively* fulfilled all the demands of his master. He never did anything *against* the wishes of the master. Only sometimes would he look at his cruel owner with *reproach*, but he never dared *to reproach* him aloud. The slave hoped that fate *would punish* the heartless master.
4. A young man dressed with *impeccable* taste walked into the living room.
5. A trial was under way of the war criminals who had served in Fascist *punitive* detachments.

КОРЕН[29] (корн[6]) *root*

1. Вре́дную траву́ на́до вырыва́ть с *ко́рнем*, не оставля́ть в земле́ да́же ма́ленького *корешка́*.
2. У ста́рого де́рева бы́ло большо́е и си́льное *корневи́ще*, хорошо́ ра́звитая *корнева́я* систе́ма. Де́рево глубоко́ *укорени́лось* в зе́млю.
3. Поли́ция ма́ло занима́ется *искорене́нием* престу́пности в стране́. Не ве́рится, что престу́пность *неискорени́ма*, ведь не все лю́ди, по ра́зным причи́нам соверши́вшие преступле́ния,—*закорене́лые* престу́пники. Причи́на преступле́ния мо́жет *корени́ться* во вне́шних обстоя́тельствах.
4. Не хоте́лось бы тра́тить вре́мя на спо́ры о мелоча́х—дава́йте сра́зу перейдём к обсужде́нию *коренно́й* пробле́мы.
5. Дверь распахну́лась, и в ко́мнату вошёл невысо́кий *корена́стый* челове́к.

1. You need to pull the noxious weed out by the *roots*, not leaving even the smallest *root* in the ground.
2. The old tree had a large and strong *rootstock* and a well developed *root* system. The tree *was* deeply *rooted* in the ground.
3. The police don't spend a lot of time on the *eradication* of crime in our country. It's unbelievable that crime is *impossible to eradicate* [*to root out*]. After all, not all people who have committed crimes for various reasons are *inveterate* [*deep-rooted*] criminals. The reason for a crime can *be rooted* in external circumstances.
4. I would rather not waste time quarreling about trifles. Let's immediately move to a discussion of the *root* problem.
5. The door flew open and a short, *stocky* man walked into the room.

КОРМ[63] (карм[35]) *feed*

1. Ребёнок голо́дный, на́до его́ быстре́е *накорми́ть*.
2. Де́ти сде́лали *корму́шку* для птиц, зимо́й пти́цы прилета́ли и клева́ли *корм*.
3. Мать *перека́рмливала* дете́й за обе́дом, *зака́рмливала* их так си́льно, что они́ с трудо́м дви́гались. Она́ *раскорми́ла* их до того́, что они́ ста́ли то́лстыми и апати́чными.
4. *Покорми́* соба́ку, мо́жешь *скорми́ть* ей оста́тки на́шего у́жина.
5. Ма́льчики, *вско́рмленные* молоко́м одно́й же́нщины, стано́вятся моло́чными бра́тьями.

1. The child is hungry. He must *be fed* promptly.
2. The children made a *birdfeeder*. In the winter, the birds would fly up to it and peck at the *food.*
3. Mother *fed* the children *too much* for dinner. She *filled* them *up* so much that it was difficult for them to move. She *fed* them *intensively* to the point that they became fat and apathetic.
4. *Feed* the dog. You can *feed* her the leftovers from our supper.
5. Boys *nursed* by the milk of the same woman become milk brothers.

КОРОТ[15] (корач[5], крат[16], кращ[8]) *short*

1. По-мо́ему, э́та ю́бка *короткова́та*, не сто́ит её надева́ть.
2. Расскажи́ *кра́тко*, что произошло́.
3. На́до сде́лать статью́ *покоро́че*. Попро́буй немно́го *укороти́ть* нача́ло, чуть-чу́ть *сократи́ть* заключи́тельную часть и слегка́ *подсократи́ть* середи́ну статьи́.
4. Де́ти, *прекрати́те* ссо́риться и спо́рить!
5. В по́езде мо́жно *скорота́ть* вре́мя, чита́я кни́гу и́ли разгова́ривая с попу́тчиком.

1. I think this skirt is *a little too short*. It's not a good idea to wear it.

2. Tell me *briefly* what happened.

3. The article must be *shortened* a bit. Try to *shorten* the beginning a little, to *cut down* the concluding part a bit, and to *trim* slightly the middle of the article.

4. Children, *stop* quarreling and arguing!

5. On a train, one can *pass* the time by reading a book or conversing with a fellow passenger.

КОС[39] (кош[4], каш[22]) *mow*

1. Траву *ко́сят* специа́льной маши́ной—*коси́лкой*.

2. По́сле *поко́са* в во́здухе стоя́л прия́тный за́пах *ско́шенной* травы́.

3. Пока́ со́лнце не подняло́сь высоко́, на́до *вы́косить* весь луг. Посмотри́те, как мно́го травы́ на́до *перекоси́ть*. Поэ́тому сего́дня не уда́стся немно́го *покоси́ть*, отдохну́ть, сно́ва *покоси́ть*. Дава́йте *доко́сим* всё до конца́, *нако́сим* доста́точно травы́ на́ зиму, а пото́м бу́дем отдыха́ть.

4. *Косари́* шли ро́вным ря́дом, ритми́чно поднима́я и опуска́я *ко́сы*.

5. От неожи́данности и испу́га у девчо́нки *подкоси́лись* но́ги, и она́ упа́ла.

1. Grass *is mowed* with a special machine–a *mower*.

2. After *mowing*, a pleasant smell of *mowed* grass hung in the air.

3. Before the sun has risen high, you need *to mow* the whole meadow. Look how much grass needs *to be mowed*! So today you won't be able just *to mow* a little, rest, and then *mow* some more. Let's *mow* the whole thing *to the end*. We'll *mow* enough grass for the winter and rest afterwards.

4. The *mowers* moved in an even line, rhythmically lifting and dropping the *scythes*.

5. From surprise and fright, the girl's legs *gave way*, and she fell.

КОС[46] (кош[8], каш[8]) *slanting*

1. Карти́на на стене́ виси́т *ко́со*, на́до пове́сить её пря́мо.

2. От ба́бушки-тата́рки у моего́ прия́теля у́зкие чёрные *раско́сые* глаза́. Дом прия́теля на друго́й стороне́ у́лицы, но не пря́мо, а *наискосо́к* от на́шего до́ма.

3. Сестрёнка е́ла лимо́н без са́хара. Снача́ла её рот слегка́ *покоси́лся*, пото́м *скоси́лись* глаза́, а пото́м *перекоси́лось* всё лицо́.

4. Нача́льник недоброжела́тельно *покоси́лся* на сотру́дника, услы́шав, как тот критику́ет рабо́ту фи́рмы.

5. Мо́жем ли мы призна́ть челове́ка вино́вным в преступле́нии, е́сли у нас есть то́лько *ко́свенные* доказа́тельства его́ вины́?

1. The picture on the wall is hanging *crooked*. It needs to be hung straight.

2. My friend has narrow, black, *slanted* eyes from his Tartar grandmother. My friend's house is across the street–not directly, but *diagonally* from our house.

3. My little sister was eating a lemon without sugar. At first her mouth *went* slightly *crooked*, then she *squinted* her eyes, and finally her whole face *became distorted*.

4. The supervisor *glared malevolently* at his employee, having heard how he criticized the work of the firm.

5. Can we declare a man guilty of a crime if we have only *circumstantial* evidence of his guilt?

КОС[11] (кас[9]) *touch lightly*

1. Ребёнок пла́кал, мать ла́сково *косну́лась* его́ щеки́, погла́дила по голо́вке, и он успоко́ился.

2. Я просну́лся от лёгкого *прикоснове́ния* к моему́ плечу́.

3. Маши́на обгоня́ла грузови́к и слегка́ *прикосну́лась* к нему́. Хотя́ э́то бы́ло не столкнове́ние, а сла́бое *каса́ние*, но от *соприкоснове́ния* с тяжёлым грузовико́м маши́на си́льно пострада́ла.

4. В дли́нном и опа́сном путеше́ствии ну́жен *неприкоснове́нный* запа́с еды́ и воды́, кото́рый вы́ручит в тяжёлую мину́ту.

5. Мы тре́буем *неукосни́тельного* соблюде́ния зако́нов!

1. The child was crying. His mother tenderly *touched* his cheek and stroked his little head, and he calmed down.

2. I awoke from a light *touch* on my shoulder.

3. The car was passing a truck and *grazed* it slightly. Although this was a slight *contact* and not a collision, the car was seriously damaged by *grazing* the heavy truck.

4. For a long and dangerous trip you need a *reserve* supply of food and water which will save you in a difficult time.

5. We demand a *strict* observance of the laws+!

КОСТ[37] (кощ[2], кащ[2]) *bone*

1. По́вар ва́рит бульо́н из мясно́й *ко́сточки*.

2. Высо́кий, худо́й, *костля́вый* стари́к стро́го смотре́л на дете́й.

3. В огоро́де рабо́тал невысо́кий, *кости́стый* челове́к. Он не́ был худы́м, про него́ нельзя́ бы́ло сказа́ть "ко́жа да *ко́сти*", но му́скулы не скрыва́ли кре́пкий *костя́к* его́ те́ла. *Кости́стость* создава́ла впечатле́ние большо́й физи́ческой си́лы э́того челове́ка.

4. Во дворе́ люби́тели игры́ в домино́ до по́зднего ве́чера стуча́ли *костя́шками*.

5. Ты соверше́нно *закостене́л* в свои́х убежде́ниях, не жела́ешь слу́шать оппоне́нтов, нетерпи́м к све́жим иде́ям.

1. The cook is cooking bouillon from a meat *bone*.

2. The tall, thin, *bony* old man looked sternly at the children.

3. A small *bony* man was working in the garden. He was not thin. You couldn't say he was "*skin and bones*," but his muscles did not hide the sturdy *skeleton* of his body. The *boniness* created an impression of this man's great physical strength.

4. In the courtyard, the dominos enthusiasts clattered their *domino tiles* late into the evening.

5. You are completely *ossified* in your own convictions. You don't want to listen to opposing views. You are intolerant of fresh ideas.

КРАД[24] (краж[2]) [for крас[16] see truncation rule 5] *conceal*

1. В сосе́дней кварти́ре произошла́ *кра́жа*.

2. Поли́ция пыта́ется найти́ *укра́денные* ве́щи.

3. Мои́х сосе́дей *обокра́ли*: во́ры откры́ли дверь, *прокра́лись* в кварти́ру и *укра́ли* це́нные ве́щи и де́ньги. Э́то уже́ не пе́рвый слу́чай. Нево́льно *закра́дывается* мы́сль о том, что оди́н из жильцо́в на́шего до́ма явля́ется соуча́стником преступле́ния.

4. За спино́й я услы́шал ти́хие, *краду́щиеся* шаги́. Кто́-то хоте́л *подкра́сться* ко мне незаме́тно.

4. Тёмное дли́нное пла́тье *скра́дывало* полноту́ же́нской фигу́ры.

5. Мане́ры у старика́ бы́ли *вкра́дчивыми*. *Вкра́дчивость* звуча́ла да́же в его́ ти́хом, сла́дко-ла́сковом го́лосе.

5. Не жела́я пока́зывать други́м своё го́ре, сестра́ пла́кала *укра́дкой*.

1. A *robbery* took place in the neighboring apartment.

2. The police are trying to find the *stolen* items.

3. My neighbors *were robbed*. The thieves opened the door, *crept into* the apartment, and *stole* valuables and money. This isn't the first time this has happened. Against one's will the thought *creeps in* that one of the tenants of our building is an accomplice to the crime.

4. Behind me I heard quiet, *stealthy* steps. Someone wanted *to sneak up* on me unnoticed.

4. The dark, long dress *was hiding* the fullness of her feminine figure.

5. The old man had an *ingratiating* manner. *Ingratiation* could be heard even in his quiet, sweetly affectionate voice.

5. Not wanting to show others her grief, my sister cried *secretly*.

КРАП[21] (кроп[12]) *sprinkle*

1. Пого́да прекра́сная: тепло́ и чуть-чуть *накра́пывает* до́ждичек.

2. Недалеко́ от доро́ги лежи́т большо́й ка́мень чёрного цве́та с небольши́ми се́рыми *вкрапле́ниями*.

3. С утра́ *кра́пал* дождь, мы ду́мали, что прогу́лка не состои́тся, но, *покра́пав* немно́го, дождь ко́нчился, и мы пошли́ гуля́ть.

4. У ма́мы се́рые глаза́ с кори́чневыми *кра́пинками*.

5. Свяще́нник опусти́л *кропи́ло* в святу́ю во́ду, а зате́м *окропи́л* свято́й водо́й ве́рующих.

     1. The weather is beautiful. It is warm, and a light rain is gently *sprinkling*.

     2. Not far from the road lies a large black stone with small grey *speckles*.

     3. It *has been sprinkling* since morning. We thought that our walk would have to be canceled [not take place], but, *after sprinkling* a little, the rain stopped and we went walking.

     4. Mom has grey eyes with brown *specks*.

     5. The priest lowered the *aspergillum [sprinkler]* into holy water, then *sprinkled* the believers with the holy water.

КРАС[88] (краш[50]) *beautiful; red*

1. Ва́ша дочь о́чень *краси́вая*, настоя́щая *краса́вица*!

1. Тебе́ нра́вится моё но́вое *кра́сное* пла́тье?

2. У́тренний рассве́т *окра́сил* всё вокру́г в ро́зовый цвет.

2. Нам навстре́чу шёл чуда́к, у кото́рого бы́ли *кра́шеные* во́лосы како́го-то стра́нного фиоле́тового цве́та.

3. Э́той же́нщине не на́до *кра́сить* гу́бы, *подкра́шивать* глаза́, *перекра́шивать* во́лосы. Она́ *прекра́сна* без вся́ких *украше́ний* и *прикра́с*. Ре́дко встре́тишь таку́ю *красоту́*.

3. Владе́лец до́ма попроси́л *краси́льщиков покра́сить* сте́ны ко́мнаты *краснова́той кра́ской*. Не сра́зу нашли́ подходя́щий *краси́тель*. Но сейча́с они́ уже́ *докра́шивают* сте́ны, а пото́м *вы́красят* потоло́к.

4. Си́льный моро́з *разукра́сил* стёкла о́кон ледяны́ми узо́рами. Ли́ца прохо́жих *раскрасне́лись* от хо́лода.

4. Посмотри́, как си́льно *накра́силась* э́та же́нщина: грим на глаза́х, на щека́х, на губа́х—лицо́ похо́же на ма́ску.

5. Забо́та и любо́вь дете́й *скра́шивали* после́дние дни жи́зни больно́го отца́.

5. Гость расска́зывал о свои́х приключе́ниях, его́ исто́рии бы́ли о́чень *кра́сочными* и интере́сными, но нам каза́лось, что он *приукра́шивает* реа́льные собы́тия, что́бы *покрасова́ться* пе́ред на́ми.

     1. Your daughter is very *lovely* – a genuine *beauty*!

     1. Do you like my new *red* dress?

     2. The early sunrise *tinted* the surroundings with a rosy hue.

     2. An eccentric who had hair *dyed* some strange purple color was walking toward us.

     3. This woman does not need *to use lipstick*, *wear eye makeup*, or *color* her hair. She is *beautiful* without any kind of *adornment* or *makeup*. It's rare one finds such *beauty*.

     3. The owner of the house asked the *painters to paint* the walls of the room with a *reddish paint*. They did not find a suitable *dye* immediately. They are already *finishing* the walls now, however, and then they *will paint* the ceiling.

     4. The heavy frost *adorned* the glass windows with icy patterns. The faces of passers-by *were very ruddy* from the cold.

     4. Look how heavily this woman *is made up*; she has makeup on her eyes, cheeks, and lips–her face is like a mask.

     5. The concern and love of the children *were brightening* the last days of the ill father's life.

     5. The guest was telling of his adventures. His stories were very *colorful* and interesting, but it seemed to us that he was *coloring [exaggerating]* actual events in order *to show off a little* in front of us.

КРЕП[88] *strength*

1. Спортсме́нка ма́ленького ро́ста, но о́чень *кре́пкая* де́вушка.

1. По́сле боле́зни тебе́ на́до *окре́пнуть*.

2. Что́бы не́ было войны́, на́до *укрепля́ть* дру́жбу ме́жду наро́дами ра́зных стран.

2. Моро́з *крепча́ет* с ка́ждым днём: вчера́ бы́ло 15 гра́дусов моро́за, а сего́дня—25.

2. В Росси́и в 1861 году́ царь дал свобо́ду *крепостны́м* крестья́нам, кото́рых *закрепости́ли* мно́го

веко́в наза́д.

3. *Кре́пко-на́крепко скрепи́* два листа́ бума́ги э́той желе́зной *скре́пкой* и к пе́рвому листу́ *прикрепи́* запи́ску.

3. На́ша а́рмия побежда́ет в тяжёлом бою́, но нам необходи́мо *подкрепле́ние*, что́бы *закрепи́ть* успе́х.

4. На горе́ видна́ стари́нная *кре́пость*. Вое́нные *укрепле́ния* мо́жно бы́ло ви́деть и на сосе́дних гора́х.

4. Же́нщина до́лго *крепи́лась*, стара́лась не запла́кать, но не вы́держала и разрыда́лась.

5. Ты, ви́димо, го́лоден, иди́ к столу́, *подкрепи́сь* немно́го.

5. Впервы́е за до́лгое вре́мя он почу́вствовал свобо́ду, духо́вное *раскрепоще́ние*.

1. The (female) athlete is short, but she is a very *strong* girl.

1. After an illness, you've got to *regain your strength*.

2. In order for there to be no war, we must *strengthen* friendships between the peoples of different nations.

2. The cold *grows more intense* with each day. Yesterday it was 15 below, and today it is 25 below.

2. In Russia in 1861, the Tsar granted freedom to the *serfs* who *had been enserfed* many centuries earlier.

3. *Firmly fasten* two pieces of paper together with this metal *paper-clip* and *attach* this note to the first page.

3. Our army is winning the difficult battle, but we must have *reinforcement* in order *to secure* victory.

4. On the mountain an ancient *fortress* is visible. Military *fortifications* were visible on neighboring mountains as well.

4. The woman *held* her *emotions in* for a long time. She tried not to cry, but she couldn't bear it and broke out sobbing.

5. You, apparently, are hungry. Get to the table and *fortify yourself* a little.

5. For the first time in a long while he felt freedom and a spiritual *liberation*.

КРЕСТ[39] (крёст[4], крещ[17]) *cross*

1. Всю жизнь ба́бушка носи́ла ма́ленький *кре́стик*.

1. В на́шей семье́ все *крещёные*.

2. Сего́дня свяще́нник *крести́л* на́шего ребёнка. Приходи́те в го́сти отпра́здновать *крести́ны*.

2. *Кресто́вые* похо́ды *крестоно́сцев*—ва́жное собы́тие мирово́й исто́рии.

3. Уви́дев *крест* на це́ркви, стару́шка бы́стро *закрести́лась*, пото́м ни́зко поклони́лась и *перекрести́лась* ещё раз.

3. Моя́ подру́га ста́ла *крёстной* ма́терью моего́ сы́на. Она́ о́чень лю́бит своего́ *кре́стника*.

4. На *перекрёстке* у́лицы сходи́лись *крест-на́крест*, и мы останови́лись, не зна́я, по како́й у́лице идти́.

4. Вся *окре́стность* освещена́ я́ркими огня́ми.

5. Два сле́дователя веду́т *перекрёстный* допро́с престу́пника.

5. Учёный-бота́ник *скре́щивает* ра́зные сорта́ я́блонь, что́бы получи́ть но́вый сорт.

1. Her whole life, Grandmother wore a tiny little *cross*.

1. Everyone in our family is *baptized*.

2. Today a priest *baptized* our child. Come over and celebrate the *baptism* (with us).

2. The *crusaders' crusades* were an important event in world history.

3. Seeing the *cross* on the church, the old woman quickly *crossed herself*, then bowed low and *crossed herself* again.

3. My friend became a *godmother* to my son. She really loves her *godson*.

4. At the *intersection*, the streets came together *crosswise*. We stopped, not knowing which street to take.

4. The whole *vicinity* was illuminated with bright lights.

5. Two investigators are conducting the *cross-examination* of the criminal.

5. The botanist *is crossing* different varieties of apples in order to obtain a new variety.

КРИВ[36] *crooked*

1. Ты нарисова́л *криву́ю* ли́нию, а сейча́с попро́буй нарисова́ть пряму́ю.

2. Стена́ не совсе́м ро́вная, есть небольша́я *кривизна́*, кото́рую на́до испра́вить.

3. Услы́шав, что ему́ ну́жно зака́нчивать игру́ и идти́ спать, капри́зный малы́ш недово́льно

покривился. Роди́тели не заме́тили э́того, тогда́ он сильне́е *искриви́л* лицо́ и оби́женно *скриви́л* гу́бы. Когда́ и э́то не помогло́, он *перекриви́лся* и запла́кал.

4. Стари́к когда́-то был уда́чливым челове́ком, но серьёзно заболе́л, *окриве́л* на оди́н глаз. По́сле э́того вся жизнь у него́ пошла́ *вкривь*.

5. Переста́нь *кривля́ться*, как плохо́й кло́ун. Ты же зна́ешь, что я не люблю́ твои́х *кривля́ний*.

   1. You drew a *crooked* line; now try to draw a straight one.
   2. The wall is not quite even; there is a small *curvature* that needs to be corrected.
   3. Upon hearing that he needed to finish up the game and go to bed, the capricious youngster *grimaced* from displeasure. The parents did not notice it, so he *twisted* his face even worse and, offended, *distorted* his lips. When this didn't help either, he *grimaced horribly* and began to cry.
   4. At one time the old man was a successful person, but he grew seriously ill and *lost sight* in one eye. After that, his whole life went *askew*.
   5. Stop *putting on a show* like a bad clown. You know that I don't like your *affectations*.

КРИК[25] (крич[13]) *shout*

1. В саду́ слышны́ весёлые *кри́ки* игра́ющих дете́й.

2. Оте́ц *прикри́кнул* на ребёнка, малы́ш испуга́лся и *вскри́кнул*. Услы́шав э́тот *вскрик*, прибежа́ла мать.

3. Влюблённому хоте́лось запе́ть, *закрича́ть* от полноты́ чувств, *вы́крикнуть* и́мя люби́мой, *прокрича́ть* на весь мир о своём сча́стье.

4. Пла́тье бы́ло неприя́тного, *крича́щего*, я́рко-кра́сного цве́та.

5. Когда́ *крикли́вая* же́нщина *раскричи́тся*, её не мо́жет *перекрича́ть* никто́. Все наде́ются то́лько на то, что, *покрича́в*, она́ уста́нет и замолчи́т.

   1. In the garden, the merry *shouting* of playing children can be heard.
   2. The father *raised* his *voice* to the child. The youngster became frightened and *let out a scream*. Hearing this *scream*, the mother ran [to the child].
   3. The man in love wanted to start singing, *to start shouting* from the fullness of his feelings. He wanted *to call out* the name of his beloved and *shout* about his happiness to the entire world.
   4. The dress was of an unappealing, *loud*, bright red color.
   5. When that *loud* woman *shouts*, no one can *out-shout* her. Everyone only hopes that, *having shouted a while*, she will get tired and become quiet.

КРОВ[36] *blood*

1. Де́вушка поре́зала ножо́м па́лец, потекла́ *кровь*.

2. Революционе́ры наде́ялись, что их револю́ция бу́дет *бескро́вной*, но она́ принесла́ мно́го *крова́вых* жертв.

3. Ра́ненный в бою́ солда́т о́чень страда́л, в его́ лице́ не́ было ни *крови́нки*. *Окрова́вленная* повя́зка закрыва́ла лоб, *кровене́я* на бле́дном лице́ свои́м *крова́во*-кра́сным цве́том.

4. На сва́дьбу прие́хали не то́лько *кро́вные* ро́дственники, но и бли́зкие друзья́.

5. Кри́зис промы́шленности, инфля́ция, безрабо́тица *обескро́вили* эконо́мику страны́.

   1. The girl cut her finger with a knife and it started *to bleed*.
   2. The revolutionaries hoped that their revolution would be *bloodless*, but it produced many *bloody* sacrifices.
   3. The soldier who had been wounded in battle suffered terribly. There was not one *drop of blood* left in his face. A *blood-soaked* bandage covered his forehead, *appearing bloody* with its *blood*-red color on his pale face.
   4. Not only *blood* relatives came to the wedding, but close friends did as well.
   5. The industrial crisis, inflation, and unemployment *drained* the country's economy.

КРОЙ[37] (край[22]) *cut out*

1. Ве́чером я хожу́ в класс *кро́йки* и шитья́.

2. Могу́ *скрои́ть* для сы́на руба́шку и́ли брю́ки. Мо́жет быть, я ста́ну профессиона́льной *закро́йщицей* и бу́ду рабо́тать в *закро́ечном* це́хе большо́й фа́брики оде́жды.

3. Преподава́тель у́чит нас, как пра́вильно сде́лать *вы́кройку*, как *крои́ть* мате́рию, как из *кроёной* тка́ни собра́ть пла́тье и́ли блу́зку. Я могу́ самостоя́тельно вы́брать подходя́щий для мое́й фигу́ры *покро́й* пла́тья, уме́ю *раскра́ивать* материа́л, могу́ из куска́ тка́ни *вы́кроить* ну́жную мне дета́ль, могу́, е́сли что́-то не нра́вится, *перекрои́ть* всё за́ново.

4. Престу́пник топоро́м *раскрои́л* че́реп несча́стной же́ртве.

5. По понеде́льникам он о́чень за́нят, но всегда́ *выкра́ивает* вре́мя для встре́чи с дру́гом.

    1. In the evening I go to a *cutting* and sewing class.

    2. I can *cut out* (from cloth) a shirt or pants for my son. Maybe I will become a professional *cutter* and work in the *cutting* section of a large clothing factory.

    3. The teacher is teaching us how to make *patterns* correctly, how *to cut out* the material, and how to put together a dress or blouse from the *cut* material. Independently I can choose a dress *cut* suitable for my figure. I know how *to cut* the material out and from a scrap piece of cloth I can *cut* small parts. Also, if I don't like something, I can *cut* everything all over *again*.

    4. With an ax the criminal *cut open* the skull of the unfortunate victim.

    5. On Mondays he is very busy, but he always manages *to carve out* time for a meeting with a friend.

КРУГ⁴⁴ (круж⁴⁰) *circle*

1. *Кру́глая* луна́ видна́ на тёмном не́бе.

1. У отца́ лицо́ квадра́тное, а у сы́на—*окру́глое*.

2. Не на́до придава́ть сли́шком большо́го значе́ния мне́нию *окружа́ющих*.

2. Ба́бушка подари́ла мне краси́вую *кружевну́ю* блу́зку. *Кру́жево* стари́нное и о́чень краси́вое.

3. Зазвуча́ла му́зыка, танцо́р вы́шел на середи́ну сце́ны и *закружи́лся* на ме́сте. *Покружи́вшись* не́сколько секу́нд в одну́ сто́рону, он останови́лся, а пото́м бы́стро *раскружи́лся* в другу́ю.

3. Я заблуди́лся в незнако́мом го́роде, посмотре́л *вокру́г*—*круго́м* стоя́т дома́. Куда́ идти́, е́сли тебя́ *окружа́ют* огро́мные зда́ния и ты никого́ не зна́ешь в *окру́ге*?

4. Углы́ де́тского сто́лика бы́ли *закруглены́*, что́бы ребёнок не мог бо́льно уда́риться.

4. Мо́жно записа́ться в рисова́льный *кружо́к*, а мо́жно—в хорово́й.

5. Брат влюби́лся так, что обо всём забы́л—де́вушка соверше́нно *вскружи́ла* ему́ го́лову.

5. Ты вы́полнил рабо́ту на 25.7%, е́сли *округли́ть*, полу́чится 26%.

    1. The *round* moon is visible in the dark sky.

    1. The father has a square face, but his son has a *round* one.

    2. Don't place too much importance on the opinions *of those around you.*

    2. Grandma gave me a beautiful *lace* blouse. The *lace* is very old and very beautiful.

    3. The music began to play. The dancer came out to the center of the stage and *began to twirl around* in place. *Having twirled* for several seconds in one direction, he stopped and then quickly *twirled* in the other direction.

    3. I got lost in the unfamiliar city. I looked *around* – buildings stood *all around*. Where are you supposed to go if you *are encircled* by huge buildings and you don't know anyone in the *neighborhood*?

    4. The corners of the children's table were *rounded* so that a child couldn't hurt himself by hitting against them.

    4. You could enroll in a drawing *group* or perhaps a choral [*group*].

    5. My brother fell in love so deeply that he forgot about everything–the girl completely *sent* his head *spinning.*

    5. You completed 25.7% of the work. If you *round* it *off*, it comes out to 26%.

КРУТ⁵¹ (круч³⁵) *intense turning*

1. Колёса маши́ны *кру́тятся* бы́стро, маши́на е́дет с большо́й ско́ростью.

2. Склон горы́ о́чень *круто́й*, из-за *крутизны́* скло́на мы не смо́жем подня́ться на верши́ну.

3. Пога́с свет, на́до *вкрути́ть* но́вую электри́ческую ла́мпочку в насто́льную ла́мпу. Но снача́ла на́до *вы́крутить* перегоре́вшую ла́мпочку. Когда́ бу́дешь *закру́чивать, докрути́* до конца́, но не *перекру́чивай* сли́шком си́льно.

4. Мо́жешь ты говори́ть пря́мо и открове́нно, без *выкрута́сов*?

5. Для карто́фельного сала́та ну́жно свари́ть *вкруту́ю* не́сколько яи́ц.

    1. The car's wheels *are turning* quickly. The car is traveling at high speeds.

    2. The slope of the mountain is very *steep*. Due to the *steepness* of the slope, we will not be able to reach the summit.

    3. The light went out. A new electric bulb must *be screwed into* the table lamp. First, however, the burned out bulb must *be unscrewed*. When you are *screwing* it in, *screw* it in *completely*, but don't *screw* it in too tightly.

    4. Can you speak directly and openly, without *convolutions*?

    5. For potato salad, several eggs need to be *hard-boiled*.

КРЫЙ[85] (кров[24]) *cover*

1. Вдалеке́ стои́т дом с бе́лыми сте́нами, кра́сной *кры́шей* и зелёной две́рью.

1. Нет вре́мени писа́ть большо́е письмо́, поэ́тому посыла́ю *откры́тку*.

2. Вода́ си́льно закипе́ла, *кры́шка* кастрю́ли начала́ подпры́гивать.

2. Ви́димо, письмо́ о́чень сро́чное—на конве́рте на́дпись «*Вскрыть* неме́дленно!»

3. *Закро́й* скоре́е окно́ и, пожа́луйста, не *открыва́й* до утра́! И́ли лу́чше немно́го *приоткро́й*, но не си́льно. А что́бы не замёрзнуть но́чью, *укро́йся* тёплым одея́лом.

3. Сестра́—о́чень *скры́тная* де́вочка: никогда́ ничего́ не расска́зывает о свои́х пробле́мах, *скрыва́ет* свои́ чу́вства. В на́шей семье́ то́лько она́ *скры́тничает*, други́е де́ти о́чень *откры́тые* и *открове́нные*, расска́зывают да́же о са́мом *сокрове́нном*.

4. Учёный сде́лал одно́ из велича́йших *откры́тий* на́шего вре́мени.

4. Ско́ро приду́т го́сти, пора́ *накрыва́ть* на стол.

5. Мой колле́га не о́чень тала́нтлив, но де́лает бы́струю карье́ру, наве́рное, у него́ есть си́льный *покрови́тель*, ему́ я́вно кто́-то *покрови́тельствует*.

5. Я ду́маю, что гла́вное *сокро́вище* челове́ческой жи́зни—не драгоце́нности и де́ньги, а любо́вь и дове́рие дороги́х тебе́ люде́й.

    1. In the distance stands a house with white walls, a red *roof*, and a green door.

    1. There is no time to write a long letter, so I am sending a *postcard*.

    2. The water began to boil rapidly and the *lid* of the pot began to rattle [jump] up and down.

    2. Evidently, the letter is very urgent–there is a note on the envelope that reads "*open* immediately!"

    3. Hurry and *close* the window, and please don't *open* it until morning! Or better yet, *open* it *a little*, but not very much. *Cover yourself* with a warm blanket so you don't freeze during the night.

    3. My sister is a very *secretive* girl. She never talks about her own problems at all and she *hides* her feelings. In our family she is the only one who *is secretive*. The other children are very *open* and *candid*. They even talk about what is most *personal* to them.

    4. The scientist made one of the greatest *discoveries* of our time.

    4. The guests are coming soon. It is time *to set* the table.

    5. My colleague is not very talented, but he is rising quickly up the ladder. He probably has a powerful *backer*. Someone obviously *is backing* him.

    5. I think that the greatest *treasure* in life is not jewels and money, but the love and trust of people dear to you.

КРЫЛ[24] *wing*

1. Я уви́дел чёрный глаз и бе́лое *крыло́* ма́ленькой пти́цы, кото́рая сиде́ла на де́реве.

2. Не люблю́ есть кури́ную но́жку, люблю́ *кры́лышко*.

3. В де́тстве ребёнок хоте́л лета́ть, стать *крыла́тым*, как пти́ца. К сожале́нию, нам не даны́ *кры́лья*, но ча́сто высо́кая мечта́ *окрыля́ет* челове́ка, и он соверша́ет чудеса́.

4. Мы подня́ли́сь на *крыльцо́*, но войти́ в дом не реши́лись.

5. Каки́е убо́гие, ску́чные, *бескры́лые* мы́сли!

1. I saw the black eye and white *wing* of a small bird that was sitting in the tree.
2. I don't like to eat a drumstick. I like a *good wing*.
3. In childhood the child wanted to fly and become *winged* like a bird. Unfortunately, we are not given *wings*; but a grand dream often *inspires* a person, and he performs miracles.
4. We went up to the *porch* but couldn't get up the courage to go in the house.
5. What wretched, boring, *mundane [wingless]* thoughts!

КУП[97] *buy*

1. Магази́н откры́лся, *покупа́тели* вошли́ и на́чали де́лать *поку́пки*.

2. —Я всегда́ *покупа́ю* у вас све́жие цветы́!

—Извини́те, но все цветы́ *раскупи́ли*, нет ни одного́ цвето́чка.

3. На́до *закупи́ть* большу́ю па́ртию маши́н. В про́шлом году́ мы *купи́ли* ма́ло и пришло́сь *докупа́ть*. Причём конкуре́нты *перекупи́ли* все маши́ны по бо́лее вы́годной цене́. Я ду́маю, что они́ *подкупи́ли* кого́-то, и он позво́лил им *скупи́ть* весь това́р.

4. Я соверши́л ужа́сный посту́пок, хочу́ *искупи́ть* его́ хоро́шей рабо́той, че́стной жи́знью.

5. Пре́жде чем открыва́ть но́вую фа́брику, на́до поду́мать, *оку́пятся* ли на́ши затра́ты.

1. The store opened and the *customers* entered and began to make *purchases*.
2. —I always *buy* fresh flowers from you!
—Forgive me, but all the flowers *have been bought up*. There is not even one little flower left.
3. We need *to stock up* on a large consignment of cars. Last year we did not *buy* enough and we had *to buy additional* ones. Moreover, our competitors *bought up* all the cars at a better price. I think that they *bribed* someone who allowed them *to buy up* the entire stock.
4. I did something terrible. I want *to make up for* it with hard work and an honest life.
5. Before opening up the new factory, we've got to think about whether our expenses *will be recouped*.

КУП[28] [for ку[4] see truncation rule 2] *bathe*

1. Мать *купа́ла* младе́нца в ва́нне.

2. Спортсме́н сме́ло *окуну́лся* в холо́дную во́ду.

3. Де́ти реши́ли немно́го *покупа́ться*, но вода́ была́ тако́й тёплой, что они́ *искупа́лись* не́сколько раз, а *накупа́ться* так и не смогли́. В конце́ концо́в *докупа́лись* до того́, что замёрзли, а не́которые *перекупа́лись* и простуди́лись. *Купа́ние* не пошло́ им на по́льзу.

4. На ю́ге в апре́ле начина́ется *купа́льный* сезо́н.

5. Свяще́нник крести́л ребёнка, погрузи́в его́ в *купе́ль*.

1. Mother *bathed* the infant in the bathtub.
2. The athlete bravely *plunged* into the cold water.
3. The children decided just *to swim a little*, but the water was so warm they *went in swimming* several times. Even then they couldn't *get in enough swimming*. They ended up *swimming until* they froze, and several of them *stayed in swimming too long* and caught cold. The *swimming* wasn't good for them.
4. In the south, the *swimming* season begins in April.
5. The priest baptized the child, immersing him in the *font*

КУР[87] *smoke*

1. *Куре́ние*—о́чень вре́дная привы́чка.

2. Переста́нь *кури́ть*, побереги́ здоро́вье!

3. *Закури́в* впервы́е по предложе́нию *куря́щих* друзе́й, брат стал стра́стным *кури́льщиком*, *выку́ривал* за́ день па́чку сигаре́т, ка́ждую сигаре́ту *доку́ривал* до конца́, *наку́ривался* до того́, что боле́ла голова́.

4. Что́бы собра́ть мёд, на́до *оку́ривать* ды́мом пчели́ные у́льи, так как *оку́ривание* отпу́гивает пчёл.

5. Поработаем ещё час, а потом сделаем *перекур*.

  1. *Smoking* is a very harmful habit.
  2. Stop *smoking* – take care of your health!
  3. *Having begun to smoke* initially at the invitation of his friends who *smoke*, my brother became an ardent *smoker*. He *smoked* a pack of cigarettes a day. He *smoked* each cigarette *completely* and *smoked* so *much* that his head hurt.
  4. In order to gather honey, the beehives must be *fumigated*, since the *smoke* frightens away the bees.
  5. We will work for another hour, and then we will take a *(smoking) break*.

КУС[73] (куш[21]) *bite*

1. Гость *откусил кусок* пирога и сказал: "Вкусно!"
2. *Кусочек* торта такой аппетитный, что я сразу *надкусываю* его.
3. Собака выглядит очень доброй, невозможно представить, что она может *кусаться*, что может *укусить* или даже сильно *искусать* человека. Но недавно она *покусала* прохожего на улице, *прокусила* ему ногу. *Укусы* были очень серьёзными, человека отправили в больницу.
4. Бабушка любит пить чай *вприкуску*.
5. Ты говоришь много лишнего, *прикуси-ка* язык и помолчи!

  1. The guest *bit off* a *piece* of pie and said, "Delicious!"
  2. The *little slice* of cake is so appetizing that I immediately start *nibbling* at it.
  3. The dog looks very friendly–it is impossible to imagine that she could *bite*—that she would *bite* at all, let alone seriously *bite* someone *all over*. But recently she *bit* a passer-by on the street. She *bit* clear *through* his leg. The *bites* were very serious, so the man was taken to the hospital.
  4. Grandma loves to drink tea *through little pieces bitten from a sugar cube*.
  5. You say a lot of things you shouldn't. *Bite* your tongue and be quiet!

КУС[32] (куш[1]) *taste; try*

1. У этой женщины плохой *вкус*: посмотри, как *безвкусно* она одета.
2. На соседней улице была *закусочная*, в которой продавали *вкусные* и недорогие *закуски*.
3. Мы решили пойти в столовую и *скушать* что-нибудь лёгкое, т.е. слегка *закусить*. Официант быстро принёс заказанные *кушанья*, мы начали есть, но их *вкус* нам не понравился. У еды был либо неприятный *привкус* несвежего масла, либо она была абсолютно *безвкусной*, как бумага.
4. Большой город полон прекрасных возможностей, но сколько здесь соблазнов и *искушений* для молодого, *неискушённого* в жизни человека!
5. Вы обвиняетесь в *покушении* на жизнь вашей жены. Признаётесь ли Вы в том, что *покушались* на её жизнь?
5. Высокое *искусство* даёт людям наслаждение и веру в возможности человека.

  1. This woman has poor *taste*. Look how *tastelessly* she is dressed.
  2. On the neighboring street there was a *snack bar* in which they sold *tasty* and inexpensive *snacks*.
  3. We decided to go to the cafeteria and *eat* something light; that is, *have a* small *bite* to eat. The waiter quickly brought the *dishes* we ordered. We began to eat, but we didn't like how they *tasted*. The food either had an unpleasant *aftertaste* of stale oil, or it was as absolutely *tasteless* as paper.
  4. The big city is full of wonderful opportunities, but there are so many enticements and *temptations* for a young, *inexperienced* person!
  5. You are charged with *attempting* to kill your wife. Do you admit that you *made an attempt* on her life?
  5. Great *art* gives people enjoyment and faith in human potential.

КУТ[27] *wrap*

1. Больная *куталась* в тёплый платок.
2. *Закутай* ребёнка в одеяло, сегодня холодно!
3. Вечером я хорошенько *укутался* одеялом, открыл окно и заснул. Оказалось, что я *перекутался* и ночью мне было жарко. Проснувшись, я с удовольствием *раскутался*.

4. Верши́ну горы́ *оку́тали* облака́.
5. Ни ра́зу не ви́дела, что́бы сосе́дка была́ хорошо́ оде́та, она́ всегда́ одева́ется, как *кута́фья*.

1. The sick woman *wrapped herself* in a warm shawl.
2. *Wrap* the child in a blanket. It is cold today!
3. In the evening I tightly *wrapped myself* up in a blanket, opened the window, and fell asleep. It turned out that I *bundled myself up too much*, and during the night I was hot. When I woke up, I gladly *unwrapped myself*.
4. Clouds *shrouded* the mountain peak.
5. Not once have I seen my neighbor well-dressed. She is always dressed like a *rag merchant in many layers*.

ЛАД⁴⁰ (лаж²⁵) *make right*

1. Посмотри́, кака́я *ла́дная* фигу́ра у э́той де́вушки.
2. Снача́ла мы хорошо́ *ла́дили*, но пото́м поссо́рились и до сих пор в *разла́де*.
3. Подру́га рабо́тает *нала́дчицей* на заво́де. Ей на́до *нала́живать* аппарату́ру, *отла́живать* её, е́сли что-то не в поря́дке, и да́же *переналаживать*, е́сли есть необходи́мость. Иногда́ прихо́дится *прила́живать* к уже́ гото́вому прибо́ру но́вую дета́ль.
4. Брат с сестро́й ча́сто ссо́рятся, но ма́тери удаётся *ула́живать* конфли́кты. Она́ наде́ется, что со вре́менем все *нелады́* ме́жду ни́ми ко́нчатся и они́ хорошо́ *пола́дят*.
5. Ну, что ты *зала́дил* одно́ и то же! Повторя́ешь це́лый день!

1. Look what a *fine* figure that girl has!
2. At first we *got along* well, but then we quarreled. Since then we've been *at odds*.
3. My girlfriend works as a *fitter* in a factory. She has *to assemble* the machinery, *adjust* it if something is out of order, and even *readjust* it if necessary. Sometimes she has *to fit* a new part *to* a working apparatus.
4. The brother and sister often quarrel, but their mother is able *to resolve* the conflicts. She hopes in time all the *disagreements* between them will be worked out and they *will be on good terms*.
5. Well, why do you *keep harping on* the same thing? You keep repeating it all day!

ЛАСК¹² (ласт⁴, лащ²) *show affection*

1. Нельзя́ забы́ть *ла́ску* ма́тери.
2. Ба́бушка *ла́сково* смо́трит на вну́чку.
3. Стро́гий оте́ц ре́дко *ласка́л* дете́й. А им так хоте́лось, что́бы он их *приласка́л*, *поласка́л* их немно́го или хотя́ бы *обласка́л* взгля́дом.
4. Ребёнка *заласка́ли* в де́тстве, и он вы́рос избало́ванным и изне́женным.
5. Что ты так *ла́стишься*, наве́рное, хо́чешь попроси́ть меня́ о чём-то?

1. It is impossible to forget the *kindness* of your mother.
2. The grandmother looks *affectionately* at her granddaughter.
3. The strict father *was* rarely *affectionate* with his children. Yet they would have liked so much for him *to caress* them, *to cuddle up* to them a little, or at least *to look at* them *affectionately*.
4. The child *was babied* during childhood and grew up spoiled and pampered.
5. Why are you *being so nice* today? You probably want to ask me a favor.

ЛГ¹⁴ (лж³, лож³) *lie*

1. Мой друг никогда́ не *лжёт*, он всегда́ говори́т пра́вду.
2. *Лгу́нья* смотре́ла на нас *лжи́выми* глаза́ми и сме́ялась.
3. Как ты мо́жешь *лгать* мне! Ты да́же не замеча́ешь, как ты *изолга́лся*, не говори́шь ни сло́ва пра́вды. *Залга́лся* до того́, что сам не по́мнишь, когда́ и что ты *солга́л*. Неуже́ли ты не *налга́лся*, не уста́л от *лжи*?
4. Не верь его́ слова́м, он *оболга́л* меня́!
5. Поли́ция прие́хала по вы́зову, но оказа́лось, что вы́зов был *ло́жный*.

1. My friend never *lies*; he always speaks the truth.
2. The *liar* looked at us with *deceitful* eyes and laughed.
3. How can you *lie* to me? You don't even realize what a *thorough-going liar* you have *become*. You don't speak a word of truth. You *have lied* to the point that even you don't remember when you *have lied* and what you said. Really, haven't you *lied enough*? Aren't you tired of *lying*?
4. Don't believe his words. He *completely slandered* me!
5. The police responded to the call, but it turned out to be a *false* alarm.

ЛЕГ[14] (лёг[1], леж[53], лёж[20], лог[23], лож[106], лаг[44]) [for леч[16] see truncation rule 6] *lay; lie*

1. Тебе́ на́до *лечь* отдохну́ть.
1. В густо́м лесу́ *проложи́ли* широ́кую доро́гу.
2. Ты ещё не вы́здоровел, не встава́й с посте́ли, тебе́ на́до *вы́лежать* подо́льше.
2. Прия́тно ле́том *приле́чь* на горя́чий песо́к, немно́го *полежа́ть* на со́лнышке.
3. Профе́ссор *возлага́л* больши́е наде́жды на студе́нта. Он *полага́л*, что из молодо́го челове́ка полу́чится большо́й учёный, *предполага́л*, что впереди́ его ждут откры́тия. Коне́чно, студе́нту на́до *приложи́ть* больши́е уси́лия и мно́го рабо́тать.
3. Я *располага́ю* све́дениями, что дом и *прилега́ющие* зе́мли *принадлежа́т* Вам, а не Ва́шему ро́дственнику. Вы скрыва́ете э́то, чтобы не плати́ть *нало́ги*. *Предлага́ю* неме́дленно вы́платить необходи́мую су́мму.
4. Тури́сты подошли́ к реке́ и *расположи́лись* на ночле́г.
4. Оказа́ть по́мощь на́до *безотлага́тельно*, ина́че бу́дет по́здно. Пострада́вшим нужна́ *неотло́жная* по́мощь.
5. *Излага́й* то́лько фа́кты, говори́ то́лько о том, что ты действи́тельно ви́дел. Постара́йся, что́бы *изложе́ние* бы́ло логи́чным.
5. Немо́дную оде́жду никто́ не хо́чет покупа́ть, и она́ подо́лгу *залёживается* на по́лках. Коне́чно, *залежа́лый* това́р не по́льзуется популя́рностью.

1. You need *to lie down* and rest.
1. In the dense forest they *put down* a wide road.
2. You have not fully recovered. Don't get out of bed. You need *to rest up* a little longer.
2. In the summer it is nice *to lie down* on the hot sand and *lie out* in the sunshine a little.
3. The professor *placed* great hopes on the student. He *supposed* that this young man would turn into a great scientist and *presumed* that discoveries awaited him in the future. Of course the student must *put forth* a great deal of effort and work hard.
3. I *have at* my *disposal* information that the building and the *adjoining* land *belong* to you, and not to your relative. You are keeping this secret in order not to pay *taxes*. I *suggest* you pay the necessary amount immediately.
4. The tourists went up to the river and *settled down* for the night.
4. Help must be rendered *without delay*; otherwise it will be too late. The victims need *immediate* assistance.
5. *State* only the facts. Speak only about that which you really saw. Try to make your *account* logical.
5. No one wants to buy unfashionable clothing, and it *lies* on the shelves for a long time. Of course *out-moded* goods are not popular.

ЛЕЗ[33] (лаз[27], лес[4]) *climb*

1. Де́ти лю́бят *ла́зить* на дере́вья.
2. Не так про́сто *переле́зть* че́рез высо́кий забо́р. Мо́жет быть, подста́вим к забо́ру *ле́сенку* и перейдём по *ле́стничным* ступе́ням?
3. Ко́шка уви́дела пти́чье гнездо́ на де́реве—она́ *вы́лезла* из окна́, подобрала́сь к де́реву и начала́ *влеза́ть* на него́. Она́ *зале́зла* дово́льно высоко́, но ещё не *доле́зла* до гнезда́, когда́ пришёл дво́рник и прогна́л ко́шку. Ко́шке пришло́сь *слезть* с де́рева, её *вы́лазка* зако́нчилась неуда́чно для неё, но уда́чно для птиц.
4. Весно́й мно́гие живо́тные поменя́ли шерсть—*обле́зли*, они́ вы́глядят *обле́злыми* и некраси́выми.

5. Какой неприя́тный челове́к, настоя́щий *проло́за*: стара́ется *проле́зть* в бли́зкие друзья́, ве́чно *ле́зет* с открове́нностями, а пото́м преда́ст всех ра́ди свое́й вы́годы.

1. Children love *to climb* trees.
2. It is not so easy *to climb over* a high fence. Maybe we can place a *ladder* at the fence and cross over that way *[by the rungs of the ladder]*.
3. The cat saw a bird's nest in the tree. She *climbed out* the window, made her way to the tree, and began *to climb* it. She *climbed* quite high, but *had* still *not reached* the nest when the groundskeeper came and chased the cat away. The cat had *to climb down* the tree, and its *raid* ended unsuccessfully, although it was lucky for the birds.
4. In the spring many animals changed their fur–they *shed*. They look quite *mangy* and ugly.
5. What an unpleasant person–a real *climber*. He tries *to maneuver* his way into close friendships, always *ingratiating* himself with his frankness, and then he betrays everyone for his own gain.

ЛЕК[7] (леч[41]) *heal*

1. Ба́бушка заболе́ла, ей на́до *лечи́ться*. Она́ немно́го простуди́лась, э́то *излечи́мая* боле́знь.
2. Врач назна́чил мне *лече́ние* и вы́писал но́вое *лека́рство*.
3. Стари́к плохова́то себя́ почу́вствовал, ви́димо, на́до немно́го *подлечи́ться*, встре́титься с *ле́чащим* врачо́м, кото́рый *ле́чит* его́ мно́го лет. Врач понима́ет, что нет *лека́рственных* средств от во́зраста, но никогда́ не отка́зывается немно́го *полечи́ть* старика́. По́сле неде́ли *лече́бных* процеду́р стари́к сказа́л, что он *вы́лечился* и чу́вствует себя́ хорошо́.
4. Мы собира́ем в по́ле *лека́рственные* тра́вы.
5. Пришло́ вре́мя меня́ть устаре́вшие и гру́бые *ле́карские* ме́тоды по́мощи больны́м.

1. Grandmother fell ill. She needs *to be treated*. She caught a little cold–this is a *treatable* illness.
2. The doctor prescribed *treatment* and wrote me a prescription for some new *medicine*.
3. The old man was not feeling too well. Evidently he needs *to get* some *treatment* and meet with the *attending* doctor who *has been treating* him for many years. The doctor understands that there are no *medicinal* remedies for old age, but he never refuses *to treat* the old man a bit. After a week of *medicinal* procedures, the old man said that he *had recovered* and felt well.
4. We are gathering *medicinal* herbs in the field.
5. The time has come to change the obsolete and crude *medical* techniques for aiding the sick.

ЛЕН[21] *lazy*

1. Не *лени́сь*, помоги́ мне свари́ть обе́д. Нельзя́ быть тако́й *лентя́йкой*!
2. Же́нщина о́чень *лени́во* дви́галась. Каза́лось, что ей *лень* да́же пошевели́ть па́льцем.
3. Ве́чером я *полени́лся* пойти́ в магази́н за проду́ктами. Понима́ю, что совсе́м *облени́лся* за после́дние дни, *разлени́лся* до того́, что сижу́ голо́дный, но не иду́ за поку́пками. Сам не зна́ю, почему́ я так *залени́лся*.
4. На де́реве сиде́л ма́ленький симпати́чный зверёк—*лени́вец*.
5. Ты ещё совсе́м молодо́й, отку́да в тебе́ э́та душе́вная *ле́ность*?

1. Don't *be lazy*. Help me cook dinner. You shouldn't be such a *lazy-bones*!
2. The woman moved very *sluggishly*. It appeared she felt too *lethargic* even to move a finger.
3. In the evening I *was too lazy* to go to the store for groceries. I realize that I *have grown* completely *indolent* over the past few days. I have *become* so *slothful* that I will sit around hungry and not go for groceries. I don't even know myself why I *have become* so very *lazy*.
4. A cute little animal sat in the tree–it was a *sloth*.
5. You are still quite young. Where did this inner *laziness* you have come from?

ЛЕП[59] (лип[35]) [for ль[2] see truncation rule 2] *adhere to*

1. Ребяти́шки шли по гря́зной у́лице, и грязь *налипла* на их боти́нки.
1. Вдоль у́лицы расту́т ста́рые *ли́пы*.
2. Сего́дня снег *ли́пкий*—дава́йте *лепи́ть* Снеговика́!

2. Ужé пóздно, у меня *слипáются* вéки, не могý их *разлепить*, пойдý спать.

3. Мáстер хотéл *вылепить* из глины красивую вáзу. Он не успéл *слепить* её до вéчера и решил, что *долéпит* зáвтра. Ýтром он *прилепил* к вáзе рýчки, *налепил* сбóку украшéния. Посмотрéл и решил всё *отлепить* и остáвить вáзу такóй, какóй онá былá вначáле.

3. В кóмнате мнóго мух, поэ́тому к потолкý прикрепили *липýчку*—специáльную *липýчую* лéнту. Когдá мýхи садя́тся на неё, они *прилипáют* и ужé не мóгут *отлипнуть*.

4. Мать взялá малышá на рýки, и он довéрчиво *прильнýл* к её плечý.

4. Про обмáн или плóхо сдéланное дéло в Россúи говоря́т—"э́то *липа*" или "*липовое* дéло".

5. Не люблю́ *прилипчивых* людéй, потомý что не вéрю в úскренность *прилипáл*.

5. Престýпник пóнял, что не удáстся уйти от погóни, и сказáл: "Ну, всё, *влип!*"

   1. The youngsters were walking along the muddy street, and the mud *stuck* to their boots.

   1. Old *lime trees* are growing along the street.

   2. The snow is *sticky [holds together]* today–let's *make* a snowman!

   2. It is getting late–my eyelids *are sticking together*. I can't *pull* them *apart*. I am going to bed.

   3. The craftsman wanted *to fashion* a beautiful vase from clay. He did not have time *to fully shape* it before evening, so he decided *to finish* it the next day. In the morning he *attached* handles to the vase and *fashioned* decorations on the side. He looked at it and decided *to take* everything *off* and leave the vase as it was to begin with.

   3. There are many flies in the room, so they attached *fly paper* – a special *adhesive* strip–to the ceiling. When flies land on it, they *stick to* it and can't *break away*.

   4. The mother took the young boy in her arms and he trustingly *clung* to her shoulder.

   4. Regarding deception or a poorly concluded affair, in Russia they say, "This is *sticky*," or "This is a *sticky* business."

   5. I don't like *excessively familiar* people because I don't trust the sincerity of *those who are overly familiar*.

   5. The criminal realized that he wouldn't be able to evade pursuit, so he said, "Well, that's it, I'm *stuck!*"

ЛЕС[33] (леш[4]) *forest*

1. Ря́дом с гóродом мáленький *лесóк*.

2. Ты лю́бишь садóвую я́году, а мне бóльше нрáвится *леснáя*.

3. Дерéвня стоúт в *лесúстой* мéстности. Мой дед рабóтает *лесникóм*. Почти всё врéмя он провóдит в *лесý*. В дерéвне егó в шýтку зовýт старикóм-*лесовикóм* или *лéшим*.

4. Ря́дом со стáрыми дерéвьями вы́рос молодóй *подлéсок*.

5. Всю́ду расстилáлись поля́, разделённые *перелéсками*.

   1. There is a nice small *forest* next to the town.

   2. You love garden-grown berries, but I like *wild [forest]* berries better.

   3. The village stands in a *wooded* area. My grandpa works as a *forester*. He spends almost all of his time in the *forest*. In the village he is jokingly called "the old *forester*" or "*forest spirit*."

   4. Next to the old trees, a *glade* of young trees grew.

   5. Fields spread out everywhere, separated *by groves* of trees.

ЛЕТ[59] (лёт[42]) *fly*

1. Неожи́данно из кустóв *взлетéла* птúца.

1. Мáльчик бежáл, не смотрéл по сторонáм и *налетéл* на меня́.

2. Кáждую óсень мы вúдим *отлёт* из сéверных райóнов *перелётных* птиц.

2. *Лётчик* сказáл, что *вылет самолёта* задéрживается на час из-за плохóй погóды.

3. Грýппа турúстов *летéла* из Москвы́ в Вашингтóн. Сначáла турúсты *долетéли* до Парúжа, сдéлали там останóвку на день, потóм *полетéли* в Лóндон, провели́ полдня́ в столúце Великобритáнии, *перелетéли* океáн и *прилетéли* в Вашингтóн. *Полёт* был дóлгим, но интерéсным.

3. Птúца *залетéла* в парк, *полетáла* нéсколько минýт над óзером, *подлетéла* к дéреву, *облетéла*

вокру́г него́ и *улете́ла* куда́-то по свои́м дела́м.

4. Де́ти с весёлым кри́ком пры́гнули в бассе́йн, водяны́е бры́зги *разлете́лись* в ра́зные сто́роны.

4. По у́лице шёл мужчи́на в шля́пе, поду́л ве́тер, шля́па *слете́ла* с головы́ и покати́лась по доро́ге.

5. Престу́пники соверши́ли *налёт* на банк. *Налётчики* скры́лись.

5. Ка́ждое у́тро в больни́це прохо́дит *лету́чка*—коро́ткое собра́ние враче́й.

1. A bird unexpectedly *flew up* from the bushes.

1. The boy was running and not looking where he was going. He *flew* right into me.

2. Every fall we see the *departure* of *migratory* birds from the northern regions.

2. The *pilot* said that due to bad weather the *plane's departure* was being delayed for an hour.

3. The group of tourists *was flying* from Moscow to Washington. First the tourists *flew to* Paris and stopped there for one day. They then *flew to* London and spent half a day in the capital of Great Britain, then *flew across* the ocean and *arrived* in Washington. The *flight* was long, but interesting.

3. The bird *darted* into the park, *flew* over the lake for several minutes, *flew up to* a tree, *flew around* it, then *flew off* somewhere on its own business.

4. With a happy shout the children jumped into the pool. Splashes of water *flew* in every direction.

4. A man wearing a hat was walking along the street. The wind started to blow, and the hat *flew off* his head and rolled down the road.

5. The criminals made a *raid* on the bank. The *raiders* escaped.

5. Every morning a *briefing* takes place in the hospital. It is a short meeting of the doctors.

ЛИЗ[57] *lick*

1. Котёнок *ли́жет* смета́ну.

2. Де́вочке хо́чется подо́льше есть вку́сную конфе́ту, поэ́тому она́ *поли́жет* конфе́ту немно́жко, подождёт не́сколько мину́т, ещё *лизнёт*, опя́ть подождёт.

3. Ко́шка *выли́зывала* ма́ленького котёнка: снача́ла она́ *облиза́ла* его́ мо́рдочку, пото́м *прилиза́ла* шерсть на спи́нке, *зализа́ла* ра́нку на пере́дней ла́пке и *слизну́ла* грязь с за́дней ла́пки. *Обли́занный* ма́терью котёнок тихо́нько мурлы́кал.

4. В на́шем кла́ссе был ма́льчик-*подли́за*, мы не люби́ли его́ за то, что он всегда́ хоте́л *подлиза́ться* к учи́телю.

5. Уви́дев пья́ного сосе́да, лежа́вшего на земле́ под забо́ром, прохо́жий с презре́ньем сказа́л: "Вот, опя́ть *нализа́лся*!"

1. The kitten *is licking* the sour cream.

2. The girl wants the delicious candy to last longer, so she *licks* the candy a little, waits several minutes, *takes another lick*, and waits again.

3. The cat *was licking* the little kitten *all over*. At first she *licked* its little face, then she *licked smooth* the fur on its back, *licked clean* the wound on its front paw, and *licked* the dirt *from* its hind paw. *Licked clean* by its mother, the kitten quietly purred.

4. In our class there was a little *boot licker*. We didn't like him because he was always *licking* the teacher's boots.

5. Seeing the drunken neighbor lying on the ground under the fence, the passerby said with contempt, "So, you *have hit [licked] the bottle* again!"

ЛИЙ[160] (лей[3]) *pour*

1. Не забыва́й ка́ждый день *полива́ть* цветы́.

1. Из *слия́ния* двух рек, Би́и и Кату́ни, возника́ет вели́кая сиби́рская река́ Обь.

2. Мой чай о́чень горя́чий—*подле́й* мне, пожа́луйста, холо́дной воды́ в ча́шку.

2. Больно́му сде́лали *перелива́ние* кро́ви, и он почу́вствовал себя́ лу́чше.

3. *Вы́лей* из ча́йника оста́тки ча́я, *нале́й* све́жую во́ду, вскипяти́, завари́ чай и *разле́й* его́ по ча́шкам.

3. С утра́ пошёл *проливно́й* дождь. К обе́ду он преврати́лся в настоя́щий *ли́вень*. До ве́чера пото́ки воды́ ливмя́ *ли́ли* с не́ба.

4. Поле́зно ка́ждое у́тро *облива́ться* холо́дной водо́й, таки́е *облива́ния* укрепля́ют здоро́вье и

улучша́ют настрое́ние.

4. Большо́е *влия́ние* на меня́ оказа́ли роди́тели, они́ *повлия́ли* на мой хара́ктер, на моё понима́ние жи́зни.

5. Сыни́шка—*вы́литый* оте́ц: то же лицо́, тот же хара́ктер.

5. Послу́шай, как он поёт, про́сто соловьём *залива́ется*.

    1. Don't forget *to water* the flowers every day.

    1. From the *convergence* of two rivers, the Bia and the Katun', rises the great Siberian river Ob'.

    2. My tea is very hot. Please *pour a little* cold water into my cup.

    2. The patient was given a blood *transfusion* and he began to feel better.

    3. *Pour* the leftover tea *out* of the teapot. *Pour in* some fresh water, bring it to a boil, brew the tea, and *pour* it into the cups.

    3. A *heavy* rain [downpour] started in the morning. By dinner time it had turned into a genuine *downpour*. Until evening, torrents of water *were pouring* from the sky.

    4. It is healthy *to shower* in cold water every morning. Such *showers* strengthen your health and improve your mood.

    4. My parents had a great *influence* on me. They *influenced* my character and my understanding of life.

    5. His little son *is cast from the same mold* as his father–the same face, the same personality .

    5. Listen to how he sings. It simply *flows* out like a nightingale's song.

ЛИК[7] (лич[82], лиц[21]) *face*

1. У ма́ленького ребёнка о́чень краси́вое *ли́чико*.

2. Сте́ны домо́в *облицо́ваны* мра́мором.

3. Ка́ждый ста́рый го́род име́ет своё неповтори́мое *лицо́*, его́ *о́блик* скла́дывался мно́гие го́ды. Ста́рые города́ име́ют не то́лько *лик*, но и *ли́чность*. Нельзя́ спу́тать Рим и Вене́цию, Москву́ и Петербу́рг, они́ *разли́чны*, как *различа́ются* хара́ктеры люде́й. *Отли́чия* ме́жду ни́ми во всём: и в архитекту́ре, и в *отличи́тельных* осо́бенностях поведе́ния жи́телей.

4. Он вёл себя́ вполне́ *прили́чно*: улыба́лся, подде́рживал разгово́р, отвеча́л на вопро́сы. Но ви́дно бы́ло, что на са́мом де́ле пра́вила *прили́чия* ему́ соверше́нно *безразли́чны*.

5. *Обличи́тельную* речь произнёс прокуро́р. Он *облича́л* престу́пника за уби́йство, *улича́л* в бессерде́чии и жесто́кости.

    1. The small child has a very pretty *little face*.

    2. The walls of the houses *are faced* with marble.

    3. Every old city has its own unique *face*. Its *appearance* took shape over many years. Old cities possess not only a *look*, but a *personality* as well. It is impossible to confuse Rome and Venice or Moscow and Petersburg. They *differ* from each other just as the personalities of people *differ*. The *distinctions* among them are found in everything–both in architecture and in the *distinctive* features of their residents' conduct.

    4. He behaved himself entirely *properly*. He smiled, carried on conversations, and answered questions. But it was obvious that, in reality, he was utterly *indifferent* to the rules of *propriety*.

    5. The public prosecutor made his *accusations*. He *accused* the criminal of murder, and *pointed* to his callousness and cruelty.

ЛИСТ[28] *leaf*

1. О́сенью *ли́стья* на дере́вьях жёлтые.

2. Высо́кая и стро́йная *ли́ственница* растёт недалеко́ от до́ма.

3. В стари́нной кни́ге *листы́* большо́го разме́ра. Прия́тно *листа́ть* таку́ю кни́гу. *Перели́стывая* страни́цы, чита́тель как бу́дто погружа́ется в исто́рию. Кни́гу хо́чется прочита́ть, а не про́сто *полиста́ть* и отложи́ть.

4. Весно́й *ли́ственные* леса́ зелене́ют, так как появля́ются све́жие молоды́е *листо́чки*.

5. Революционе́ры разброса́ли по го́роду *листо́вки*, призыва́ющие к борьбе́ с прави́тельством.

    1. In the fall, the *leaves* on the trees are yellow.

2. A tall and shapely *larch tree* is growing not far from the building.

3. The *pages* [*leaves*] in the old book are of large dimensions. It is pleasant *to leaf through the pages* of such a book. *While turning* the pages, it is as if the reader is immersed in history. You feel like reading through the book and not just *thumbing through the pages a while* and putting it away.

4. In the spring the *deciduous* forests turn green since the fresh, young *tiny leaves* appear.

5. The revolutionaries scattered *sheets* around the city calling on all to fight against the government.

ЛИХ[6] (лиш[23]) *excess*

1. Вы о́чень уста́ли, потому́ что *сли́шком* мно́го рабо́тали.

2. Па́рень *ли́хо* сдви́нул ша́пку на́бок и ве́село подмигну́л.

3. Я не бою́сь *лиши́ться* де́нег и́ли иму́щества. Никаки́е *лише́ния* меня́ не пуга́ют—я привы́к жить скро́мно, без *изли́шеств. Лишь* бы я знал, что ты по-пре́жнему ве́ришь мне и лю́бишь меня́.

4. Я не *лиха́ч*, маши́ну вожу́ ме́дленно, соблюда́ю все пра́вила.

5. Тётушке на́до похуде́ть, изба́виться от *изли́шка* ве́са.

1. You are very tired because you have been working *too* much.

2. The fellow *audaciously* cocked his hat to one side and gave a merry wink.

3. I am not afraid of *losing* money or property. No *deprivations* frighten me. I have grown accustomed to living humbly, without *excesses. If only* I could know that you believe me and love me as before.

4. I am not a *reckless fellow*. I drive slowly and observe all the rules.

5. My aunt needs to slim down and get rid of her *excess* weight.

ЛОВ[52] (лав[19]) *catch*

1. Сосе́д *ло́вит* птиц с по́мощью специа́льных *лову́шек*.

2. В во́здухе чу́вствуется лёгкий, почти́ *неулови́мый* за́пах цвето́в.

3. *Ло́вля* ры́бы доставля́ет бра́ту огро́мное удово́льствие. Для него́ ва́жен не *уло́в*, он не стреми́тся *слови́ть* побо́льше ры́бы, не хо́чет *перелови́ть* всю ры́бу и́ли *налови́ть* о́чень мно́го. Брат про́сто лю́бит *полови́ть* ры́бу, побы́ть на реке́.

4. Снача́ла бы́ло тру́дно рабо́тать на незнако́мой маши́не, но пото́м я *приловчи́лся*. Сейча́с у меня́ *ло́вко* получа́ется.

5. Не люблю́ *ловкаче́й*: им ничего́ не сто́ит *словчи́ть*, приду́мать каку́ю-нибу́дь *уло́вку*, что́бы обману́ть.

1. My neighbor *catches* birds with the help of special *traps*.

2. In the air, one senses the delicate, almost *imperceptible* fragrance of flowers.

3. *Fishing* provides my brother great pleasure. For him the *catch* is not what is important. His goal is not to try *to catch* as many fish as possible. He doesn't try *to catch* all the fish or even *to catch* very many. My brother just loves *to fish a while* and spend a little time at the river.

4. At first it was difficult to work on unfamiliar equipment, but then I *caught on*. Now I can do everything *smoothly*.

5. I don't like *cunning people*. They think nothing of *being cunning*, of coming up with some kind of *ruse* in order to deceive.

ЛОМ[110] (лам[36]) *break*

1. До́чка ката́лась на лы́жах, упа́ла и *слома́ла* но́гу. Врач сказа́л, что *перело́м* о́чень опа́сный.

1. Сестра́ взяла́ со стола́ шокола́д, *отломи́ла* кусо́чек и протяну́ла мне *отло́манную* часть.

2. Оте́ц *разломи́л* бу́лку хле́ба на́двое.

2. Мужчи́на *вы́ломал* из забо́ра до́ску, образова́лся у́зкий *проло́м*, мужчи́на огляну́лся по сторона́м и проле́з в него́.

3. Граби́тель не знал ши́фра се́йфа, реши́л идти́ *напроло́м*—*взлома́ть* замо́к. Когда́ полице́йские при́были на ме́сто преступле́ния, они́ уви́дели *поло́манный взло́мщиком* сейф и *обло́мки* замка́ на полу́.

3. Ребёнок немно́го *слома́л* игру́шку, поду́мал—и стал *долома́ывать* её оконча́тельно.

4. Вода́ *преломля́ет* со́лнечный свет. Фи́зика изуча́ет зако́ны *преломле́ния*.

4. Кака́я неприя́тная у тебя́ го́стья: не уме́ет себя́ вести́, всё вре́мя *лома́ется*. Настоя́щая *лома́ка*.

5. Оте́ц не разреша́л де́тям пойти́ ве́чером в кино́, но они́ его́ до́лго угова́ривали и, наконе́ц, *уломáли*— он разреши́л.

5. Же́нщина подняла́ вверх ру́ки и *заломи́ла* их, как траги́ческая актри́са на сце́не.

1. My daughter was skiing, and fell and *broke* her leg. The doctor said that the *break* was very serious.

1. My sister took the chocolate bar from the table, *broke off* a small piece, and held the *broken-off* piece out to me

2. Father *broke* the small loaf of bread in two.

2. The man *broke off* a board from the fence and a narrow *gap* was formed. The man looked around all sides and then crawled through it.

3. The thief didn't know the safe's combination, so he decided to *break into* it – *to break* the lock. When the police arrived at the scene of the crime, they saw the safe *broken by the burglar* and the *broken pieces* of the lock on the floor.

3. The child *broke* part of his toy. He thought for a minute, then began *breaking* it *up* completely.

4. Water *refracts* sunlight. (The field of) physics studies the laws *of refraction*.

4. What an unpleasant guest you have. She cannot behave herself. She is constantly *adopting poses*. She is a genuine *poser*.

5. Father forbade the children from going to the movies at night. They tried to persuade him for a long time, and finally they *prevailed*. He allowed them to go.

5. The woman raised her hands up and *thrust* them *to the side* like a tragic actress on the stage.

ЛУК[14] (луч[6]) *bow, bend*

1. На соревнова́ниях спортсме́ны-*лу́чники* стреля́ют из *лу́ка*.

2. Де́вушка засмея́лась и *лука́во* посмотре́ла на собесе́дника.

3. Я зна́ю, что ты никогда́ не *лука́вишь* со мной. *Лука́вство* не в твоём хара́ктере, ты не смог бы *слука́вить* да́же в мелоча́х. Хотя́ иногда́ я ви́жу в твое́й улы́бке ми́лую *лука́винку*.

4. Мы реши́ли отдохну́ть у *излу́чины* реки́.

5. Де́вочки взя́ли *луко́шки* и пошли́ в лес за гриба́ми.

1. At competitions, *archers* shoot from a *bow*.

2. The girl started to laugh and *slyly* looked at her conversation companion.

3. I know that you are never *sly* with me. *Slyness* is not in your character. You couldn't *be sly* even in trivial things, although I do sometimes see a *bit of* playful *slyness* in your smile.

4. We decided to rest at the river *bend*.

5. The girls took *woven baskets* and went to the forest for mushrooms.

ЛУК[1] (луч[25]) *connect*

1. Нам предстои́т *разлу́ка* на три го́да.

2. Во вре́мя боле́зни сы́на мать *неотлу́чно* находи́лась в больни́це.

3. Молоды́е супру́ги *неразлу́чно* прожи́ли два го́да. Но тепе́рь муж до́лжен по рабо́те *отлучи́ться* на ме́сяц в друго́й го́род. Тру́дно *разлуча́ться* с дороги́м тебе́ челове́ком.

4. *Отлуче́ние* от це́ркви—наказа́ние для ве́рующего.

5. Посмотри́ на э́ту же́нщину, из-за неё, *разлу́чницы*, муж ушёл от меня́.

1. We are faced with a three-year *separation*.

2. During her son's illness, the mother *constantly* remained at the hospital.

3. The young couple lived two years *without being apart*. But now the husband has *to be away* for a month on a work assignment in another city. It is hard *to part* with a person who is dear to you.

4. *Excommunication* from the church is a punishment for a believer.

5. Look at this woman. Because of this *home-wrecker* my husband left me.

ЛУП[66] *peel; pick*

1. Возьми варёное яйцо, *облупи* его и съешь.
2. Из яйца только что *вылупился* цыплёнок.
3. Человек подошёл к картине, краски толстым слоем покрывали холст. Он *колупнул*[18] засохшую краску ногтем, она держалась крепко. Тогда человек осторожно *подколупнул* кусочек краски ножом, *отколупнул* его и стал внимательно рассматривать.
4. Старуха *наколупала* семечек из большого подсолнуха и приняла́сь их грызть.
5. Надо торопиться на вокзал, а ты ещё не готова, вечно ты *колупаешься*, когда мы опаздываем!

   1. Take this boiled egg, *peel* it, and eat it.
   2. A chick just *hatched* from the egg.
   3. The man walked up to the picture. The paints covered the canvas in a thick layer. He *picked* at the dried paint with his fingernail, but it held fast. Then the man carefully *sliced under* a piece of paint with a knife. He *peeled* it *off* and began to look it over thoughtfully.
   4. The old woman *picked* several little seeds from the large sunflower and began to gnaw on them.
   5. We must hurry to the train station, but you are still not ready. You are forever *dawdling* when we are late!

ЛУЧ[24] *ray*

1. Я́ркие *лучи* летнего солнца падали на лица людей.
2. Во время опытов с радием учёный-физик *облучился*. Результат *облучения*—тяжёлая болезнь.
3. Знаменитая артистка была пожилой женщиной с прекрасными молодыми *лучистыми* глазами. Её лицо *излучало* доброту. Вся она *лучилась* весельем и приветливостью.
4. В результате катастрофы на атомной электростанции многие сотрудники заболели *лучевой* болезнью.
5. В старые времена деревенские дома освещались только горящей *лучиной*.

   1. The bright *rays* of the summer sun fell on the the faces of people.
   2. During his experiments with radium, the physicist *was exposed to radiation*. The result of *radiation exposure* is a serious illness.
   3. The famous actress was an elderly woman with wonderful, young, *radiant* eyes. Her face *exuded* kindness. Her whole being *radiated* merriment and affability.
   4. As a result of the accident at the atomic power plant, many employees fell ill with *radiation* sickness.
   5. In olden times, village homes were illuminated only by a burning *luchina [stick with outer layers cut in thin curls for burning]*.

ЛЬГ[5] (лег[16], лёг[6]) *light*

1. —У тебя тяжёлая сумка? —Нет, *лёгкая*.
2. Грузчик с *лёгкостью* поднял большой ящик и поставил его в машину.
3. У больного воспаление *лёгких*. Он очень плохо себя чувствовал, но после укола больному *слегка полегчало*. К сожалению, это *облегчение* было недолгим.
4. Узнав, что опасность миновала, мы все вздохнули с *облегчением*.
5. Пенсионерам предоставляются различные *льготы*. Например, *льготный* проезд на транспорте.

   1. —Is your bag heavy? —No, it is *light*.
   2. The cargo loader *easily* lifted the large box and placed it in the vehicle.
   3. The patient has pneumonia *[inflamation of the lungs]*. He was feeling very poorly, but after an injection the patient *felt a bit better*. Unfortunately, this *relief* was not long-lived.
   4. Having realized that the danger had passed, we all sighed with *relief*.
   5. Retirees are granted various *privileges* – for example, *reduced* fares on public transportation.

ЛЬД[3] (лед[35], лёд[3]) *ice*

1. Название самого холодного океана—Северный *Ледовитый* океан.

---

[17] Kuznetsova treats *ко-* as a prefix; some linguists consider the word *колупнуть* to have two roots: *кол-* *break* and *луп-* *peel*.

2. Оди́н из перио́дов разви́тия Земли́ получи́л назва́ние *Леднико́вого* пери́ода.

3. Зимо́й река́ *оледене́ла*, покры́лась *льдом. Лёд* ро́вный, то́лько иногда́ мо́жно уви́деть на гла́дкой пове́рхности *на́ледь*. Мальчи́шки лю́бят ката́ться на конька́х по *ледяно́й* пове́рхности. А рыбаки́ прихо́дят на ре́ку занима́ться *подлёдным* ло́вом ры́бы.

4. Кто́-то нали́л воды́ на ступе́ни ле́стницы, и от моро́за они́ *обледене́ли*. Тру́дно поднима́ться и спуска́ться по *обледене́лой* ле́стнице.

5. Я не люблю́ шокола́дные конфе́ты, мне бо́льше нра́вятся *леденцы́*—прозра́чные конфе́тки, похо́жие на льди́нки.

1. The name of the coldest ocean is the *Arctic* [*North Icy*] Ocean.
2. One period of the Earth's development has been given the name the "*Ice Age.*"
3. In winter the river *froze over* and became covered *with ice.* The *ice* was smooth and only occasionally could one see a *crust* along the smooth surface. Little boys love to skate along the *iced* surface. Fishermen come to the river to do some *ice* fishing.
4. Someone poured water on the steps of the stairs and they *iced over* in the freezing weather. It is difficult to climb up and down *iced-over* steps.
5. I don't like chocolate candy. I like *fruit-drops* more–transparent candies similar to *pieces of ice.*

ЛЬЗ[13] (лез[4]) *use*

1. О́вощи и фру́кты *поле́зны* для здоро́вья.

2. *Нельзя́* рабо́тать без о́тдыха. От тако́й рабо́ты нет *по́льзы* ни тебе́, ни твое́й семье́.

3. Сестре́ *доне́льзя* наску́чила учёба, и она́ хо́чет бро́сить шко́лу. Она́ ду́мает, что учи́ться *бесполе́зно*, потому́ что в жи́зни не придётся *испо́льзовать* зна́ния, полу́ченные в шко́ле.

4. Вы разреши́те мне *воспо́льзоваться* ва́шим телефо́ном?

5. Оте́ц *по́льзуется* больши́м уваже́нием на рабо́те.

1. Vegetables and fruits are *useful* for your health.
2. You *mustn't* work without rest. Such work is of no *use* either to you or to your family.
3. My sister is bored *to death* ["*to no use*"] with her studies, and she wants to drop out of school. She thinks that studying is *useless* because, in (real) life, you won't have *to use* the knowledge you receive in school.
4. Would you allow me *to use* your telephone?
5. Father *is held* in great esteem at work.

ЛЬСТ[18] (льщ[8], лест[7], лещ[5]) *flatter*

1. Коне́чно, *ле́стно* слы́шать Ва́ши слова́ о моём тала́нте, но бою́сь, что Вы говори́те э́то не от души́, а чтобы *польсти́ть* мне.

2. Како́й *преле́стный* ребёнок!

3. *Льстец* зна́ет, как *подольсти́ться* к ну́жному челове́ку, каки́ми *льсти́выми* слова́ми *прельсти́ть* его́. К сожале́нию, *лесть обольща́ет* всех: у́мных и глу́пых, безда́рных и тала́нтливых.

4. Молодо́й писа́тель *польщён* высо́кой оце́нкой его́ рома́на.

5. Э́то опа́сная же́нщина, настоя́щая *обольсти́тельница.*

1. Of course it is *flattering* to hear you talk about my talent, but I am afraid you are not speaking from the heart, but are *flattering* me.
2. What an *adorable* child!
3. A *flatterer* knows how *to ingratiate himself* with the right person and with which *flattering* words *to flatter* him. Unfortunately, *flattery seduces* everyone–the smart and the foolish, the ungifted and the talented.
4. The young writer is *flattered* with the high appraisal of his novel.
5. This is a dangerous woman, a genuine *seductress.*

ЛЮБ[59] *love*

1. Всех чле́нов семьи́ объединя́ла *любо́вь* друг к дру́гу.

2. Брат *влюби́лся* в мою́ подру́гу. Его́ *люби́мая*—о́чень краси́вая де́вушка.

3. Постаре́в, оте́ц *разлюби́л* спо́ры и разгово́ры и *полюби́л* про́сто смотре́ть на мир: он не мо́жет *налюбова́ться* красото́й челове́ческих лиц, он мо́жет *залюбова́ться* листко́м де́рева, цветко́м и́ли пти́цей. Его́ *лю́бящий* взгляд во всём ви́дит красоту́.
4. За что ты *невзлюби́ла* моего́ дру́га, ты ведь его́ совсе́м не зна́ешь!
5. *Полюбу́йся* на себя́: лицо́ гря́зное, оде́жда рва́ная.

1. All the members of the family were united by their *love* for one another.
2. My brother *fell in love* with my friend. His *beloved* is a very beautiful girl.
3. Having grown older, Father *stopped liking* disputes and conversations and *began to love* simply looking at the world. He can't *admire enough* the beauty of the human face. He can *admire deeply* a small leaf of a tree, a flower, or a bird. His *affectionate* glance sees beauty in everything.
4. Why *have you come to feel* such *hostility* toward my friend? After all, you don't even know him!
5. *Take a good look* at yourself. Your face is dirty and your clothing is torn.

МАЗ[111] *spread*

1. У́тром я люблю́ есть хлеб, *нама́занный* варе́ньем.
2. По́вар си́льно поре́зал па́лец ножо́м, врач вы́писал ему́ *мазь*, кото́рой на́до *ма́зать* па́лец два ра́за в день.
3. Возьми́ кусо́к хле́ба и ма́сло, *разма́жь* ма́сло ро́вным сло́ем, све́рху мо́жешь *пома́зать* варе́ньем. Постара́йся не *изма́заться* с головы́ до ног. Вчера́ ты *зама́зал* рукава́ руба́шки, *перема́зал* ру́ки, *вы́мазал* лицо́. Когда́ я тебя́ уви́дела, я поду́мала: «Не ребёнок, а *замазу́ля*!»
4. Баскетболи́ст бро́сил мяч в кольцо́, но не попа́л—*прома́зал*. Недово́льная пу́блика начала́ то́пать нога́ми и крича́ть: «*Мази́ла*! Уходи́ с площа́дки!»
5. Царя́ в Росси́и называ́ли *пома́занником* Бо́жьим.

1. In the morning I love to eat bread *spread* with jam.
2. The chef cut his finger badly with a knife. The doctor prescribed an *ointment* which he will need *to rub* on his finger twice a day.
3. Take a piece of bread and butter. *Spread* the butter around in an even layer and on top you can *spread* some jam. Try not *to get [butter and jam] all over yourself* from head to toe. Yesterday you *got* your shirt sleeves *all greasy*, *covered* your hands, and *smeared* your face. When I saw you I thought, "That's not a child, it's a *glob of butter*!"
4. The basketball player threw the ball toward the hoop, but it didn't go in–he *missed*. The dissatisfied spectators began to stamp their feet and shout: "*Butterfingers*! Get off the court!"
5. The tsar in Russia was called God's *anointed*.

МАЛ[47] *little*

1. Ты *ма́ло* занима́ешься в библиоте́ке, да и до́ма *малова́то* чита́ешь.
2. Сестра́ зави́довала бра́ту и хоте́ла *умали́ть* его́ ум и тала́нтливость.
3. *Ма́ленький ма́льчик* засну́л. *Малы́ш* спит о́чень чу́тко и мо́жет просну́ться от *мале́йшего* шу́ма. Пожа́луйста, не говори́те гро́мко, не буди́те *малю́тку*.
4. Пово́зка дви́галась ме́дленно, *помале́ньку* продвига́ясь по доро́ге. За день она́ проезжа́ла всего́ лишь *малю́сенький* отре́зок пути́.
5. У друзе́й в кварти́ре стои́т большо́й аква́риум, но в нём нет больши́х рыб, одни́ *мальки́*.

1. You study *little* at the library and at home, too, you read *quite little*.
2. The sister envied her brother and wanted *to belittle* his intellect and talent.
3. The *small boy* fell asleep. The *child* sleeps very lightly and can awaken at the *slighted* noise. Please don't speak loudly. Don't wake the *little guy*.
4. The cart moved slowly, *little by little* making its way along the road. In a day it would travel only a *tiny bit* of the way.
5. My friends have a big aquarium in their apartment, but there are not any large fish in it–only *small fry*.

МАЛ[38] *paint*

1. *Маля́р* взял большу́ю *маля́рную* кисть и на́чал кра́сить сте́ну до́ма.

2. Дя́дя *маля́рничал* всю жизнь и о́чень люби́л свою́ рабо́ту.

3. Худо́жник недово́лен свое́й карти́ной. Он гру́бо *замалева́л* изображе́ние, *измалева́л* весь холст чёрной кра́ской, а све́рху небре́жно *намалева́л* карикату́ру на себя́.

4. Э́тот холст не ну́жно пока́зывать: худо́жник сде́лал то́лько *подмалёвку*, за́втра начнёт рабо́тать кра́сками.

5. Вульга́рная, *размалёванная* деви́ца подошла́ и попроси́ла дать ей сигаре́ту.

1. The *painter* grabbed a large *paintbrush* and began to paint the wall of the house.
2. My uncle *worked as a painter* his whole life and really loved his work.
3. The artist is displeased with his picture. He crudely *painted* his portrait, *covered* the whole canvas with black paint, and, over the top, carelessly *painted* a caricature of himself.
4. You shouldn't show this canvas. The artist has only finished the *base coat*. Tomorrow he will begin to work with colors.
5. The vulgar, *heavily painted-up* girl walked up and asked for a cigarette.

МАН[52] (ма²) *entice*

1. Учи́тель хоте́л, что́бы я подошёл к его́ столу́, и *помани́л* меня́ руко́й.

2. К ве́черу по́сле до́лгого пути́ по жаре́ мысль о прохла́дной ко́мнате была́ о́чень *зама́нчива*.

3. Охо́тники хоте́ли *вы́манить* зве́ря из норы́. Для э́того они́ положи́ли *прима́нку*—све́жее мя́со, наде́ясь *примани́ть* зве́ря. Действи́тельно, им удало́сь *подмани́ть* его́ на бли́зкое расстоя́ние и *замани́ть* в лову́шку.

4. Не *обма́нывай*, по́мни, что любо́й *обма́н* раскрыва́ется, а *обма́нщик* теря́ет дове́рие люде́й.

5. Конкуре́нты *перемани́ли* на́шего са́мого тала́нтливого рабо́тника, они́ *смани́ли* его́ высо́кой зарпла́той.

1. The teacher wanted me to come to his desk, so he *beckoned* to me with his hand.
2. By evening, after a long journey in the heat, the thought of a cool room was very *appealing*.
3. The hunters wanted *to lure* the wild animal from its lair. To do this they laid out some *bait* – fresh meat–hoping *to entice* the animal. Indeed, they succeeded in *enticing* him to come close and *luring* him into the trap.
4. Don't *deceive* (people). Remember that every *deception* is revealed and the *deceiver* loses people's trust.
5. Our competitors *won over* our most talented employee. They *enticed* him with a high salary.

МАР[38] *smudge*

1. Не *мара́й* но́вое пла́тье, ты в нём пойдёшь в го́сти.

2. В письме́ мно́го *пома́рок*—челове́к писа́л, исправля́л, сно́ва писа́л и сно́ва исправля́л.

3. Хозя́йка пекла́ пироги́, она́ *замара́ла* лицо́ и ру́ки муко́й, *перемара́ла* фа́ртук ма́слом. Ско́ро приду́т го́сти, на́до снять *зама́ранный* фа́ртук и умы́ться—нельзя́, что́бы го́сти ви́дели её тако́й *замара́шкой*.

4. Цвет руба́шки серова́тый, ча́сто про тако́й цвет говоря́т—*нема́ркий*, потому́ что на руба́шке тако́го цве́та незаме́тна грязь.

5. Учи́тель посмотре́л на сда́нную рабо́ту и стро́го сказа́л: "Что ты здесь *намара́л*! Перепиши́ чи́сто ещё раз!"

1. Don't *get* your new dress *dirty*–you're going to wear it when you go visiting.
2. There are many *smudges* in the letter. The person wrote (something), corrected it, wrote (something else), and corrected it again.
3. The hostess was baking pies. She *smudged* her face and hands *up* with flour and *smudged* her apron *all over* with butter. The guests will arrive soon. She needs to take off her *smudged-up* apron and wash up–the guests shouldn't see her as such a *messy person*.
4. The shirt was greyish in color. It is often said that this color is *soil-resistant* because, on a shirt of this

color, dirt is not noticeable.

5. The teacher looked at the work which had been turned in and sternly said, "What *have* you *scribbled* here? Rewrite it again nicely!"

МАСЛ[55] *oil*

1. Бабушка жа́рит карто́шку на сли́вочном *ма́сле*, а ма́ма—на подсо́лнечном.
2. На середи́ну стола́ поста́вили мой люби́мый сала́т с *масли́нами*, ря́дом с ним—хле́бница и *маслёнка*.
3. Запасны́е ча́сти к маши́не завёрнуты в *прома́сленную* бума́гу. Когда́ меха́ник развора́чивал их, он *зама́слил* ру́ки. Бума́га си́льно *перема́слена*, вы́нутые из неё запасны́е ча́сти *масляни́сто* блестя́т.
4. Грибники́ принесли́ из ле́са мно́го *масля́т*—на у́жин пригото́вим жа́реные грибы́ в смета́не.
5. Оте́ц пришёл с рабо́ты серди́тый, но по́сле разгово́ра с тобо́й—сама́ доброта́, как тебе́ удало́сь его́ *ума́слить*?

1. Grandma fries potatoes in *butter*, but Mom fries them in sunflower oil.
2. In the middle of the table they placed my favorite salad with *olives*. Next to it were the breadbasket and the *butter dish*.
3. The spare parts for the car were wrapped in *greased* paper. When the mechanic unwrapped them, he *got* his hands *greasy*. The paper is *saturated in grease*. The spare parts glisten *like grease* when they are taken out of it.
4. The mushroom gatherers brought home many *edible mushrooms* from the forest. For supper we will prepare fried mushrooms in sour cream.
5. Father came home from work angry, but after his conversation with you, he was kindness itself. How did you manage *to pacify [lubricate]* him?

МАХ[66] (маш[8]) *flap, wave*

1. Дочу́рка *ма́шет* мне руко́й.
1. Пти́ца *взмахну́ла* кры́льями и полете́ла.
2. Почи́сти ковёр и *смахни́* пыль с ме́бели.
2. Полице́йский стреля́л в престу́пника, но *промахну́лся*, и престу́пник убежа́л.
3. Хоте́лось *помаха́ть* на проща́ние друзья́м, прише́дшим нас провожа́ть, но по́езд бы́стро тро́нулся, и я успе́ла *махну́ть* руко́й то́лько оди́н раз. Друзья́ в отве́т то́же *замаха́ли*, из окна́ ваго́на нам бы́ли видны́ *взма́хи* их рук.
3. В саду́ жа́рко, прихо́дится *обма́хивать* лицо́ платко́м, да ещё на́до *отма́хиваться* от комаро́в, кото́рые лета́ют вокру́г.
4. Как ты си́льно вы́рос—*вы́махал* ро́стом под два ме́тра!
4. Реше́ние бро́сить учёбу в университе́те—не про́сто *прома́шка*, а, мо́жет быть, са́мый большо́й *про́мах* в жи́зни моего́ това́рища.
5. У знамени́того арти́ста гро́мкий го́лос, *разма́шистые* жёсты, весёлый смех.
5. Не *зама́хивайся* на то, что ты не смо́жешь сде́лать, ставь пе́ред собо́й исполни́мые це́ли.

1. [My] little daughter *waves* her hand at me.
1. The bird *flapped* its wings and flew off.
2. Clean the carpet and *brush* the dust off the furniture.
2. The policeman shot at the criminal but *missed*, and the offender got away.
3. I wanted *to wave* goodbye to our friends who came to send us off, but the train started up quickly and I managed *to wave* my arm only once. In response our friends also *began to wave*. Through the window we could see them *waving* their arms.
3. It is hot in the garden. I'll have *to fan* my face with a handkerchief. I'll also have *to shoo away* the mosquitos that are flying around.
4. How much you have grown! You've *shot up* to just under two meters in height!
4. The decision to drop out of the university was not simply a *minor mistake*, but perhaps the biggest *blunder* of my friend's life.
5. The renowned artist has a loud voice, *sweeping* gestures, and a cheerful laugh.

5. Don't *strain to attain* what you cannot accomplish–set attainable goals for yourself.

МГ² (миг²³) [for ми¹² see truncation rule 2] *blink*

1. Когда́ он не́рвничает, он всегда́ *мига́ет*.
2. Дава́йте игра́ть в гляде́лки: победи́т тот, кто до́льше смо́жет не *мига́ть*.
3. *Замига́л* ого́нь светофо́ра—зна́чит к ста́нции подхо́дит ско́рый по́езд. По́езд бы́стро *мину́ет* ма́ленькое зда́ние вокза́ла. Че́рез *мгнове́ние* на ста́нции опя́ть всё ти́хо. То́лько *перемиѓиваются* кра́сные огни́ светофо́ров.
4. Де́душка ве́село *подмигну́л* вну́кам, и они́ по́няли, что их ждёт сюрпри́з.
4. Ка́жется, что мы бы́ли вме́сте не час, а всего́ *мгнове́ние*. Тяжело́ ду́мать о *неминуе́мой* разлу́ке, кото́рая у нас впереди́.
5. Я пришёл че́рез не́сколько мину́т по́сле того́, как ты ушёл, не понима́ю, как мы могли́ *размину́ться*?

1. When he's nervous, he always *blinks*.
2. Let's play the staring game. The one who can go longer without *blinking* wins.
3. The signal light *started blinking*. This means that an express train is approaching the station. The train quickly *passes* the small building of the train station. After a *moment*, everything at the station is quiet again. Only the red lights of the signal *blink on and off*.
4. Grandpa merrily *winked slyly* at his grandchildren, and they understood that a surprise awaited them.
4. It seems like we have been together not for an hour, but only for a *moment*. It is difficult to think about the *inevitable* separation which awaits us.
5. I came a few minutes after you left. I don't understand how we could have *missed one other*.

МЕДЛ¹⁹ *slow*

1. Стари́к идёт *ме́дленно* и осторо́жно.
2. Меня́ раздража́ют *медли́тельные* лю́ди, я люблю́ всё де́лать бы́стро!
3. Же́нщина бы́стро перехо́дит че́рез доро́гу, пото́м *замедля́ет* шаги́ и нереши́тельно подхо́дит к две́ри до́ма. Она́ *ме́длит* не́сколько мину́т, но, *поме́длив*, всё-таки реша́ет постуча́ть.
4. Вы серьёзно больны́, на́до *незамедли́тельно* де́лать опера́цию.
5. Необходи́мо де́йствовать мгнове́нно, *промедле́ние* мо́жет сто́ить нам жи́зни.

1. The old man is walking *slowly* and carefully.
2. *Sluggish* people irritate me. I like to do everything quickly!
3. The woman quickly crosses the road, then *slows* her pace and indecisively walks up to the door of the house. She *hesitates* several minutes, but, *after hesitating a little*, decides to knock after all.
4. You are seriously ill; you need to have an operation *without delay*.
5. It is necessary to act instantly. *Delay* could cost us our lives.

МЕЖ⁶² (межд²) *division between*

1. *Межа́* разделя́ет моё по́ле и по́ле сосе́да.
2. *Ме́жду* на́шими встре́чами прошёл большо́й *промежу́ток* вре́мени.
3. За́втра бу́дем *размежёвывать* поля́ двух сосе́дей. Их зе́мли *сме́жные*, то́чную ста́рую грани́цу тру́дно установи́ть, поэ́тому бу́дем *перемежёвывать* за́ново.
4. О́чень неусто́йчивая пого́да: со́лнце *впереме́жку* с дождём, а дождь то и де́ло *перемежа́ется* сне́гом.
5. У твоего́ дру́га больши́е неприя́тности, тебе́ на́до поскоре́е *отмежева́ться* от него́, ина́че мо́жешь пострада́ть и ты.

1. The *boundary* divides my field from my neighbor's field.
2. A long *period* of time has passed *between* our meetings.
3. Tomorrow we will *divide* the fields of two neighbors. Their lands are *adjacent*, but the exact, original boundary is hard to determine, so we will *redivide* it all over again.
4. The weather is very erratic. The sun shines *alternately* with rain, and rain *every now and then alternates* with snow.

5. Your friend has big troubles. You need *to distance yourself* from him immediately; otherwise, you could suffer, too.

МЕН[129] *change*

1. Я не ви́дел тебя́ три го́да, но ты совсе́м не *измени́лся*!

1. Что́бы шко́льники могли́ немно́го отдохну́ть и перейти́ из одно́й кла́ссной ко́мнаты в другу́ю, ме́жду уро́ками есть *переме́ны* на де́сять-пятна́дцать мину́т.

2. Дай мне твой каранда́ш, *взаме́н* я дам тебе́ свою́ ру́чку. Тебе́ нра́вится тако́й *обме́н*?

2. В расписа́нии заня́тий произошло́ *измене́ние*—за́втра уро́к начнётся не в во́семь часо́в, а в де́вять.

3. По́сле войны́ в стране́ го́лод, лю́ди *меня́ют* ве́щи на хлеб. Сего́дня я *вы́меняла* немно́го хле́ба на ма́мино золото́е кольцо́.

3. В 1861 году́ в Росси́и произошла́ *отме́на* крепостно́го пра́ва, что внесло́ *переме́ны* в жизнь всех гра́ждан, привело́ к постепе́нной *сме́не* экономи́ческого стро́я.

4. *Бессме́нный* ли́дер на́шей волейбо́льной кома́нды—капита́н. Невозмо́жно предста́вить *заме́ну* его́ други́м игроко́м.

4. Я до́лжен на не́сколько дней уе́хать, ты не смог бы меня́ *подмени́ть* на рабо́те?

4. Молодо́й арти́ст *променя́л* тру́дную, но интере́сную тво́рческую рабо́ту на бы́стрый дешёвый успе́х и больши́е де́ньги.

5. *Непреме́нное* усло́вие норма́льного разви́тия ребёнка—любо́вь и забо́та взро́слых.

5. Успе́х в дела́х у него́ не постоя́нный, а *переме́нный*: иногда́ уда́ча *сменя́ется* по́лным прова́лом.

5. В косми́ческих иссле́дованиях *применя́ются* откры́тия учёных ра́зных стран. *Примене́ние* достиже́ний нау́чной мы́сли всего́ челове́чества ускоря́ет ход иссле́дований.

1. I have not seen you for three years, but you haven't *changed* at all!

1. In order for the school children to rest a little and get from one classroom to another, there is a ten- or fifteen-minute *recess* between classes.

2. Give me your pencil. *In return* I'll give you my pen. Are you pleased with the *exchange*?

2. A *change* occurred in the class schedule. Tomorrow, class will begin not at eight, but at nine.

3. After the war, there is famine in our country. People *are exchanging* things for bread. Today I *exchanged* Mom's gold ring for a little bread.

3. In 1861, the *abolition* of serfdom took place in Russia. This brought about *changes* in the lives of all citizens. It led to a gradual *replacement* of the economic structure.

4. The captain is the *permanent* leader of our volleyball team. It is impossible to imagine *replacing* him with another player.

4. I have to leave for a few days. You wouldn't be able *to substitute* for me at work, would you?

4. The young artist *exchanged* difficult, but interesting creative work for immediate, cheap success and big money.

5. The *essential* condition for normal development of a child is love and concern of adults.

5. Success in his activities is not consistent, but *sporadic*. Sometimes his success *gives way* to complete failure.

5. In space research, discoveries of scientists from various countries *are applied*. The *application* of achievements in scientific thought of all humanity accelerates the pace of research.

МЕН[26] *less*

1. На́до *ме́ньше* смотре́ть телеви́зор, а бо́льше чита́ть.

2. Мы не ви́делись *ме́нее* двух ме́сяцев, а ты меня́ совсе́м забы́л.

3. Экономи́ческое положе́ние в стране́ тру́дное, и я не хочу́ *преуменьша́ть* тру́дности. Но всё-таки есть и успе́хи, наприме́р, *уме́ньшилось* коли́чество безрабо́тных, а та́кже происхо́дит *уменьше́ние* цен на проду́кты.

4. По́сле голосова́ния вы́яснилось, что мы оста́лись в *меньшинстве́* и на́ше предложе́ние не при́нято.

5. Росси́йская социа́л-демократи́ческая па́ртия раздели́лась на большевико́в и *меньшевико́в*. *Меньшеви́зм* сыгра́л свою́ истори́ческую роль в разви́тии Росси́и.

1. You need to watch television *less* and read more.
2. It has been *less* than two months since we have seen each other and you've completely forgotten me.
3. The economic situation in our country is grave. I don't want *to downplay* the difficulties, but, all the same, there are also successes. For example, the number of those unemployed *has decreased*, and there is a *decrease* in the prices for food.
4. After the voting, it became clear that we remained in the *minority* and that our proposal was not accepted.
5. The Russian Social-Democratic party was divided into the Bolsheviks and the *Mensheviks. Menshivism* played its own historical role in the development of Russia.

МЕР[133] *measure*

1. В исто́рии мно́го *приме́ров* гениа́льной одарённости. *Наприме́р*, все зна́ют о прекра́сной му́зыке, кото́рую писа́л ребёнок-Мо́царт.
1. Жизнь в ма́леньком городке́ идёт ме́дленно и *разме́ренно*. Ничто́ не наруша́ет *ме́рный* ритм жи́зни.
2. Я *изме́рил* длину́ ко́мнаты, она́ составля́ет *приме́рно* 5 ме́тров, мо́жет быть, немно́го бо́льше и́ли ме́ньше.
2. Нет *ме́ры* го́рю люде́й, страда́ющих во вре́мя войны́, э́то го́ре *безме́рно*.
3. Хоте́лось бы пове́сить на о́кна но́вые што́ры—пожа́луйста, *заме́рь разме́ры* о́кон. На́до то́чно *вы́мерить* длину́ и высоту́, *сме́рить* ка́ждое окно́. По́сле э́того я бу́ду знать, ско́лько мате́рии продавцу́ на́до *отме́рить* для штор.
3. Что́бы сшить пла́тье, мне на́до знать твою́ *ме́рку*. Посто́й споко́йно, я тебя́ *обме́рю*, узна́ю твой *разме́р*, и че́рез неде́лю пла́тье бу́дет гото́во к пе́рвой *приме́рке*.
4. Оте́ц *намерева́лся* лиши́ть сы́на вся́ких развлече́ний на неде́лю за плохи́е оце́нки в шко́ле, но пото́м отказа́лся от э́того *наме́рения*.
4. *Непоме́рную* тя́жесть разочарова́ний, обма́нов и оби́д испыта́ла э́та же́нщина за до́лгую жизнь.
5. Твой друг тала́нтливый челове́к, но его́ самолю́бие и гру́бость, к сожале́нию, *соизмери́мы* с его́ тала́нтом. Поэ́тому я не люблю́ встреча́ться с ним.
5. Всегда́ и во всём оте́ц соблюда́ет *уме́ренность*. *Чрезме́рность* в чу́вствах и́ли посту́пках его́ пуга́ет и отта́лкивает.

1. There are many *examples* of brilliant giftedness throughout history. *For example*, everyone knows of the beautiful music the boy Mozart wrote.
1. Life moves slowly and *predictably [measuredly]* in a small town. Nothing disturbs the *steady* rhythm of life.
2. I *measured* the length of the room. It measures *approximately* five meters–maybe a little more or less.
2. There is no *limit* to the grief of those who suffer during a war. This grief is *immeasurable*.
3. I would like to hang new blinds on the window. Please *measure* the *size* of the windows. You need *to measure* their length and height exactly. *Measure* each window. After that I will know how much material the salesman will have *to measure off* for the curtains.
3. In order to sew the dress, I need to know your *measurements*. Stand still, I *will measure* you. I will find out your *size*, and in a week the dress will be ready for your first *fitting*.
4. The father *was intending* to deprive his son of all free time activities for a week because of his bad grades in school. However, he later abandoned this *intention*.
4. This woman experienced an *inordinate* burden of disappointment, deceitfulness, and insult during her long life.
5. Your friend is a talented person, but his pride and rudeness, unfortunately, are *commensurable* with his talent. That's why I don't like to meet with him.
5. Father always and in everything observes *moderation*. *Excesses* of feeling or actions frightens and repulses him.

МЕС[43] (меш[66]) *mix*

1. Э́то чи́стая гли́на, в ней нет никаки́х *при́месей*.

2. Я вспомина́ю о тебе́ со *сме́шанным* чу́вством—в нём есть и любо́вь, и оби́да.

3. Нале́й чай, доба́вь немно́го молока́, *помеша́й*. Пото́м насы́пь са́хару и хорошо́ *размеша́й*.

3. Ба́бушка *замеси́ла* те́сто на пироги́. Че́рез не́сколько часо́в она́ *подмеси́ла* в него́ немно́го муки́ и хороше́нько *вы́месила* его́. *Меси́ть* те́сто—нелёгкое де́ло, оно́ тре́бует уме́ния.

4. Не сто́ит *вме́шиваться* в чужи́е дела́, тако́е *вмеша́тельство* мо́жет то́лько осложни́ть ситуа́цию.

5. Диа́гноз больно́го—у́мственное *помеша́тельство*. Придётся его́ отпра́вить в больни́цу для *поме́шанных*.

5. От волне́ния актёр *смеша́лся* и забы́л слова́ ро́ли. К сча́стью, его́ *замеша́тельство* дли́лось недо́лго.

  1. This is a pure clay. There are no *admixtures* in it.
  2. I remember you with *mixed* feelings–with both love and offense.
  3. Pour the tea, add a little milk, and *stir*. Then sprinkle in some sugar and *mix* it *up* well.
  3. Grandma *mixed up* the pastry dough. After several hours she *mixed* in a little flour and *kneaded* it thoroughly. *Kneading* dough is not an easy thing. It requires skill.
  4. It's not a good idea *to meddle in* others' affairs. Such *interference* can only complicate the situation.
  5. The patient's diagnosis is mental *disturbance*. He must be sent to a hospital for *mental patients*.
  5. Due to his nervousness, the actor *became confused* and forgot the words of his part. Fortunately, his *confusion* did not last long.

МЕСТ[68] (мещ[41]) *place*

1. *Ме́стность*, в кото́рой живу́т ба́бушка и де́душка, о́чень краси́вая: лес, река́, широ́кое по́ле.

1. Я зна́ю всех жи́телей на́шей дере́вни, но тебя́ ви́жу впервы́е, зна́чит ты не *ме́стный*, а прие́зжий.

2. Нача́льник на ме́сяц уе́хал в командиро́вку, *вме́сто* него́ рабо́тает *замести́тель*, кото́рый бу́дет *замеща́ть* нача́льника в тече́ние э́того вре́мени.

2. Мы с интере́сом следи́ли за *перемеще́ниями* птиц в во́здухе.

3. Заво́д—*совме́стное* росси́йско-францу́зское предприя́тие. Он располо́жен в о́чень хоро́шем *ме́сте*—ти́хом *предме́стье* большо́го го́рода. Заво́д прино́сит большо́й дохо́д, так что вся́кие сомне́ния в успе́хе предприя́тия *неуме́стны*.

3. *Вмести́мость* ко́мнаты—со́рок челове́к. Коне́чно, пятьдеся́т челове́к то́же мо́гут *вмести́ться*, но бу́дет о́чень те́сно. А пятьдеся́т пять челове́к ника́к не смо́гут *размести́ться* в э́той ко́мнате. На́до найти́ друго́е *помеще́ние*, бо́льшего разме́ра.

4. Урага́н разру́шил дом, но госуда́рство *возмести́ло* семье́ убы́тки. Пра́вда, *возмеще́ние* бы́ло не по́лным, а части́чным.

4. Бра́ту прихо́дится *совмеща́ть* учёбу в университе́те с рабо́той в кафе́.

5. В ста́рые времена́ дворя́не в Росси́и бы́ли служи́лыми и *поме́стными*. Служи́лое дворя́нство состоя́ло на госуда́рственной слу́жбе, а *поме́стное* (и́ли *поме́щики*) владе́ло зе́млями, леса́ми, уго́дьями.

5. У неё соверше́нно нет духо́вных интере́сов, её волну́ют то́лько де́нежные расчёты, она́ настоя́щая *меща́нка*, понима́ет смысл жи́зни *по-меща́нски*.

  1. The *area* in which my grandmother and grandfather live is very beautiful. (They live near) a forest, a river, and a big field.
  1. I know all the residents of our village, but this is the first time I have seen you. You must not be a *local*, but a visitor.
  2. The supervisor went away on an assignment for a month. A *substitute* is working *in* his *place* who will *substitute* for the supervisor during this time.
  2. We followed with interest the birds' *realigning* themselves in the air.
  3. The factory is a *joint* Russian-French enterprise. It is situated in a very good *place* – the quiet *outskirts* of a large city. The factory generates a great deal of revenue, so any doubt about the success of the enterprise is *unwarranted [out of place]*.
  3. The *capacity* of the room is forty persons. Of course, fifty people could also *fit*, but it would be very crowded. But there's not way that fifty-five people could *be crammed* in this room. You've got to find

another *accommodation* of larger size.

4. The hurricane destroyed the house, but the government *compensated* the family's losses. True, the *compensation* was not full, but partial.

4. My brother has *to combine* study at the university with work at a café.

5. In olden times, the nobility in Russia were courtiers and *landowners*. The courtier nobility occupied posts in government service, while the *landed gentry* (or *landowners*) possessed land, forests, and other resources.

5. She has absolutely no spiritual interests. She is concerned only with monetary considerations. She is a real *Philistine [banal, crass person]*, and has a *Philistine* understanding of the meaning of life.

МЕТ[85] (мёт[54]) [for мес[17] see truncation rule 5] *hurl, sweep*

1. В соревнова́ниях уча́ствуют *мета́тели* копья́. *Мета́ние* копья́—популя́рный вид спо́рта.

2. Ребёнок до́лго не мог засну́ть, воро́чался и сейча́с спит, *размета́вшись* на крова́ти.

2. Снача́ла *домети́* коридо́р до конца́, а пото́м *вы́мети* му́сор из ко́мнаты.

3. Пошёл снег, поду́л ве́тер—начала́сь *мете́ль*. Небольша́я *мете́лица* зимо́й прия́тна, но сего́дня си́льный ве́тер *метёт* снег в лицо́, *намета́ет* больши́е сугро́бы по сторона́м доро́ги, *смета́ет* на го́лову ку́чи сне́га с крыш домо́в. Ве́тер *взмета́ет* снег вверх, все доро́ги *заметены́*—ни пройти́, ни прое́хать.

3. У́тром хозя́йка большо́й *метло́й подмела́* двор, *размела́* в сто́роны ли́стья с доро́жек. *Метёный* двор вы́глядел чи́стым и аккура́тным. Зате́м она́ навела́ поря́док в до́ме и ма́ленькой *метёлкой обмела́* пыль с ме́бели, вла́жной тря́почкой протёрла все *предме́ты*, стоя́вшие на ками́не.

4. Сестра́ соверши́ла *опроме́тчивый* посту́пок, когда́ вы́шла за́муж за челове́ка, кото́рого пло́хо зна́ла. Тепе́рь она́ распла́чивается за свою́ *опроме́тчивость* несчастли́вой семе́йной жи́знью.

4. В стра́шном волне́нии же́нщина не находи́ла себе́ ме́ста и *мета́лась* по ко́мнате. Вот она́ *метну́лась* к окну́, пото́м—к две́ри.

5. Анони́мное письмо́, в кото́ром соде́ржится компромети́рующая и́ли шантажи́рующая информа́ция, называ́ют *подмётным*.

1. Javelin *throwers* participated in the competition. The javelin *throw* is a popular sport.

2. The child could not fall asleep for a long time, tossing and turning. He is sleeping now, *having sprawled* out on the bed.

2. First *finish sweeping* the whole hall, then *sweep* the trash *out* of the room.

3. It started to snow, the wind began to blow, and a *blizzard* began. A little *snow storm* in the winter is nice, but today the strong wind *flings* snow in my face, *heaves* snow drifts onto the side of the road, and *sweeps down* piles of snow onto my head from rooftops of the buildings. The wind *blows up* clouds of snow, and all the roads *are covered*. You can't walk or drive through on them.

3. This morning the lady of the house *swept* the courtyard with a large *broom* and *swept* aside the leaves from the walkways. The *swept* courtyard appeared clean and neat. She then put the house into order. With a small *brush* she *dusted* off the furniture, and with a damp cloth she wiped over all the *items* standing on the fireplace.

4. My sister committed a *rash* act when she married a person she hardly knew. Now she is paying for her *rashness* with an unhappy family life.

4. In terrible agitation the woman could not settle down [find herself a place], so she *bustled* around the room. She *darted* to the window, then to the door.

5. An anonymous letter in which compromising or blackmailing information is contained is called an *anonymous [hurled from under]* letter.

МЕТ[44] (меч[22]) *take note of*

1. Ты стреля́ешь *ме́тко*, попада́ешь то́чно в цель.

2. В *примеча́ниях* к нау́чной статье́ даётся дополни́тельная информа́ция.

3. Но́вый сотру́дник я́вно *ме́тит* на ме́сто нача́льника: он стара́ется не про́сто хорошо́ рабо́тать, а рабо́тать так, что́бы э́то *заме́тили*, хо́чет, что́бы все *отме́тили*, како́й он у́мный и зна́ющий. Он

подмеча́ет все си́льные и сла́бые сто́роны хара́ктеров колле́г и уме́ло по́льзуется э́тим. Любо́е *замеча́ние* он выслу́шивает с таки́м ви́дом, как бу́дто он слы́шит не́что в вы́сшей ме́ре *примеча́тельное*.

4. Худо́жники-передви́жники оста́вили *заме́тный* след в исто́рии ру́сского изобрази́тельного иску́сства.
5. В больши́х худо́жественных музе́ях храня́тся *несме́тные* худо́жественные це́нности.

1. You shoot *accurately*. You hit right on target.
2. In the *notes* to the scientific article, additional information is given.
3. The new employee clearly *has his sights* on the position of supervisor. He tries not only to work well, but to work in such a way that it is *noticed*. He wants everyone to *recognize* how clever and knowledgeable he is. He *observes* all the strong and weak sides of his colleagues' characters and skillfully utilizes his observations. He listens to any *comment* with a look as if he is hearing something *remarkable* in the highest degree.
4. The Peredvizhniki [artists displaying their art through traveling exhibitions] left a *noticeable* mark on the history of Russian representational art.
5. *Countless* artistic treasures are kept in large art museums.

МЗД¹ (мезд⁴); МСТ⁷ (мест⁴, мещ³, мщ³) *retribution*

1. В фи́льме геро́й *мстит* за уби́йство жены́ и дете́й.
2. Мы не зна́ли, что наш друг—*мсти́тельный* челове́к, кото́рый не проща́ет да́же ма́ленькой оби́ды и стара́ется *отомсти́ть* за неё.
3. *Месть* за оби́ду ста́ла це́лью его́ жи́зни. Ка́ждую мину́ту он ду́мал об *отмще́нии*, о том, како́е стра́шное *возме́здие* ожида́ет его́ враго́в.
4. Мне не нужны́ де́ньги, я передаю́ карти́ну в музе́й *безвозме́здно*.
5. Зло́бу на люде́й сосе́д *вымеща́ет* на соба́ке—бьёт бе́дное живо́тное.

1. In the film, the hero *avenges* the murder of his wife and children.
2. We did not know that our friend was a *vindictive* person who doesn't forgive even a small offence, but tries *to avenge* it.
3. *Revenge* for the offense became the goal of his life. Every minute he thought about *vengeance*, about what terrible *retribution* awaited his enemies.
4. I do not need money. I am giving the picture to the museum *free of charge*.
5. Our neighbor *takes out* his malice toward people on his dog. He beats the poor animal.

МИЛ³⁸ *nice*

1. Ребёнок тако́й *ми́лый*, до́брый и симпати́чный! Его́ роди́тели—*миле́йшие* лю́ди.
2. По́сле до́лгих просьб она́ *сми́лостивилась* и согласи́лась пообе́дать с на́ми.
3. Невозмо́жно смотре́ть на ма́леньких дете́й без *умиле́ния*. Взро́слых *умиля́ет* ка́ждое движе́ние малыша́. Осо́бенно *умили́тельны* пе́рвые попы́тки ходи́ть.
4. По́сле вынесе́ния пригово́ра престу́пник проси́л о *поми́ловании*. Мо́жно ли быть *ми́лостивым* к уби́йце и *поми́ловать* его́?
5. Недалеко́ от до́ма стоя́л ни́щий и проси́л *ми́лостыню*.

1. The child is so *sweet*, kind, and likeable! His parents are the *nicest* people.
2. After repeated [long] requests she *relented* and agreed to have dinner with us.
3. It is impossible to look at small children without *endearment*. Every movement of a child *endears* him to grown-ups. Especially *endearing* are the first attempts to walk.
4. After the sentence was pronounced, the criminal asked for *mercy*. Is it possible to be *merciful* to a murderer and *pardon* him?
5. Not far from the building there stood a beggar asking for *alms*.

МИР⁷⁰ *peace; world*

1. За после́дний год я объе́хал весь *мир*.

2. Де́ти шу́мно игра́ли, но узна́в, что мать отдыха́ет, *присмире́ли* и ста́ли *сми́рно* чита́ть кни́гу.

3. Наро́ды уста́ли от войны́. Вою́ющие стра́ны заключи́ли вре́менное *переми́рие*. Зате́м *мирова́я* война́ зако́нчилась. Стра́ны заключи́ли *ми́рный* догово́р. Прави́тельства, неда́вно бы́вшие *непримири́мыми* врага́ми, *помири́лись*.

4. Войска́ *усмиря́ют* восста́вших крестья́н. Вое́нные—безжа́лостные и жесто́кие *усмири́тели*.

5. Мона́хи ухо́дят от *мирско́й* жи́зни в монасты́рь. Они́ веду́т *смире́нную* жизнь служи́телей ве́ры. *Смире́ние*—их гла́вное ка́чество.

    1. Over the past year I traveled around the whole *world*.

    2. The children played noisily. When they realized that their mother was resting, however, they *calmed down* and began to read a book *quietly*.

    3. The nations were tired of war. The warring countries entered into a temporary *truce*. After that, the *world* war ended. The countries concluded a *peace* treaty. The governments, which not long previously had been *irreconcilable* enemies, *made peace*.

    4. Military forces *are suppressing* the mutinous peasants. Soldiers are merciless and cruel *suppressers*.

    5. Monks leave the *worldly* life behind to go to the monastery. They lead the *humble* life of servants of their faith. *Humility* is their main quality.

МК[14] (мок[1], моч[7], мык[28], мыч[12]) *adhere*

1. Дверь закры́та на ма́ленький *замо́чек*.

2. Вор мо́жет *отомкну́ть* замо́к без ключа́, потому́ что у него́ есть *отмы́чка*.

2. К на́шему до́му *примыка́ет* краси́вый парк.

3. Ка́ждый ве́чер слуга́ пло́тно *смыка́ет* две полови́ны две́ри. Они́ не мо́гут *разомкну́ться*, потому́ что слуга́ *замыка́ет* дверь на ключ.

4. Мой това́рищ—*за́мкнутый* челове́к. Его́ вну́тренний мир открыва́ется, когда́ он берёт в ру́ки *смычо́к* и скри́пку.

4. Всю жизнь бе́дная же́нщина *мы́калась* по чужи́м лю́дям, никогда́ у неё не́ было ни ра́дости, ни поко́я.

5. Муж до́лгие го́ды *помыка́л* свое́й несча́стной жено́й, заставля́л её *пресмыка́ться* пе́ред ним.

5. Лови́те во́ра! Он *умыкну́л* мою́ ло́шадь!

    1. The door is held fast with a tiny little *padlock*.

    2. The thief can *open* the *lock* without the key because he has a *skeleton key*.

    2. A beautiful park *adjoins* our building.

    3. Every evening the servant tightly *fastens* the two halves of the door. They cannot *become unfastened* because the servant *locks* the door with a key.

    4. My friend is a *reserved* person. His inner world opens up when he takes a *bow* and violin into his hands.

    4. Her whole life the poor woman *wandered* among strangers. She had neither happiness nor peace.

    5. For many long years the husband *ordered about* his unhappy wife, forcing her *to grovel* in front of him.

    5. Catch the thief! He's *swiped* my horse!

МН[26] (мин[27], мя[6]) *recall*

1. Коне́чно, я хорошо́ *по́мню* на́шу встре́чу!

2. *Воспомина́ния* о мо́лодости прия́тны пожилы́м лю́дям.

3. Я не *сомнева́лась*, что твой знако́мый—неприя́тный челове́к, но по́сле того́, как я узна́ла его́ лу́чше, моё *мне́ние* о нём ре́зко измени́лось. Э́то *напо́мнило* мне о том, как легко́ *мни́мое* приня́ть за действи́тельное, как ва́жно во́время *опо́мниться*, *вспо́мнить*, что ты не лу́чше други́х, *запо́мнить* э́то навсегда́ и никогда́ не суди́ть люде́й.

3. Неде́лю наза́д ба́бушка реши́ла пойти́ к врачу́, но в её во́зрасте тру́дно всё *запо́мнить*, поэ́тому мне пришло́сь *напо́мнить* ей о встре́че с врачо́м. Она́ была́ о́чень благода́рна за моё *напомина́ние*.

4. Он с трудо́м *припомина́л* лицо́ же́нщины, кото́рую не ви́дел де́сять лет.

4. В стари́нных ру́сских ле́тописях мо́жно встре́тить *упомина́ния* обо всех ва́жных истори́ческих

собы́тиях того́ вре́мени. *Упомя́нуты* во́йны, би́твы, наше́ствия.

5. По́сле похоро́н в Росси́и обяза́тельно устра́ивают *помѝнки* по поко́йнику. *Помина́льный* обря́д включа́ет специа́льный обе́д, когда́ лю́ди собира́ются за столо́м, чтобы *помяну́ть* уме́ршего, *вспомяну́ть* его́ до́брым сло́вом.

5. По́сле боле́зни оте́ц стал о́чень *мни́тельным*: ему́ всё вре́мя ка́жется, что у него́ что́-то боли́т.

1. Of course, I *remember* our meeting well!
2. *Recollections* of youth are pleasant to elderly people.
3. I *had* no *doubt* that your acquaintance was an unpleasant person, but after I got to know him better, my *opinion* of him changed drastically. It *reminded* me how easy it is to take the *presumed* for the actual, and how important it is *to come to your senses* in time and *remember* that you are no better than other people. You must always *remember* this and never judge anyone.
3. A week ago, Grandma decided to go to the doctor. At her age, however, it is hard *to remember* everything, so I had *to remind* her about her appointment with the doctor. She was very grateful for my *reminder*.
4. With difficulty he *recollected* the face of the woman whom he had not seen for ten years.
4. In ancient Russian chronicles, one may find *references* to all the important historical events of the time. Wars, battles, and invasions *are mentioned*.
5. After a funeral in Russia, a *funeral repast* is always arranged in honor of the deceased. The *memorial* ceremony includes a special meal when people gather around a table *to honor* the dead person. They *memorialize* him with kind words.
5. After his illness, my father became a *hypochondriac*. It always seems to him that something hurts.

МНОГ⁷ (множ³⁸) *much*

1. По́сле о́тдыха ты *намно́го* лу́чше вы́глядишь.
2. Го́сти *понемно́гу* расходи́лись, и в до́ме станови́лось ти́хо.
3. В математи́ческой зада́че ну́жно *помно́жить* пе́рвое число́ на второ́е. По́сле того́, как ты *перемно́жишь* э́ти чи́сла, *умно́жь* полу́ченное число́ на два.
4. Учёные-зооло́ги иссле́довали зако́ны *размноже́ния* живо́тных.
5. Де́ти *приумно́жили* капита́л, оста́вленный им в насле́дство, и ста́ли о́чень бога́тыми людьми́.

1. After your rest you look *much* better.
2. The guests *gradually* dispersed, and it became quiet in the house.
3. In the math problem it is necessary *to multiply* the first number by the second. After you *have multiplied* the numbers, *multiply* the resulting number by two.
4. The zoologists were researching the laws of animal *reproduction*.
5. The children *increased* the capital left to them as an inheritance and became very rich people.

МОГ²⁸ (мож⁹, моч¹⁴, мощ⁹) ~~strength~~ Power

1. Я бы́стро зако́нчила рабо́ту, потому́ что у меня́ бы́ли прекра́сные *помо́щники*.
2. Вы не ска́жете, какова́ *мо́щность* дви́гателя но́вой маши́ны?
3. Ма́ленькая страна́ захва́чена а́рмией бо́лее *могу́щественного* сосе́днего госуда́рства. Одна́ко *могу́щество* сосе́дней держа́вы не *помогло́* ей покори́ть наро́д ма́ленькой страны́. *Изнемога́я* от угнете́ния, наро́д не чу́вствовал себя́ *беспо́мощным*. *Превозмога́я* страх и угро́зы, лю́ди поднима́лись на борьбу́.
4. Ве́чером мать *занемогла́*: подняла́сь температу́ра, боле́ла голова́. *Недомога́ние* чу́вствовалось и на сле́дующий день. *Возмо́жно*, мать серьёзно заболе́ла.
5. Сын не хо́чет рабо́тать, де́ньги на жизнь *вымога́ет* у бе́дной ма́тери, кото́рой и само́й тяжело́ живётся. Како́й позо́р—взро́слый и здоро́вый мужчи́на существу́ет за счёт *вымога́тельств*!

1. I finished the work quickly because I had excellent *assistants*.
2. Tell me, what *horsepower* does the new car's engine have?
3. The small country was captured by the army of a more *powerful* neighboring state. However, the *strength* of the neighboring power did not *help* it subdue the people of the small country. (Although) *exhausted*

from oppression, the people did not feel *helpless*. *Overcoming* fear and threats, the people were rising up to fight.

4. In the evening, Mother *felt unwell*. Her temperature rose and her head hurt. She felt *indisposed* the following day as well. It is *possible* that Mother is seriously ill.

5. The son does not want to work. He *extorts* his living expenses from his poor mother, who herself has a hard time getting by. What a disgrace–a grown and healthy man living by *extortion*!

МОК⁴⁶ (моч⁵⁸, мач³¹) *wet*

1. Ло́шадь скака́ла так бы́стро, что си́льно *взмо́кла*.

2. У сы́на высо́кая температу́ра, мать *смочи́ла* полоте́нце холо́дной водо́й и положи́ла *примо́чку* ему́ на лоб.

3. Пошёл си́льный дождь, у́лицы мгнове́нно ста́ли *мо́крыми*, *размо́кли* доро́жки в па́рке, *намо́кла* листва́ на дере́вьях. Мои́ боти́нки бы́стро *промо́кли*, и я *промочи́л* но́ги. Хотя́ на мне был *непромока́емый* плащ, он не спас меня́, и я соверше́нно *вы́мок*, пока́ дошёл до до́ма. До́ма я посмотре́л в окно́ и уви́дел, что го́род всё ещё *мок* под дождём.

4. По́сле рабо́ты оте́ц лю́бит приня́ть горя́чий душ, до́лго трёт те́ло намы́ленной *моча́лкой*. Ему́ всегда́ удаётся си́льно *замочи́ть* пол в ва́нной, но ма́ма не се́рдится на него́.

5. Все узна́ли о том, что в про́шлом наш сосе́д соверши́л о́чень дурно́й посту́пок, и тепе́рь у него́ *подмо́ченная* репута́ция.

1. The horse galloped so swiftly that it *became bathed* [in sweat].

2. The son has a high temperature. His mother *moistened* a towel with cold water and placed the *moistened cloth* on his forehead.

3. A hard rain began, and the streets immediately became *wet*. The paths in the park *were soaked*, and the foliage of the trees *became drenched*. My boots quickly *got soaked through* and my feet *got wet*. Although I had a *waterproof* jacket on, it did not save me, and I *got* completely *drenched* by the time I reached home. At home I looked out the window and saw that the city *was* still *getting soaked* by the rain.

4. After work, Dad likes to take a hot shower. He scrubs his body for a long time with a soapy *sponge*. He always manages *to get* the floor in the bathroom soaking *wet*, but Mom does not get angry at him.

5. Everyone found out that, in the past, our neighbor did something very bad. Now he has a *sullied* reputation.

МОЛ³¹ (мал¹⁹, мел⁶⁴) *grind up*

1. На́до доба́вить в сала́т немно́го со́ли и *мо́лотого* пе́рца.

2. На *ме́льнице ме́льник* за́втра бу́дет *моло́ть* зерно́.

3. Что́бы получи́ть пшени́чную муку́, на́до *размалывать* зёрна пшени́цы. Для э́того необходи́мо не́которое вре́мя *перемалывать* их, что́бы *измоло́ть* как мо́жно *ме́льче*. *Смоло́в* зерно́, вы уви́дите, доста́точно ли хоро́ший *помо́л*, хорошо́ ли зерно́ *промоло́лось*.

3. С ка́ждым го́дом река́ *меле́ет*. Осо́бенно си́льно она́ *обмеле́ла* в про́шлом году́. На середи́не реки́ тепе́рь есть больша́я *мель*.

4. У меня́ с собо́й почти́ нет де́нег, то́лько кака́я-то *ме́лочь* в карма́не.

4. Э́то благоро́дный, не *ме́лочный* челове́к.

5. Когда́ брат стал шко́льником, он на́чал свысока́ относи́ться к мла́дшим бра́тьям и сёстрам и насме́шливо называ́л их *мелюзго́й*.

5. Вспо́мните исто́рию—каки́е грандио́зные чу́вства, каки́е благоро́дные посту́пки! Сейча́с не то— *измельча́ли* лю́ди!

1. You need to add little salt and *ground* pepper to the salad.

2. At the *mill* tomorrow the *miller will grind* grain.

3. In order to produce wheat flour, (you've) got *to grind* the wheat kernels. To do this, the kernels must *be milled* for some time in order *to grind* them *all up* as *finely* as possible. *After grinding* the grain *completely*, you check whether or not the *grist* is good enough–whether or not the grain *has been* sufficiently *ground*.

3. Each year the river *grows* more *shallow*. It *became* especially *shallow* last year. In the middle of the river there is now a big *sand bar*.

4. I have almost no money with me–only some *change* in my pocket.

4. This is a noble, not a *petty* person.

5. When my brother began going to school, he began to treat his younger brothers and sisters condescendingly, mockingly calling them *small fries*.

5. Remember our past history–what splendid feelings, what noble acts! Now it is not like that–people *have grown petty*.

МОЛ²⁸ (мал¹²) *plead*

1. Бабушка начинала день с *моли́твы*, говорила, что ей на́до *зама́ливать* грехи́.

2. В це́ркви идёт торже́ственный *моле́бен*. Ве́рующие пережива́ют осо́бенное *моли́твенное* состоя́ние.

3. Престу́пник *взмоли́лся* о поща́де, он *умоля́л* не казни́ть его́. Но ни *мольбы́*, ни *умоля́ющие* взгля́ды престу́пника не смягчи́ли се́рдце суде́й. Судья́ разреши́л престу́пнику *помоли́ться* пе́ред сме́ртью, по́сле чего́ престу́пник был казнён.

4. До́лгие го́ды я *выма́ливал* проще́ние у оскорблённого мной челове́ка.

5. *Неумоли́мо* идёт вре́мя, мы старе́ем, а на́ши де́ти расту́т и взросле́ют.

    1. Grandma began the day with *prayer*. She said that she needs *to plead for forgiveness* for her sins.

    2. In the church, a solemn *prayer service* is in progress. The believers are experiencing a special *prayerful* condition.

    3. The offender *pleaded* for mercy. He *implored* them not to execute him. But neither the *supplications* nor the *pleading* looks of the criminal softened the heart of the jurdge. The judge allowed the offender *to pray* before he died. After that, the criminal was executed.

    4. For many long years I *begged* forgiveness from the person whom I had insulted.

    5. Time passes *unrelentingly*. We grow old, and our children grow up and become adults.

МОЛВ¹⁷ *utter*

1. Ты всё вре́мя болта́ешь, не даёшь други́м сло́ва *мо́лвить*.

2. Сего́дня у нас *помо́лвка*, а че́рез ме́сяц—сва́дьба.

3. За весь ве́чер де́вушка *промо́лвила* всего́ не́сколько слов, е́ле *вы́молвила* своё и́мя. Во вре́мя сле́дующей встре́чи мне удало́сь *перемо́лвиться* с ней. В разгово́ре она́ случа́йно *обмо́лвилась*, что ка́ждый день хо́дит на прогу́лку, я по́нял, где я могу́ ви́деть её.

4. Но́чью в зи́мнем лесу́ цари́т *безмо́лвие*.

5. Мать прислу́шивается к твоему́ мне́нию, пожа́луйста, *замо́лви* за меня́ слове́чко, убеди́ её отпусти́ть меня́ на вечери́нку.

    1. You are always jabbering away. You don't let anyone else *get a word in* edgewise [*utter* a word].

    2. Today is our *engagement party*, and in a month will be the wedding.

    3. During the entire evening the girl *uttered* only a few words. She hardly *uttered* her name. During our next meeting I managed *to speak* with her. She happened to *let it slip* in the conversation that every day she goes for a walk. I realized now where I could see her.

    4. In the wintery forest, *silence* reigns at night.

    5. Mother pays attention to your opinion. Please, *put in* a little word for me. Convince her to let me go to the party.

МОЛК¹⁴ (молч²², малк¹, малч⁹) *silent*

1. Когда́ кто́-то гро́мко постуча́л в дверь, в ко́мнате наступи́ло *молча́ние*.

2. Моя́ подру́га—*молчали́вая*, скро́мная де́вушка. Она́ мо́жет *мо́лча* просиде́ть це́лый ве́чер.

3. По́сле ре́зких слов отца́ разгово́р *замо́лк*. Никто́ не стал отвеча́ть отцу́, все *промолча́ли*. Да́же мать *смолча́ла*. *Примо́лкли* де́ти, почу́вствовав что́-то нела́дное, *смо́лкли* их весёлые голоса́. *Помолча́в* немно́го, го́сти ста́ли проща́ться и уходи́ть *молчко́м*. Оте́ц недово́льно хму́рился, но *пома́лкивал* и

не проси́л проще́ния.

4. Почему́ прави́тельство *зама́лчивает* на́ши реа́льные поте́ри в войне́? Неуже́ли президе́нт надее́тся *отмолча́ться*?

5. День и ночь в па́рке слы́шно *несмолка́емое* пти́чье пе́нье.

1. When someone knocked loudly at the door, *silence* fell over the room.
2. My friend is a *quiet*, bashful girl. She can sit through an entire evening *in silence*.
3. After Father's sharp words, the conversation *fell silent*. No one chose to answer Father–everyone *remained quiet*. Even Mother *was silent*. The children *quieted down*, sensing that something was wrong; their cheerful voices *fell silent*. *After being silent* for a while, the guests began to say their goodbyes and leave *quietly*. Father scowled discontentedly, but he *stayed silent* and did not ask for forgiveness.
4. Why does the government *hush up* our real losses in the war? Is the president really hoping *to remain silent*?
5. Day and night the *ceaseless* song of the birds is heard in the park.

МОЛОД[32] (молож[5], молаж[5], млад[7]) *young*

1. В семье́ появи́лся *младе́нец*. Он *мла́дше* сестры́ на два го́да.
2. От сча́стья лицо́ же́нщины *помолоде́ло* и похороше́ло.
3. С года́ми мы не *молоде́ем*, а старе́ем. *Мо́лодость* прохо́дит, *молоды́е* лю́ди начина́ют называ́ть тебя́ ба́бушкой, хотя́ тебе́ ка́жется, что ты вы́глядишь вполне́ *моложа́вой*. На́до приня́ть свой во́зраст и не *молоди́ться*, что́бы не вы́глядеть смешно́ и жа́лко.
4. *Молодёжь*—наде́жда челове́чества.
5. Како́й ты *молоде́ц*, всё успе́л сде́лать!

1. A baby arrived in the family. He is younger than his sister by two years.
2. The woman's face *grew younger* and prettier from happiness.
3. Over the years we do not *grow younger*, but older. *Youth* passes. *Young* people begin to call you a grandmother, although it seems to you that you are completely *young-looking*. You must accept your age and not *pretend to be younger* so you won't look ridiculous and pitiful.
4. *Young people* are the hope of humankind.
5. What a *good boy* you are! You managed to finish doing everything!

МОЛОТ[38] (молоч[3], молач[21]) *hammer*

1. Худо́жник нарисова́л молодо́го рабо́чего с тяжёлым *мо́лотом* в рука́х.
2. Оте́ц *молотко́м* забива́л гво́зди, а сыни́шка помога́л ему́, посту́кивая ма́леньким *молото́чком*.
3. Крестья́не *моло́тят* зерно́. Це́лый день рабо́тает *молоти́лка*. На́до побыстре́е *обмолоти́ть* со́бранный урожа́й, *домолоти́ть* всё, до после́днего зёрнышка. Иногда́ за день *намола́чивают* так мно́го, что *смоло́ченное* зерно́ не успева́ют отвози́ть в храни́лище.
4. Эта же́нщина—стра́шная болту́шка, мо́жет *молоти́ть* языко́м це́лый день без у́стали.
5. Сосе́да изби́ли хулига́ны, *измолоти́ли* так, что живо́го ме́ста не найдёшь.

1. The artist drew a young worker with a heavy *hammer* in his hands.
2. The father beat the nails in *with a hammer* while his son helped him, pounding with a small *mallet*.
3. The peasants *thresh* the grain. The *threshing machine* works all day long. The gathered harvest must *be threshed* more quickly, *threshing* everything down to the last little kernel. Sometimes so much is *threshed* in a day that they aren't able to take the *threshed* grain to the storehouse.
4. This woman is a terrible chatterbox. She can *flap* her tongue all day without getting tired.
5. Hoodlums beat up our neighbor. They *thrashed* him so badly that you couldn't find a square inch untouched [not a living place could be found].

МОСТ[34] (мощ[5], мащ[19]) *surface over*

1. По но́вому *мосту́* маши́на перее́хала на друго́й бе́рег реки́.
2. На пло́щади сде́лали высо́кий деревя́нный *помо́ст*, за́втра на нём бу́дут выступа́ть арти́сты.
3. У́лицу реши́ли *вы́мостить* камня́ми, *замости́ть* её, потому́ что на *мощёной* у́лице по́сле дождя́ нет

гря́зи. За неде́лю *домости́ли* до середи́ны у́лицы, но оказа́лось, что ка́чество рабо́ты плохо́е и на́до *перема́щивать.*

4. Ми́мо до́ма по *мостово́й* е́хали маши́ны и пово́зки.

5. Я с де́тства мечта́л о теа́тре, хоте́л выходи́ть на *подмо́стки* в роля́х знамени́тых геро́ев. Когда́ взро́слые обсужда́ли но́вый спекта́кль, я, *примости́вшись* в уголке́, мог слу́шать часа́ми.

1. A car crossed over to the other bank of the river along the new *bridge.*

2. A tall wooden *platform* was erected on the square. Tomorrow entertainers will perform on it.

3. They decided *to surface* the street with stones and *pave* it because there is no mud after the rain on a *paved* street. In a week they *had paved* half the street, but it turned out that the quality of work was poor and they would have *to repave* it.

4. Cars and carriages were going past the house along the *roadway.*

5. Since childhood I have dreamed about the theater. I wanted to appear on *stage* in the roles of renowned heroes. When adults would discuss a new show, I, *perched* in the corner, could listen for hours.

МОТ[73] (мат[35]) *wind*

1. На́до *перемота́ть* кассе́ту.

1. Дай мне *мото́к* кра́сных ни́ток.

2. Ло́шадь споко́йно е́ла, иногда́ немно́го *мотая́* головой.

3. Шерсть спу́тана, на́до *размота́ть* её и *намота́ть* на кату́шку. Когда́ сде́лаешь э́то, *отмота́й* немно́го и *перемота́й* на другу́ю кату́шку, а ко́нчик ни́тки *обмота́й* вокру́г па́льца.

4. Сын *промота́л* все де́ньги, оста́вленные ему́ отцо́м. Из-за своего́ *мотовства́* он стал ни́щим.

4. Ты бы́стренько *смота́йся* в магази́н, а я наведу́ поря́док в до́ме.

5. Тру́дный разгово́р с нача́льником соверше́нно *измота́л* мне не́рвы.

5. Слу́шай у́мных люде́й, *мота́й* на ус, запомина́й их слова́.

1. (You've) got *to rewind* the cassette tape.

1. Give me a *skein* of red thread.

2. The horse ate quietly, sometimes *shaking* its head a little.

3. The wool is tangled. (You've) got *to unravel* and *spin* it onto a spool. When you finish doing this, *wind off* a little and *rewind* it onto a different spool, and *wind* the end of the thread *around* your finger.

4. The son *squandered* all the money left to him by his father. Because of his *squandering*, he became a beggar.

4. You quickly *spin* down to the store and I'll put the house in order.

5. The difficult conversation with my supervisor completely *frazzled* my nerves.

5. Listen to wise people, *take careful* note [*twist* onto your moustache], and remember their words.

МР[2] (мер[52], мёр[2], мор[34], мир[11], мар[8]); МОРОК[2] (мороч[8], морач[2], мрак[2], мрач[16], мерек[1], мереч[3], мерк[7], мерц[5]); МОРОЗ[26] (морож[8], мораж[20], мерз, мёрз[22], мраз[2]) *grow cold, dark*

1. По́сле тяжёлой боле́зни ба́бушка *умерла́.*

1. В жа́ркий день де́ти и взро́слые едя́т *моро́женое.*

2. В ска́зках и леге́ндах ча́сто по́сле *сме́рти* челове́ка его́ *мёртвое* те́ло продолжа́ет жить.

2. Вели́кие произведе́ния иску́сства *бессме́ртны.* Худо́жники *обессме́ртили* их свои́м тала́нтом.

2. В на́ше вре́мя *вымира́ют* мно́гие ре́дкие поро́ды живо́тных. *Вымира́ние* угрожа́ет и не́которым расте́ниям.

2. К утру́ си́льный *моро́з заморо́зил* во́ду в реке́.

3. Во *мра́ке* но́чи от лу́нного све́та вода́ в мо́ре слегка́ *мерца́ет.*

3. Часо́в в во́семь ве́чера начина́ет *смерка́ться,* со́лнечный свет *ме́ркнет,* наступа́ют *су́мерки.* Хорошо́ в э́то вре́мя сиде́ть в ко́мнате, не зажига́я све́та, тихо́нько разгова́ривать и́ли про́сто молча́ть— *су́мерничать.*

3. Траги́чен коне́ц жи́зни двух вели́ких ру́сских поэ́тов: А.Пу́шкин во вре́мя дуэ́ли был *смерте́льно* ра́нен. Тру́дно описа́ть его́ *предсме́ртные* му́ки. М.Ле́рмонтова на дуэ́ли застрели́ли *на́смерть:* он

замертво упа́л на зе́млю и бо́льше не подня́лся. *Посме́ртная* сла́ва обо́их поэ́тов огро́мна.

3. Муж пришёл с рабо́ты уста́лый и *мра́чный*. Жена́ зна́ла его́ привы́чку *мрачне́ть* от неприя́тностей и сра́зу поняла́, что что́-то произошло́. Она́ пыта́лась вы́яснить причи́ну *мра́чности* му́жа, но он от вопро́сов *помрачне́л* ещё бо́льше. *Су́мрачный*, с *поме́ркшими* глаза́ми, муж сиде́л в кре́сле и ни с кем не хоте́л разгова́ривать.

4. Но́вая коме́дия *умори́тельно* смешна́, мы смея́лись два часа́ не переставая.

4. От си́льной бо́ли он потеря́л созна́ние и упа́л в *о́бморок*. *О́бморочное* состоя́ние продолжа́лось почти́ де́сять мину́т.

4. Про́сто не могу́ пове́рить, что я сказа́ла таку́ю глу́пость! Како́е-то *помраче́ние* рассу́дка произошло́!

5. Ни́что не *омрачи́ло* семе́йного пра́здника: все бы́ли ве́селы, сча́стливы и дово́льны.

5. Тру́дно предста́вить, ско́лько *ме́рзких*, *омерзи́тельных* посту́пков он соверши́л за свою́ жизнь.

5. Все *обмира́ют* от *смерте́льного* у́жаса, уви́дев, что те́ло *уме́ршего* дви́гается и разгова́ривает по́сле того́, как челове́к *у́мер*.

1. After a serious illness, Grandma *died*.
1. On a hot day, children and adults eat *ice cream*.
2. In fairytales and legends, a person's *dead* body often continues to live *after death*.
2. Great works of art are *immortal*. The artists *have immortalized* them through their talent.
2. In our day, many rare animal species *are becoming extinct*. *Extinction* also threatens several plants.
2. Towards morning, the intense *cold had frozen* the water in the river.
3. In the *dark* of the night, the sea water *shimmers* gently in the moonlight.
3. At about eight o'clock in the evening it begins *to get dark*. The sunlight *fades* and *dusk* falls. It is nice during this time to sit in your room without turning on the light and converse quietly or just be silent – *to sit in the twilight*.
3. Two great Russian poets had tragic ends to their lives. A. Pushkin was *fatally* wounded in a duel. It is difficult to describe his *suffering just before death*. M. Lermontov was shot *dead* in a duel: he fell to the ground *as one dead* and never got up again. The *posthumous* glory of both poets is tremendous.
3. The husband came home from work tired and *gloomy*. His wife was familiar with his habit of *feeling depressed* when things went wrong and immediately realized that something had happened. She tried to find out the reason for her husband's *gloom*, but he *grew* even more *sullen* from her questions. *Gloomy*, his eyes *darkened*, her husband sat in his armchair and did not want to speak with anyone.
4. The new comedy is *incredibly* funny. We laughed for two hours straight.
4. He lost consciousness from the intense pain, and *fainted*. His *unconscious* state lasted almost ten minutes.
4. I just can't believe that I said such a stupid thing! Some sort of *loss of sanity* [*darkening* of my senses] occurred!
5. Nothing *darkened* the family celebration. Everyone was cheerful, happy, and content.
5. It is hard to imagine how many *loathsome*, *sickening* acts he committed during his life.
5. Everyone *is horror struck* from *deathly* terror, having seen the body *of the deceased* moving and talking after the person *had died*.

МУДР[29] *wise*

1. Де́душка—*му́дрый* и до́брый челове́к, настоя́щий *мудре́ц*.
2. Чита́йте ска́зки и леге́нды, в них *му́дрость* наро́да.
3. Пожа́луйста, не *мудри́*, отвеча́й на вопро́с пря́мо, без *мудрёных* рассужде́ний. Тебе́ всегда́ хо́чется *смудри́ть*, *перемудри́ть* всех, но в результа́те ты ухитря́ешься *намудри́ть* так, что сам не зна́ешь, как испра́вить ситуа́цию.
4. Нелегко́ овладе́ть все́ми *прему́дростями* но́вой профе́ссии.
5. Как же ты *умудри́лся* соверши́ть тако́й глу́пый посту́пок?

1. Grandfather is a *wise* and kind person–a genuine *sage*.
2. Read fairytales and legends. In them is the *wisdom* of the people.
3. Please don't *put on airs*. Answer the question directly, without *convoluted* arguments. You always want

to complicate things and *outwit* everyone, but as a result you manage *to complicate things* so much that you yourself don't even know how to resolve the situation.

4. It is not easy to master all the *intricacies* of a new profession.

5. Where did you *get the bright idea* to do such a stupid thing?

МУЖ *man*

1. *Муж* и жена́ лю́бят друг дру́га.

2. Дочь вы́шла *за́муж* за *му́жественного* челове́ка с настоя́щим *мужски́м* хара́ктером.

3. Ма́льчики *мужа́ют*, стано́вятся *мужчи́нами* и во́инами. Они́ защища́ют Ро́дину, получа́ют меда́ли за сме́лость и *му́жество*, но для матере́й они́ всегда́ де́ти.

4. Сын си́льно *возмужа́л* за после́днее вре́мя.

5. *Мужи́к* ни́зко поклони́лся ба́рину и посмотре́л на него́ с хи́трой *мужи́цкой* усме́шкой.

1. The *husband* and wife love each other.

2. The daughter *married* a *stalwart* man with a genuinely *masculine* personality.

3. Boys *mature* and become *men* and warriors. They defend their homeland and receive medals for their bravery and *courage*. To their mothers, however, they will always be children.

4. Our son *has* really *grown up* lately.

5. The *muzhik [peasant man]* bowed low to his master and looked at him with a cunning, *muzhik* grin.

МУК[1] (муч[46]) *torment*

1. Больно́й с *му́кой* смотре́л на врача́.

2. Мно́го *муче́ний* испыта́ла ста́рая же́нщина, мно́го *мучи́тельных* страда́ний вы́несла.

3. Наш преподава́тель—настоя́щий *мучи́тель*. *Наму́чился* же я с его́ дома́шним зада́нием! Пришло́сь *помучи́ться* не оди́н час. Совсе́м *замучи́ли* сло́жные вопро́сы. Сейча́с да́же не хо́чется вспомина́ть, как я *перемучи́лся*. Хорошо́, что сего́дня я *отму́чился* и сдал зада́ние преподава́телю.

4. *Прому́чившись* не́сколько часо́в с мото́ром маши́ны, я по́нял, что на́до вызыва́ть меха́ника.

5. Она́ уже́ мно́го дней не высыпа́ется, и вид у неё *изму́ченный*.

1. The patient, in *torment*, looked at the doctor.

2. The old woman experienced much *torment*. She endured many *tormenting* trials.

3. Our teacher is a genuine *tormentor*. *I have been* so *tormented* by his homework assignments! I have had *to suffer* a great deal [many hours]. The difficult questions *have* completely *worn* me *out*. Now I don't even want to recall how greatly I *have suffered*. It's a good thing that I *ended my torture* today and turned the assignment in to the teacher.

4. *After hassling* with the car's engine for several hours, I realized I would have to call a mechanic.

5. She has not had enough sleep for several days now. She looks *worn out*.

МУТ[45] (муч[2], мущ[8]) *murky*

1. От го́лода в глаза́х у меня́ *помути́лось*, и я упа́л.

2. Сквозь мо́крое стекло́ я *сму́тно* ви́дел доро́гу.

3. В о́зере о́чень чи́стая вода́, она́ никогда́ не *мутне́ет*. Чуть-чуть *му́тной* вода́ стано́вится то́лько во вре́мя дождя́, но *му́тность* ско́ро исчеза́ет и, *замути́вшись* ненадо́лго, вода́ сно́ва стано́вится прозра́чной. Но на́до по́мнить, что в о́зере есть глубо́кие *о́муты*, в кото́рых утону́ло мно́го неосторо́жных пловцо́в.

4. Весь его́ вид говори́т: «Мо́жете *возмуща́ться* ско́лько хоти́те, вы не заста́вите меня́ *смути́ться*!».

5. Революционе́ров, бунтовщико́в, мяте́жников называ́ют *смутья́нами*.

1. From hunger my eyes *went dark* and I fell.

2. Through the wet glass I *vaguely* saw the road.

3. The lake has very clean water. It never *clouds up*. The water gets a little *murky* only when it rains, but the *murkiness* soon disappears. *After being murky* for a short time, the water again becomes transparent. You must remember, however, that there are deep *whirlpools* in the lake in which many careless swimmers have drowned.

4. His entire appearance says, "You may *be* as *indignant* as you wish, but you can't *fluster* me!"

5. Revolutionaries, rebels, and instigators are called *trouble-makers*.

МЫЙ[136] (мой[12] , мов[2]) *wash; lather*

1. Ýтром мáма *умы́ла* мáленькую дóчку.

2. Нáдо *вы́мыть* маши́ну. Не *мой* сам, лýчше попроси́ *мóйщика* и́ли поéдем в автомати́ческую *мóйку*.

3. Пéред обéдом не забýдь *помы́ть* рýки горя́чей водóй. *Намы́ль* рýки хорошéнько, чтóбы былá пы́шная пéна, положи́ *мы́ло* обрáтно в *мы́льницу*, тепéрь *обмóй* рýки водóй, *смой мы́льную* пéну и посмотри́, *отмы́лась* ли грязь.

4. Самолёт бы́стро *взмыл* в нéбо и изчéз за ли́нией горизóнта.

4. Не люблю́, когдá жéнщины спле́тничают, *перемывáют* кóсточки знакóмым.

5. Твой сосéд—плохóй человéк, как он мýчает свою́ собáку, *измывáется* над живóтным. Бéдное существó должнó терпéть все его́ *измывáтельства*.

5. Без очкóв стари́к плóхо ви́дит, все предмéты кáжутся емý *размы́тыми*, нечёткими.

1. In the morning, the mother *washed* her small daughter.

2. The car needs *to be wash*ed. Don't *wash* it yourself. It'd be better to ask a *car-washer* or we'll drive to an automatic *carwash*.

3. Don't forget *to wash* your hands with hot water before dinner. *Lather* your hands up thoroughly so that there are thick suds, then put the *soap* back in the *soap dish*. Now *wash* your hands with water, *rinse off* the *soap* suds, and see whether the dirt *has been washed off*.

4. The airplane quickly *zoomed* into the sky and disappeared beyond the horizon.

4. I don't like it when women gossip and *rehash* the faults [*rewash* the bones] of their acquaintances.

5. Your neighbor is a bad person. How he torments his dog! He *abuses* the animal. The poor thing has to endure all his *taunting*.

5. Without glasses the old man can't see well. All objects seem *blurry [lathered up]* and indistinct to him.

МЫСЛ[51] (мысел[6], мышл[36]) *ponder*

1. Э́то оригинáльная и глубóкая *мысль*!

2. Удиви́тельно *смышлёный* мальчи́шка, всё понимáет с полуслóва!

3. *Мысли́тели* всегдá хотéли *осмы́слить* жизнь, познáть закóны человéческого *мышлéния*. Они́ пытáлись прони́кнуть в *смысл* существовáния, они́ *размышля́ли* обо всéх *мы́слимых* проблéмах. *Мы́сленным* взóром они́ охвáтывали все *замыслевáтости* и *бессмы́слицы* человéческого жи́зни, стремя́сь за ни́ми угадáть вы́сший *зáмысел*.

4. Сиби́рь—вáжный *промы́шленный* райóн Росси́и. *Промы́шленность* Сиби́ри бы́стро развивáется.

5. *Поразмы́слив* над своéй судьбóй, я мнóгое *переосмы́слил*.

1. This is an original and deep *thought*!

2. What a surprisingly *clever* little boy. He understands everything immediately [from the middle of the word]!

3. *Thinkers* have always wanted *to comprehend* life and become acquainted with the laws of human *thought*. They have tried to penetrate to the *essence* of existence. They *have pondered* all *conceivable* problems. *With a contemplative* gaze they have captured all the *intricacies* and *absurdities* of human life, striving to perceive the ultimate *design* behind them [the intricacies and absurdities].

4. Siberia is an important *industrial* area of Russia. *Industry* in Siberia is developing rapidly.

5. *After pondering* my destiny, I *reformulated* many thoughts.

МЯ[41] (мин[30]) *crumple*

1. Бумáга былá сли́шком жёсткой, пришлóсь её дóлго *мять* рукáми, а уж потóм завóрачивать в неё вáзу.

2. По пóлю пробежáл ветерóк и *примя́л* высóкую травý.

3. В чемодáне ю́бка си́льно *помя́лась*, *перемя́лись* все блýзки и плáтья, *измя́лись* брю́ки, *смя́лись* платки́ и шарфы́. Придётся всё глáдить, нельзя́ идти́ на рабóту в *мя́той* одéжде.

4. Пе́ред соревнова́ниями спортсме́ны *размина́ются*. *Разми́нка*—ва́жная часть подгото́вки к выступле́нию.

5. На́до бы́ло бы́стро отвеча́ть на сло́жный вопро́с, но студе́нт *замя́лся* на не́сколько секу́нд. Во вре́мя э́той *зами́нки* мы ду́мали, что он не зна́ет отве́та, одна́ко, *помя́вшись* немно́го, он прекра́сно отве́тил.

1. The paper was too stiff. It had *to be crumpled* for a long time by hand, and only then could the vase be wrapped in it.
2. A breeze blew [ran] across the field and *flattened* the tall grass.
3. In the suitcase, the skirt *became* badly *wrinkled*. All the blouses and dresses *were all wrinkled*, and the pants *were crushed*. The handkerchiefs and scarfs *were crumpled together*. Everything must be ironed–you can't go to work in *wrinkled* clothing.
4. Before a competition, athletes *stretch out. Stretching* is an important part of the preparation for a performance.
5. It was necessary to answer the difficult question quickly, but the student *hesitated* several seconds. During his *hesitation* we thought that he did not know the answer. However, *after faltering* only briefly, he answered wonderfully.

МЯГ[26] (мяк[24]) *soft*

1. Чи́стым *мя́гким* полоте́нцем вытира́ю лицо́ по́сле умыва́ния.
2. Опусти́те пло́тный и гру́бый материа́л в во́ду, и он обяза́тельно *обмя́кнет*.
3. Де́душке тру́дно куса́ть ко́рку хле́ба, поэ́тому он ест то́лько хле́бный *мя́киш*. Он лю́бит положи́ть кусо́чек хле́ба в суп, подожда́ть, пока́ хлеб *отмя́кнет* и́ли совсе́м *размя́кнет*, а пото́м ест э́тот *размя́гший* хлеб.
4. Окружённый детьми́ и вну́ками, стари́к смотре́л на нас счастли́вым *размягчённым* взгля́дом.
5. Вы соверши́ли стра́шное преступле́ние, я не нахожу́ никаки́х обстоя́тельств, *смягча́ющих* ва́шу вину́.

1. I wipe my face dry with a clean, *soft* towel after washing up.
2. Drop the dense, coarse material into the water and it *will* definitely *soften*.
3. It is hard for Grandfather to chew the bread crust, so he eats only the *soft part* of the bread. He loves to put a piece of bread in his soup, wait until the bread *softens up* or becomes thoroughly *softened*, then eat the *softened* bread.
4. Surrounded by children and grandchildren, the old man looked at us with a happy, *tender* gaze.
5. You committed a terrible crime. I don't find any circumstances *which mitigate* your guilt.

НЕМ[21] *dumb [incapable of speech]*

1. Незнако́мец не отвеча́л на вопро́сы, оказа́лось, что он *немо́й*.
2. От испу́га мальчи́шка *онеме́л*.
3. Когда́ я ви́жу люби́мую де́вушку, я *неме́ю*. Наве́рное, она́ ду́мает, что я глупе́ц, а я про́сто не могу́ спра́виться с *немото́й*. Часа́ми смотрю́ на неё и *немо́тствую*—вряд ли ей э́то нра́вится.
4. *Неме́цкая* а́рмия была́ са́мой си́льной пе́ред Второ́й мирово́й войно́й. Но в конце́ войны́ *не́мцы* потерпе́ли пораже́ние.
5. От до́лгого сиде́ния в неудо́бной по́зе но́ги *занеме́ли*.

1. The stranger did not answer the questions. It turned out that he was *dumb*.
2. The child *became speechless* with fright.
3. When I see the girl I like, I *am speechless*. She probably thinks I am a fool, but I just can't control my *speechlessness*. I look at her for hours *without being able to say a word*. She couldn't like this.
4. The *German* army was the strongest before World War II. At the end of the war, however, the *Germans* suffered defeat.
5. My legs *went numb* from sitting a long time in an uncomfortable position.

НЕС[56] (нос[136], нош[23], наш[28]) *carry, bear*

1. Су́мка, чемода́н, коро́бка—э́то сли́шком тяжёлая *но́ша* для тебя́.

1. Открыва́ется дверь, и два челове́ка *вно́сят* цветы́.

1. *Отнеси́* сту́лья в другу́ю ко́мнату.

2. Коро́бка тяжёлая, но постара́йся *донести́* её до до́ма.

2. Ра́неного положи́ли на *носи́лки*, и два санита́ра *понесли́* его́ к маши́не.

2. Почтальо́н *разно́сит* пи́сьма по адреса́м.

3. На вокза́ле наш бага́ж *несу́т* два *носи́льщика*. Они́ *прино́сят* чемода́ны в ваго́н, но в ваго́не *невыноси́мо* жа́рко. Мы меня́ем ваго́н—прихо́дится наш бага́ж *перенести́* на но́вое ме́сто.

3. *Занесём* дива́н в кварти́ру, *пронесём* по коридо́ру и поста́вим в ко́мнате у окна́. Посмо́трим, как *отнесётся* жена́ к мое́й поку́пке. Е́сли ей не понра́вится, *унесём* дива́н обра́тно в магази́н.

3. Мы реши́ли *преподнести́* нача́льнику пода́рок ко дню рожде́ния—ча́йный серви́з на краси́вом *подно́се*. Мне поручи́ли *произнести́* небольшу́ю поздрави́тельную речь, сказа́ть не́сколько слов *относи́тельно* прекра́сных челове́ческих ка́честв на́шего руководи́теля.

4. —Хоро́шая кни́га?—Не могу́ сказа́ть, что хоро́шая, но вполне́ *сно́сная*, быва́ют ху́же.

4. Роди́тели покупа́ют но́вую оде́жду то́лько ста́ршему бра́ту, я *дона́шиваю* его́ оде́жду. Че́стно говоря́, мне совсе́м не нра́вится *носи́ть обно́ски* вме́сто но́вых веще́й.

4. Преда́тель реши́л *донести́* в поли́цию на свои́х бы́вших друзе́й, рассказа́ть об их та́йных собра́ниях. *Доно́счик* наде́ялся, что за *доно́с* ему́ запла́тят больши́е де́ньги.

5. Ва́жно, что́бы на уро́ке бы́ло пра́вильное *соотноше́ние* ме́жду ра́зными ви́дами рабо́ты. Е́сли ча́сти уро́ка *соотно́сятся* пра́вильно, студе́нты ме́ньше устаю́т.

5. —Пора́ купи́ть но́вые боти́нки: э́ти совсе́м *износи́лись*, а пра́вый боти́нок *проноси́лся* до ды́рки.— Да, ты прав, но мне нра́вятся мои́ ста́рые боти́нки, потому́ что они́ *разно́шены* по ноге́ и удо́бны.— Ничего́, постепе́нно *разно́сишь* но́вые, и в них то́же бу́дет удо́бно ходи́ть.

5. Но́вый сотру́дник—о́чень хо́чет понра́виться нача́льнику и для э́того всё вре́мя *превозно́сит* нача́льника до небе́с. Одна́ко с други́ми сотру́дниками он ведёт себя́ кра́йне *зано́счиво*—всегда́ подчёркивает, что счита́ет их отста́лыми и провинциа́льными людьми́. Его́ лицеме́рие и *зано́счивость* про́сто *несно́сны*.

1. A bag, a suitcase, and a box–this *load* is too heavy for you.

1. The door opens, and two people *carry in* flowers.

1. *Take* the chairs into the other room.

2. The box is heavy, but try *to carry* it *all the way* home.

2. The wounded man was placed on a *stretcher*, and two orderlies *set off carrying* him to the ambulance.

2. The mailman *delivers* the letters to the addresses.

3. At the train station, two *porters carry* our baggage. They *bring* the suitcases to the train car, but it is *unbearably* hot in the car. We change cars. We've got *to transfer* our baggage to the new place.

3. We *will carry* the couch into the apartment, *carry* it *along* the hallway, and place it in the room near the window. We will see how my wife *reacts* to my purchase. If she doesn't like it, we *will take* the couch back to the store.

3. We decided *to present* a gift to our supervisor for her birthday–a tea service on a beautiful *tray*. I was given the responsibility *to make* a brief congratulatory speech and say a few words *concerning* the fine human qualities of our leader.

4. —Good book?—I can't say that it is a good one, but it is quite *tolerable*. There are worse.

4. My parents buy new clothing only for my older brother, and I *wear [out]* his clothing. Honestly speaking, I really dislike *wearing hand-me-downs* instead of new things.

4. The traitor decided *to inform on* his former friends to the police and tell about their secret meetings. The *informer* hoped that, for his *informing*, he would be paid big money.

5. It is important that in class there be an appropriate *correlation* among various kinds of work. If the (various) parts of the lesson *are* properly *correlated*, the students don't get as tired.

5. —It is time to buy new shoes–these *are* quite *worn out*. The right shoe *has worn through* so much that it

has a hole in it.—Yes, you are right, but I like my old shoes because they *are broken in* [to my foot] and comfortable.—Don't worry. Just *break in* the new ones gradually and they too will be comfortable to walk in.

5. The new employee really wants to please the supervisor, so he constantly *praises* him [to the heavens]. However, with the other employees he behaves extremely *arrogantly*. He is always emphasizing that he thinks they are backward and provincial people. His hypocrisy and *arrogance* are simply *unbearable*.

НЗ[10] (низ[55], ноз[7], нож[17]) *pierce*

1. Дай мне, пожалуйста, *ножницы*.
2. Мальчишке попала *заноза* под кожу, надо вытащить побыстрее.
3. Два хулигана жестоко дрались, один из них выхватил *нож* и *вонзил* его в руку другого. Он *пронзил* руку насквозь. *Ножевая* рана была опасной. *Поножовщина* всегда приводит к тяжёлым последствиям.
4. Ужасная погода: дует резкий, *пронизывающий* ветер, идёт дождь.
5. Твоей подруге нравится ставить людей в неловкое положение, обострять ситуацию, говорить резкие слова—очень *занозистая* женщина.

1. Please give me the *scissors*.
2. The boy got a *splinter* under his skin. It must be removed promptly.
3. Two hooligans were fiercely fighting. One of them grabbed a *knife* and *thrust* it *into* the hand of the other. He *pierced through* the hand. The *knife* wound was dangerous. *Knife fights* always lead to serious consequences.
4. What terrible weather. A harsh, *piercing* wind is blowing, and it is raining.
5. Your girlfriend likes to put people in an awkward position, to aggravate a situation, or to speak harsh words. She is a very *contentious* woman.

НИЗ[38] (ниж[23]) *low*

1. Передо мной стоял *низенький* человечек в старой одежде.
2. Ничего *приниженного* не было в его манерах. Он спокойно посмотрел на меня и заговорил красивым *низким* голосом.
3. *Низменные* страсти погубили этого человека. Он совершал *низости*, друзья отвернулись от него, и он быстро покатился *вниз*. Он дошёл до самого *унизительного* состояния, пережил все *унижения*, какие можно представить.
4. Самолёт начал *снижаться*. *Снижение* было таким быстрым, что мы испугались, не сломался ли мотор.
5. Мне кажется, что правительство *занижает* уровень опасности, грозящей стране.

1. Before me stood a *wretched* little man in old clothing.
2. There was nothing *abject* in his manner. He calmly looked at me and began to speak in a beautiful, *low* voice.
3. *Sordid* passions have destroyed this person. He was doing *contemptible things*. His friends turned from him, and he quickly went *downhill*. He got to a most *despicable* state and suffered every *humiliation* you can imagine.
4. The airplane began *to make its descent*. The *descent* was so rapid that we were afraid the motor might have broken.
5. It seems to me that the government *is understating* the level of danger threatening the country.

НИК[23] (ниц[6], нич[2], нк[2]) *penetrate*

1. Чтобы понять проблему, надо в неё глубоко *вникнуть*.
2. От тяжести снега ветки деревьев *поникли*. *Поникшие* деревья создают грустное настроение.
3. Дети играли в разведчиков, они тихо открыли дверь и *проникли* в дом. Осторожно двигаясь в темноте, они *приникали* к стенам, стараясь быть незаметными. Вдруг перед ними *возникла* фигура отца. Он включил свет и *проницательно* посмотрел на детей. Игра закончилась, дети *сникли* и

отпра́вились спать.

4. Же́нщина расска́зывает о свои́х несча́стьях *проникнове́нным* го́лосом, но ли́ца слу́шателей *непроница́емы.*

5. Ви́димо, мой колле́га опа́здывал на рабо́ту и, торопя́сь, наде́л сви́тер *наизна́нку.*

    1. In order to understand the problem, you have *to go* deeply *into* it.

    2. From the weight of the snow, the tree branches *were drooping. Drooping* trees create a melancholy mood.

    3. The children were playing spies. They quietly opened the door and *got into* the house. Carefully moving around in the dark, they *were pressing themselves* against the walls, trying to go unnoticed. Suddenly, the figure of their father *arose* before them. He turned on the light and looked *penetratingly* at the children. The game ended, and the children *drooped* and went to bed.

    4. The woman is telling about her misfortunes in a *penetrating* [full of feeling] voice, but the faces of those listening are *impenetrable.*

    5. Apparently my colleague was late for work and, in his hurry, put his sweater on *inside out.*

НОВ[44] *new*

1. В класс вошёл *но́вый* учени́к. *Новичо́к* неуве́ренно посмотре́л на учи́теля и на дете́й.

2. Ты *сно́ва* сде́лал ту же оши́бку, будь внима́тельнее!

3. В програ́мме *новосте́й* сообщи́ли, что сего́дня *возобновля́ются* ми́рные перегово́ры. В *обновлённом* соста́ве делега́ции двух стран реши́ли встре́титься *вновь,* что́бы *за́ново* обсуди́ть возни́кшие пробле́мы.

4. Ма́ма внима́тельно следи́т за все́ми кни́жными *нови́нками,* никогда́ не пропуска́ет интере́сный рома́н или расска́з.

5. Снача́ла я хоте́ла немно́го *поднови́ть* ста́рое пла́тье и пойти́ в нём в теа́тр. Но пото́м реши́ла купи́ть *но́вое* пла́тье и пойти́ в теа́тр в *обно́ве.*

    1. A *new* pupil walked into class. The *newcomer* hesitantly looked at the teacher and at the children.

    2. You made the same mistake *again.* Be more careful!

    3. On the *news* program, they announced that the peace negotiations *are resuming* today. In a *renewed* composition, the delegations of the two countries decided to meet *again* in order to discuss *anew* the problems which have arisen.

    4. Mom closely follows all the *new* book *releases.* She never misses an interesting novel or story.

    5. At first I wanted *to fix up* the old dress a bit and wear it to the theater. But then I decided to buy a *new* dress and wear it to the theater.

НОГ[10] (нож[13]) *leg, foot*

1. До́ченька упа́ла и уда́рила *но́жку.*

2. Ты тако́й большо́й *длинноно́гий* ма́льчик, а *но́гти* по-пре́жнему стричь не лю́бишь!

3. На войне́ солда́т потеря́л *но́ги.* Верну́лся домо́й *безно́гим,* не знал, что де́лать. Но вско́ре ему́ сде́лали *ножны́е* проте́зы, и он на́чал сно́ва учи́ться ходи́ть.

4. Мы живём у *подно́жия* высо́ких гор.

5. Хочу́ знать всю пра́вду до конца́, до са́мой *подного́тной.*

    1. My little daughter fell and bumped her *tiny leg.*

    2. You are such a big and *long-legged* boy, but you still don't like to clip your *toe-nails!*

    3. The soldier lost his *legs* in the war. He returned home *legless* and did not know what to do. But soon after he was given prosthetic *legs,* and he began learning to walk again.

    4. We live at the *foot* of a tall mountain.

    5. I want to know all the truth completely, to the very *core* [to the very *place beneath the fingernail*].

НРАВ[9] (норов[13], норав[2]) *like*

1. Нам не *нра́вится* э́тот фильм.

2. Ста́рый писа́тель всегда́ был челове́ком высо́кой *нра́вственности,* никогда́ не соверша́л

безнра́вственных посту́пков.

3. Нае́зднику сра́зу *понра́вилась* но́вая ло́шадь. Его́ предупреди́ли, что *нрав* у ло́шади не о́чень хоро́ший, что она́ *норови́стая* и не́рвная. В пе́рвый день ло́шадь всё вре́мя *норови́ла* сбро́сить нае́здника, но из-за э́того она́ ему́ не *разонра́вилась*

4. Нельзя́ быть таки́м бескомпроми́ссным, на́до уме́ть *принора́вливаться* к обстоя́тельствам!

5. Ма́стер рабо́тал бы́стро и *сноро́висто*, а ученику́ пока́ не хвата́ло *сноро́вки*.

   1. We do not *like* that film.

   2. The old writer had always been a man of high *morals*. He never committed any *immoral* acts.

   3. The jockey immediately *liked* the new horse. They warned him that the horse didn't have a very good *disposition* and that it was *restive* and nervous. The first day, the horse continually *tried* to buck the jockey off, but he did not *stop liking* the horse because of it.

   4. You cannot be so uncompromising. You need to be able *to adapt* to the circumstances!

   5. The craftsman worked quickly and *nimbly*, but the student still lacked *nimbleness*.

НУД[11] (нуж[3], нужд[14]) *necessity*

1. *Ну́жно* сходи́ть в магази́н и купи́ть хле́ба.

2. Де́ти *нужда́ются* в любви́ и забо́те взро́слых.

3. С утра́ идёт *ну́дный* осе́нний дождь. Де́ти *вы́нуждены* сиде́ть до́ма. От ску́ки они́ *нудя́т*, повторя́я ску́чными голоса́ми про́сьбу рассказа́ть им ска́зку.

4. Заключённых отпра́вили на *принуди́тельные* рабо́ты. Они́ ненави́дели *принуди́ловку* и не хоте́ли рабо́тать.

5. То́лько кра́йняя *нужда́* заставля́ет меня́ обща́ться с э́тим *зану́дой*.

   1. *It's necessary* to run down to the store to buy some bread.

   2. Children *need* the love and concern of adults.

   3. There has been a *tedious* autumn rain falling since morning. The children are *forced* to sit at home. From boredom, they *are wearing everyone out*, repeating in tiring voices their request to tell them a story.

   4. The prisoners were sent to *forced* labor. They hated *forced labor* and did not want to work.

   5. Only extreme *necessity* forces me to associate with this *annoying person*.

НЫЙ[18] (ной[1]) *ache*

1. Боли́т зуб, боль не ре́зкая, а *но́ющая*.

2. За стено́й всю ночь тихо́нько *ныл* ребёнок. Э́то *нытьё* не даёт нам поко́я.

3. В на́шем кла́ссе у́чится оди́н *ны́тик*, от любо́й неприя́тности он мо́жет *заны́ть* и *зауны́вным* го́лосом жа́ловаться на свою́ судьбу́. А у его́ сестры́ весёлый, *неунываю́щий* хара́ктер, она́ да́же на мину́тку не мо́жет *приуны́ть*.

4. Хор запе́л протя́жную, *уны́лую* стари́нную наро́дную пе́сню.

5. На ле́кциях э́того профе́ссора студе́нты *изныва́ют* от ску́ки.

   1. My tooth hurts. It's not a sharp pain, but an *ache*.

   2. On the other side of the wall, a child *moaned* softly all night. This *moaning* gives us no rest.

   3. In our class there is a *whiner*. He might *start whining* about any unpleasantness and complain about his fate in a *whining* voice. But his sister has a cheerful, *imperturbable* personality. She can't *be depressed* even for a minute.

   4. The choir started to sing an ancient, drawn-out, *melancholy* folk song.

   5. At this professor's lectures the students *are tormented* by boredom.

НЫР *dive*

1. Сын хорошо́ пла́вает, а *ныря́ть* бои́тся.

2. Друзья́ пошли́ на мо́ре, искупа́лись и немно́го *поныря́ли* с камне́й.

3. Ста́рший брат—чемпио́н по *ныря́нию*. Он мо́жет *пронырну́ть* че́рез весь бассе́йн, *донырну́ть* до дна и *вы́нырнуть* из воды́ в тот моме́нт, когда́ все уже́ на́чали ду́мать, что он утону́л.

4. Эта пти́ца называ́ется не у́тка, а *ныро́к*.

5. О́чень неприя́тный челове́к—всегда́ что́-то высма́тривает, су́ет свой нос в чужи́е дела́, настоя́щий *проны́ра*. Да́же глаза́ у него́ *проны́рливые*.

   1. My son swims well, but he is afraid *to dive.*

   2. The friends went to the *sea*, swam, and *dove* a little while from the rocks.

   3. My older brother is a *diving* champion. He can *dive across* the entire pool, *dive to the very* bottom, and *spring* up *out* of the water just at the moment everyone has begun to think he has drowned.

   4. This bird is not called a duck, but a *plover.*

   5. He is a very unpleasant person. He is always snooping out something and sticking his nose in others' business. He's a real *meddler.* Even his eyes are *meddlesome.*

НЮХ[42] (нюш[1]) *sniff*

1. В магази́не ма́ма *ню́хает* ра́зные духи́, но не мо́жет вы́брать, каки́е купи́ть.

2. Таба́к быва́ет *ню́хательный* и *кури́тельный*.

3. Соба́ка подошла́ к до́му, *приню́халась*, *обню́хала* дверь, *поню́хала* ко́врик, лежа́щий пе́ред две́рью.
Из две́ри вы́шел челове́к, уви́дел соба́ку и сказа́л: "А ты что тут де́лаешь, что *выню́хиваешь*?"

4. Как ты мог преда́ть ста́рого дру́га за *поню́шку* табаку́!

5. Попро́буй незаме́тно *разню́хать*, что собира́ются де́лать конкуре́нты. Е́сли *проню́хаешь* о чём-то, сра́зу сообщи́.

   1. At the store, Mom *sniffs* different perfumes, but she can't choose which one to buy.

   2. Tobacco can be *smokeless [snuff]* or smoking.

   3. The dog walked up to the house, *sniffed about, sniffed around* the door, and *sniffed* the mat *a bit* lying near the door. A man walked out of the door, saw the dog and said, "And what are you doing here? What are you *sniffing out*?"

   4. How could you betray an old friend for a *snuff* of tobacco!

   5. Try nonchalantly to *sniff out* what the competitors are getting ready to do. If you *can sniff* something up [*through*], inform me immediately.

ОБЩ[54] *in common*

1. Он соверши́л преступле́ние оди́н, без *соо́бщников*.

2. Постоя́нные ссо́ры *разобщи́ли* супру́гов. Со вре́менем *разобщённость* привела́ к разво́ду.

3. Мы занима́емся *о́бщим* де́лом, поэ́тому нам на́до ча́ще *обща́ться*, обду́мывать пробле́мы *сообща́*.
Постоя́нное *обще́ние* помо́жет нам стать бо́лее *общи́тельными* и лу́чше понима́ть друг дру́га.

4. В статье́ со́здан *обобщённый* о́браз актри́сы, поэ́тому а́втор не *сообща́ет* чита́телям ча́стные подро́бности её жи́зни.

5. Слу́шая му́зыку вели́ких компози́торов, мы *приобща́емся* к их духо́вной жи́зни, и э́то *приобще́ние* де́лает нас чи́ще и лу́чше.

   1. He committed the crime alone, without *accomplices.*

   2. Continual quarrels *estranged* the spouses. With time, their *estrangement* led to divorce.

   3. We are involved in a *common* cause, so we need *to communicate* more often and think about the problems *together.* Continual *communication* will help us become more *sociable* and understand each other better.

   4. The article gives a *generalized* portrayal of the actress. That's why the author doesn't *inform* the readers of the personal details of her life.

   5. Listening to the music of great composers, we *draw near* to their spiritual lives. This *drawing near* to them makes us finer and better.

ОК[18] (оч[15]) *eye*

1. Стару́шка потеря́ла *очки́*. Она́ смо́трит в *окно́* на у́лицу, но почти́ ничего́ не ви́дит.

2. Мы никогда́ не встреча́лись, но *зао́чно* зна́ли друг дру́га по расска́зам друзе́й.

3. В ко́мнате то́лько одно́ ма́ленькое *око́шечко* в то́лстой *око́нной* ра́ме и с широ́ким *подоко́нником*,

на кото́ром мо́жно сиде́ть.

4. Что́бы вы́яснить, кто́ из свиде́телей говори́т непра́вду, на́до устро́ить *о́чную ста́вку*.

5. Тепе́рь я ви́жу *воо́чию*, что ты прав.

    1. The old woman lost her *glasses*. She looks out the *window* at the street but sees almost nothing.

    2. We had never met, but *from afar* we knew each other by the stories of friends.

    3. In the room there is only one tiny little *window* in a thick *window* frame with a wide *windowsill* on which you can sit.

    4. In order to discover which one of the witnesses is not telling the truth, a *confrontation* must be arranged.

    5. Now I see *for myself [with my own eyes]* that you are right.

ОСТР[33] (ощр[11], востр[8], вастр[2]) *sharp*

1. Нож о́чень *о́стрый*.

1. Его́ *остро́ты* всегда́ смешны́е.

2. Охо́тник взял дли́нную па́лку и *заостри́л* её с одного́ конца́.

2. Твой прия́тель счита́ет себя́ *остряко́м*, но мне его́ шу́тки не ка́жутся *остроу́мными*.

3. Ты сли́шком *обостре́нно* воспринима́ешь ситуа́цию. Коне́чно, отноше́ния среди́ колле́г в после́днее вре́мя *обостри́лись*, но почему́ ты ду́маешь, что *острие́* спо́ров напра́влено про́тив тебя́?

3. Ста́рый профе́ссор—большо́й чуда́к, студе́нты лю́бят *поостри́ть* по его́ по́воду. Но, *наостри́вшись*, они́ внима́тельно слу́шают его́ ле́кции.

4. *Навостри́* у́ши и слу́шай внима́тельно.

4. Ра́ньше в Росси́и тюрьму́ называ́ли *остро́гом*.

5. Роди́тели всегда́ *поощря́ли* любо́вь дете́й к чте́нию.

5. Карти́на демонстри́рует *изощре́нное* мастерство́ худо́жника.

    1. The *knife* is very *sharp*.

    1. His *quips* are always funny.

    2. The hunter took a long stick and *sharpened* it at one end.

    2. Your friend thinks himself a *wit*, but his jokes don't seem *witty* to me.

    3. You are looking at the situation too *keenly*. Of course the relationship among colleagues *has become exacerbated* lately, but why do you think the *edge* of the quarrels is directed at you?

    3. The old professor is really an eccentric. The students love *to point barbs* at him. But, *after getting their fill of barbs*, they listen to his lectures attentively.

    4. *Prick up* your ears and listen carefully!

    4. Formerly, a prison in Russia was called a *stockade*.

    5. The parents always *encouraged [honed]* a love for reading in their children.

    5. The picture demonstrates the *refined* mastery of the artist.

ОТЦ[5] (отец[3], отеч[6], отч[8], вотч[4]) *father*

1. *Оте́ц*—стро́гий, но до́брый челове́к.

2. Сын вы́рос и ухо́дит из *о́тчего* до́ма. Он берёт с собо́й не́сколько книг из *отцо́вской* библиоте́ки.

3. Мы до́лго жи́ли вдвоём с ма́мой, но пото́м она́ вы́шла за́муж, и у меня́ появи́лся *о́тчим*. Он был хоро́шим челове́ком, и я никогда́ не забу́ду его́ *оте́ческую* забо́ту обо мне́. Одно́ мне не нра́вилось— он хоте́л, что́бы я смени́л *о́тчество* и взял его́ фами́лию. Он ча́сто говори́л: "По́мни, тепе́рь ты мой сын, а не кака́я-то *безотцо́вщина*".

4. *Соотечественники! Отчи́зна* в опа́сности! Защити́м на́ше *Оте́чество!*

5. Э́ти това́ры и́мпортные и́ли *оте́чественные*?

    1. *Father* is a strict but good person.

    2. The son has grown up and is leaving his *father's* home. He is taking with him several books from his *father's* library.

    3. My mother and I lived together for a long time, but then she got married and I (suddenly) had a *stepfather*. He was a good man, and I will never forget his *paternal* concern for me. The only thing I did not like

was that he wanted me to change my *patronymic* and take his last name. He often said, "Remember, now you are my son and not some *fatherless* child."

4. *Fellow citizens!* The *fatherland* is in danger! We will protect our *homeland*!

5. Are these goods imported or *domestic*?

ПАД⁷⁸ (паж¹) [for пас²² and па⁸ see truncation rules 5 and 4] *fall*

1. Пришла зима, в первый раз *выпал* снег.

1. Осторожно! На улице лёд, можно *упасть*.

2. Вечером солнце уходит за горизонт на *западе*.

2. Сегодня жарко, но ожидается резкий *перепад* температур—завтра сильно похолодает.

3. В прошлом сезоне в футбольной команде играл очень хороший *нападающий*. В этом году заметен *спад* в его игре. Конечно, сразу начались *нападки* на него в прессе, а затем несколько неприятных *выпадов* в его адрес сделал тренер. У игрока наступил *упадок* сил, *пропало* желание хорошо играть.

3. Юноша выглядел больным, его глубоко *запавшие* глаза, *впалая* грудь, слабый голос—всё говорило о серьёзной болезни. Врач сказал, что юноша страдает эпилепсией, которую в народе зовут *падучей*.

4. Слава героям, *павшим* в боях за свободу!

4. Послы двух государств рады отметить полное *совпадение* их взглядов на международную ситуацию.

5. Дети обычно очень *падки* на сладкое: они любят конфеты, печенье, торты, мороженое.

5. Мы принесли с улицы маленького щенка, который выглядел совсем *пропащим*, и вылечили его.

1. Winter has come, and snow *has fallen* for the first time.

1. Careful! There is ice on the street. You could *fall*.

2. In the evening, the sun sets over the horizon in the *west*.

2. It is hot today, but a sharp *drop* in temperature is expected. Tomorrow it will grow very cold.

3. Last season, a very good *forward* played on the soccer team. This year, a *decline* in his game is evident. Of course the press immediately began to attack him, and then his coach directed several disparaging *remarks* his way [unpleasant *attacks* to his address]. A *lack* of energy came over the player, and he *lost* the desire to play well.

3. The youth looked ill. His deeply *sunken* eyes, his *hollow* chest, his weak voice–everything pointed to a serious illness. The doctor said that the boy was suffering from epilepsy, which is colloquially called "*falling-sickness*."

4. Glory to the heroes *who have fallen* in battles for freedom!

4. The ambassadors of the two nations are happy to note a complete *concurrence* of their views on the international situation.

5. Children usually *have a weakness* for sweets. They love candy, cookies, cakes, and ice cream.

5. We brought a young puppy in from outside, which looked completely *like a goner*, and nursed it back to health.

ПАЙ⁷² (пой¹) *solder*

1. Сегодня мы научимся *паять*.

2. Для *паяния* требуется кусочек специального металла, который называется *припой*.

3. Можно *впаять* в один металл кусок другого, можно *запаять* дырку в металлической поверхности, можно *припаять* к механизму дополнительную часть. *Припаянная* часть держится очень надёжно.

4. Чем бы вы ни занимались: *запаиванием*, *припаиванием* или *напаиванием* одного металла на другой—*допаяйте* до конца, закончите работу и покажите мне.

5. Наш коллектив очень дружный и *спаянный*. *Спаянность* помогает нам справляться со сложными ситуациями.

1. Today we will learn *to solder*.

2. *Soldering* requires a little piece of special metal which is called *solder*.

3. A piece of one metal may be *soldered to* another. You can *fill in* a hole in a metal surface, or you can *sol-*

der an additional part *onto* a mechanism. The *attached* part holds very reliably.

4. No matter what you work on: *soldering, attaching by soldering,* or *securing* one metal to another *by soldering – solder* it completely, finish the job, and show me.

5. Our work team is very friendly and *close.* This *closeness* helps us deal with difficult situations.

ПАЛ⁶⁰ *flame*

1. Охо́тник ни́зко наклони́лся к костру́, и ого́нь *опали́л* ему́ лицо́.

2. На фро́нте сего́дня споко́йно, оруже́йная *пальба́* слышна́ о́чень ре́дко.

3. Оте́ц и сын—*запа́льчивые* лю́ди, поэ́тому они́ ча́сто спо́рят. В слове́сной *перепа́лке* они́ горяча́тся, *распаля́ются* и в *распалённом* состоя́нии мо́гут, не поду́мав, *вы́палить* любо́е оби́дное сло́во. В *запа́льчивости* они́ говоря́т мно́го тако́го, о чём по́зже о́чень жале́ют.

4. Не хочу́, что́бы дом доста́лся мои́м неблагода́рным де́тям! Лу́чше сожгу́ его́, *спалю́* до тла!

5. По́сле сме́рти Петра́ Вели́кого его́ ближа́йший друг и помо́щник А.Ме́ншиков попа́л в *опа́лу.* *Опа́льного* Ме́ншикова с семьёй сосла́ли в далёкий сиби́рский го́род.

1. The hunter stooped low over the fire, and the flame *singed* his face.

2. It is quiet on the front today. *Gunfire* is heard only very rarely.

3. (Both) father and son are *hot tempered* people, so they often quarrel. In a verbal *cross-fire* they get agitated and *flare up.* In this *infuriated* state of mind they can, without thinking, *fire out* all kinds of offensive words. In their *hot tempers* they say a lot that they later greatly regret.

4. I don't want my ungrateful children to inherit the house. It will be better for me to burn it down. I *am going to burn it down* to ashes.

5. After the death of Peter the Great, his closest friend and assistant A. Menshikov fell into *disfavor.* The *disgraced* Menshikov and his family were exiled to a remote Siberian city.

ПАР⁸⁸ *steam*

1. По́сле дождя́ земля́ со́хнет, и над ней поднима́ется о́блачко *па́ра.*

2. *Парово́з* в старину́ называ́ли *парово́й* маши́ной.

3. Ру́сские лю́бят *па́риться* в ба́не. В ру́сской ба́не есть специа́льная ко́мната, кото́рая называ́ется *парна́я* и́ли *пари́лка. Напа́рившись* в ба́не, *распа́рив* все ко́сточки, челове́к чу́вствует себя́ за́ново рождённым.

4. В Сиби́ри мно́гие о́вощи мо́жно выра́щивать то́лько в *парника́х. Парнико́вые* огурцы́ и помидо́ры сто́ят дово́льно до́рого.

5. Коне́ц семе́стра, не хвата́ет вре́мени ни на что́—стра́шная *запа́рка*!

1. After the rain, the earth dries out and a little cloud *of steam* rises over it.

2. A *locomotive* in olden times was called a *steam* engine.

3. Russians love *to steam themselves* in bath houses. In the Russian bath house there is a special room called "the *steam room*" or "the *steamer.*" *After steaming thoroughly* in the bath house and *warming up* all one's bones, a person feels reborn.

4. In Siberia, many vegetables can only be grown in *hot houses. Hothouse* cucumbers and tomatoes are rather expensive.

5. It's the end of the semester. There is not enough time for anything–it is a terribly *hectic time!*

ПАС⁶⁹ *provide security*

1. *Спас*—так ру́сские ча́сто называ́ют Христа́.

2. В церко́вной общи́не всегда́ есть *па́стырь*—духо́вный руководи́тель общи́ны.

3. Э́то—*запасно́й* вы́ход на слу́чай пожа́ра и́ли друго́й *опа́сности.*

4. Ма́ма—о́чень *запа́сливая* хозя́йка. Она́ счита́ет, что в до́ме всегда́ до́лжен быть *запа́с* еды́ и питья́ на не́сколько дней, и постоя́нно пополня́ет на́ши дома́шние *припа́сы.*

5. В больши́х города́х есть *опа́сные* райо́ны, ве́чером там любо́го челове́ка подстерега́ет *опа́сность.*

5. Ле́том мой друг рабо́тает на *спаса́тельной* ста́нции на пля́же. Он *спаса́тель.*

1. The *Savior* – that is what Russians often call Christ.

2. In an ecclesiastical community there is always a *pastor*, a spiritual leader of the community.
3. This is an *emergency* exit in case of a fire or other *danger*.
4. Mom is a very *provident* homemaker. She thinks that there should always be a *store* of food and drink for several days in the house, and she continually replenishes our home *storage*.
5. In large cities there are *dangerous* districts. There in the evening *danger* lies in wait for anybody.
5. In the summer, my friend works at a *rescue* station on the beach. He is a *lifeguard*.

ПАХ[24] (паш[6]) *smell (intransitive)*

1. Мы вошли в дом и сразу почувствовали вкусный *запах* еды.
2. В саду растут красивые *пахучие* цветы.
3. Мастерская художник *пропахла* краской. Художник был весел, и от него чуть-чуть *попахивало* вином.
4. *Пахнуло* холодом, и через минуту пошёл снег.
5. Коллеги со мной не здороваются, начальник смотрит строго—чувствую, что *запахло* неприятностями.

    1. We entered the house and immediately smelled the delicious *aroma* of food.
    2. In the garden, beautiful, *fragrant* flowers are growing.
    3. The artist's studio *reeked* of paints. The artist was animated, and he *smelled* slightly of wine.
    4. You could *sense* a cold blast and, after a minute, it began to snow.
    5. My colleagues don't greet me and my supervisor looks (at me) sternly. I sense that something fishy is going on [it *smelled* of unpleasant things].

ПАХ[56] (паш[20]) *plow*

1. Весной крестьяне *пашут* землю.
2. Только опытный *пахарь* понимает, хороша ли *пахота*.
3. Крестьянин может один *распахать* большой участок земли, *напахать* несколько гектаров, *запахать* под пшеницу те земли, на которых никогда раньше ничего не росло.
3. Художник встретил нас в широкой блузе *нараспашку*. Блуза походила на детскую *распашонку*.
4. Мальчишка бежал, споткнулся, упал и *пропахал* носом землю.
5. Чтобы написать статью, мне пришлось *перепахать* очень много материалов.

    1. In the spring, peasants *plow* the land.
    2. Only an experienced *plowman* can tell whether or not the *plowing* is good.
    3. The peasant can *plow* a large plot of land by himself, *plow* several hectares, or *plow* for wheat land on which nothing ever grew previously.
    3. The artist met us in a loose-fitting, *unbuttoned* smock. The smock was similar to a baby's *vest*.
    4. The little boy ran, stumbled, fell, and *plowed* nose-first into the ground [*plowed* the ground with his nose].
    5. In order to write the article, I had *to plow through* a lot of materials.

ПАЧК[15] *sully*

1. Не *пачкай* руки, сейчас будем обедать.
2. Малыш *перепачкался* вареньем, надо его умыть.
3. Дети играли на улице и сильно *испачкались*. Девочки *выпачкали* платьица, мальчики *запачкали* рубашки.
4. Он не настоящий художник, просто *пачкун*.
5. Критик написал статью, в которой он назвал всю современную живопись *пачкотнёй*.

    1. Don't *get* your hands *dirty*. We are going to eat dinner now.
    2. The child *smeared* jam *all over himself*. He needs to be washed off.
    3. The children were playing outside and *got filthy*. The girls *soiled* their little dresses, and the boys *stained* their shirts.

4. He is not a real artist, just a *paint-slinger*.
5. The critic wrote an article in which he called all modern art *garbage [smudge]*.

ПЕЙ[82] (пой[1]) *sing*

1. Дóчка любит *петь* áрии из óпер úли *пéсни*, но не хóчет быть профессионáльной *певúцей*.
2. По дворý хóдят две кýрицы и *петýх*.
3. В поэ́ме молодóй поэ́т *воспевáет* пóдвиги солдáт во врéмя войны́. Жаль, что *воспевáние* не кáжется úскренним: áвтор прóсто *перепевáет* давнó извéстные мотúвы и óбразы. Стихú произвóдят впечатлéние не оригинáльных, а *запéтых-перепéтых*.
4. Когдá ты начнёшь самостоя́тельно дýмать и дéйствовать? Нельзя́ всю жизнь прожúть *подпевáлой*!
5. Пéред смéртью дед просúл, чтобы его *отпевáли* в ближáйшей цéркви. На *отпевáние* пришлú все его стáрые друзья́.

1. My daughter loves *to sing* arias from operas or *songs*, but she does not want to be a professional *singer*.
2. Two chickens and a *rooster* are walking around the yard.
3. In the poem, the young poet *sings praises* of the soldiers' heroic exploits during the war. It is a pity that his *praise* doesn't seem sincere. The author simply *repeats* well-known motifs and images of long ago. His verses give the impression of being unoriginal, and *of having been sung too much and resung*.
4. When will you begin to think and act for yourself? You cannot live your whole life as a *second fiddle*!
5. Before his death, Grandfather requested that *funeral services be sung* for him in the nearest church. All his old friends came to the *funeral service*.

ПЕК[48] (печ[84], пещ[8], пёк[4]) *bake; grieve*

1. В сосéдней бýлочной рабóтает прекрáсный *пéкарь*.
1. На кýхне теплó от горя́чей *пéчки*.
2. Почемý ты сегóдня такóй *печáльный*?
2. Дочь вы́росла *беспéчной* дéвушкой, котóрая никогдá не задýмывается над серьёзными вопрóсами, никогдá ни о чём не *печáлится*.
3. Не прóсто *печь* хлеб. Не вся́кий знáет, скóлько врéмени трéбуется, чтобы *допéчь*, но не *перепéчь* хлеб, чтобы он *пропёкся* внутрú и не был *недопечёным*. Тáкже нáдо умéть *испéчь* слáдкое *печéнье*, с котóрым так вкýсно пить чай.
3. У старикá заболéла *пéчень*. Э́то его óчень *опечáлило*, так как тепéрь емý нáдо соблюдáть диéту и он не мóжет есть *запекáнки*—его любúмое блю́до. Но ничегó не подéлаешь, *печёночная* болéзнь— дéло серьёзное.
4. Начáльник дóлго и грýбо *распекáл* сотрýдника за допýщенную ошúбку.
4. Родúтели моéй подрýги óчень *обеспéченные* лю́ди, поэ́тому онá никогдá не беспокóится о деньгáх.
5. Мы подошлú к горé и увúдели вход в *пещéру*, мы вошлú в неё и срáзу почýвствовали *пещéрный* хóлод, говорúвший нам, что мы нахóдимся под землёй.
5. Рóдственники стáли закóнными *опекунáми* малышá, онú должны́ *обеспéчивать* нормáльную жизнь своемý *подопéчному*.

1. An excellent *baker* works in the neighboring bakery.
1. It is warm in the kitchen from the hot *oven*.
2. Why are you so *sad* today?
2. The daughter has grown up to be a *carefree* girl who never ponders serious questions and *is* never *sad* about anything.
3. It is not easy *to bake* bread. Not everyone knows how much time it takes *to bake* bread *completely* without *overbaking* it, so that the inside is *done* and not *undercooked*. You also need to be able *to bake* sweet cookies, with which it is so delicious to drink tea.
3. The old man's *liver* went bad. This greatly *saddened* him, since now he would have to follow a diet and would not be able to eat *baked pudding* – his favorite dish. But there's nothing to be done about it – *liver* disease is a serious thing.

4. The supervisor *raked* his employee *over the coals* long and hard for the mistake he allowed to pass.

4. My girlfriend's parents are very *well-to-do* people, so she never worries about money.

5. We approached the mountain and saw an entrance to a *cave*. We went into it and immediately felt the *cave-like* cold which told us that we were underground.

5. The relatives became the legal *guardians* of the young boy. They are *to provide* a normal life for their *ward*.

ПЕРЕД[13] (перёд[3], переж[5], пред[7], преж[2], прежд[7]) *in front*

1. В кино́ мы с бра́том лю́бим сиде́ть на *пере́днем* ряду́.

2. Посмотри́ в зе́ркало, твоё пла́тье наде́то за́дом *наперёд*—пу́говицы должны́ быть *спе́реди*, а они́ оказа́лись сза́ди.

3. *Передовы́е* отря́ды а́рмии вступи́ли на окра́ину го́рода. *Впереди́* дви́жется артилле́рия, на *передка́х* ору́дий сидя́т солда́ты. Они́ воева́ли на *передово́й*, на са́мом опа́сном уча́стке фро́нта, шли *вперёд*, рискуя́ жи́знью.

4. Больша́я статья́, кото́рая печа́тается на пе́рвой страни́це газе́ты, называ́ется *передови́цей*.

4. Я хочу́ как мо́жно бо́льше знать о свои́х *пре́дках*. Ка́ждый *пре́док* внёс что́-то в мой хара́ктер.

5. На́до *предупреди́ть* сы́на, что за́втра не бу́дет уро́ков в шко́ле.

5. На соревнова́ниях по бе́гу молодо́й спортсме́н *опереди́л* изве́стного чемпио́на и пришёл к фи́нишу пе́рвым.

1. At the movies, my brother and I like to sit in the *front* row.

2. Look in the mirror. Your dress is on *backwards*. The buttons should be *in the front*, but they ended up in the back.

3. The army's *advanced* detachment has entered the outskirts of the city. The artillery moves *in front*, and soldiers are sitting on the *limbers* [two-wheeled ammunition carts] of the field-guns. They fought on the *front lines*, the most dangerous part of the front, and they went *forward*, risking their lives.

4. A large article, which is printed on the front page of a newspaper, is called the *lead article*.

4. I want to know as much as possible about my *ancestors*. Every *ancestor* has contributed something to my personality.

5. You need *to notify* your son that tomorrow there won't be any classes at school.

5. At the track competition, a young athlete *outdistanced* the famous champion and crossed the finish line first.

ПЕРЁК[1] (переч[6], прек[6], прёк[2], преч[2]) *counter*

1. *Поперёк* у́лицы лежи́т широ́кая доска́, по кото́рой мо́жно перейти́ на другу́ю сто́рону.

2. *Вопреки́* на́шим опасе́ниям ве́чер прошёл хорошо́ и прия́тно.

3. Мать никогда́ не *упрека́ла* дете́й за баловство́, не *попрека́ла* их оши́бками. Никогда́ де́ти не слы́шали раздражённых *упрёков* и *попрёков*. Де́ти о́чень уважа́ли мать и стара́лись ей не *пере́чить*.

4. У ребёнка дурно́й хара́ктер, он растёт *попере́чником*.

5. Офице́р награждён меда́лью за *безупре́чную* слу́жбу.

1. A wide board is lying *across* the street on which you can cross to the other side.

2. *Despite* our apprehensions, the evening went well and pleasantly.

3. The mother never *reproved* the children for misbehaving. She never *reproached* them for their mistakes. The children never heard irritated *reproofs* or *reproaches*. The children really respected their mother and tried not *to go against* her.

4. The child has a nasty personality. He is growing up to be a *contrary person*.

5. The officer was awarded a medal for his *irreproachable* service.

ПЕСТР[23] (пёстр[2], пещр[3]) *many-hued*

1. Одна́ ку́рица бе́лая, а друга́я *пёстрая*.

2. Мне ка́жется, что э́то пла́тье немно́го *пестрова́то*, купи́ другое.

3. Хоте́лось, что́бы ко́мната была́ све́тлой и весёлой, но декора́торы сли́шком *распестри́ли* её.

Напестрúли, когда́ выбира́ли што́ры. *Пестрота́* оби́вки пло́хо соотве́тствует сти́лю ме́бели. Одни́м сло́вом, *перепестрúли*.

4. В глаза́х *пестрúт* от со́лнца, я́ркой оде́жды, смею́щихся лиц.

5. Реда́ктор *испещрúл* ру́копись замеча́ниями.

1. One chicken is white, and the other is *multi-colored*.

2. I think this dress is a little *too gaudy*. Buy a different one.

3. I wanted the room to be bright and cheerful, but the decorators *used too many different colors* in it. They *made it too flamboyant* when they chose the curtains. The *assortment* of upholstery colors poorly matches the style of the furniture. In a word, they *went overboard* with colors.

4. My eyes *are dazzled* by the sun, the bright colors, and the laughing faces.

5. The editor *marked up* the manuscript with comments.

ПЕЧАТ[69] *print by pressing*

1. В конце́ докуме́нта стоя́ла по́дпись нача́льника и больша́я си́няя *печа́ть*.

2. На карти́не *запечатлён* ва́жный истори́ческий моме́нт.

3. Писа́тель *допеча́тал* на *печа́тной* маши́нке после́днюю страни́цу но́вой кни́ги, положи́л *напеча́танный* текст в конве́рт, *запеча́тал* его́ и отпра́вил в изда́тельство. Вско́ре ему́ сообщи́ли, что кни́гу *напеча́тают* в сле́дующем ме́сяце.

4. Сестра́—о́чень *впечатли́тельная* де́вушка: са́мое ме́лкое собы́тие мо́жет произвести́ на неё глубо́кое *впечатле́ние*.

5. Тяжёлые пережива́ния наложи́ли *отпеча́ток* на краси́вое лицо́ же́нщины.

1. At the end of the document were the supervisor's signature and a big blue *stamp*.

2. An important historical event is *captured* in the picture.

3. The writer *finished typing* the last page on the *typewriter*, placed the *typed* text in an envelope, *sealed* it, and sent it to the publisher. Soon after, he was informed that the book would be *printed* the next month.

4. My sister is a very *impressionable* girl. Even the smallest event can make a deep *impression* on her.

5. Difficult trials left their *imprint* on the woman's beautiful face.

ПИЙ [86] (пьй [27], пой [42], пай [27]) *drink*

1. Хорошо́ в жа́ркий день *вы́пить* стака́н холо́дной воды́.

2. Де́вочка съе́ла большо́й кусо́к то́рта и *запила́* его́ ча́шкой молока́.

3. Брат *пьёт пи́во*, но не лю́бит ни вина́, ни во́дки. Когда́ он пошёл на встре́чу с друзья́ми, де́ло бы́ло не в *вы́пивке*, не в том, чтобы *напи́ться допьяна́*, *опьяне́ть* и преврати́ть встре́чу в гря́зную *попо́йку*. Про́сто ему́ хоте́лось провести́ вре́мя вме́сте с прия́тными людьми́, *попирова́ть*, поговори́ть.

4. Он на́чал *выпива́ть* всё ча́ще и ча́ще, бы́стро преврати́лся из *пью́щего* челове́ка в *пропо́йцу*, а пото́м и в го́рького *пья́ницу*.

5. Му́зыка о́перы была́ *упои́тельной*, прекра́сной. Мы наслажда́лись, *упива́ясь* тала́нтом актёров, их великоле́пными голоса́ми, красото́й костю́мов и декора́ций.

1. On a hot day, it is nice *to drink* a glass of cold water.

2. The girl ate a large piece of cake and *washed* it *down* with a cup of milk.

3. My brother *drinks beer*, but he doesn't like either wine or vodka. When he would go out to meet with his friends, *drinking* was not the point. Neither was *drinking until* you were *drunk*, *getting intoxicated*, and turning the gathering into a filthy *drinking match*. He simply wanted to spend time together with nice people, *to celebrate*, and to chat.

4. He began *to drink* more and more often. He quickly turned from a *drinking* man into a *heavy drinker*, and then into a hopeless *drunk*.

5. The opera music was *ravishing [intoxicating]* and beautiful. We enjoyed ourselves, *intoxicated* by the talent of the actors, their magnificent voices, the beauty of the costumes, and the sets.

ПИЛ[84] *saw*

1. Сын лю́бит *выпи́ливать* ма́ленькой *пи́лкой* краси́вые деревя́нные коро́бочки.
2. *Пи́льщики распили́ли* де́рево на не́сколько часте́й.
3. На́до *спили́ть* ста́рое де́рево, расту́щее пе́ред окно́м. Снача́ла немно́го *подпили́те* его́ у основа́ния. Прове́рьте, чтобы *надпи́ленное* де́рево не упа́ло на кого́-нибудь. По́сле э́того *попили́те* ещё и *перепили́те* ствол по́лностью, *допили́те* его́ до конца́. Когда́ де́рево упадёт, мо́жно *напили́ть* из него́ дров на зи́му. Не забу́дьте убра́ть *опи́лки* с земли́, я хочу́, чтобы по́сле *пи́лки* двор был чи́стым.
4. У жены́ испо́ртился хара́ктер: она́ всем недово́льна и *пи́лит* му́жа це́лыми дня́ми.
5. Сосе́д с утра́ до ве́чера *пили́кает* на скри́пке, у меня́ от его́ *пили́канья* боли́т голова́.

   1. My son loves *to cut out* beautiful wooden boxes with a small *fret-saw*.
   2. The *lumber jacks sawed* the tree into several parts.
   3. The old tree which is growing in front of the window must be *sawed down*. First, *saw* it *a little* at the base. Check to make sure the tree when it is *felled* will not fall on anyone. After that, *saw* some more and *cut completely through* the trunk. *Cut* it *all the way through*. When the tree falls, you can *cut up* some firewood from it for the winter. Don't forget to clean up the *sawdust* from the ground. I want the yard to be clean after the *sawing*.
   4. His wife's personality has changed for the worse. She is not satisfied with anything and *nags* her husband days on end.
   5. My neighbor *saws* away at the violin from morning 'till night. I have a headache from his *scraping*.

ПИН[9] (пя[36], п[4], пон[24]) *stretch*

1. Футболи́ст си́льно *пнул* мяч и заби́л гол.
2. По прика́зу Пила́та Христа́ *распя́ли*. С тех пор во мно́гих христиа́нских хра́мах вися́т *распя́тия*—си́мвол страда́ния и по́двига Христа́.
3. По доро́жке, *запина́ясь* на ка́ждом шагу́, шёл ма́ленький утёнок. Его́ *перепо́нчатые* ла́пки с трудо́м переступа́ли че́рез ра́зные *препя́тствия*: ка́мушки, па́лочки, я́мки. Взро́слые у́тки не *препя́тствовали* ему́, и он *беспрепя́тственно* соверша́л пе́рвое путеше́ствие.
4. На конце́рте рок-му́зыки у меня́ от шу́ма чуть не ло́пнули бараба́нные *перепо́нки*.
5. Студе́нт пло́хо пригото́вился к экза́мену и отвеча́л ме́дленно, с *запи́нками*.

   1. The soccer player *smacked* the ball hard and scored a goal.
   2. By the order of Pilate, Christ *was crucified*. Since that time, *crucifixes* have been hung in many Christian places of worship–a symbol of Christ's suffering and triumph.
   3. Along the path, *hesitating* with each step, walked a little duckling. His *webbed* feet stepped over various *obstacles* with difficulty: little pebbles, sticks, and holes. The full-grown ducks didn't *hinder* him. *Unimpeded*, he was making his first journey.
   4. At the rock concert, my *eardrums* nearly burst from the noise.
   5. The student prepared for the exam inadequately, so he answered slowly and with *hesitation*.

ПИС[149] (пиш[1]) *write*

1. Сего́дня бу́дет *пи́сьменная* контро́льная рабо́та, вы должны́ *написа́ть* отве́ты на вопро́сы.
2. Вчера́ я посла́ла *письмо́* сестре́, мы с сестро́й *перепи́сываемся*. *Перепи́ска* помога́ет нам не забыва́ть друг дру́га.
3. *Допиши́ запи́ску* до конца́, *распиши́сь*—на́до, чтобы в конце́ была́ твоя́ *по́дпись*—и дай мне. Нет вре́мени на *перепи́сывание*, я до́лжен неме́дленно уходи́ть.
4. Де́ти *исписа́ли* всю бума́гу, бо́льше не́где *писа́ть*.
4. Дай *списа́ть* твоё реше́ние зада́чи, мне не хо́чется самому́ реша́ть.
5. На́до сего́дня *подписа́ться* на журна́л, за́втра *подпи́ска* зака́нчивается.
5. Не могу́ *описа́ть* её ра́дость, это *неописуемо*.

   1. Today there will be a *written* test. You must *write down* the answers to the questions.
   2. Yesterday I sent a *letter* to my sister. My sister and I *correspond*. Our *correspondence* helps us not to for-

get each other.

3. *Finish writing* your *note* completely. *Sign* it – your *signature* needs to be at the bottom–and give it to me. There is no time for *rewriting*. I need to leave immediately.

4. The children *filled up* the entire paper with writing. There was nowhere left *to write*.

4. Let me *copy* down your solution to the problem. I don't want to figure it out myself.

5. I need *to subscribe* to the magazine today. Tomorrow the *subscription* ends.

5. I can't *describe* her joy. It is *indescribable*.

ПИСК[13] (пищ[0]) *squeak*

1. Ма́ленькие цыпля́та жа́лобно *пища́т*.

2. Когда́ щено́к уда́рил ла́пку, мы услы́шали то́ненький *писк*.

3. У то́лстого мужчи́ны оказа́лся неожи́данно высо́кий, *пискля́вый* го́лос. Все оберну́лись, когда́ он *запища́л*. *Пропища́в* не́сколько слов, он смути́лся и замолча́л.

4. Мы с бра́том лю́бим игру́шки-*пища́лки*, но на́ши роди́тели говоря́т, что от них сли́шком мно́го шу́ма.

5. Что ты всё вре́мя пла́чешь и жа́луешься, ведёшь себя́ как *пискля́*.

1. The little chicks *are peeping* plaintively.

2. When the puppy hit his paw, we heard a high-pitched *squeak*.

3. The heavy-set man turned out to have an unexpectedly high, *squeaky* voice. Everyone turned around when he *started to squeak*. *Having squeaked out* several words, he became embarrassed and fell silent.

4. My brother and I love *squeaky* toys, but our parents tell us that they make too much noise.

5. Why are you crying and complaining all the time? You are behaving like a *whiner*.

ПИТ[53] (пич[6], пищ[3]) *nourish*

1. Хоро́шее *пита́ние*—осно́ва здоро́вья.

2. На ра́ну наложи́ли повя́зку, кото́рая сра́зу *пропита́лась* кро́вью.

3. Пра́вильно ли мы *пита́емся*, еди́м ли *пита́тельную пи́щу*, све́жие ли *пищевы́е* проду́кты мы употребля́ем—э́то ва́жные вопро́сы для ка́ждого челове́ка.

4. В тюрьме́ престу́пники должны́ *перевоспи́тываться*, но, к сожале́нию, *перевоспита́ние* происхо́дит кра́йне ре́дко.

5. По сосе́дству живёт семья́, в кото́рой мать всё вре́мя *пи́чкает* дете́й едо́й. Её де́ти не про́сто *упи́танные*, а то́лстые и неповоро́тливые.

1. Good *nutrition* is the foundation of health.

2. On the wound was placed a bandage which immediately *became saturated* with blood.

3. *Are* we *eating* right? Are we eating *nutritious food*? Are the *food* products we use fresh? These are important questions for every person.

4. In prison, criminals should *be rehabilitated*. Unfortunately, however, *rehabilitation* occurs extremely rarely.

5. In the neighborhood there lives a family in which the mother constantly *stuffs* her children with food. Her children are not simply *well fed*, but are fat and sluggish.

ПИХ[57] (пх[3]) *shove*

1. В толпе́ кто́-то си́льно *пихну́л* меня́ в бок.

2. Ба́бушка не мо́жет вспо́мнить, куда́ она́ *запихну́ла* очки́.

3. Когда́ попада́ешь в метро́ в час-пик, не успева́ешь огляну́ться, как тебя́ уже́ *впи́хивают* в ваго́н и *пропи́хивают* в са́мый коне́ц, а ты да́же не мо́жешь *отпихну́ться* от стоя́щих ря́дом с тобо́й. Пото́м тебя́ *выпи́хивают* из ваго́на на остано́вке, где ты совсе́м не хоте́л сходи́ть.

4. Брат опа́здывал на рабо́ту, поэ́тому он бы́стро *распиха́л* по карма́нам кошелёк, носово́й плато́к, ключи́ и побежа́л к маши́не.

5. Мне не хоте́лось убира́ть ко́мнату, и я о́чень рад, что смог *спихну́ть* э́ту рабо́ту сестре́.

1. In the crowd, someone *jabbed* me hard in the side.

2. Grandmother cannot remember where she *stuck* her glasses.

3. When you find yourself in the subway at rush hour, you don't have time to glance around before you are already *crammed* into the train car and *shoved* to the very end. You can't even *push yourself away* from the people standing next to you. Then you are *pushed from* the car at a stop where you didn't want to get off at all.

4. My brother was about late for work, so he quickly *shoved* his wallet, handkerchief, and keys into his pockets and ran to his car.

5. I did not feel like cleaning up the room. I am very glad that I was able *to shove* this job *off* on my sister.

ПЛАВ[78] (плыв[54]) *swim*

1. В де́тстве я о́чень хоте́ла научи́ться *пла́вать* и реши́ла занима́ться *пла́ванием* в *пла́вательном* бассе́йне.

2. Они́ могли́ *доплы́ть* до да́льней сте́нки бассе́йна, переверну́ться в воде́ и *приплы́ть* обра́тно.

3. Я ду́мала, что смогу́ сра́зу *поплы́ть*, куда́ захочу́, как ры́ба. Оказа́лось, что быть *пловчи́хой* не так про́сто—я не могла́ да́же немно́го *отплы́ть* от сте́нки бассе́йна, сра́зу опуска́лась на дно и не могла́ *всплы́ть* на пове́рхность. Остава́лось то́лько мечта́ть о том, что когда́-нибу́дь я *переплыву́* весь бассе́йн, *проплыву́* под водо́й и́ли смогу́ про́сто *попла́вать* с други́ми ребя́тами.

4. Же́нщина писа́ла письмо́ и пла́кала, слеза́ упа́ла на лист бума́ги, и черни́ла *расплыли́сь*.

4. Не люблю́ твёрдый сыр, купи́ мне, пожа́луйста, *пла́вленый* сыро́к.

5. В Сиби́ри ча́сто *сплавля́ют* сру́бленные дере́вья по ре́кам.

5. Разгово́р шёл *пла́вно*, не остана́вливаясь и не убыстря́ясь.

1. In childhood, I very much wanted to learn *to swim* and decided to work on *swimming* in a *swimming* pool.

2. They were able *to swim to* the far end of the pool, turn around in the water, and *swim* back.

3. I thought I would immediately be able *to swim* wherever I wanted like a fish. It turned out that being a *swimmer* is not so simple – I was not hardly even able *to swim away* from the side of the pool. I immediately sank to the bottom and was unable *to swim up* to the surface. All there was left to do was to dream that, someday, I would *swim across* the entire pool, *swim* under the water, or just *swim about* with other kids.

4. The woman was writing a letter and crying. A tear fell onto the sheet of paper and the ink *ran all over*.

4. I don't like hard cheese. Buy me some *cream* cheese, please.

5. In Siberia they often *float* felled logs down the rivers.

5. The conversation was going *smoothly*, without lagging or speeding up.

ПЛАК[28] (плач[7]) *cry*

1. Не на́до *пла́кать*, ско́ро всё бу́дет хорошо́!

2. У ба́бушки *запла́канные* глаза́, наве́рное, она́ опя́ть *всплакну́ла*, гля́дя на ста́рые фотогра́фии.

3. Узна́в о сме́рти сы́на, мать не смогла́ сдержа́ться и *распла́калась*. Ей на́до бы́ло *вы́плакаться*, поэ́тому она́ не могла́ *попла́кать* немно́го и успоко́иться. Каза́лось, что, *запла́кав*, она́ не мо́жет *напла́каться*. Её *плач* был душераздира́ющим. Не́сколько дней она́ го́рько *опла́кивала* сы́на.

4. У подру́ги сего́дня *плакси́вое* настро́ение. По хара́ктеру она́ не *пла́кса*, но иногда́ прихо́дит ко мне *попла́каться* на свою́ жизнь, рассказа́ть, в како́м *плаче́вном* состоя́нии её дела́.

5. Во́зле реки́ расту́т краси́вые *плаку́чие* и́вы.

1. There's no need *to cry*. Soon all will be well!

2. Grandma has *puffy* eyes *from crying*. She probably *had a cry* again while looking at old photographs.

3. Learning of the death of her son, the mother could not contain herself and *broke out crying*. She needed *to cry it all out* – that's why she could not just *cry a little* and then calm down. It seemed that, *having started to cry*, she could not *cry enough*. Her *wailing* was heart-rending. For several days she bitterly *mourned* for her son.

4. My girl friend is in a *whining* mood today. She is not a *crybaby* by nature, but sometimes she comes to me *to shed a few tears* about life, to tell me what a *miserable* state her affairs are in.

5. Along the river grow beautiful *weeping* willows.

ПЛАСТ[37] *plate; layer*

1. Из серébряной *пластúны* мóжно сдélать браслéт.

2. Брат коллекционúрует стáрые музыкáльные *пластúнки*.

3. Рабóчие вы́копали глубóкую я́му, и все увúдели, как *пластýется* почва. Глúна *напластóвана* на песóк, а песóк *перепластóван* с землёй. Пóчва *распластóвана* рáзными слоя́ми.

4. В горáх мóжно замéтить, что гóрные порóды расположены *пластáми*. Есть *напластовáния* бóлее свéтлые и бóлее тёмные.

5. Солдáт дóлжен проползтú нéсколько мéтров по-*пластýнски*, старáясь как мóжно сильнéе прижáться к землé, *распластáться* по ней так, чтóбы его *распластанное* тéло стáло мéнее замéтным.

   1. A bracelet can be made from silver *plates*.
   2. My brother collects old music *records*.
   3. The workers dug a deep hole, and everyone could see how the soil *is stratified*. Clay is *layered onto* sand, and sand is *layered over* to dirt. The soil is *layered* into various strata.
   4. In the mountains, you can observe how the mountain rocks are set in *layers*. There are lighter and darker *strata*.
   5. The soldier must crawl several meters *on his elbows*, trying to press himself against the ground as much as possible. He must *flatten himself* against it so his *flattened* body becomes less noticeable.

ПЛАТ[33] (плач[18]) *pay*

1. В концé мéсяца нáдо *платúть* за квартúру.

2. *Плáта* за квартúру не óчень высóкая, но *платежú* за газ, вóду и телефóн довóльно большúе.

3. Иногдá на рабóте мне *выплáчивают* дéньги пóзже, чем должны́, и тогдá я вы́нуждена задержáть *оплáту* моúх счетóв. Конéчно, я предпочлá бы *расплáчиваться* вóвремя, *уплатúть*—и не беспокóиться о задóлженности.

4. За эгоúзм и равнодýшие жизнь *отплатúла* емý одинóчеством. К стáрости он пóнял, какáя э́то тяжёлая *расплáта*.

4. За ошúбку, сдéланную в мóлодости, он *поплатúлся* здорóвьем и счáстьем.

5. По договóру у меня́ не óчень высóкая *зарплáта*, но за слóжность рабóты кáждый мéсяц мне *приплáчивают* довóльно большýю сýмму. Конéчно, я рад дополнúтельной *приплáте*.

5. Ты спас мне жизнь, я пéред тобóй в *неоплáтном* долгý.

   1. At the end of the month you need *to pay* for the apartment.
   2. *Rent* for the apartment is not very high, but the *payments* for gas, water, and telephone are fairly large.
   3. Sometimes at work I am *payed* later than I should be, and then I am forced to put off *paying* my bills. Of course I would prefer *to settle* my *accounts* on time, *to pay up* and not worry about being in debt.
   4. For his egoism and indifference, life *repaid* him with loneliness. At old aged, he understood what a harsh *retribution* it was.
   4. For the mistake made in his youth, he *paid* with health and happiness.
   5. According to the agreement, I don't have a very high *salary*. For the difficulty of the work, however, every month I am *paid* a rather large additional sum. Of course I am happy with the additional *pay*.
   5. You saved my life. I am *eternally* [*never able to repay*] indebted to you.

ПЛЕВ[22] (плёв[19], плю[8]) *spit*

1. Нехорошó *плевáть* на пол, никогдá не дéлай э́того!

2. Éсли в я́годе есть кóсточка, не глотáй её, а *вы́плюни*.

3. Вокзáл мáленький и гря́зный, мужчúны небрéжно *сплёвывают* пря́мо на пол, и лю́ди сидя́т на *заплёванном* и замýсоренном полý.

4. Я дóлжен получúть оцéнку вы́ше, чем он, я дóлжен его *переплю́нуть*!

4. Для меня такая работа слишком проста и неинтересна, *плёвая* работа.

5. Как ты мог *оплевать* лучшее, что было в нашей жизни! Осмеять наши чувства и мысли!

5. Нельзя доверять важное дело нашему коллеге—он *наплевательски* относится к работе, на него нельзя положиться.

1. It is bad *to spit* on the floor. Never do it!

2. If there is a pit in the berry, don't swallow it. *Spit* it *out.*

3. The train station is small and filthy. Men *are spitting* crudely right on the floor. People are sitting on the floor *which has been spat upon* and littered.

4. I should be getting a higher grade than he. I should *leave* him *in the dust* [*outspit* him]!

4. For me such work is too simple and uninteresting. It is work *to be spat on.*

5. How could you *ridicule [spit on]* the best in our lives? (How could you) mock our feelings and thoughts?

5. You cannot entrust an important matter to our colleague. He acts like his work is *only worth spitting on.* You cannot rely on him.

ПЛЕН[11] (полон[6]) *captivity*

1. Во время войны солдат был в *плену.*

2. *Военнопленные* жили в очень трудных условиях.

3. Прекрасный голос певицы сразу *пленил* слушателей. Её пение *опленяло* красотой голоса. Слушатели почувствовали себя *пленниками* её таланта.

4. Туристы *заполонили* улицы и площади старого городка.

5. Какая *пленительность* в движениях балерины, какая лёгкость, какое изящество!

1. During the war, the soldier was in *captivity.*

2. The *prisoners of war* lived under very difficult conditions.

3. The singer's beautiful voice immediately *captivated* the audience. Through beauty of voice, her singing *enthralled* (the listeners). The audience felt *captivated* by her talent.

4. Tourists *swarmed* the streets and squares of the little old city.

5. What *enchantment* is in the ballerina's movements! What lightness! What elegance!

ПЛЕСК[20] (плёск[22]) [for плес[16] see truncation rule 3] *splash; rinse*
ПОЛОСК[23] (полоск[19]) [for полос[4] see truncation rule 3] "

1. Дети *плескались* в бассейне.

1. Я постирала платье, теперь его надо *прополоскать.*

2. Маленький сынишка всегда *расплёскивает* воду, когда принимает ванну.

2. Чашка мытая, но на всякий случай надо *сполоснуть* её ещё раз.

3. Иногда недостаточно немного *пополоскать* платье после стирки, приходится *переполаскивать* несколько раз, чтобы оно выглядело свежим. Запах мыла *отполаскивается* не сразу. Но бывает, что достаточно лишь немного *всполоснуть* вещь—и она уже чистая.

4. "Как же ты ухитрилась так упасть!"—вскрикнула бабушка и *всплеснула* руками.

4. "Чтобы горло не болело, надо его *полоскать*",—сказал доктор и выписал мне *полоскание.*

5. Быстренько *сполоснись* под душем после работы, и будем ужинать.

5. Возьми кастрюлю из-под супа, *ополосни* её и *ополоски* вылей в корм животным.

1. The children *splashed around* in the pool.

1. I've washed the dress. Now it must be *rinsed out.*

2. My little son always *splashes* water *all over* when taking a bath.

2. The cup is washed, but you need *to rinse* it one more time just in case.

3. Sometimes it is not sufficient *to rinse* a dress a little after washing it. You have *to rinse* it several times so that it looks fresh. The smell of soap *is not* immediately *rinsed out.* Sometimes, however, it is sufficient just *to rinse up* something a little and it will be clean.

4. "How in the world did you manage to fall like that?" Grandma cried and *threw up* her hands.

4. "You need *to gargle* so your throat will not hurt," said the doctor. He prescribed me some *mouthwash.*

5. *Rinse off* quickly in the shower after work and we will eat supper.

5. Take the pot that the soup was in, *rinse* it out, and pour the *rinse-water* into the feed for the animals.

ПЛЕТ⁵⁴ (плёт¹¹, плот²⁶,плоч³, плач²) [for плес²⁹ see truncation rule 5] *weave*

1. Сде́лаем *плот* и поплывём вниз по реке́.
1. В саду́ стои́т ле́тняя ме́бель—лёгкий сто́лик и не́сколько *плетёных* кре́сел.
2. В орна́менте ковра́ *сплета́ются* ни́ти ра́зного цве́та.
2. Оте́ц сам мо́жет постро́ить деревя́нный дом, потому́ что он прекра́сный *пло́тник*.
3. Ка́ждое у́тро де́вушка *заплета́ет* свои́ дли́нные во́лосы в ко́су. Что́бы *доплести́* ко́су до конца́ и *вплести́* в неё ле́нту, тре́буется мно́го вре́мени. Иногда́ прихо́дится *переплета́ть* ко́су, потому́ что *плете́ние* получи́лось неро́вным. Де́вушка счита́ет, что *расплетённые* во́лосы вы́глядят некраси́во.
3. Подру́жки—настоя́щие *спле́тницы*. Они́ лю́бят *посплетничать* о знако́мых. Иногда́ они́ *спле́тничают* часа́ми и мо́гут *досплетничаться* до того́, что *насплетничают* дурно́е о хоро́шем челове́ке. Нельзя́ ве́рить *спле́тням*, они́ никогда́ не быва́ют правди́выми!
4. Разгово́р у нас о тебе́, а не о твое́й семье́, поэ́тому не на́до *приплета́ть* семью́!
4. Иди́ быстре́е, что ты *плетёшься* е́ле-е́ле.
4. Же́нщина сиде́ла в кре́сле, изя́щно *переплетя́* дли́нные но́ги.
5. Ви́димо, ребёнок о́чень го́лоден, смотри́, как он *уплета́ет* обе́д.
5. Мы должны́ *сплоти́ться* вокру́г на́шего ли́дера. То́лько *сплочённость* помо́жет нам победи́ть.

1. We'll make a *raft* and float down the river.
1. There is summer furniture in the garden–a light table and several *wicker* chairs.
2. In the design of the rug *are woven together* threads of various color.
2. Father can build a house out of wood himself because he is an excellent *carpenter*.
3. Every morning the girl *plaits* her long hair into a braid. It takes a lot of time *to finish weaving* a braid all the way to the end and *to weave in* a ribbon. Sometimes it is necessary *to rebraid* it because the *weave* turns out uneven. The girl thinks that *unbraided* hair looks ugly.
3. My girl friends are real *gossips*. They love *to gossip* about their acquaintances. Sometimes they *gossip* for hours, *gossiping to the point* that they *come up with* bad things about a good person. You can't believe *gossip*. It's never true.
4. Our conversation is about you, not your family, so you don't have *to bring* your family *into* it!
4. Go faster. Why are you just *dawdling along*?
4. The woman sat in the armchair, gracefully *crossing* her long legs.
5. Apparently the child is quite hungry. Look how he *is downing* his dinner.
5. We should *rally* around our leader. Only *unity* will help us to overcome.

ПЛОД²³ (плож⁵) *fruit*

1. О́сенью с *плодо́вых* дере́вьев в сада́х собира́ют урожа́й спе́лых *плодо́в*.
2. Врач сказа́л, что же́нщина не мо́жет име́ть дете́й—она́ *беспло́дна*.
3. Кро́лики бы́стро *плодя́тся*. За коро́ткое вре́мя их мо́жет *расплоди́ться* о́чень мно́го, и *припло́д* всё вре́мя увели́чивается.
4. Молодо́й писа́тель о́чень *плодови́тый*, ка́ждый год он издаёт не́сколько но́вых рома́нов.
5. Все попы́тки найти́ доро́гу оказа́лись *беспло́дными*, пу́тники по́няли, что заблуди́лись.

1. In the fall, the harvest of ripe *fruits* is gathered from the *fruit* trees in the orchards.
2. The doctor said that the woman cannot have children. She is *barren*.
3. Rabbits quickly *reproduce*. In a short time they can *multiply* very rapidly, and (the number of) their *offspring* is constantly increasing.
4. The young writer is very *prolific*. Each year he publishes several new novels.
5. All attempts to find the road turned out to be *fruitless*. The travelers realized that they were lost.

ПЛОТ²³ (площ⁸) *flesh*

1. Ты мой сын, моя́ кровь и *плоть*!
2. Брат не то́лстый, но дово́льно *пло́тный* ма́льчик.

3. Ма́ло то́лько мечта́ть о чём-либо—*бесплотные* мечты́ ни к чему́ не приво́дят. На́до стреми́ться *воплоти́ть* свою́ мечту́ в жизнь. *Воплощение* мечты́ де́лает жизнь бога́че.

4. Хоро́ший актёр до́лжен уме́ть *перевоплоща́ться* в своего́ геро́я.

5. *Вплоть* до револю́ции мы с ма́мой жи́ли вдвоём в большо́й просто́рной кварти́ре, но по́сле револю́ции нас "*уплотни́ли*"—посели́ли в на́шу кварти́ру ещё де́сять челове́к.

   1. You are my son, my *flesh* and blood!

   2. My brother is not fat, but he is a rather *corpulent* boy.

   3. It is not enough to just dream about something. *Empty* dreams lead to nothing. You must strive *to make your dream come true* [*embody* your dream into life]. The *fulfillment [embodiment]* of a dream makes life richer.

   4. A good actor should be able *to transform himself* into his character.

   5. *Right up until* the revolution my mother and I lived together, just the two of us, in a large, spacious apartment. After the revolution, however, we were "*consolidated*" [the per person living space was reduced]. Ten more people moved into our apartment.

ПЛЯС[28] *dance*

1. Ба́бушка не уме́ла танцева́ть вальс или та́нго, но прекра́сно *пляса́ла*.

2. Люблю́ смотре́ть на шу́мную и весёлую наро́дную *пля́ску*.

3. Зазвуча́ла *плясова́я* мело́дия, и го́сти пусти́лись в *пляс*. Снача́ла *запляса́ли* молоды́е, пото́м и ста́рые реши́ли, что мо́гут *спляса́ть* не ху́же. Ско́ро ли́хо *отпля́сывали* все. *Пропляса́в* не́сколько мину́т, старики́ по́няли, что не смо́гут *перепляса́ть* молоды́х, и, *напляса́вшись*, вы́шли из кру́га *пля́шущих*.

4. Когда́ игра́ет весёлая му́зыка, *плясуны́* не мо́гут стоя́ть споко́йно. Снача́ла они́ начина́ют *припля́сывать*, а пото́м мо́гут так *распляса́ться*, что не остано́вятся не́сколько часо́в.

5. За оби́ду я тебе́ жесто́ко отомщу́, ты у меня́ ещё *попля́шешь*!

   1. Grandma could not dance the waltz or tango, but she *danced (folk dances)* beautifully.

   2. I love to watch a noisy and merry *folk dance*.

   3. A *dance* melody rang out and the guests began the *dance*. First the young people *started dancing* , then the old people decided they could *dance* just as well. Soon everyone *was dancing zestfully*. *After dancing* for several minutes, the elderly realized that they would not be able *to outdance* the young people, and, *having had* their *fill of dancing*, they left the circle *of dancers*.

   4. When lively music plays, *dancers* cannot stand still. First they begin *to tap* their *feet*, and then they might *get* so *involved in dancing* that they don't stop for several hours.

   5. For this insult I will exact a full measure of revenge on you. You *will dance* for me yet!

ПОДЛ[16] *despicable*

1. Не ожида́л от него́ тако́го *по́длого* посту́пка. Никогда́ не ду́мал, что он ока́жется *подлецо́м*.

2. Неуже́ли ты не понима́ешь, что соверши́л *по́длость* по отноше́нию к дру́гу?

3. Я встреча́л э́того челове́ка не́сколько лет наза́д, тогда́ в его́ поведе́нии бы́ло что́-то *подлова́тое*, но я ника́к не ожида́л, что челове́к мо́жет так си́льно *испо́длиться*. Не сомнева́юсь, что сейча́с он соверше́нно потеря́л со́весть и мо́жет *напо́дличать* любо́му.

4. Жа́лко, что дурны́е лю́ди *опо́длили* досто́йное де́ло.

5. Осторо́жнее с но́вым прия́телем—мне ка́жется, что он спосо́бен *сполдича́ть*.

   1. I did not expect such a *vile* act from him. I never thought that he would turn out to be a *scoundrel*.

   2. Do you really not realize that you've played a *dirty trick* on your friend?

   3. I met this person several years ago. Back then there was something a *little mean* in his behavior, but I never expected that a person could *become* so *utterly depraved*. I have no doubt that now he has completely lost his conscience and would *behave like a scoundrel* to anyone.

   4. It is a pity that wicked people *have corrupted* such a worthy activity.

   5. Be careful with your new friend–I think he is capable of *behaving like a scoundrel*.

ПОЗД[13] (пазд[5]) *late*

1. Извини́те за *опозда́ние*.
2. Вчера́ я занима́лся *допоздна́*, гото́вился к экза́мену.
3. Друг немно́го *запозда́л*, пришёл *по́зже*, чем обеща́л, поэ́тому мы *поздновато* пошли́ в кино́ и, коне́чно, *опозда́ли* к нача́лу фи́льма.
4. Ты си́льно *припозднился* со свои́м призна́нием—мне давно́ всё изве́стно.
5. Цветы́, кото́рые расцвета́ют *по́здней* о́сенью, называ́ют *запозда́лыми*.

   1. Excuse my *tardiness*.
   2. Yesterday I studied *until late* preparing for an exam.
   3. My friend *was* a little *late*. He came *later* than he promised, so we left *somewhat late* for the movie theater. Of course we *were late* for the beginning of the film.
   4. You're extremely *belated* with your admission. I have known everything for some time.
   5. Flowers which blossom in the *late* fall are called *late bloomers*.

ПОКО́Й[40] (покай[3]) *peace*

1. Соба́ка *споко́йно* лежа́ла на полу́, но вдруг она́ *забеспоко́илась*.
2. Пока́ не по́здно, *побеспоко́йся* о свое́й учёбе, ина́че не сдашь экза́менов.
3. В лесу́ цари́т *споко́йствие*, и я чу́вствую, как оно́ *успокои́тельно* де́йствует на мои́ напряжённые не́рвы, как из души́ ухо́дит *беспоко́йство*.
4. *Поко́йный* был прекра́сным челове́ком. Его́ похорони́ли на стари́нном кла́дбище, он тепе́рь *поко́ится* в моги́ле ря́дом с его́ давно́ уме́ршей жено́й.
5. Пе́ред сме́ртью *поко́йник* пожела́л, что́бы *заупоко́йных* моли́тв по нему́ не чита́ли.

   1. The dog was lying *quietly* on the floor, but suddenly she *became anxious*.
   2. Before it's too late, *take* your studies *seriously*. Otherwise, you won't pass the exams.
   3. *Peace* reigns in the forest. I can feel it *soothing* my tense nerves, and *anxiety* leaving my soul.
   4. The *deceased* was a wonderful man. He was buried in an old cemetery, and now he *rests* in a grave next to his long deceased wife.
   5. Before his death, the *deceased* requested that prayers for the repose of his soul not be said.

ПОЛ[36] *half*

1. Разре́жь я́блоко *попола́м* и дай *полови́ну* бра́тику.
2. Мать хоте́ла узна́ть *пол* ребёнка до ро́дов, что́бы зара́нее вы́брать и́мя.
3. Ты никогда́ не дово́дишь де́ло до конца́, всё де́лаешь *наполови́ну*. Но нельзя́ прожи́ть жизнь с *полови́нными* чу́вствами и *полови́нчатыми* реше́ниями!
4. *Полово́е* воспита́ние дете́й ча́сто начина́ется в шко́ле.
5. Не пойму́, что он за челове́к—ни ры́ба ни мя́со, како́е-то *беспо́лое* существо́.

   1. Cut the apple *in half* and give *half* to your little brother.
   2. The mother wanted to find out the child's *sex* before birth in order to choose a name in advance.
   3. You never carry a job through to the end–you do everything *halfway*. But you cannot go through life with *half-way* feelings and *half-hearted* decisions!
   4. *Sex* education for children often begins in (elementary) school.
   5. I can't figure out what kind of a person he is. He's neither fish nor fowl, but some kind of *genderless* being.

ПОЛ[19] (пал[9]) *weed*

1. Сего́дня пришло́сь с утра́ немно́го *пополо́ть* огоро́д.
2. Ка́ждый день мы *выпа́лываем* вре́дную траву́.
3. В жа́ркую пого́ду *поло́ть* тяжело́, но на́до *прополо́ть* все гря́дки и *дополо́ть* огоро́д. Травы́ мно́го, мы *напа́лываем* большу́ю ку́чу сорняко́в. Са́мое неприя́тное, е́сли, зако́нчив рабо́ту, ви́дишь, что сорняки́ оста́лись и на́до *перепа́лывать* ещё раз.

4. *Пропа́лывание* огоро́да—не са́мое люби́мое моё заня́тие, но *перепа́лывание* ещё ху́же.

5. Не люблю́ занима́ться *пропо́лкой*!

     1. Beginning this morning I've had *to weed* the garden a little.
     2. Every day we *weed out* the harmful grass.
     3. It is hard *to weed* in hot weather, but we need *to weed all* the rows and *finish weeding* the garden. There is a lot of grass. We *are pulling* out a large pile of weeds. The worst thing is if, after you finish the work, you see that some weeds are left and you have *to weed all over again*.
     4. *Weeding* the garden is not my favorite activity, but *weeding it all over again* is worse.
     5. I do not like to spend time *weeding*!

ПОЛЗ[56] *crawl*

1. Ребёнок ещё не хо́дит, но на́чал *по́лзать*.

2. Сего́дня малы́ш впервы́е *пропо́лз* по ко́мнате и *допо́лз* до две́ри.

3. Ма́ленький ребёнок *попо́лз* из ко́мнаты в ку́хню, по доро́ге *запо́лз* в ва́нную, пото́м *вы́полз* из неё. Он *вполз* в ку́хню, *отпо́лз* от поро́га, *упо́лз* в у́гол и там засну́л.

4. По́сле дождя́ в гора́х опа́сны *о́ползни*—ма́ссы земли́, песка́, камне́й и гли́ны, кото́рые *сполза́ют* вниз. Ка́ждый *о́ползень* мо́жет привести́ к больши́м разруше́ниям.

5. Мате́рия, из кото́рой сши́та ю́бка, така́я ста́рая, что *располза́ется* под утюго́м.

     1. The infant cannot walk yet, but he has begun *to crawl*.
     2. Today the little child *crawled through* the room for the first time and *crawled up to* the door.
     3. The little infant *set off crawling* from the room into the kitchen. Along the way he *crawled into* the bathroom, then *crawled out* of it. He *crawled into* the kitchen, *crawled away* from the doorway, *crawled off* to the corner, and fell asleep there.
     4. After it rains in the mountains *landslides* pose a danger–masses of soil, sand, rocks, and clay that *slide down*. Any *landslide* can lead to great destruction.
     5. The material from which the skirt is sewn is so old that it *frays* at the seams when ironed.

ПОЛН[82] *full*

1. *Напо́лни* ча́шку водо́й и *по́лную* ча́шку поста́вь на стол.

1. На́до *допо́лнить* твой расска́з то́чной информа́цией о персона́жах.

2. По́сле отве́та на основно́й вопро́с профе́ссор попроси́л студе́нта отве́тить на два *дополни́тельных* вопро́са.

2. Ма́ма со мно́й *по́лностью* согла́сна, *вполне́* понима́ет мои́ проблемы и пыта́ется помо́чь их реши́ть.

3. За после́дний год тётушка о́чень *пополне́ла*, сейча́с она́ ве́сит бо́льше, чем в про́шлом году́. Хотя́ я не ду́маю, что *по́лная* же́нщина—э́то обяза́тельно некраси́вая же́нщина, но всё-таки с изли́шней *полното́й* на́до боро́ться, ина́че мо́жно *располне́ть* так, что уже́ никогда́ не смо́жешь сбро́сить вес.

3. Нам удало́сь *перевы́полнить* обяза́тельства, зако́нчить рабо́ту ра́ньше сро́ка. Мы бы́стро и ка́чественно *испо́лнили* всё, о чём нас проси́ли.

4. Солда́ты то́чно *вы́полнили* прика́з команди́ра. За хоро́шее *выполне́ние* прика́за они́ награждены́ меда́лями.

4. Никто́ и ничто́ не *воспо́лнит* мне э́той поте́ри!

5. Како́й хоро́ший, *исполни́тельный* рабо́тник, пору́ченную рабо́ту де́лает пра́вильно и во́время. Мо́жно то́лько мечта́ть о тако́м *исполни́теле*.

5. Твоя́ гру́бость *перепо́лнила* ча́шу моего́ терпе́ния, обеща́ю, что заста́влю тебя́ заплати́ть *сполна́* за все оби́ды.

     1. *Fill* the cup with water and put the *full* cup on the table.
     1. You must *supplement* your story with specific information about the characters.
     2. After the answer to the basic question, the professor asked the student to answer two *additional* questions.
     2. Mom agrees with me *entirely*. She *completely* understands my problems and tries to help me solve them.

3. Over the last year, Auntie *has* really *filled out*. She now weighs more than she did last year. Although I do not think that a *plump* woman is necessarily an unattractive woman, all the same, excess *weight* must be resisted. Otherwise, you could *get* so *heavy* that you will never be able to shed the weight.

3. We were able *to exceed* our obligations and finish the work before the deadline. We *carried out* quickly and at a high level of quality everything that was asked of us.

4. The soldiers *executed* their commander's order exactly. For their good *execution* of the order they were awarded medals.

4. No one and nothing *will compensate* for my loss!

5. What a good, *effective* worker he is. He performs his assigned work correctly and on time. One can only dream of such a *performer*.

5. Your rudeness *has completely taxed* my patience [*overflowed* the cup of my patience]. I promise I will make you pay *in full* for all your insults.

ПОЛОС[23] *stripe*

1. На америка́нском фла́ге изображены́ звёзды и *поло́сы* .

2. Ко́шка бе́лая с ры́жими *поло́сками*.

3. С самолёта по́ле *вы́глядит полоса́тым*, потому́ что *располосо́вано* посе́вами ра́зных трав, овоще́й и цвето́в. Не зна́ю, хороша́ ли така́я *чересполо́сица* для расте́ний, но вы́глядит она́ краси́во.

4. Колёса маши́н *исполосо́вывают* мя́гкую по́сле дождя́ дереве́нскую доро́гу.

5. Случа́йно муж *полосну́л* себя́ по руке́ о́стрым ножо́м, сра́зу потекла́ кровь.

1. On the American flag, stars and *stripes* are displayed.

2. The cat is white with little reddish *stripes*.

3. From the plane, the field looks *striped* because it *is planted in strips* of various grasses, vegetables, and flowers. I don't know whether or not such *strip farming* is good for the plants, but it looks beautiful.

4. The car wheels *cut ruts* in the soft village road after a rain.

5. My husband accidentally *slashed* himself on the hand with a sharp knife, and blood immediately began to flow.

ПОР[33] (пар[25]) *rip*

1. Нет де́нег, что́бы купи́ть но́вую оде́жду, прихо́дится *поро́ть* ста́рые ве́щи и из кусо́чков шить пла́тья и блу́зки.

2. Посмотри́, шов на рукаве́ совсе́м *распоро́лся*, попроси́ ма́му заши́ть.

3. Зла́я ма́чеха заставля́ет де́вочку *отпа́рывать* от ста́рой оде́жды рукава́ и воротники́, *выпа́рывать* кусо́чки хорошо́ сохрани́вшейся тка́ни, *спа́рывать* пу́говицы. Е́сли де́вочка ме́дленно рабо́тает, ма́чеха нака́зывает её жесто́кой *по́ркой*.

4. В результа́те дра́ки оди́н банди́т поги́б—*напоро́лся* на нож сопе́рника.

5. Тебе́ поручи́ли ва́жное де́ло, а ты *запоро́л* его́!

1. There is no money to buy new clothes. *The seams* of old things have *to be ripped* in order to sew dresses and blouses from the pieces.

2. Look, the seam on your sleeve *has* completely *ripped apart*. Ask Mom to sew it up.

3. The evil stepmother forces the girl *to rip* the sleeves and collars *off* of the old clothing, *rip up* pieces of the well-preserved material, and *rip off* the buttons. If the girl works slowly, the stepmother punishes her with a cruel *lashing*.

4. As a result of the fight, one bandit perished–he *ran into* the knife of his opponent.

5. You were given an important assignment and you *botched* it!

ПОРОХ[3] (порош[13], пораш[1], прах[1]) *powder*

1. Для сти́рки ну́жен стира́льный *порошо́к* и́ли мы́ло.

2. Как то́лько архео́логи косну́лись оде́жды фарао́на, она́ рассы́палась в *прах*.

3. С утра́ *пороши́т* лёгкий снежо́к. Он *запороши́л* у́лицы, *припороши́л* дере́вья в саду́. К ве́черу, мо́жет быть, *напороши́т* мя́гкие сугро́бы. Хороша́ зимо́й *поро́ша*!

4. Бо́мба попа́ла в *пороховой* склад, разда́лся стра́шный взрыв.

5. Поду́л си́льный ве́тер, по́днял пыль, кото́рая *запора́шивает* глаза́.

    1. For washing you need laundry *powder* or soap.

    2. As soon as the archeologists touched the pharaoh's clothing, it crumbled into *dust*.

    3. Since morning, a light snow *has been falling*. It *thoroughly dusted* the streets and *lightly dusted* the trees in the garden. By evening, *enough powder may fall* to form soft snowdrifts. *Powdery snow* in the winter is beautiful!

    4. The bomb fell in a *powder* magazine. A terrible explosion rang out.

    5. A strong wind began to blow and picked up dust, *filling* our eyes *with dust*.

ПОРТ[11] (порч[5]) *damage*

1. На́до убира́ть мясны́ проду́кты в холоди́льник, потому́ что от жары́ они́ *по́ртятся*.

2. Я наде́ялся, что ты хорошо́ сде́лаешь рабо́ту, а ты то́лько *напорта́чил*.

3. Но́вый сотру́дник оказа́лся *портачо́м*—мо́жет *испо́ртить* любу́ю рабо́ту, *напо́ртить* в любо́м де́ле, *перепо́ртить* всё, чем занима́ется.

4. Будь осторо́жен: э́та ба́бка—колду́нья, уме́ет наводи́ть *по́рчу* на всех, кто ей не нра́вится.

5. Мать бои́тся, что сын свя́жется с *испо́рченными* детьми́ и пойдёт по плохо́й доро́жке.

    1. Meat products must be kept in the refrigerator because they *will spoil* from the heat.

    2. I hoped that you would do the work well, but you only *botched* it *up*.

    3. The new employee turned out to be a *bungler*. He can *thoroughly botch* any job, *foul up* any thing, and *really ruin* anything he undertakes.

    4. Be careful. This old woman is a witch. She can put a *hex* on anyone she doesn't like.

    5. The mother is afraid that her son will associate with *corrupted* children and set off down the wrong path.

ПОТ[24] *sweat*

1. От бы́строго бе́га спортсме́н си́льно *вспоте́л*. По его́ лицу́ тёк *пот*.

2. Когда́ мы пожима́ли друг дру́гу ру́ки, я почу́вствовал, что у моего́ но́вого знако́мого рука́ холо́дная и *по́тная*.

3. При просту́де на́до вы́пить горя́чего молока́, лечь в посте́ль, укры́ться потепле́е и *попоте́ть* не́сколько часо́в. Чем бо́льше *вы́пот*, тем лу́чше. Е́сли хороше́нько *пропоте́ть*, просту́да пройдёт.

4. —Тру́дная была́ рабо́та?—Да, пришло́сь *попоте́ть* не на шу́тку.

5. О́кна *запоте́ли*, ничего́ не ви́дно.

    1. The athlete *worked up a* heavy *sweat* from the swift race. *Sweat* was flowing down his face.

    2. When we shook hands, I felt that my new acquaintance's hand was cold and *clammy*.

    3. When chilled, you must drink some hot milk, lie down in bed, cover yourself up warmly, and *sweat* for several hours. The more *sweat*, the better. If you really *sweat thoroughly*, the chill will pass.

    4. —Was the work difficult?—Yes. I really had *to work up a sweat*.

    5. The windows *fogged over*. Nothing was visible.

ПР[7] (пер[45], пёр[3], пир[31], пор[48], пар[3]); note also СПОР[5] [from с-пор] *press against*

1. На́до прекрати́ть *спо́рить*, всё равно́ ничего́ не *вы́споришь*.

1. —Ты вы́играл в *спо́ре*?—Нет, я *проспо́рил*.

2. Ка́ждый выступа́ющий *оспа́ривал* мне́ние предыду́щего ора́тора, но не счита́л ну́жным *опира́ться* на каки́е-ли́бо фа́кты.

2. Е́сли хо́чешь доби́ться успе́ха, на́до прояви́ть *упо́рство*.

3. Мать ушла́ на рабо́ту и *заперла́* дете́й в кварти́ре. Де́тям надое́ло сиде́ть *взаперти́*, они́ нашли́ ключ и смогли́ *отпере́ть* дверь. Вы́йдя из кварти́ры, они́ уви́дели ле́стницу с высо́кими *пери́лами*.

3. Муж всегда́ *упо́рствует* в своём мне́нии, он *упо́рный спо́рщик*. А я ду́маю, что ре́дко мо́жно *доспо́риться* до чего-либо позити́вного, лу́чше не стара́ться *переспо́рить* друго́го, а иска́ть разу́мный компроми́сс.

4. Не *отпирайся*, я знаю, что ты мне солгал!

4. В любой трудной ситуации я знаю, что муж—моя надёжная *опора*: он никогда не оставит меня без поддержки.

5. Спортсменка из Америки—самая серьёзная *соперница* чемпионки в соревнованиях по бегу. Их *соперничество* продолжается уже три года.

5. Посмотри, как быстро и *споро* работают строители. Дело так и *спорится* в их руках!

  1. You must stop *arguing*. You won't *solve* anything *by arguing* anyway.

  1. —Did you win the *argument*?—No, I *lost*.

  2. Each speaker *disputed* the opinion of the previous orator, but nobody considered it necessary *to rely* on any facts.

  2. If you want to achieve success, you need to show *persistence*.

  3. The mother left for work and *locked* the children in the apartment. The children got fed up with being *locked* in. They found a key and were able *to unlock* the door. Having exited the apartment, they saw a staircase with high *railings*.

  3. The husband always *insists* on his own opinion. He is a *stubborn debater*. I think, however, that you can rarely get something *by arguing*. It is better not to try to *out-argue* another, but to seek a reasonable compromise.

  4. Don't *deny* it! I know that you lied to me!

  4. In any difficult situation I know that my husband is my reliable *support*. He will never leave me without encouragement.

  5. The athlete from America is the champion's most serious *competitor* in the track competition. Their *rivalry* has been continuing for three years now.

  5. Look how fast and *intensely* the builders are working. The work *goes well* in their hands.

ПРАВ[187] *right; direct*

1. Никто не имеет *права* унижать человека.

1. Водитель машины, которая ехала перед нами, показал *правый* поворот и повернул *направо*.

1. Сенат принял *поправку* к Конституции.

2. Я получил письмо, *отправленное* неделю назад из Москвы. *Отправитель* письма—мой друг.

2. Врач выписал *справку* о том, что я болел четыре дня.

2. Завтра *отправляемся* в путешествие. Не забудьте, что *отправление* поезда в семь часов утра.

3. Сын никогда не обманывает, он очень *правдивый* мальчик и помнит важное *правило*: самая трудная *правда* лучше самой приятной лжи. Думаю, что он воспитан *правильно*.

3. —Кто *правитель* этой страны? Царь или король?—Нет, *правительство управляет* страной. Я не думаю, что его *правление справедливо*, потому что существует *правящая* партия, которая *вправе* делать всё, что захочет. Уверен, что это положение необходимо *исправить*.

3. Туристы хотели *переправиться* на другой берег реки. Они нашли удобную *переправу*, но что-то случилось с машиной: ею очень трудно *управлять*. Все надеются, что *неисправность* несерьёзная и *поправимая*.

4. Женщина сильно волновалась, но постепенно она *справилась* с волнением и успокоилась.

4. Месяц назад ты была очень худой, а сейчас *поправилась*.

4. Суд вынес обвиняемому *оправдательный* приговор: признал его невиновным.

5. Ты не *заправляешь* машину вовремя, посмотри—кончился бензин, давай свернём *вправо* и найдём бензо*заправку*.

5. Восстание рабов в Древнем Риме потерпело поражение, и с восставшими рабами жестоко *расправились*. Об этой кровавой *расправе* рассказывается в исторических сочинениях.

5. У незнакомца необычная внешность: очки в тонкой металлической *оправе*, как у учителя, и прекрасная *выправка заправского* офицера.

  1. No one has the right *to demean* another person.

  1. The driver of the car in front of us signaled a *right* turn and turned *right*.

1. The Senate accepted an *amendment* to the Constitution.
2. I received a letter *which was sent* a week ago from Moscow. The *sender* of the letter is my friend.
2. The doctor wrote a *note* verifying that I was ill for four days.
2. Tomorrow we *are setting off* on a trip. Don't forget that the train *departure* is at seven o'clock in the morning.
3. My son never lies. He is a very *honest* boy and remembers an important *rule*: the most difficult *truth* is better than the most pleasant lie. I think that he has been raised *correctly*.
3. Who is the *ruler* of this country? A tsar or a king? No, the *government directs* the country. I do not think that its *rule* is *just*, because a *ruling* party exists which *has the right* to do anything it wishes. I am certain that this condition must *be corrected*.
3. The tourists wanted *to cross* to the other shore of the river. They found a convenient *crossing*, but something happened with the car–it was very difficult *to steer*. Everyone hopes that the *problem* is not serious and *can be repaired*.
4. The woman was extremely worried, but gradually she *gained control* of her agitation and calmed down.
4. A month ago you were very thin, but now you *have filled out*.
4. The court delivered a verdict of *not guilty* to the defendant. He was deemed innocent.
5. You don't *fill* the car up soon enough. Look, you are out of gas. Let's turn down *to the right* and find a gas *station*.
5. An uprising of slaves in Ancient Rome suffered a defeat and the mutinous slaves *were* cruelly *dealt with*. This bloody *massacre* is reported in historical works.
5. The stranger has an unusual appearance. He has thin, wire-*framed* glasses like a teacher, and the handsome *bearing* of a *true* officer.

ПРАЗДН[18] (пражн[6], порожн[11], поражн[4]) *resting*

1. Сего́дня *пра́здник*, и у всех *пра́здничное* настрое́ние.
2. На́ше дома́шнее зада́ние—переписа́ть два *упражне́ния* из уче́бника.
3. За́втра Рождество́, и сего́дня в до́ме цари́т *предпра́здничная* суета́. Ба́бушка и ма́ма счита́ют, что не доста́точно про́сто немно́го *попра́здновать*, что на́до *отпра́здновать* по-настоя́щему, поэ́тому они́ це́лый день за́няты на ку́хне, а нам не́чего де́лать, и мы *пра́здно* бро́дим по до́му.
4. Грузови́к привёз проду́кты, их вы́грузили, и обра́тно маши́на ушла́ *порожняко́м*.
5. По́сле револю́ции но́вое прави́тельство *упраздни́ло* всю систе́му ста́рой вла́сти.

1. Today is a *holiday*, and everyone is in a *festive* mood.
2. Our homework assignment is to rewrite two *exercises* from the textbook.
3. Tomorrow is Christmas, and today the *pre-holiday* bustle reigns in the house. Grandma and Mom think that it is not sufficient simply *to celebrate a little*, but that it is necessary *to be* really *festive*. Therefore, they have been busy all day in the kitchen. There's nothing for us to do, though, so we wander *idly* around the house.
4. The truck brought the goods which were unloaded. Then the vehicle went back, *empty*.
5. After the revolution, the new government *abolished* the entire system of the old rule.

ПРЕЙ[32] *break down, fester*

1. У малыша́ немно́го *подопре́ла* ко́жа, на́до сма́зать ма́зью.
2. Ба́бушка ста́вит кастрю́лю с гото́вой ка́шей в тёплое ме́сто, что́бы ка́ша *разопрева́ла* не́сколько часо́в.
3. О́сенью на у́лицах и в скве́рах городо́в дво́рники сгреба́ют *пре́лые* ли́стья и жгут их. Не́которые ли́стья не *сопре́ли* по́лностью, но и они́ попада́ют в костёр. За́пах *пре́лости* и ды́ма—за́пах о́сени в го́роде. Е́сли ли́стья не сжечь, они́ за зи́му *перепрева́ют* под сне́гом.
4. Больны́е, до́лго лежа́щие без движе́ния, ча́сто страда́ют от *опре́лостей* ко́жи.
5. По суббо́там в дере́вне то́пят ба́ню, до́лго па́рятся, а пото́м, *разопре́вшие* и дово́льные, пьют чай.

1. The young boy's skin *is* slightly *inflamed*. It must be rubbed with ointment.
2. Grandma places the pot of cooked kasha in a warm place so the kasha can *soften up* for several hours.
3. In the fall, the yard workers rake together *decomposing* leaves from the city streets and squares and burn

them. Some leaves *have* not completely *rotted*, but they also are thrown into the fire. The smell *of moldy leaves* and smoke is the smell of fall in the city. If the leaves are not burned, they *thoroughly decompose* under the snow during the winter.

4. Sick people who lie for a long time without movement often suffer from a *festering* of the skin.

5. On Saturdays in the village people stoke bathhouses and steam themselves for a long time. Then, *relaxed* and satisfied, they drink tea.

ПРЕТ[8] (прещ[7]) *forbid*

1. Учитель не разрешал детям разговаривать во время урока, это был его самый строгий *запрет*.

2. Во времена диктатуры люди тайно читали *запрещённые* книги. Их не останавливало *запрещение* диктатора.

3. При наборе высоты пассажирам самолёта *запрещается* вставать со своих мест. В течение всего полёта строго *воспрещается* курить.

4. Мудрая библейская притча рассказывает о *запретном* плоде, который съела Ева.

5. Мне *претит* высокомерный тон нашего начальника.

1. The teacher did not allow the children to converse during class. This was his most severe *restriction*.

2. During the time of dictatorship, people secretly read *forbidden* books. The dictator's *bans* did not stop them.

3. During the ascent, passengers on the plane are *prohibited* from getting up from their seats. During the entire flight, smoking *is* strictly *forbidden*.

4. A wise biblical parable speaks of the *forbidden* fruit which Eve ate.

5. Our supervisor's arrogant tone *repulses* me.

ПРОК[2] (проч[18]) *firm up*

1. Наша дружба *прочнеет* с каждым днём, мы всё больше доверяем друг другу.

2. Перед подъёмом в горы альпинисты проверяют *прочность* снаряжения.

3. Благородная цель дипломатии—*упрочнение* добрых отношений между странами. За последние годы связи между многими странами *упрочились*, стали более *прочными*.

4. Больной принимал разные лекарства, но никакого *прока* от них не было—никакие средства не шли *впрок* и больной умирал.

5. В детстве брат сочинял музыку, родители *прочили* его в великие музыканты.

1. Our friendship *grows firmer* every day. We trust each other more and more.

2. Before ascending a mountain, mountain-climbers check the *durability* of their equipment.

3. The noble goal of diplomacy is the *strengthening* of friendly relations among countries. In recent years, the links between many countries *have become firmer* and more *durable*.

4. The patient was taking various medicines, but they were of no *benefit*. Nothing was *helping*, and the patient was dying.

5. In his childhood, my brother composed music. Our parents *expected* him to become a great musician.

ПРОС[56] (прош[12], праш[35]) *request*

1. Отец не любит *просить* о чём-либо. Сын никогда не слышал от отца ни одной *просьбы*.

2. Ученик хочет *отпроситься* с урока, учитель *спрашивает*, почему ученику нужно уйти. Ученик объясняет, но учитель не понимает и *переспрашивает* ещё раз.

3. Девочка *попросила* у подружки куклу поиграть. Она смотрела на подружку *вопрошающим* взглядом. Девочка не была *попрошайкой*, никогда не *попрошайничала* и ничего не *выпрашивала*. Она не хотела *упрашивать* подругу дать ей игрушку, в её взгляде не было *просительности*, но был *вопрос*.

4. Перед выборами президента журналисты провели *опрос* населения.

5. Сделайте так, чтобы *допрашиваемые* рассказали всё. *Допрос* должен дать важную информацию.

1. The father does not like *to ask* for anything. His son has never heard one *request* from his father.

2. The student wants *to be excused* from class. The teacher *asks* why the student needs to leave. The student

explains, but the teacher does not understand and *asks* again.

3. The girl *asked* her friend if she could play with her doll. She looked at her friend with an *inquiring* gaze. The girl was not a *moocher*; she never *mooched* or *begged* for anything. She did not want *to entreat* her friend to give her the toy. There was no *pleading* in her gaze, but there was a *question*.

4. Before the presidential elections, the journalists conducted a *poll* of the population.

5. Make it so that the *people being interrogated* tell everything. The *interrogation* should provide important information.

ПРОСТ[35] (прощ[25]) *uncomplicated*

1. Наш това́рищ—*просто́й* челове́к, но не на́до ду́мать, что он *проста́к*.

2. *Прости́* меня́ за гру́бость. Я хочу́ заслужи́ть твоё *проще́ние*.

3. Мой прия́тель не лю́бит мно́го рассужда́ть и у него́ *простова́тый* вид, но в то же вре́мя нельзя́ сказа́ть, что он *упрощённо* понима́ет жизнь и́ли сли́шком *упроща́ет* отноше́ния с людьми́. *Про́сто* его́ *простота́* похо́жа на *простоту́* мудреца́ и́ли ребёнка. *Непрости́тельная* оши́бка ду́мать, что у него́ *просте́цкий* хара́ктер, кото́рый мо́жно *за́просто* поня́ть.

4. Наста́ло вре́мя *прости́ться*. Дава́й *попроща́емся* и запо́мним на́ше *проща́ние* навсегда́. Э́то письмо́—мой после́дний, *проща́льный* приве́т.

5. Ребёнок с трудо́м *вы́простал* ру́ку из тёплой рукави́цы и ла́сково погла́дил щенка́.

1. Our comrade is an *uncomplicated* person, but there's no need to think he is a *simpleton*.

2. *Pardon* me for my rudeness. I want to earn your *forgiveness*.

3. My friend does not like to deliberate much and he has a *rather simple* appearance. But, at the same time, you can't say that he is *naive* in his understanding of life or that he *oversimplifies* his relationships with people. It's *simply* that his *simplicity* is similar to the *simplicity* of a sage or a child. It is an *inexcusable* mistake to think that he has a *simpleton's* personality that can be understood *simply*.

4. The time has come *to bid farewell*. Let's *say goodbye* and remember our *farewell* forever. This letter is my last, my *farewell* greeting.

5. With difficulty, the child *freed* his hand from his warm mitten and tenderly stroked the puppy.

ПРЫГ[49] (прыж[4]) *spring up*
ПРУГ[4] (пруж[18])   "

1. Де́ти лю́бят побе́гать, *попры́гать*.

2. Молодо́й челове́к так си́льно торопи́лся, что не вы́шел, а *вы́прыгнул* из маши́ны.

3. Де́тям легко́ *вспры́гнуть* на стул, *запры́гнуть* на стол и *спры́гнуть* с него́, *допры́гать* на одно́й но́жке от до́ма до шко́лы и́ли *перепры́гнуть* че́рез забо́р. Ка́жется, они́ никогда́ не мо́гут *напры́гаться* вдо́воль. Де́ти ча́сто да́же хо́дят *вприпры́жку*.

4. Для ва́шей спины́ ну́жен не мя́гкий и не твёрдый, а *упру́гий* матра́с с хоро́шими *пружи́нами*.

4. Я тебя́ предупрежда́ла, что твои́ но́вые друзья́—подозри́тельные лю́ди, ты меня́ не слу́шал и вот *допры́гался*: тебя́ бу́дут суди́ть как соуча́стника преступле́ния!

5. Легкомы́сленная, пове́рхностная же́нщина, не спосо́бная на глубо́кое чу́вство—настоя́щая *попрыгу́нья*.

5. Старики́ старомо́дно называ́ли друг дру́га не му́жем и жено́й, а *супру́гом* и *супру́гой*. Их до́лгое *супру́жество* бы́ло счастли́вым.

1. Children love *to* run and *jump about*.

2. The young man was in such a big hurry that he didn't step out, but *leapt out* of the car.

3. It is easy for children *to jump up* onto a chair, *spring* clear onto a table, and *leap off* of it, or *to hop* on one foot from home to school or *jump over* a fence. It seems that they can never *get enough of jumping*. Children often even *skip* as they walk.

4. What you need for your back is neither a soft nor hard mattress, but a *springy [firm]* mattress with good *springs*.

4. I warned you that your new friends are suspicious people. You didn't listen to me and now look, *you have leaped into trouble* [*got yourself into trouble*]. You will be tried as an accomplice in the crime!

5. A shallow, superficial woman, incapable of deep feeling is a genuine *flighty person*.

5. The old people in their old-fashioned way called each other not husband and wife, but *spouse* (*male*) and *spouse* (*female*). Their long *marriage* was a happy one.

ПРЫСК[33] (прыщ[8]) [for прыс[7] see truncation rule 3] *spray*

1. Рабочие *опрыскивали* траву химическим раствором.

2. У подростков часто бывает нечистая *прыщеватая* кожа лица.

3. Если хочешь, чтобы дерево было здоровым, надо весной *опрыскивать* его специальным раствором. Но помни, что недостаточно только чуть-чуть *вспрыснуть* дерево или немного *попрыскать* на него. Надо *напрыскать* достаточно раствора для того, чтобы дерево могло бороться с вредными насекомыми.

4. Увы, он последний *отпрыск* старинного аристократического рода, после его смерти род прекратится.

5. Услышав шутку, девчонки сначала тихонько *прыснули*, а потом громко и весело рассмеялись.

1. The workmen *sprayed* the grass with a chemical solution.
2. Teenagers often have unclean, *pimply* facial skin.
3. If you want the tree to be healthy, you need *to spray* it in the spring with a special chemical solution. Remember, however, that it is not sufficient just *to* lightly *sprinkle* the tree or *spray* it *a bit*. You need *to spray* on enough of the solution for the tree to be able to fight off harmful insects.
4. Alas, he is the last *descendant* [*offshoot]* of the ancient aristocratic lineage. After his death, the family line will end.
5. Having heard the joke, the girls at first *giggled* quietly, then they loudly and merrily burst out laughing.

ПРЯГ[29] (пряж[29]) [for пряч[22] see truncation rule 6] *harness*

1. Женщина примеряла туфли, на которых сбоку была красивая *пряжка*.

2. Выучите дома *спряжение* глаголов, завтра будете *спрягать* глаголы в классе.

3. Вечером кучер *распрягает* лошадей, приводит в порядок *упряжь*. *Выпрягая* каждую лошадь, он с ней ласково разговаривает. Утром надо снова *запрягать* лошадей и отправляться на работу.

4. Публика шумела, и оратору приходилось говорить, сильно *напрягая* голос.

5. Хватит отдыхать, пора *впрягаться* в работу!

1. The woman was trying on shoes on which on the side was a beautiful *buckle*.
2. Learn the *conjugation* of the verbs at home. Tomorrow you will *conjugate* verbs in class.
3. In the evening, the coachman *unharnesses* the horses and puts the *harness* in order. *While unharnessing* each horse, he speaks tenderly to it. When morning comes, he must *harness up* the horses again and set out for work.
4. The audience was noisy and the orator, *straining* his voice, had to shout.
5. That is enough resting. It is time *to get down to* [*harness up for*] work!

ПРЯМ[44] *straight*

1. Дорожка ведёт *прямо* к дому, можно идти *прямиком* через сад.

2. У дочки кудрявые волосы, а у сына—совершенно *прямые*.

3. На портрете изображён молодой человек с красивым лицом и *прямым* взглядом. В его облике чувствуется искренность и *прямота* юности. Веришь, что он не будет лицемерить, сможет обо всём сказать честно и *прямо*.

4. Ветка яблони сильно согнулась от яблок, надо *выпрямить* её. Пожалуйста, *распрями* её и закрепи, а то сломается.

5. Ребёнок растёт избалованным и *упрямым*. В любой момент он может *заупрямиться* и перестать слушаться.

1. The path leads *straight* up to the house. You can go *directly* through the garden.
2. Our daughter has curly hair, but our son's is completely *straight*.

3. In the portrait, a young man with a beautiful face and a *direct* look is depicted. In his appearance the sincerity and *directness* of youth can be felt. You believe that he won't be hypocritical, that he will say everything honestly and *directly*.

4. The branch of the apple tree is badly sagging from the weight of the apples. It needs *to be straightened out*. Please *straighten* it out and secure it, or else it will break.

5. The child is growing up spoiled and *stubborn*. At any moment he can *be obstinate* and stop obeying.

ПРЯТ²⁶ *hide*

1. Де́ти игра́ют в *пря́тки*.

2. Игра́я, ребя́та *попря́тались* в ра́зных ко́мнатах. Ма́ленькая де́вочка немно́го поду́мала и *спря́талась* в шкафу́.

3. Соба́ка хо́чет *припря́тать* мясну́ю ко́сточку. Она́ не зна́ет, где ко́сточку мо́жно *запря́тать* понадёжнее, поэ́тому *перепря́тывает* её не́сколько раз.

4. В результа́те суде́бной оши́бки неви́нного челове́ка *упря́тали* за решётку.

5. Стару́шка вы́глядит о́чень *опря́тной* в тёмной ю́бке, све́тлой ко́фте и се́реньком плато́чке. Весь её о́блик ды́шит *опря́тностью* и споко́йствием.

   1. The children are playing *hide-and-seek*.

   2. While playing, the kids *hid* in different rooms. The little girl thought for a moment, then *hid* in the closet.

   3. The dog wants *to hide* a bone. It doesn't know where it can most safely *hide away* the bone, so it *hides* it several times.

   4. As a result of a judicial error, an innocent man was *kept* [hidden away] behind bars.

   5. The elderly woman looks very *trim* in the dark skirt, light-colored blouse, and grayish scarf. Her entire appearance exudes *neatness* and composure.

ПУГ⁴⁶ (пуж⁴) *scare*

1. Ребёнок *испуга́лся* соба́ки и от *испу́га* запла́кал. Мать услы́шала плач *испу́ганного* ребёнка.

2. До́чка—о́чень *пугли́вая* де́вочка. Её мо́жет *напуга́ть* любо́й пустя́к, она́ *пуга́ется* любо́й незнако́мой ситуа́ции.

3. В огоро́де стои́т *пу́гало*, оно́ должно́ *отпу́гивать* птиц. Но пти́цы привы́кли к нему́, и тепе́рь *распуга́ть* их и́ли хотя́ бы *вспугну́ть* мо́жно то́лько вы́стрелом из *пугача́*.

4. Хулига́ны хоте́ли *припугну́ть* прохо́жего. Они́ не собира́лись *запу́гивать* его́ до́ смерти, а хоте́ли "в шу́тку" немно́го *попуга́ть* беззащи́тного челове́ка.

5. Пле́нный смотре́л на всех *запу́ганными* глаза́ми.

   1. The child *was scared* by the dog and began crying out of *fright*. The mother heard the cry of her *frightened* child.

   2. My daughter is a very *timid* girl. Any little thing can *frighten* her. She *is alarmed* by any unfamiliar situation.

   3. A *scarecrow* stands in the garden. It is supposed *to scare off* birds. But the birds have grown accustomed to it and now only a shot from a *toy pistol* will *scare* them *off* or even *startle* them.

   4. The hoodlums wanted *to give* the passerby *a scare*. They were not planning on *frightening* him to death, but wanted *to scare* the defenseless man *a little* "as a joke."

   5. The captive looked at everyone *with terrified* eyes.

ПУСТ³⁵ (пуск⁷³, пущ¹²) *let (go)*

1. Че́рез день у меня́ начина́ется *о́тпуск*.

1. *Спуск* с горы́ был тру́дным, так как тури́сты *спуска́лись* но́чью во вре́мя дождя́.

2. Как ты мог *допусти́ть*, что́бы ли́чные отноше́ния влия́ли на рабо́ту! Ты же зна́ешь, что э́то *недопусти́мо*!

2. Ма́ма, пожа́луйста, *отпусти́* меня́ в кино́.

3. Не на́до ни́зко *опуска́ть* занаве́ску на окне́, *приспусти́* её чуть-чуть, что́бы со́лнце не свети́ло в

глаза́.

3. Чтобы пройти́ в на́шу лаборато́рию, ну́жно предъяви́ть *про́пуск*. То́лько по́сле э́того тебя́ *пропу́стят* внутрь лаборато́рии.

4. Оте́ц рассерди́лся и *напусти́лся* на сы́на с кри́ками и оскорбле́ниями.

4. Оби́дно, что я по со́бственной оши́бке *упусти́л* возмо́жность получи́ть хоро́шую рабо́ту. Э́та *упу́щенная* мной возмо́жность не даёт мне поко́я.

4. Сестра́ разгова́ривала с *напускно́й* весёлостью, но я зна́ла, что на са́мом де́ле ей гру́стно и одино́ко.

5. Он соверше́нно *распусти́лся*: переста́л занима́ться, ничего́ не чита́ет, це́лыми дня́ми лежи́т на дива́не и смо́трит телеви́зор.

5. Посмотри́, как *опусти́лся* наш сосе́д: гря́зное лицо́, неаккура́тная оде́жда.

5. В больни́це сказа́ли, что боле́знь о́чень *запу́щена*, уже́ ничто́ не мо́жет помо́чь, да́же сро́чная опера́ция.

1. My *vacation* begins in one day.
1. The *descent* down the mountain was difficult since the tourists *descended* at night during a rain.
2. How could you *allow* your personal relationships to influence your work? You surely know that this is *not permitted*!
2. Mom, please *let* me *go* to the movies.
3. You should not *lower* the curtain way down on the window. *Let* it *down* just *a little* so the sun isn't shining in our eyes.
3. In order to enter our laboratory, you need to show a *pass*. Only then *will* they *allow* you inside the laboratory.
4. The father got angry and *came down* on his son with shouts and insults.
4. It pains me that, because of my own mistake, I *lost* an opportunity to get a good job. This *missed* opportunity won't let me rest.
4. My sister was conversing with *feigned* cheerfulness, but I knew that, in fact, she was sad and lonely.
5. He has completely *let himself go*. He has stopped studying, he doesn't read anything, and all day long he lies on the couch and watches television.
5. Look how far our neighbor *has sunk*. (He has) a dirty face and untidy clothing.
5. In the hospital they said that the illness had *progressed* far. Nothing could help any more, not even an urgent operation.

ПУСТ⁴⁷ (пущ²) *empty*

1. У доро́ги стои́т *пусто́й* дом, в нём уже́ давно́ никто́ не живёт, и дом *пусту́ет*.
2. Ле́кция ко́нчилась, студе́нты ушли́, кла́ссная ко́мната *опусте́ла*.
3. Война́ *опустоши́ла* го́род. *Опустошённый* го́род вы́глядит мёртвым. Война́ прошла́ по нему́ *опустоши́тельным* урага́ном и преврати́ла его́ в *пусты́нное* ме́сто.
4. Дом *запусте́л* по́сле отъе́зда хозя́ев, так и стои́т он, *запусте́лый*, посереди́не *пу́стоши*, когда́-то бы́вшей са́дом.
5. Ты тра́тишь вре́мя *впусту́ю*—занима́ешься *пустяка́ми*, и твоя́ жизнь прохо́дит *по́пусту*.

1. Near the road stands a *vacant* house. No one has lived there for a long time, and the house *stands empty*.
2. The lecture ended, the students left, and the classroom *became empty*.
3. The war *laid waste* to the city. The *wasted* city looks dead. The war passed through it like a *devastating* hurricane and turned it into a *deserted* place.
4. The house *fell into neglect* after the departure of its owners. Thus it stands, *neglected*, in the middle *of an empty space* which had once been a garden.
5. You are wasting your time *pointlessly*. You are involved in *trivial things*, and your life is passing *in vain*.

ПУТ⁶¹ *mix*

1. Во́лосы у старика́ гря́зные и *спу́танные*.
2. Прошу́, не *впу́тывай* меня́ в свои́ дела́!
3. Я *перепу́тал* вре́мя на́шей встре́чи и пришёл на час по́зже. Извини́, что получи́лась *пу́таница*.

Обы́чно я стара́юсь ничего́ не *напу́тать* и не *спу́тать*, но иногда́ э́то происхо́дит. Не случа́йно в семье́ меня́ счита́ют больши́м *пу́таником*.

4. Твои́ знако́мые *опу́тали* тебя́ ра́зными обяза́тельствами, как се́тью, и заставля́ют занима́ться каки́ми-то тёмными дела́ми.

5. Де́вушка *запу́талась* в свои́х чу́вствах к дру́гу, о́чень му́чилась от э́той *запу́танности*, но соверше́нно не представля́ла, как *распу́тать* клубо́к их отноше́ний.

     1. The old man's hair is dirty and *tangled*.
     2. I beg you, don't *involve* me in your affairs!
     3. I *mixed up* the time of our meeting and came an hour late. Sorry for the *confusion*. Usually I try not *to make a mess of things* or *mix things up*, but sometimes it happens. It is not by chance that my family considers me a great *muddle-headed person*.
     4. Your acquaintances *have ensnared* you with various obligations as with a net and are forcing you to become involved in some sort of shady dealings.
     5. The girl *got tangled up* in her feelings for her boyfriend and was much tormented by this *entanglement*. However, she could not imagine how *to unravel* the tangle of their relationship.

ПУТ[45] *path*

1. *Пу́тник* идёт по доро́ге, веду́щей на восто́к.

2. Прия́тный *попу́тный* ветеро́к ду́ет в спи́ну и помога́ет идти́.

3. С утра́ уда́ча *сопу́тствовала* ему́ во всём: со́лнце я́рко свети́ло, во́здух был чи́стым, чу́вствовал он себя́ здоро́вым и бо́дрым.

4. Вско́ре он дошёл до *перепу́тья*: три доро́ги пересека́лись и расходи́лись в ра́зные сто́роны.

5. Пе́ред да́льней доро́гой роди́тели *напу́тствовали* дете́й—дава́ли им сове́ты, говори́ли, как на́до себя́ вести́.

     1. The *traveler* is walking along the road leading eastward.
     2. A pleasant, *fair [accompanying]* wind is blowing at my back and helping me to walk.
     3. Since morning, good fortune *had accompanied* him in everything. The sun was shining brightly, the air was clean, and he felt healthy and vigorous.
     4. Soon, he reached a *crossroads*. Three roads intersected and diverged into different directions.
     5. Before the long trip, the parents *gave* the children *parting words* – they gave them advice and told them how to behave.

ПУХ[36] (пуш[30]) *puff*
ПЫХ[14] (пыш[5]) "

1. На крова́ти лежа́ла больша́я *пухо́вая* поду́шка.

1. *Пы́шная* бе́лая ю́бка вы́глядела краси́во.

2. Де́вушка не то́лстая, но *пу́хленькая*.

2. Запрещена́ охо́та на *пушны́х* звере́й.

3. Вчера́ заболе́л зуб и щека́ немно́го *припу́хла*, к ве́черу она́ *вспу́хла* сильне́е, но́чью она́ продолжа́ла *напуха́ть* и к утру́ *опу́хла* так си́льно, что *о́пухоль* не позволя́ла откры́ть глаз. С *распу́хшей* щеко́й и *запу́хшим* гла́зом я отпра́вился к врачу́.

3. Котёнка вы́купали, *пушо́к*, покрыва́вший его́ те́льце, намо́к, и котёнок вы́глядел ма́леньким и жа́лким. Но его́ вы́сушили полоте́нцем, он сно́ва на́чал *пуши́ться*, а когда́ совсе́м вы́сох, отряхну́лся и краси́во *распуши́л* шёрстку.

4. Помоги́те, у меня́ де́ти с го́лода *пу́хнут*! Да́йте рабо́ту!

4. Ста́рый капита́н расска́зывал о свои́х приключе́ниях, и́зредка *попы́хивая* тру́бкой.

5. Вне́шне оте́ц о́чень споко́йный челове́к, но у него́ быва́ют *вспы́шки* стра́шного гне́ва.

5. Сиби́рские купцы́ торгова́ли *пушни́ной* во всех стра́нах Евро́пы.

     1. On the bed lay a big, *downy* pillow.
     1. The *fluffy* white skirt looked beautiful.

2. The girl is not fat, but *plump.*

2. Hunting for *fur-bearing* animals is prohibited.

3. Yesterday my tooth started to ache and my cheek *puffed up* a little. By evening it *swelled* worse. During the night it continued *to swell up*, and by morning it *had swelled* so much that the *swelling* made it impossible to open my eye. With a *swollen* cheek and *puffed-up* eye, I set out for the doctor.

3. They bathed the kitten. The *fluff* covering its little body was soaked, and the kitten looked small and pitiful. But they dried him with a towel and he began *to fluff up* again. When he had completely dried, he shook himself off and his little coat *fluffed up* beautifully.

4. Help me! My children *are becoming bloated* with hunger! Give me work!

4. The old captain told about his adventures, *puffing* his pipe from time to time.

5. Outwardly, Father is a very calm person, but he tends to have *outbursts* of terrible anger.

5. Siberian merchants traded in *pelts* in all the countries of Europe.

ПЫЛ⁴⁴ *dust*

1. Ве́тер подня́л *пыль* на у́лице.

2. Мужчи́на аккура́тно стряхну́л не́сколько *пыли́нок* с рукава́ пальто́.

3. Оде́жда момента́льно *запыли́лась*, а че́рез не́сколько мину́т соверше́нно *пропыли́лась*. Неприя́тно чу́вствовать, что твоё лицо́ *пы́льное*, во́лосы *запылённые*, а оде́жда *пропылённая* наскво́зь.

4. Пчёлы помога́ют *опыля́ть* расте́ния, так как перено́сят *пыльцу́* с цветка́ на цвето́к.

5. В ко́мнате неприя́тный за́пах. Пожа́луйста, возьми́ *распыли́тель* с жи́дкостью, освежа́ющей во́здух, и *распыли́* её по ко́мнате.

1. The wind picked up the *dust* on the street.

2. The man carefully shook several *specks of dust* from the sleeve of his coat.

3. The clothing instantly *became very dusty*, and after several minutes it *became* completely *covered in dust*. It's unpleasant to feel like your face is *dusty*, your hair is *covered with dust*, and your clothing is *completely dusty through and through*.

4. Bees help *to pollinate* plants since they transfer *pollen* from flower to flower.

5. There is an unpleasant smell in the room. Please take the liquid air-freshening *sprayer* and *spray* it around the room.

ПЫТ³⁷ *try; experience*

1. Я не́сколько раз *пыта́лся* серьёзно поговори́ть с тобо́й.

2. У ребёнка о́чень *пытли́вый* ум, ему́ всё хо́чется поня́ть.

3. Мать не доверя́ла сы́ну, она́ *выпы́тывала* у него́, где и с кем он проводи́л вре́мя, *допы́тывалась*, пра́вду ли он говори́т ей. Она́ постоя́нно *испы́тывала* страх и беспоко́йство за него́, но ни ра́зу не *попыта́лась* споко́йно и открове́нно поговори́ть с сы́ном. Жизнь для неё преврати́лась в настоя́щую *пы́тку*, и весь её жи́зненный *о́пыт* не мог ей помо́чь.

4. *Испыта́тельный* полёт на но́вом самолёте прово́дит *о́пытный* лётчик-*испыта́тель*.

5. Оте́ц за́дал вопро́с и посмотре́л на меня́ *испыту́ющим* взгля́дом.

1. I *tried* several times to speak seriously with you.

2. The child has a very *inquisitive* mind. He wants to understand everything.

3. The mother did not trust her son. She *would try to discover* from him where and with whom he was spending time and *would interrogate him* about whether he was telling her the truth. She continually *experienced* fear and anxiety for him, but not once did she *attempt* to speak calmly and openly with her son. Life for her turned into a genuine *trial*, and all her life's *experience* could not help her.

4. An *experienced* test pilot is conducting the *test flight* on the new plane.

5. Father posed a question and looked at me with a *searching* gaze.

ПЯТ²⁹ (пяч¹³) *back*

1. От ходьбы́ в неудо́бной о́буви боле́ла *пя́тка.*

2. На мину́ту показа́лось, что вре́мя дви́жется *вспять.*

3. Уви́дев впереди́ пожа́р, челове́к на́чал ме́дленно *пя́титься* наза́д. Вот он огляну́лся и *попя́тился* ещё немно́го, *опя́ть* огляну́лся и останови́лся.

4. Да́же е́сли брат зна́ет, что он непра́в, он упря́мо *выпя́чивает* гу́бы и никогда́ не идёт на *попя́тный*, а упо́рно наста́ивает на своём.

5. Ты что с ума́ *спя́тил*, говори́шь таки́е глу́пости!

    1. My *heel* hurt from walking in uncomfortable shoes.

    2. For a minute it seemed that time was moving *backwards*.

    3. Seeing a fire ahead, the man began slowly *moving backwards*. He glanced around and *backed up* a little more, looked around *again*, and stopped.

    4. Even if my brother knows that he is wrong, he stubbornly *sticks out* his lip and never *backs* down, but persistently insists on his own way.

    5. What, *have you gone crazy*? You're saying such stupid things!

РАБ[111] *work*

1. В 30-е го́ды в Аме́рике бы́ло тру́дно найти́ *рабо́ту*, так как была́ *безрабо́тица*.

1. В Ри́мской импе́рии бы́ло мно́го *рабо́в*.

2. Ты мно́го де́нег *зараба́тываешь*, у тебя́ хоро́ший *за́работок*?

2. Та́нец ещё не о́чень хоро́ш, на́до лу́чше *отрабо́тать* все движе́ния.

3. На заво́де *перераба́тывают* де́рево в бума́гу. Для *вы́работки* небольшо́го коли́чества бума́ги ну́жно о́чень мно́го древеси́ны.

4. Я *рабо́таю* днём на фа́брике, а ве́чером *подраба́тываю*—убира́ю ко́мнаты в шко́ле.

4. Меня́ си́льно критикова́ли на собра́нии, це́лый час *прораба́тывали*.

5. Мы с колле́гой продукти́вно и дру́жно *рабо́таем*, хорошо́ *срабо́тались*.

5. Герма́ния во вре́мя Второ́й мирово́й войны́ хоте́ла *поработи́ть* весь мир.

    1. In the thirties in America it was difficult to find *work* due to *unemployment*.

    1. There were many *slaves* in the Roman Empire.

    2. Do you *earn* a lot of money? Do you have a good *salary*?

    2. The dance is still not very good. You need *to work out* all the movements better .

    3. At the factory they *process* wood into paper. For the *processing* of just a small quantity of paper, a great deal of wood *pulp* is required.

    4. I *work* during the day at the factory, but in the evening I *moonlight* by cleaning rooms at a school.

    4. I was severely criticized at the meeting. They *worked* me *over* for an entire hour.

    5. My colleague and I *work* productively and harmoniously. We *work* well *together*.

    5. During the Second World War, Germany wanted *to enslave* the whole world.

РАЗ[110] (раж[56]) *strike and form*

1. Я чита́л рома́н Л.Толсто́го «Война́ и мир» два *ра́за*.

1. Рома́н о́чень большо́й, его́ невозмо́жно прочита́ть *ра́зом*, тре́буется не́сколько неде́ль.

2. Стари́к—у́мный, *образо́ванный* и о́чень скро́мный челове́к.

2. Мне не на́до покупа́ть *ра́зовый* биле́т на авто́бус, потому́ что у меня́ есть проездно́й биле́т на весь ме́сяц.

3. Не про́сто поня́ть бога́тство *о́бразов* рома́на, но *сра́зу* чита́теля *поража́ет вырази́тельность* ка́ждой дета́ли те́кста. Писа́тель *отобрази́л* це́лую эпо́ху, с *порази́тельным* тала́нтом *отрази́л* национа́льный хара́ктер, *вы́разил* свой подхо́д к исто́рии.

3. Тво́рческое *воображе́ние* писа́теля безграни́чно. У мно́гих геро́ев рома́на бы́ли реа́льные *прообразы*, но литерату́рные персона́жи, *преображённые* ге́нием а́втора, ка́жутся бо́лее реа́льными, чем их истори́ческие прототи́пы. Поэ́тому для мно́гих чита́телей рома́н стал *образцо́м* литерату́рного произведе́ния, а его́ а́втор—лу́чшим *вырази́телем* духо́вной жи́зни люде́й своего́ вре́мени.

4. Но́чью на у́лицах больши́х городо́в мо́жно столкну́ться с *безобра́зиями*: ограбле́ниями, дра́ками,

да́же уби́йствами.

4. Когда́ она́ жа́луется на несправедли́вость судьбы́ и *разража́ется* слеза́ми, мне не́чего ей *возрази́ть*. Действи́тельно, судьба́ к ней несправедли́ва, и её *невырази́мо* жаль.

5. Никаки́е *соображе́ния* о том, что вне́шняя красота́ не важна́, что на́до *развива́ть* ум, занима́ться *образова́нием*, не успока́ивают бе́дную некраси́вую де́вочку, ка́жутся ей чепухо́й и *несура́зицей*.

5. Грипп—*зара́зная* боле́знь, е́сли не хо́чешь *зарази́ться* и заболе́ть, не на́до обща́ться с больны́ми людьми́.

5. Петра́ Вели́кого называ́ют *преобразова́телем* Росси́и, челове́ком, кото́рый сде́лал страну́ друго́й, *преобразова́л* её исто́рию.

1. I read L. Tolstoy's novel *War and Peace* two *times*.
1. The novel is very large. It is impossible to read *all at once*. It requires several weeks.
2. The old man is a wise, *educated*, and very modest person.
2. I don't need to buy a *single-trip* ticket for the bus because I have a pass for the entire month.
3. It is not easy to understand the wealth of (literary) *figures* in the novel, but the reader is *immediately struck* by the *expressiveness* of each detail of the text. The writer *portrays* an entire epoch. With *striking* talent he *reflected* the national character and *expressed* his approach to history.
3. The creative *imagination* of the writer is boundless. Many characters in the novel had real-life *prototypes*, but the literary personages, *transfigured* by the genius of the author, seem more genuine than their historical antecedents. Therefore, for many readers, the novel became the *model* of a literary work, and its author–the best *portrayer* of his time's spiritual life of the people.
4. At night on the streets of large cities you can encounter *shocking things*: thefts, fights, even murders.
4. When she complains about the injustice of fate and *bursts out* in tears, I can *raise no objections* to her. Indeed, fate is unfair to her, and I pity her *inexpressibly*.
5. No *considerations* about how external beauty is unimportant or how one must develop one's mind and *engage* in education can reassure the poor, unattractive girl. It all seems like nonsense and *bunk* to her.
5. The flu is a *contagious* illness. If you don't want *to catch* it and get sick, you should not associate with ill people.
5. Peter the Great is called the *transformer* of Russia, the man who turned the country into a different one and *transformed* its history.

РАС[75] (ращ[35], рос[39], рощ[2]) *grow*

1. В на́шем саду́ *расту́т* ра́зные *расте́ния*: цветы́, куста́рник, дере́вья.
1. Мой брат высо́кого *ро́ста*, он уже́ *переро́с* отца́.
2. Де́тям хо́чется поскоре́е *вы́расти*, стать больши́ми и *взро́слыми*.
2. По *во́зрасту* я са́мый мла́дший в семье́.
3. Сосе́ди *выра́щивают* о́вощи, я́годы и фру́кты. В на́шей ме́стности не о́чень бога́тая *расти́тельность*, но в их саду́ бы́стро *подраста́ют* я́блони, краси́во *разро́сся* виногра́д, видны́ пе́рвые *ростки́* све́жей морко́ви и мо́жно уви́деть настоя́щие *за́росли* мали́ны.
3. *Подро́стки* ча́сто не понима́ют, что, *взросле́я*, мы должны́ станови́ться бо́лее отве́тственными. Поэ́тому возника́ют сло́жные *возрастны́е* пробле́мы у э́тих *вы́росших* дете́й.
4. За огоро́дом никто́ не уха́живал, и он весь *заро́с* траво́й.
4. Де́нег не́ было, пришло́сь взять в долг у *ростовщика́*, хотя́ он дава́л де́ньги под больши́е проце́нты.
5. В на́шей стране́ хорошо́ ра́звиты все *о́трасли* промы́шленности.
5. Недалеко́ от до́ма видна́ больша́я берёзовая *ро́ща*, в кото́рой есть и ста́рые дере́вья, и молода́я *по́росль* то́неньких берёзок.

1. Various *plants grow* in our garden: flowers, shrubs, and trees.
1. My brother is *tall*. He has already *outgrown* Father.
2. Children would like *to grow up* faster, and become big and *grown-up*.
2. By *age*, I am the youngest in our family.
3. The neighbors *are growing* vegetables, berries, and fruits. In our area *productivity* is not very high [rich], but apple trees *grow up* quickly in their garden and grapes *have spread out* beautifully. The first *sprouts*

of fresh carrots are visible and you can see real raspberry *thickets*.

3. *Adolescents* often do not understand that *while growing* up we must become more responsible. As a result, complex problems *relating to one's age* arise for these *grown-up* children.

4. No one tended the garden and it *has become* completely *overgrown* with grass.

4. There was no money, so we had to take out a loan from a *money-lender*, even though he lent the money at a high interest rate.

5. In our country, all *branches* of industry are well developed.

5. Not far from home, a large birch *grove* is visible in which there are both old trees and the young *shoots* of thin little birches.

РВ⁵⁵ (ров², ры¹⁴⁴) *tear; dig*

1. Он прочита́л запи́ску, рассерди́лся и *порва́л* её.

1. Незнако́мец оде́т стра́нно: но́вый пиджа́к и ста́рые, *рва́ные* брю́ки.

2. Гру́стно жить далеко́ от дороги́х тебе́ люде́й, чу́вствовать *о́торванность* от семьи́.

2. Поду́л ве́тер и *сорва́л* с ве́тки после́дний осе́нний листо́к.

3. Пе́ред на́шим до́мом два челове́ка *ры́ли* глубо́кий *ров*. *Доры́в* до глубины́ пяти́ ме́тров, они́ прекрати́ли рабо́ту и ушли́. Вот уже́ не́сколько неде́ль никто́ не прихо́дит и не *зарыва́ет* э́ту огро́мную *ры́твину*, хотя́ мы ещё наде́емся, что рабо́чие верну́тся и *заро́ют* её.

3. Террори́сты *взорва́ли* бо́мбу в це́нтре го́рода, при *взры́ве подорва́лся* оди́н из террори́стов, так как *взрывно́е* устро́йство *разорва́ло́сь* у него́ в рука́х.

4. Объявля́ется *переры́в* на полчаса́, мо́жно отдохну́ть, зате́м рабо́та бу́дет продо́лжена.

4. *Разры́в* в на́ших отноше́ниях произошёл не́сколько лет наза́д, с тех пор мы не ви́делись.

4. Наш колле́га отно́сится к рабо́те с огро́мным *рве́нием*—рабо́тает по вечера́м и да́же в выходны́е дни.

5. Она́ *непреры́вно* болта́ла, говори́ла *отры́вистыми* фра́зами, *преры́висто* вздыха́ла.

5. Го́рная доро́га неожи́данно зака́нчивалась *обры́вом*, таки́м глубо́ким, что стра́шно бы́ло смотре́ть вниз.

5. Прия́тель *прерыва́ющимся* от стра́ха го́лосом сказа́л, что ему́ на́до идти́ к зубно́му врачу́. Он не зря боя́лся: врач *вы́рвал* ему́ два зу́ба.

1. He read the note, became angry, and *tore* it *up*.

1. The stranger is dressed oddly. (He is wearing) a new jacket and old, *torn* slacks.

2. It is sad to live far from people dear to you and to feel *cut off* from your family.

2. The wind gusted and *tore* the last autumn leaf *from* the branch.

3. In front of our house, two people *were digging* a deep *ditch*. *Having dug to* a depth of five meters, they quit working and left. For several weeks now, no one has come to *fill in* the huge *pit*, although we are still hoping that the workmen *will* return and *fill* it *in*.

3. The terrorists *detonated* a bomb in the center of the city. One of the terrorists *was blown up* in the *blast* since the *explosive* device *went off* in his hands.

4. It's time for a half-hour *break*. You may rest, then work will be continued.

4. The *rift* in our relationship happened several years ago. Since that time we have not seen each other.

4. Our colleague goes about his work with great *zeal*. He works evenings and even on weekends.

5. She chattered *unceasingly*, spoke in *broken* phrases, and breathed *haltingly*.

5. The mountain road unexpectedly ended *at a precipice* so deep that it was frightening to look down.

5. My friend in a voice *quavering* with fear said he needed to go to the dentist. He had good reason to be afraid: the doctor *pulled out* two of his teeth.

РД¹⁹ (рж¹⁹) *red; rust*
РУД (руж³⁸) *ore; arms*

1. От воды́ желе́зо покры́лось *ржа́вчиной*.

1. А́рмия испо́льзует са́мое совреме́нное *ору́жие*.

2. На двери́ висе́л ста́рый *заржа́вленный* замо́к.

2. Гео́логи нашли́ в земле́ запа́сы желе́зной *руды́*. Ско́ро здесь постро́ят большо́й *рудни́к*.

3. За до́лгие го́ды *ружьё* си́льно *проржаве́ло*. *Поржаве́ли* все металли́ческие ча́сти, *заржаве́ло* ду́ло, *ржа́вым* стал куро́к. Жаль, что *оруже́йный* ма́стер не сде́лал его́ из *нержаве́ющей* ста́ли.

3. Стра́ны заключи́ли догово́р о *разоруже́нии*, но всё-таки на́чали *перевооружа́ть* а́рмии, стара́ясь сде́лать их *вооруже́ние* бо́лее совреме́нным.

4. Де́вушка услы́шала комплиме́нт и от смуще́ния так и *зарде́лась*, покрасне́ла до корне́й воло́с.

4. *Вооружи́вшись* твое́й подде́ржкой, я могу́ доби́ться це́ли.

5. Ты зна́ешь, что я всегда́ помогу́ тебе́, ведь ста́рая дру́жба не *ржаве́ет*.

5. Роди́тели собира́лись наказа́ть ребёнка за ша́лость, но он смотре́л на них с тако́й *обезору́живающей* улы́бкой, что они́ не мо́гли на него́ серди́ться.

1. The iron was covered *with rust* from the water.
1. The army uses the most modern *weapons*.
2. An old *rusty* lock was hanging on the door.
2. Geologists found iron *ore* reserves in the ground. Soon they will build a large *mine* here.
3. Over the years the *gun rusted* badly. All the metal parts *rusted*, the barrel *rusted*, and the hammer became *rusty*. It's a pity that the *gun* craftsman did not make it from *stainless* steel.
3. The countries signed a *disarmament* treaty, but all the same they began *to rearm* their armies, trying to modernize their *weapons*.
4. The girl heard the compliment and *blushed* from embarrassment, turning red to the roots of her hair.
4. *Armed* with your support, I can reach my goal.
5. You know that I will always help you. After all, old friendship does not *die* [*rust*].
5. The parents were going to punish the child for his naughtiness, but he looked at them with such a *disarming* smile that they could not get angry at him.

РЕВН[21] *jealous; zealous*

1. Мой муж о́чень *ревни́вый*.

2. Семья́ разру́шилась из-за того́, что муж был стра́шным *ревни́вцем*.

3. Я соверше́нно не *ревнова́л* к други́м свою́ неве́сту, но по́сле сва́дьбы я неожи́данно для себя́ *приревнова́л* её к на́шему о́бщему дру́гу, пото́м *заревнова́л* ко всем мужчи́нам. Моя́ безу́мная *ре́вность* де́лает нас с жено́й несча́стными.

4. К ста́рости же́нщина преврати́лась в стра́стную *ревни́тельницу* стро́гой нра́вственности. Но э́та *ре́вностная* защи́тница стро́гих пра́вил сама́ в мо́лодости мно́го греши́ла.

5. —Ты уча́ствуешь в *соревнова́нии*?—Нет, мне тру́дно *соревнова́ться* с молодёжью.

1. My husband is very *jealous*.
2. The family fell apart because the husband was a terribly *jealous person*.
3. I *was* not *jealous* at all of my fiancée with others, but after our wedding I unexpectedly *became jealous* of her and one of our mutual friends. Then I *began to be jealous* of all men. My insane *jealousy* makes my wife and me unhappy.
4. By the time she was old, the woman had turned into an impassioned *zealot* of strict morals. But this *zealous* protector of strict principles had committed many sins in her youth.
5. Are you participating in the *competition*? No, it is difficult for me *to compete* with young people.

РЕЗ[176] (реж[1]) *cut*

1. *Наре́жь*, пожа́луйста, сы́ра и хле́ба к обе́ду.

1. Опа́сно дава́ть ма́леньким де́тям о́стрые *ре́жущие* предме́ты: ножи́, бри́твы, но́жницы.

2. Ребёнок взял о́стрый нож, хоте́л *отре́зать* кусо́чек хле́ба, но не смог, то́лько *поре́зал* ру́ку. Хорошо́, что *поре́з* был неопа́сным.

2. Де́вочка наде́ла но́вую блу́зку с небольши́м *вы́резом* у го́рла.

3. Окно́ закры́то пло́тной што́рой, я *проре́зал* бри́твой отве́рстие и посмотре́л в *про́резь*. Снача́ла от *ре́зкого* со́лнечного све́та появи́лась *резь* в глаза́х, пото́м я уви́дел, как по у́лице, *среза́я* у́гол, идёт

мужчи́на, а *наперере́з* ему́ бы́стро дви́жется маши́на.

3. В де́тском саду́ де́ти учи́лись *выреза́ть* но́жницами фигу́рки из цветно́й бума́ги, на полу́ лежа́ли *изре́занные* разноцве́тные бума́жные листы́. Тру́дно в пе́рвый раз самостоя́тельно *разре́зать* бума́гу на не́сколько кусо́чков и ро́вно *обре́зать* край.

4. Произошла́ траге́дия: самолёт потеря́л управле́ние и упа́л, *вре́завшись* в жило́й дом.

4. Нам на́до преодоле́ть после́дний *отре́зок* до́лгого пути́—и мы, наконе́ц, смо́жем отдохну́ть.

5. Мне *позаре́з* ну́жно встре́титься с тобо́й, я не шучу́: э́то вопро́с жи́зни и сме́рти!

5. Экску́рсия по го́роду обы́чно дли́тся бо́лее двух часо́в, но мы предлага́ем вам *уре́занный* вариа́нт, кото́рый займёт всего́ лишь час.

1. Please *slice* some cheese and bread for dinner.
1. It is dangerous to give small children sharp *cutting* instruments: knives, razors, and scissors.
2. The child took the sharp knife and wanted *to cut off* a piece of bread, but was unable to. He only *nicked* his hand. Luckily, the *cut* was not serious.
2. The girl put on a new blouse with a small *notch* at the throat.
3. The window is covered with a heavy blind. I *cut* an opening *through* it with a razor and looked through the *hole*. At first there was a *sharp pain* in my eyes from the *sharp* [*bright*] sunlight. Then I saw, *cutting* a corner, a man walking along the street, and a car was moving quickly so as *to cut* him *off*.
3. In kindergarten, the children were learning *to cut* little figures *out* of colored paper with scissors. On the floor lay the *cut-up* pieces of multi-colored paper. It is difficult the first time *to cut* paper by yourself into several pieces and evenly *cut around* the edge.
4. A tragedy occurred: an airplane lost control and fell, *slashing* through an apartment building.
4. We've got to make it through the last *leg* of the long journey. Then, at last, we will be able to rest.
5. I need to meet with you *urgently*. I am not joking. This is a matter of life and death!
5. The excursion around the city usually lasts more than two hours. But we suggest a *cut-back* version, which will take only an hour altogether.

РЕК[14] (реч[27], риц[15], рок[10], роч[53]) *say*

1. Ора́тор произнёс интере́сную *речь*.

2. Когда́ ты говори́шь, ты де́лаешь мно́го *речевы́х* оши́бок.

3. Мудрецы́ *изрека́ют* и́стины, *предрека́ют* бу́дущее, *прорица́ют* гряду́щие истори́ческие собы́тия. Е́сли их *изрече́ния* и *прорица́ния* не нра́вятся совреме́нникам, мудрецы́ *обрека́ются* на страда́ния. Их *порица́ют*, от них тре́буют *отрече́ния* от *проро́честв*, *нарека́ют* их безу́мными глупца́ми. Ча́сто злой *рок* пресле́дует мудрецо́в, ча́сто у *проро́ков роковая* судьба́.

4. Ежедне́вные опозда́ния сотру́дника вы́звали *нарека́ния* со стороны́ нача́льника. Сотру́дник не *отрица́л* свое́й вины́.

5. Ско́лько раз ты *зарека́лся* бро́сить кури́ть, но не мог вы́полнить свой *заро́к*. Ты же понима́ешь, что куре́ние—*поро́чная* привы́чка.

1. The orator delivered an interesting *speech*.
2. When you speak, you make many *verbal* mistakes.
3. Sages *utter* truths, *predict* the future, and *predict* imminent historical events. If their *utterings* and *sayings* are not pleasing to their contemporaries, the wise men *are doomed* to suffer. People *censure* them and demand *renunciations* of the *prophecies*, and *name* them senseless fools. Often a malicious *fate* pursues wise men. *Prophets* often have a *fateful* destiny.
4. The employee's daily tardiness provoked a *reproach* from his boss. The employee did not *deny* his guilt.
5. How many times *have* you *sworn* off smoking but were unable to fulfill your *promise*? You know very well that smoking is a *vicious* habit.

РЕТ[23] [for рес[4] see truncation rule 5] *find*

1. Инжене́р *изобрета́ет* но́вую маши́ну.

2. *Изобрете́ние* компью́теров мно́гое измени́ло в ми́ре.

3. Зна́ния, кото́рые мы *приобрета́ем* в университе́те, помо́гут нам *обрести́* ме́сто в жи́зни.

Образова́ние развива́ет наш интелле́кт, *изобрета́тельность*, па́мять.

4. Лу́чше всего́ э́ту же́нщину определя́ет одно́ сло́во—*приобрета́тельница*. Еди́нственная цель её жи́зни—*приобрете́ние* всщёй.

5. Где́ э́то ты *обрета́лся* це́лую неде́лю? Мы тебя́ иска́ли повсю́ду.

   1. The engineer *is inventing* a new car.
   2. The *invention* of computers changed much in the world.
   3. The knowledge that we *acquire* at the university will help us *gain* our place in life. Education develops our intellect, *resourcefulness*, and memory.
   4. One word defines this woman better than anything – *acquisitiveness*. Her sole aim in life is the *acquisition* of things.
   5. Where *have* you *been* this entire week? We looked for you everywhere.

РЕШ[37] *decide*

1. Я зна́ю, как *реши́ть* э́ту зада́чу.
2. Ребёнок попроси́л *разреше́ния* пойти́ с друзья́ми в кино́.
3. Я не зна́ю, как *разреши́ть* противоре́чия в на́ших отноше́ниях. На́до *отреши́ться* от всех ме́лких оби́д и *реши́тельно* измени́ть жизнь. Не уве́рен, что у меня́ для э́того доста́точно *реши́мости*. Бою́сь, что на́ши пробле́мы *неразреши́мы*.
4. Оте́ц пыта́лся убеди́ть сы́на измени́ть его́ *реше́ние*, но сын смотре́л *отрешённым* взгля́дом, и оте́ц по́нял, что результа́т разгово́ра *предрешён*—сын посту́пит по-сво́ему.
5. Оди́н из банди́тов пре́дал свои́х неда́вних това́рищей, за э́то его́ вско́ре и *пореши́ли*—жесто́ко уби́ли пря́мо на у́лице.

   1. I know how *to solve* this problem.
   2. The child asked for *permission* to go with his friends to the movies.
   3. I don't know how *to resolve* the conflicts in our relationship. We need *to give up* all the petty insults and *decisively* change our lives. I am not sure that I have enough *resolve* for this. I am afraid that our problems are *unsolvable*.
   4. The father tried to convince his son to change his *decision*, but the son looked at him with an *estranged* look. The father realized that the outcome of their conversation had been *predetermined*: his son would do things his own way.
   5. One of the bandits betrayed his recent comrades, and, as a result, he was soon after *finished off*. They brutally murdered him right on the street.

РИС[59] *draw*

1. Де́вочка лю́бит *рисова́ние*, она́ мо́жет *рисова́ть* це́лый день.
2. Ва́ши *рису́нки* демонстри́руют хоро́шую *рисова́льную* те́хнику.
3. Мне не нра́вится *срисо́вывать* чужи́е карти́ны и́ли *перерисо́вывать* иллюстра́ции к кни́гам. Я сама́ могу́ *нарисова́ть* портре́т, с удово́льствием тща́тельно *вырисо́вываю* дета́ли натюрмо́рта. Мне хо́чется обяза́тельно *дорисова́ть* на́чатую карти́ну до конца́. *Порисова́в*, я мо́ю ки́сти, привожу́ в поря́док карандаши́ и кра́ски.
4. Ма́ленькая коро́бочка *разрисо́вана* я́ркими кра́сками. Ребёнок *разрисова́л* её в пода́рок ма́тери.
5. В по́вести даны́ интере́сные *зарисо́вки* провинциа́льной жи́зни. Писа́телю удало́сь *обрисова́ть* своеобра́зные взаимоотноше́ния люде́й.

   1. The girl loves *drawing*. She can *draw* all day.
   2. Your *drawings* demonstrate a good *drawing* technique.
   3. I don't like *to copy* others' pictures or *redraw* illustrations from books. I can *paint* a portrait by myself, and I love to carefully *draw* the details of a still life. I always want *to finish* any picture I start. *After painting a little*, I wash the brushes and put the pencils and paints in order.
   4. The small box was *painted all over* with bright colors. The child *painted* it *up* as a gift for his mother.
   5. Interesting *sketches* of provincial life are related in the tale. The writer was able *to depict* distinctive interrelationships between people.

РОВ[34] (рав[54]) *even*

1. Мы *ровéсники*, у нас одинáковый вóзраст.

2. Свобóда, *рáвенство*, брáтство—три глáвных лóзунга Францýзской револю́ции. Революционéры мечтáли о том, чтóбы все грáждане имéли *рáвные* правá, чтóбы правá аристокрáта и буржуá или крестья́нина бы́ли *урáвнены*.

3. Пéред нáми *рóвная* дорóга. Рабóчие цéлый мéсяц *ровня́ли* дорóгу и *вы́ровняли* её идеáльно. Они́ *заровня́ли* я́мы, *разровня́ли* кýчи земли́ и *сровня́ли* их с остальнóй дорóгой, *подровня́ли* края́ так, что тепéрь они́ *рóвно* и красиво вы́глядят.

4. Не *прирáвнивай* семью́ к рабóте, реши́, что для тебя́ важнéе.

5. Ф.М.Достоéвский обладáл *несравнéнным* дáром понимáния человéческой психолóгии.

     1. We are *peers*. We are the same age.

     2. Freedom, *equality*, and brotherhood were the three main slogans of the French Revolution. The revolutionaries dreamed of all citizens having *equal* rights, so that the rights of the aristocrat and those of the bourgeois or the peasant would *be equal*.

     3. Before us is an *even* road. The workmen spent an entire month *leveling* the road, and they *leveled* it *out* perfectly. They *filled in* the holes, *smoothed out* the piles of earth, and *made them level* with the rest of the road. They *leveled off* the edges so that now they look *smooth* and attractive.

     4. Don't *equate* your family *with* your job. Decide which is more important to you.

     5. F. M. Dostoevsky possessed an *incomparable* gift for understanding the human psychology.

РОД[112] (рож[11], рожд[36]) *birth; genesis*

1. Лев Николáевич Толстóй *роди́лся* 9 сентября́ 1828 гóда в помéстье Я́сная Поля́на, где жи́ли егó *роди́тели*.

1. Когдá жéнщина почýвствовала пéрвые *родовы́е* бóли, муж отвёз её в *роди́льный* дом, где врачи́ сдéлали всё возмóжное, чтóбы *рóды* прошли́ нормáльно.

2. *Рождествó*—оди́н из сáмых вáжных христиáнских религиóзных прáздников. Óчень краси́ва и полнá глубóкого смы́сла *Рождéственская* церкóвная слýжба.

2. Тебé нáдо поступáть в театрáльный институ́т, ты *прирождённая* актри́са.

3. Толстóй был свя́зан *рóдственными* свя́зями со мнóгими стари́нными *родáми* Росси́и, егó *рóдственники* и́здавна игрáли замéтную роль в истóрии страны́. Я́сная Поля́на для Толстóго—э́то не тóлько *роди́тельский* дом, но и *роднáя прирóда*, местá, с котóрыми он *срони́лся*, лю́ди, с котóрыми он чýвствовал своё *родствó*, э́то егó *Рóдина*, егó *нарóд*.

3. В щенкé нет ничегó, что говори́т о *благорóдной порóде* собáки. Ря́дом с *порóдистым* псом он вы́глядит неуклю́жим. Но в нём так мнóго *прирóдной* доброты́ и *врождённого* чýвства сóбственного достóинства, что вся нáша семья́ срáзу же полюби́ла нáшего *безрóдного* щенóчка.

4. Необходи́мо *возроди́ть* стáрые рýсские хрáмы. Это *возрождéние* мóжет измени́ть культýрную ситуáцию в странé.

4. Óсенью крестья́не собрáли богáтый *урожáй* пшени́цы. Год был *урожáйным*.

5. К сожалéнию, искýсство э́того композ́итора *вы́родилось* в бессмы́сленный набóр звýков. *Вырождéние* замéтно в егó послéдних произведéниях.

5. В жестóкой дрáке молодóму человéку *изурóдовали* лицó: сломáли нос, разби́ли щёку, вы́били глаз. Тепéрь на всю жизнь он остáнется *изурóдованным*.

     1. Leo Nikolaevich Tolstoy *was born* on 9 September 1828, on the Yasnaya Polyana estate where his *parents* lived.

     1. When the woman began to feel her first *birth pains* [*contractions*], her husband took her to a *birthing* center where the doctors did everything possible for the *birth* to go normally.

     2. *Christmas* is one of the most important Christian religious holidays. The *Christmas* church service is very beautiful and full of deep meaning.

     2. You should enter the theatrical institute. You are a *born* actress.

     3. Tolstoy was linked by *family* ties to many ancient clans of Russia. For a long time his *relatives* had played

a significant role in the history of the country. For Tolstoy, Yasnaya Polyana was not only his *parental* home, but his *native natural surroundings* as well. It was a place to which he *had become deeply attached* and people with whom he felt a *kinship*. This was his *homeland* and his *people*.

3. There is nothing in the puppy that speaks of a *noble breed* of dog. Next to a *thoroughbred* dog he looks awkward. However, there is so much *natural* goodness and *innate* self-confidence in him that our whole family immediately fell in love with our *non-pedigreed* puppy.

4. It is essential *to renovate* the old Russian churches. This *regeneration* can change the cultural situation in the country.

4. In the fall, peasants gathered the abundant wheat *harvest*. The year was *one of plentiful harvest*.

5. Unfortunately, the art of this composer *degenerated* into a senseless collection of sounds. This *degeneration* was noticeable in his last works.

5. In the brutal fight, the young man's face *was disfigured*. They broke his nose, shattered his cheek-bone, and dislodged his eye. Now he will be *disfigured* for the rest of his life.

РУБ[142] *chop*

1. Слы́шно, как в лесу́ *ру́бят* дере́вья.
1. Мы купи́ли сы́ну но́вую *руба́шку*.
2. На конфере́нцию прие́хали учёные из мно́гих *зарубе́жных* стран.
2. Навсегда́ оста́лся от ра́ны кра́сный *рубе́ц* на ко́же.
3. Брат лю́бит зимо́й купа́ться в *про́руби*, он *выруба́ет* во льду кру́глое отве́рстие и пры́гает в ледяну́ю во́ду.
3. Стари́к *наруби́л* в лесу́ дере́вьев, *обруби́л* ма́ленькие ве́тки и сложи́л из *ру́бленых* стволо́в дом— кре́пкий и тёплый *сруб*.
4. Что́бы не потеря́ться в лесу́, мы де́лали на дере́вьях ма́ленькие *зару́бки*—отме́тки ножо́м на стволе́.
4. При *ру́бке* дров небольшо́й *обру́бок* отскочи́л в у́гол двора́.
5. Мы живём на *рубеже́* двух веко́в, а *порубе́жная* действи́тельность во все времена́ отлича́лась осо́бой сло́жностью и ост070́й конфли́ктов.
5. —Цена́ э́той карти́ны в до́лларах и́ли в *рубля́х*?—Коне́чно, в до́лларах, у нас це́ны не *рублёвые*.

1. You can hear trees *being chopped* in the forest.
1. We bought our son a new *shirt*.
2. Scientists from many *foreign* countries came to the conference.
2. A red *scar* from the wound remained on his skin forever.
3. My brother loves to swim in an *ice hole* in the winter. He *chops* a round opening in the ice and jumps into the icy water.
3. The old man *chopped down* some trees in the forest. He *cut off* the small branches and constructed a house from the *chopped* trunks [logs] a solid and warm cabin.
4. In order not to get lost in the forest, we made little *notches* on the trees–knife marks on the trunk.
4. While *chopping* the firewood, a small *chunk* bounced into the corner of the yard.
5. We live on the *boundary* between two centuries. Reality *at such a boundary* has always been distinguished by a special complexity and sharpness of conflict.
5. "Is the price of this picture in dollars or in *rubles*?" "In dollars, of course. Our prices are not *in rubles*."

РУГ[37] *curse*

1. Оте́ц *отруга́л* сы́на за опозда́ния в шко́лу.
2. В совреме́нных фи́льмах ча́сто мо́жно услы́шать гру́бые *руга́тельства*.
3. Сего́дня всё у́тро мы ссо́рились и *руга́лись* с бра́том. *Ру́гань* начала́сь из-за како́го-то пустяка́. Обы́чно мы *поруга́емся* немно́го, поймём, что э́то глу́по, и поми́римся. А сего́дня мы *доруга́лись* до взаи́мных оскорбле́ний, *разруга́лись* серьёзно и, ви́димо, надо́лго.
4. Пья́ный зло *вы́ругался*, *обруга́в* проходя́щую ми́мо же́нщину.
5. Во вре́мя Монго́ло-Тата́рского и́га мно́гие правосла́вные хра́мы на Руси́ подве́рглись *поруга́нию*. Захва́тчики *надруга́лись* над святы́нями покорённого наро́да.

1. The father *gave* his son a *scolding* for being late to school.
2. In contemporary films one can often hear vulgar *swearing*.
3. All morning today my brother and I quarreled and *argued*. The *arguing* began because of some trifle. Usually we *argue a little*, realize that it is stupid, and make peace. But today we *argued* to the point of mutual insults. We *argued* seriously and it looks like [we'll be mad] for a long time.
4. The drunk *swore* maliciously, *cursing* the passing woman.
5. During the Mongol-Tartar yoke, many Russian Orthodox churches in Rus' were subjected *to desecration*. The aggressors *defiled* the holy places of a conquered people.

РУК[16] (руч[72]) *hand, arm*

1. Прошу́ вас писа́ть контро́льную не карандашо́м, а *ру́чкой.*
1. Не люблю́ ле́том носи́ть руба́шки с дли́нными *рукава́ми.*
2. На у́лице хо́лодно, не забу́дь шарф и шерстяны́е *рукави́цы.*
3. Полице́йский бы́стро наде́л на *ру́ки* престу́пника стальны́е *нару́чники.*
3. В ци́рке зве́ри не ди́кие, а *ручны́е.* С де́тства их *прируча́ют* добро́то́й и забо́той.
3. Сего́дня победи́тели ко́нкурса полу́чат награ́ды, их до́лжен *вруча́ть* председа́тель жюри́. К сожале́нию, он заболе́л, поэ́тому мне *поручи́ли* э́ту почётную ми́ссию. Постара́юсь хорошо́ спра́виться с *поруче́нием.*
4. Я *руча́юсь* за э́того челове́ка, уве́рена, что он бо́льше никогда́ не соверши́т дурно́го посту́пка. *Пору́ка* э́тому—его́ чистосерде́чное раска́яние.
4. Сего́дня ста́рший брат официа́льно *обручи́лся* со свое́й неве́стой, *обруче́ние* происходи́ло у нас до́ма.
5. В тру́дное для меня́ вре́мя друзья́ не бро́сили меня́, *вы́ручили,* помогли́ нача́ть жизнь за́ново.

1. I ask you not to write on the quiz with a pencil, but *with a pen*.
1. In the summer, I don't like to wear shirts with long *sleeves*.
2. It is cold outside. Don't forget your scarf and woolen *mittens*.
3. The police officer quickly put steel *handcuffs* on the criminal's *wrists*.
3. In the circus the animals are not wild, but *tame*. They are *tamed* [*trained*] from birth with kindness and concern.
3. Today the contest winners will receive awards. The chair of the judging panel was supposed *to present* them. Unfortunately, he fell ill, so this honorary duty *was delegated* to me. I will try to manage this *assignment* well.
4. I *vouch* for this person. I am sure that he will never commit a foolish act again. The *guarantee* of this is his sincere remorse.
4. Today my older brother officially *became engaged* to his fiancée. The *engagement* took place at our home.
5. During a difficult time my friends did not desert me. They *rescued* me and helped me begin life anew.

РУХ[10] (руш[31]) *ruin*

1. Гру́стно ви́деть, как *ру́шится* семья́.
1. От взры́ва бо́мбы *ру́хнул* сосе́дний дом.
2. Вы нака́заны за *наруше́ние* пра́вил.
2. По́сле войны́ в стране́ не́сколько лет была́ по́лная *разру́ха.*
3. Изве́стие о неизлечи́мой боле́зни ма́тери *обру́шилось* на дете́й неожи́данно. Э́та ужа́сная но́вость *нару́шила* привы́чный укла́д жи́зни. Споко́йствие и сча́стье бы́ли *разру́шены* навсегда́.
3. Но́чью произошло́ землетрясе́ние огро́мной *разруши́тельной* си́лы. Стихи́йным бе́дствием *пору́шены* все строе́ния и доро́ги.
4. Дру́жба ме́жду на́шими стра́нами *неруши́ма!*
4. Пограни́чники арестова́ли *наруши́теля* грани́цы.
5. На чердаке́ храни́лась ра́зная ста́рая *ру́хлядь.*
5. Любо́й челове́к мо́жет ошиби́ться, как говори́т посло́вица: "И на стару́ху быва́ет *прору́ха.*"

1. It is sad to see how the family *is being destroyed*.
1. The neighboring building *collapsed* from the bomb explosion.
2. You are being punished for *violation* of the rules.
2. After the war, the country was in complete *ruin* for several years.
3. The news of their mother's incurable illness *struck* the children without warning. This terrible news *ruined* their accustomed routine. Peace and happiness were *destroyed* forever.
3. During the night, an earthquake of massively *destructive* proportions occurred. All buildings and roads were *destroyed* by the natural disaster.
4. The friendship between our countries is *indestructable*.
4. The border guards arrested a border *violator*.
5. In the attic, assorted old *junk* was stored.
5. Any person can make a mistake. Like the saying goes: "Even an old woman can *blunder*."

РЯД[121] (ряж[40]) *in order*

1. Встань *рядом* со мной, я хочу́ посмотре́ть, кто из нас вы́ше.
1. Сестра́ лю́бит *поря́док* во всём.
2. Он на́чал слу́жбу в а́рмии *рядовы́м*, а сейча́с уже́ капита́н.
2. Пе́ред маскара́дом де́вочка до́лго не могла́ реши́ть, како́й *наря́д* ей вы́брать.
3. В спорти́вном ла́гере всех дете́й раздели́ли на три *отря́да*, и в ка́ждом был свой *отря́дный* воспита́тель. *Распоря́док* жи́зни для всех был оди́н: ра́нний подъём, у́тренняя *заря́дка*, за́втрак, трениро́вки, обе́д, опя́ть трениро́вки, у́жин и сон.
3. В после́днее вре́мя в семье́ начали́сь *неуря́дицы*. Ра́ньше мать была́ гла́вной *распоряди́тельницей* жи́зни в семье́, она́ следи́ла за тем, что́бы жизнь всех чле́нов семьи́ шла по давно́ устано́вленному *обря́ду*. Одна́ко вот уже́ не́сколько раз *подря́д обря́довость* семе́йной жи́зни была́ нару́шена.
4. Мой сосе́д—обы́чный, ниче́м не интере́сный, *заря́дный* челове́к. Еди́нственное, что наруша́ет его́ по́лную *заря́дность*,—необыкнове́нный аппети́т.
4. Я о́чень за́нят за́втра, *вряд* ли смогу́ найти́ вре́мя для встре́чи с тобо́й.
5. Вдруг кто́-то уда́чно пошути́л, все рассмея́лись и напряже́ние мгнове́нно *разряди́лось*. *Разря́дка* сде́лала люде́й споко́йнее и доброжела́тельнее.
5. Охо́тник хоте́л вы́стрелить, но оказа́лось, что он забы́л *заряди́ть* ружьё. Пе́ред охо́той он не прове́рил *снаряже́ние*, и вот тепе́рь в ружье́ не́ было *заря́да*.
5. Не сто́ит ему́ си́льно доверя́ть: по приро́де он *поря́дочный*, че́стный челове́к. Но при всей его́ *поря́дочности* у него́ есть серьёзный недоста́ток—он *изря́дный* пове́са.

1. Stand *next to* me. I want to see which of us is taller.
1. My sister loves *order* in everything.
2. He began his service in the army *as a private*, but now he is already a captain.
2. Before the masquerade party, the girl could not decide for a long time which *costume* she should choose.
3. At the sports camp, all the kids were separated into three *detachments*, and in each there was a *detachment* trainer. The daily *routine* was the same for everyone: early rising, morning *exercise*, breakfast, training, dinner, training again, supper, and then sleep.
3. Lately, *squabbles* have begun in the family. Previously, Mother was the chief *manager* of life in the family. She made sure that life for each member of the family went according to a long established *routine*. However, several times *in a row* the *regular routine* of family life has been upset.
4. My neighbor is an ordinary, uninteresting, *run-of-the-mill* person. The only thing that disrupts his complete *predictability* is his unusual appetite.
4. I am very busy tomorrow. It's *unlikely* I will be able to find time to meet with you.
5. Suddenly, someone told a good joke. Everyone burst out laughing, and the tension instantly *eased*. This *lessening* of tension made people more calm and considerate.
5. The hunter wanted to shoot, but it turned out that he forgot *to load* his rifle. He did not check his *equipment* before the hunt and now there was no *cartridge* in his rifle.
5. It is not a good idea to trust him too much. By nature he is a *decent*, honest man. But with all his *decen-*

cy he has a serious shortcoming: he is *quite* a whimsical *person*.

САД[112] (саж[55], сажд, сед[69], сяд[2], сид[39], сиж[23]) [for сес[15] see truncation rule 5] *set, sit*

1. В но́вом кинотеа́тре хоро́шие кре́сла с удо́бными *сиде́ньями*.
1. В *сосе́днем* до́ме живёт мой дру́г.
2. Во вре́мя Второ́й мирово́й войны́ америка́нская а́рмия *вы́садилась* в Норма́ндии. *Вы́садка* была́ успе́шной, она́ ускори́ла коне́ц войны́.
2. Оте́ц поправля́ется по́сле опера́ции, тепе́рь он не лежа́чий, а *сидя́чий* больно́й и ско́ро, наде́юсь, ста́нет ходя́чим.
3. *Сад* занима́ет не так уж мно́го земли́, *садо́вый* уча́сток не большо́й, но ви́дно, что *садо́вник* и *садо́вница* забо́тятся о ка́ждом де́реве, будь то моло́денький *са́женец* и́ли ста́рая я́блоня. Вся *уса́дьба* вы́глядит ую́тно, поэ́тому *сосе́ди* лю́бят приходи́ть в э́тот дом, *по-сосе́дски* забега́ть на мину́тку.
3. Прошу́ всех *сесть* на свои́ места́ и пристегну́ть привязны́е ремни́. Наш самолёт соверша́ет *беспоса́дочный* перелёт из Москвы́ в Нью-Йо́рк. *Поса́дка* в аэропорту́ и́мени Дж.Ф.Ке́ннеди че́рез 8 часо́в. Там вы смо́жете сде́лать *переса́дку* на други́е авиали́нии и продо́лжить ва́ше путеше́ствие по Аме́рике.
4. Что́-то мы *засиде́лись* у вас в гостя́х, уже́ по́здно, пора́ идти́ домо́й.
4. *Подса́живайся* к на́шему столу́, ме́ста хва́тит, *приса́живайся* ря́дом со мной, *уса́живайся* поудо́бнее.
5. *Доса́дно*, что вчера́ мы договори́лись о встре́че, а сего́дня ты забы́л об э́том.
5. Но́вый учени́к не о́чень спосо́бный, но удиви́тельно *уси́дчивый*: он мо́жет занима́ться уро́ками це́лый ве́чер. *Уси́дчивость* помога́ет ему́ добива́ться успе́хов в учёбе.

1. In the new movie theater there are nice chairs with comfortable *seats*.
1. My friend lives in the *neighboring* building.
2. During the Second World War the American army *disembarked* [*landed*]at Normandy. The *landing* was successful and hastened the end of the war.
2. Father is recovering after the operation. Now he is not *a patient who lies in bed*, but *one able to sit up*. Soon, I hope, he will become *one who is able to walk*.
3. The *garden* doesn't really take up that much land. The *garden* plot is not large, but you can tell that the *gardeners* [male and female] take care of each tree, be it a tiny *seedling* or an old apple tree. The whole *farmstead* looks inviting. That's why the *neighbors* love to come to this house, dropping in for a minute *in a neighborly manner*.
3. Please *take* [sit down in] your seats and fasten your seatbelts. Our airplane will make a *nonstop* flight from Moscow to New York. *Landing* will be at the J. F. Kennedy airport in 8 hours. There you can *change* to other airlines and continue your travel around America.
4. Somehow we *have stayed too long* visiting with you. It is already late. It's time to go home.
4. *Sit down* at our table. There are enough places. *Have a seat* next to me and make yourself [*settle down*] comfortable.
5. *It is annoying* that yesterday we agreed on a meeting, but today you forgot about it.
5. The new student is not very talented, but he is surprisingly *assiduous*. He can study his lessons the entire evening. His *tenacity* will help him achieve success in his studies.

САЛ[44] *grease*

1. Я не могу́ есть *са́ло*, у меня́ от него́ боли́т желу́док.
2. Дед лю́бит съесть немно́го заморо́женного солёного *са́льца* с чёрным хле́бом.
3. Éсли гото́вишь еду́ из жи́рной свини́ны, ру́ки стано́вятся *са́льными*, *заса́ливается* посу́да, *проса́ливается* фа́ртук, ну́жно всё отмыва́ть и отсти́рывать горя́чей водо́й.
4. Ни́щий носи́л ста́рый пиджа́к с *заса́ленным* воротнико́м и рва́ными рукава́ми.
5. Неприли́чные шу́тки и́ли анекдо́ты называ́ют *са́льными*. О челове́ке, кото́рый их расска́зывает, говоря́т:"Он сказа́л *са́льность*".

1. I cannot eat *suet*. It makes my stomach ache.

2. Grandfather loves to eat a little frozen salted *pork fat* with black bread.
3. If you prepare a meal with fatty pork, your hands become *greasy*, the dishes *get all greasy*, and your apron *gets covered with grease*. You need to wash away and clean everything with hot water.
4. The beggar wore an old jacket with a *greasy* collar and torn sleeves.
5. Indecent jokes or stories are called *obscene* [*greasy*]. A person who tells them is said to have "told an *obscenity*."

СВЕТ[36] (свеч[15], свещ[12]) [for свес[1] see truncation rule 5] *light*

1. На не́бе появи́лось ночно́е *свети́ло*—Луна́.
2. Сквозь стекло́ *просве́чивал* нея́ркий *свет* ла́мпы.
3. Он рабо́тает в теа́тре, но не актёром, а *освети́телем*—направля́ет *свет* ламп на сце́ну, дополни́тельно *подсве́чивает* ли́ца актёров, привлека́я к ним внима́ние зри́телей. Он зна́ет, как рабо́тают все *освети́тельные* прибо́ры, зна́ет зако́ны *свече́ния* больши́х и ма́лых ламп—он о́чень ва́жное лицо́ в теа́тре.
4. *Просвеще́ние* наро́да бы́ло одно́й из гла́вных зада́ч ру́сской интеллиге́нции. Мно́гих замеча́тельных *просвети́телей* зна́ет ру́сская исто́рия.
5. Ты говори́шь *несусве́тную* ерунду́, я да́же слу́шать тебя́ не хочу́!

1. A night *luminary* appeared in the sky–the moon.
2. Through the glass, the dim *light* of the lamp *was shining*.
3. He works at the theater, though not as an actor but as a *lighting specialist*. He directs the *light* of the lamps onto the stage, additionally *illuminating* the actors' faces and attracting the spectators' attention to them. He knows how all the *lighting* equipment works. He knows the laws of *luminescence* for large and small lamps. He is a very important person in the theater.
4. The *education [enlightenment]* of the people was one of the main tasks of the Russian intelligentsia. Russian history knows many remarkable *educators*.
5. You are speaking *utter* nonsense. I don't even want to listen to you!

СВИСТ[46] (свищ[3]) *whistle*

1. Хозя́ин подозва́л соба́ку лёгким *по́свистом*.
2. У ребёнка не́ было двух пере́дних зубо́в, поэ́тому он говори́л с заба́вным *присви́стом*. Когда́ он пыта́лся сказа́ть «ш», у него́ получа́лся *свистя́щий* звук, бо́льше похо́жий на «с».
3. Мальчи́шка пронзи́тельно *сви́стнул*. Гро́мким *сви́стом* он вызыва́л из до́ма своего́ дру́га. Друг вы́глянул в окно́ и *засвисте́л* в отве́т, как бы говоря́:«Слы́шал, сейча́с вы́йду». Мальчи́шка поджида́л дру́га на у́лице, негро́мко *насви́стывая* пе́сенку.
4. Премье́ра пье́сы в теа́тре провали́лась, зри́тели *освиста́ли* и актёров, и режиссёра, и а́втора.
5. Как ты мо́жешь наде́яться на него́, ра́зве ты не ви́дишь, что он легкомы́сленный челове́к, настоя́щий *свисту́н*!

1. The owner called the dog *with a* soft *whistle*.
2. The child did not have his two front teeth, so he spoke with a funny *whistle*. When he tried to say "sh," a *whistling* sound would come out, more similar to an "s."
3. The young boy *whistled* piercingly. With a loud *whistle* he was tried to call his friend from the house. His friend glanced out the window and *gave a whistle* back, as if to say "I heard you, I am coming right out." The young boy waited for him on the street, quietly *whistling* a little tune.
4. The play's premier in the theater was a failure. The audience *booed [whistled at]* the actors, the director, and the author.
5. How can you rely on him? Don't you really see that he is an irresponsible person–a genuine *loafer [whistler]*?

СВОЙ[22] (свай [40]) *one's own*

1. Мне не ну́жен твой мя́чик, у меня́ есть *свой*!
2. *Освое́ние* Сиби́ри начало́сь в [16] ве́ке.

3. За́втра *сва́дьба* сы́на. Сего́дня в до́ме *предсва́дебное* волне́ние. За сы́на *просва́тали* ми́лую де́вушку, и всё должно́ быть хорошо́, но лю́дям *сво́йственно* волнова́ться пе́ред ва́жным собы́тием.

4. Снача́ла щено́к боя́лся но́вого до́ма, но бы́стро *осво́ился* и да́же *присво́ил* себе́ пра́во спать на крова́ти до́чки.

5. Де́ду нужна́ специа́льная дие́та, так как его́ желу́док не *усва́ивает* мно́гие проду́кты.

1. I don't need your ball. I have *my own.*
2. The *opening up* [*making one's own*] of Siberia began in the [16]th century.
3. Tomorrow is my son's *wedding.* Today there is *pre-wedding* nervousness in our house. Our son *has been matched* with a nice girl and all should be well, but *it is characteristic* for people to be nervous before an important event.
4. At first the puppy was frightened of his new home, but he quickly *began to feel at home* and even *claimed* for himself the right to sleep on the daughter's bed.
5. Grandfather needs a special diet since his stomach does not *digest* many foods.

СВЯТ[20] (свящ[14]) *holy*

1. Па́мять о ма́тери всегда́ бу́дет *свяще́нной* для меня́.
2. Для ба́бушки са́мая ма́ленькая церко́вка—*святи́лище.*
3. Но́вую це́рковь за́втра бу́дут *святи́ть.* Свяще́нник *освяти́т* Храм, и це́рковь ста́нет *святы́м* ме́стом.
4. Па́мять о на́шей любви́ я берёг всю жизнь как са́мую дорогу́ю *святы́ню.*
5. Но́вый рома́н писа́тель *посвяти́л* свои́м де́тям.

1. The memory of my mother will always be *sacred* to me.
2. For Grandma, (even) the tiniest little church is a *sanctuary.*
3. Tomorrow they are going *to dedicate* the new church. The *priest will consecrate* the place of worship and the church will become a *holy* place.
4. All my life I have treasured the memory of our love like a most precious *shrine.*
5. The author *dedicated* his new novel to his children.

СЕЙ[112] *sow*

1. Весно́й крестья́не *се́ют* пшени́цу.
2. На огоро́де мы *посе́яли* морко́вь.
3. Ра́ньше *се́ятелю* приходи́лось мно́го рабо́тать, чтобы *засе́ять* большо́е по́ле, осо́бенно е́сли ну́жно бы́ло *пересе́ивать* по не́скольку раз. Сейча́с тяжёлую рабо́ту де́лает маши́на—*се́ялка.* С её по́мощью *посевны́е* рабо́ты зака́нчиваются быстре́е.
4. Профе́ссор—о́чень *рассе́янный* челове́к, всё забыва́ет и теря́ет.
5. По́сле собесе́дования полови́на претенде́нтов на вака́нтное ме́сто *отсе́ялась.*

1. In the spring the peasants *sow* wheat.
2. In the garden we *planted* carrots.
3. Formerly, a *sower* had to work a great deal in order *to plant* a big field, especially if he had *to resow* it several times. Now the difficult work is done by a machine–a *seed drill.* With its help, the *sowing* work is completed more quickly.
4. The professor is a very *scatterbrained* person. He forgets and loses everything.
5. After an interview, half of the candidates for the vacant position *were eliminated.*

СЕК[51] (сеч[56]) *cut, -sect*

1. Уда́ром топора́ бра́ту удало́сь *рассе́чь* де́рево на две полови́ны.
1. В подзе́мной ша́хте бы́ло не́сколько *отсе́ков.*
2. В лицо́ дул ре́зкий, холо́дный, *секу́щий* ве́тер.
2. Бы́стрым движе́нием ножа́ охо́тник *отсе́к* го́лову змеи́.
3. По широ́кой лесно́й *про́секе* мы вы́шли на поля́ну. На поля́не стоя́ли пчели́ные у́льи—кто́-то завёл

пáсеку в лесý. Вскóре мы познакóмились с *пáсечником*—добродýшным и прия́тным старикóм.

3. Я бежáл чéрез густы́е зáросли кустáрника—вéтки *секли́* моё лицó, комары́, мóшки и другúе *насекóмые* бóльно кусáли меня́. Мне пришлóсь *пересéчь* широ́кую полосý кустáрников, чтóбы вы́бежать на дорóгу.

4. Необходúмо немéдленно *пресéчь* слýхи о болéзни президéнта.

4. Трýдно éхать на маши́не по *пересечённой* мéстности.

5. Солдáт вы́стрелил, но услы́шал тóлько негрóмкий щелчóк—произошлá *осéчка*.

5. Дéвушка хотéла чтó-то сказáть, но, увúдев отцá, вдруг *оселáсь* и замолчáла.

    1. With a stroke of the axe, my brother was able *to cut* the tree into two halves.

    1. In the underground shaft there were several *compartments*.

    2. A sharp, cold, *cutting* wind blew in my face.

    2. With a quick movement of the knife the hunter *lopped off* the snake's head.

    3. (Walking) along a wide forest *path* we stepped out into a clearing. In the clearing there were beehives. Someone had set up an *apiary* in the forest. Soon after we met the *beekeeper* – a good-natured and pleasant old man.

    3. I was running through the dense thicket of bushes. The branches *lashed* my face. Mosquitoes, midges, and other *insects* were biting me painfully. I had *to cut across* the wide strip of bushes in order to run out onto the road.

    4. It is essential that we immediately *put an end to* the rumors about the president's illness.

    4. It is difficult to drive a car along *broken* [*rugged*] terrain.

    5. The soldier fired, but heard only a soft click. A *misfire* had occurred.

    5. The girl wanted to say something, but, seeing her father, she suddenly *stopped short* and fell silent.

СЕЛ[98] (сёл[5]) [cf. сед, *set*] settle

1. Пóсле шýмного гóрода прия́тно приéхать в ти́хое *селó* и *посели́ться* в нём на лéто.

2. Учёные хотя́т узнáть тáйны *вселéнной*.

3. Нóвые городски́е райóны *перенаселены́*. Изли́шняя *заселённость* создаёт проблéмы с трáнспортом, так как *населя́ют* райóны лю́ди, рабóтающие в други́х частя́х гóрода.

4. Сестрá заболéла зарáзной болéзнью, пришлóсь *отсели́ть* её в отдéльную кóмнату.

5. Чтóбы получи́ть побóльше дéнег, хозя́ин дóма *подсели́л* к жильцáм ещё однý семью́.

    1. After the noisy city it is nice to arrive in a quiet *village* and *settle down* there for the summer.

    2. Scientists want to solve the mysteries *of the universe*.

    3. The new city districts are *overpopulated*. The excessive *population* creates problems with transportation since people who work in other parts of the city *are populating* the regions.

    4. My sister contracted a contagious disease. It became imperative *to move* her to a separate room.

    5. In order to get more money, the owner of the house *added* one more family to the occupants.

СЕМ[37] *seed; family*

1. Веснóй в садý мы посади́ли *семенá* рáзных цветóв.

2. Мой прия́тель—прекрáсный муж и отли́чный *семьяни́н*.

3. На *семéйный* совéт собралóсь всё нáше *семéйство*, все бли́зкие и дáльние рóдственники. А поскóльку *семéйка* у нас довóльно шýмная, чéрез пять минýт у меня́ разболéлась головá.

4. Тебé порá жени́ться, хвáтит жить *бессемéйным*.

5. Малы́ш шёл мéлкими шагáми, смешнó *семени́л* мáленькими нóжками.

    1. In the spring we planted *seeds* of various flowers in the garden.

    2. My friend is a wonderful husband and an excellent *family man*.

    3. Our whole *family clan* gathered for a *family* council–all the close and distant relatives. However, since our *family group* is quite noisy, five minutes later my head began to ache.

    4. It is time for you to get married. You have lived long enough *without a family*.

    5. The young child was walking in tiny steps. He *was prancing* humorously with his tiny little legs.

СЕРД[31] (серж[1]) *heart; anger*

1. Ба́бушке нельзя́ волнова́ться, у неё больно́е *се́рдце*.
2. Учи́тель *серди́то* посмотре́л на ученико́в, кото́рые не хоте́ли *усе́рдно* рабо́тать.
3. Почему́ ты *се́рдишься*? Мы стара́лись, что́бы тебе́ бы́ло ве́село, мо́жет быть, пра́вда, немно́го *переусе́рдствовали*, но ника́к не ожида́ли уви́деть тебя́ таки́м *рассе́рженным*.
4. Твоя́ мать—са́мый *серде́чный* челове́к из всех, кого́ я встреча́л в жи́зни.
5. Вы пове́рхностно иссле́довали вопро́с, а на́до попыта́ться прони́кнуть в *сердцеви́ну* пробле́мы.

1. Grandmother mustn't get agitated. She has a bad *heart*.
2. The teacher looked *angrily* at the students who did not want to work *diligently*.
3. Why *are you angry*? We were trying to make it fun for you. True, maybe we *were* a little *overzealous*, but we never expected to see you so *angry*.
4. Your mother is the most *sincere* person of anyone I have met in my life.
5. You studied the question superficially, but you need to try to delve into the *heart* of the problem.

СЕРЕД[15] (сред[26]) *middle*

1. По́сле понеде́льника и вто́рника наступа́ет *среда́—середи́на* неде́ли.
2. Янва́рь в э́том году́ не о́чень холо́дный, *сре́дняя* температу́ра—5 гра́дусов ни́же нуля́ по Це́льсию.
3. Я привы́кла жить *среди́* лю́бящих меня́ люде́й. Э́та *среда́* дава́ла мне чу́вство защищённости. Их любо́вь была́ *сре́дством*, помога́вшим избежа́ть уны́ния в сло́жных обстоя́тельствах. Е́сли не пря́мо, то *опосре́довано* э́ти лю́ди дава́ли мне поня́ть, что они́ всегда́ помо́гут и подде́ржат.
4. Торго́вая сде́лка заключена́ че́рез *посре́дника*. За *посре́дничество* он получа́ет проце́нт дохо́да от сде́лки.
5. Вы́ставка карти́н мне не нра́вится, потому́ что все карти́ны весьма́ *посре́дственного* у́ровня, так называ́емый "*середня́к*", а изве́стно, что *посре́дственность* в иску́сстве—са́мое неприя́тное.

1. After Monday and Tuesday comes *Wednesday* – the *middle* of the week.
2. January is not very cold this year. The *average* temperature is 5 degrees below zero Celsius.
3. I have grown used to living *among* people who love me. This *environment* has given me a sense of protection. Their love has been the *means* that has helped me avoid depression in difficult circumstances. These people have let me know–if not directly then *indirectly* – that they would always help and support me.
4. A commercial transaction is completed through a *middle man*. For his *mediation* he receives a percentage of the revenue from the transaction.
5. I don't like the art exhibit because all the pictures are of a very *mediocre* level, the so-called "*average*" level. It is well known that *mediocrity* in art is most unpleasant.

СИЛ[50] *strength*

1. К сожале́нию, я не в *си́лах* тебе́ помо́чь.
2. Пу́тники не ожида́ли *усиле́ния* ве́тра, но ве́тер *уси́ливался* с ка́ждой мину́той.
3. *Си́льные* шли пе́рвыми, принима́я на себя́ *си́лу* ве́тра, помога́я сла́бым *переси́ливать* напо́р мете́ли. Ско́ро все по́няли, что не смо́гут *оси́лить* доро́гу в таку́ю пого́ду. На́до бы́ло останови́ться и оказа́ть *поси́льную* по́мощь уста́лым и замёрзшим.
4. Больно́му ну́жен посте́льный режи́м и *уси́ленное* пита́ние.
5. Мно́гим не нра́вится *заси́лье* иностра́нных слов в совреме́нном ру́сском языке́.
5. Прохо́дит суд над челове́ком, кото́рого обвиня́ют в *изнаси́ловании*.

1. Unfortunately, I do not have the *power* to help you.
2. The travelers did not expect an intensification of the wind, but the wind *became stronger* with each minute.
3. The *strong ones* went first, taking upon themselves the wind's *strength* and helping the weak *withstand* the force of the storm. Soon everyone realized that they would not be able *to handle* the road in such weather. They had to stop and give *whatever* assistance *was in their power* to the weary and frozen peo-

ple.
4. The patient needs bed rest and *high-calorie [intensified]* nutrition.
5. Many people do not like the *domination* of foreign words in the modern Russian language.
5. A trial is being held for a person who has been accused of *rape*.

СКОК[55] (скоч[15], скак[55], скач[3]) *leap*

1. В *скáчках* учáствуют лýчшие *скаковы́е* лóшади, прекрáсные *скакуны́*.
2. Мяч удáрился о зéмлю, *подскочи́л* нéсколько раз и *отскочи́л* к стенé дóма.
3. Услы́шав нóвость, тётушка *вскочи́ла* нá ноги и бы́стро *вы́скочила* из кóмнаты. Онá так торопи́лась, что *проскочи́ла* ми́мо меня́, не замéтив. Все гóсти, бы́вшие в кóмнате, тóже *повскáкивали* с мест от удивлéния.
4. Нет, я не бýду ýжинать, я *заскочи́ла* домóй тóлько на минýтку.
5. По-мóему, у тебя́ *заскóк* от устáлости—ты не пóмнишь свой день рождéния.

  1. The best *race*horses are participating in the *races*. They are wonderful *racers*.
  2. The ball hit the ground, *bounced* several times, and *bounced over* to the side of the house.
  3. Hearing the news, Auntie *leapt* to her feet and quickly *dashed out* of the room. She was in such a hurry that she *rushed past* me, not even noticing. All the guests who were in the room also *leapt one after another* from their seats in surprise.
  4. No, I'm not going to eat dinner. I only *popped* home for a minute.
  5. I think you've got a *mind block* from being so tired. You don't remember your own birthday.

СКОЛЬЗ[13] (скальз[7], скольж[1]) *slip*

1. Дорóга *скóльзкая*. Иди́ осторóжно, не *подскользни́сь*!
2. *Скользя́* по мóкрой землé, я бы́стро *соскользнýл* на дно я́мы.
3. Прия́тно зимóй пойти́ на катóк и *скользи́ть* по льду на конькáх. Зазвучáла мýзыка—и все *заскользи́ли*. *Скольжéние* óчень ритми́чно и краси́во.
4. Мне удаётся незамéтно *вы́скользнуть* из кóмнаты, *проскользнýть* в дверь и уйти́. Это не óчень вéжливо, но я рад, что смог *ускользнýть* от неприя́тных мне людéй.
5. О сáмой вáжной информáции мой начáльник лю́бит говори́ть *вскользь*, как бýдто это какáя-то мéлочь.

  1. The road is *slippery*. Walk carefully and don't *slip*!
  2. *Slipping* along the wet ground, I quickly *slid down* to the bottom of the pit.
  3. It is nice to go to the skating rink in the winter and *glide* along the ice on skates. The music began to play and everyone *started skating*. *Skating* is very rhythmic and beautiful.
  4. I am able *to slip out* of the room unnoticed, *slip through* the door, and leave. This is not very polite, but I am glad that I was able *to slip away* from people who are unpleasant to me.
  5. My supervisor loves to talk about the most important information *in passing*, as if it is some kind of trivial matter.

СКОР[19] *speed*

1. Маши́на дви́жется с большóй *скóростью*.
2. Я увéрен, что мы *скóро* встрéтимся.
3. *Вскóре* пóсле начáла рабóты мы пóняли, что не успéем сдéлать всё вóвремя, éсли не *ускóрим* исслéдования. Мы должны́ бы́ли дéйствовать *ускóренными* тéмпами.
4. *Скóрый* пóезд Москвá-Владивостóк прибывáет на стáнцию по расписáнию.
5. Сын óчень торопи́лся, он *нáскоро* поéл и убежáл в университéт.

  1. The car is moving at a high *speed*.
  2. I am sure that we will meet *soon*.
  3. *Soon* after starting work we realized that we would not be able to finish everything in time if we did not *speed up* the research. We had to work at an *accelerated* pace.
  4. The *express* train Moscow-Vladivostok is arriving at the station on schedule.

5. Our son was in a big hurry. He *hastily* ate and ran off to the university.

СКРЕБ[18] (скрёб[10]) [for скрес[17] see truncation rule 5] *scrape*

1. Попро́буй *отскрести́* ста́рую кра́ску с по́ла.
2. Ко́нюх *скребни́цей* чи́стил ло́шадь, *соскреба́я* с неё грязь.
3. Ка́ша така́я вку́сная, что де́ти *вы́скребли* кастрю́лю до́чиста, *доскребли́* из неё после́дние оста́тки.
4. У нас нет де́нег, я не смогу́ *наскрести́* да́же на кусо́к хле́ба.
5. После́дний ребёнок—*поскрёбыш*—роди́лся по́здно, когда́ пожилы́е роди́тели уже́ и не жда́ли дете́й.

    1. Try *to scrape* the old paint *off* the floor.
    2. The stableman cleaned the horse with a *currycomb*, *scraping* the dirt off of her.
    3. The kasha was so delicious that the children *scraped* the pot clean. They *scraped* from it the last bits.
    4. We do not have any money. I can't *scrape up* enough even for a piece of bread.
    5. The last child, a *late comer* [*scraped together from leftovers*], was born late when his middle-aged parents were no longer thinking about having children.

СКУК[5] (скуч[18]) *feel boredom with*; *miss*

1. Э́тот фильм не о́чень *ску́чный*, но всё-таки *скучнова́тый*.
2. Кака́я *ску́ка* сиде́ть до́ма весь ве́чер! Пойдём куда́-нибудь, где мы не бу́дем *скуча́ть*.
3. В но́вой шко́ле без друзе́й де́вочка *заскуча́ла*. Ей бы́стро *приску́чили* уро́ки, *наску́чили* разгово́ры но́вых знако́мых. *Проскуча́в* ме́сяц, она́ попроси́ла роди́телей перевести́ её в ста́рую шко́лу.
4. Сыни́шка уе́хал из до́ма всего́ не́сколько дней наза́д, а мы уже́ си́льно *соску́чились* по нему́.
5. Наве́рное, ребёнок заболе́л—це́лый день капри́зничает и *ку́ксится*[19].

    1. This film is not terribly *boring*. But it is *somewhat boring*.
    2. What a *bore* to sit at home all evening! Let's go somewhere where we won't *be bored*.
    3. In the new school the little girl *began to be bored* without her friends. The lessons quickly *became boring*, and the conversations of new acquaintances also *bored* her. *After longing* (for her friends) for a month, she asked her parents to transfer her back to her old school.
    4. Our precious son left home only a few days ago, but we already *miss* him terribly.
    5. The child has probably fallen ill–all day he *has been* cranky and *sulky*.

СЛ[23] (сыл[54], сол[3]) *send*

1. Я *вы́слала* тебе́ тёплые ве́щи, проду́кты и кни́ги.
2. Жени́х и неве́ста *разосла́ли* приглаше́ния на сва́дьбу всем ро́дственникам и знако́мым.
3. Получи́л ли ты мою́ *посы́лку*? Я *отосла́ла* её неде́лю наза́д. *Посы́лочный* я́щик кре́пкий—ду́маю, ничего́ не пропадёт во вре́мя *пересы́лки*. Напиши́ мне, каки́е ве́щи ну́жно тебе́ *посыла́ть*.
4. Пе́ред Рождество́м бы́ло оглашено́ *посла́ние* Патриа́рха, обращённое ко всем ве́рующим.
4. Америка́нский *посо́л* устро́ил в *посо́льстве* приём по слу́чаю Дня Незави́симости.
5. Во вре́мя ста́линского терро́ра миллио́ны люде́й бы́ли *со́сланы* в Сиби́рь. *Ссы́льные* жи́ли в *ссы́лке* до́лгие го́ды.
5. *Предпосы́лками* к ру́сской револю́ции послужи́ли война́, разру́ха, го́лод.

    1. I *sent* you some warm things, groceries, and books.
    2. The bride and groom *sent out* wedding invitations to all their relatives and acquaintances.
    3. Did you receive my *package*? I *sent* it a week ago. The *package* is strong–I don't think anything will get lost during *shipment*. Write (and tell) me which things you need me *to send* you.
    4. Right before Christmas, the Patriarch's *message* addressed to all believers was issued.
    4. The American *ambassador* organized a reception at the *embassy* for Independence Day.
    5. During the Stalinist terror, millions of people were *exiled* to Siberia. Those *exiled* lived in *exile* for many long years.
    5. War, destruction, and hunger served as *preconditions* for the Russian revolution.

---

[18] Кузнецова / Ефремова give кук (куч), but few words are formed from this basic form. Most words which students of Russian will know or learn derive from the expanded form скук (скуч).

СЛАБ[34] *weak*

1. После болéзни я чýвствую *слáбость*, не могý мнóго ходúть.

2. Дéвочка говорúла тóненьким и *слáбеньким* голоскóм.

3. С кáждым днём старúк всё бóльше *слабéл*. Когдá-то сúльные рýки стáли *слáбыми*, он с трудóм передвигáлся на *ослабéвших* ногáх. Но по-прéжнему старúк с *неослáбным* внимáнием следúл за развúтием собы́тий на фрóнте.

4. Ты слúшком крéпко завязáл верёвку, нáдо *ослáбить* ýзел.

5. Что ты такóй напряжённый—*расслáбься*, улыбнúсь, ты средú друзéй!

   1. After my illness I feel *weak*. I can't walk much.
   2. The girl spoke in a faint and *feeble* little voice.
   3. With each day the old man *grew weaker* and weaker. His once strong hands became *frail*, and he moved around on his *weakened* legs with difficulty. Just as before, however, the old man followed with *unflagging* attention the development of events on the front.
   4. You tied the rope too tightly. You need *to loosen* the knot.
   5. Why are you so tense? *Relax!* Smile! You are among friends!

СЛАД[12] (*слажд*[6], *солод*[20]) [for *сласт*[11] and *слащ*[15] see truncation rule 5] *sweet*

1. Чай слúшком *слáдкий*, ты положúл мнóго сáхара и *переслáстил* егó.

2. Жéнщина разговáривала с ребёнком неприя́тным *слáденьким* гóлосом.

3. Сын—настоя́щий *сластёна*, óчень лю́бит рáзные *слáсти*: конфéты, пирóжные, тóрты. Мóжет с *наслаждéнием* есть любýю пúщу, тóлько бы онá былá *подслащённой*.

4. С дáвних времён при приготовлéнии напúтков испóльзуют *солодкóвый* кóрень—лакрúцу.

4. Какúе непря́тные *слащáвые* манéры у твоéй сосéдки!

5. Слýшатели *наслаждáлись* прекрáсным *слáдостным* гóлосом певúцы. Невозмóжно бы́ло наслýшаться э́того гóлоса *всласть*, хотéлось, чтóбы он никогдá не замолкáл.

   1. The tea is too *sweet*. You put in too much sugar and *oversweetened* it.
   2. The woman was talking with the child in an unpleasant, *sugary* voice.
   3. My son has a real *sweet-tooth*. He very much loves all kinds of *sweets*: candy, pastries, and cakes. With *enjoyment* he eats any food as long as it is *sweetened*.
   4. From olden times, *licorice* root, or licorice, has been used in the preparation of beverages.
   4. What unpleasant, *sickly-sweet* [*sugary*] manners your neighbor has!
   5. The audience *enjoyed* the beautiful, *sweet* voice of the singer. It was impossible to get enough of the *sweetness* of this voice. You wished it would never fall silent.

СЛЕД[86] (*слеж*[9]) *follow, track*

1. Мать шла впередú, ребёнок *слéдовал* за ней.

1. —Вы *послéдний* в óчереди?—Нет, я *предпослéдний*, за мной стоúт жéнщина.

2. Сейчáс вы послýшаете пéние, пóсле э́того увúдите *слéдующий* нóмер прогрáммы—тáнец.

2. Жéнщина грýстно смотрéла *вслед* уходя́щему пóезду.

3. Молодóму *слéдователю* поручúли *расслéдовать* ограблéние бáнка. В процéссе *слéдствия* подозрéние пáло на однóго из слýжащих бáнка. За ним нáчали *следúть* днём и нóчью и *вы́следили* егó тáйную встрéчу с престýпниками. Однáко подозревáемый замéтил *слéжку* и внезáпно *бесслéдно* исчéз из гóрода.

3. Ты знал, что нельзя́ ходúть в грязных ботúнках по свéтлому коврý, потомý что остаю́тся *следы́*. Когдá ты *наследúл* в гостúной, ты понимáл, что бýдут неприя́тные *послéдствия*. *Слéдовательно*, ты не удивлён тем, что мáма рассердúлась.

4. Сестрá решúла пойтú в больнúцу и *обслéдоваться*: сдать все анáлизы, провéрить состоя́ние своегó здорóвья.

4. Пóсле смéрти отцá остáлось большóе *наслéдство*. *Наслéдниками* богáтства стáли сыновья́ покóйного, онú *унаслéдовали* огрóмное отцóвское состоя́ние.

5. Уже́ не́сколько дней меня́ *пресле́дует* мело́дия глу́пой популя́рной пе́сенки, я всё вре́мя повторя́ю её, хотя́ она́ мне совсе́м не нра́вится.

5. Учёный на́чал но́вую се́рию *иссле́дований*. *Иссле́дованные* им явле́ния о́чень интересу́ют его́ колле́г, у него́ появи́лось мно́го *после́дователей*, кото́рые счита́ют его́ иде́и пра́вильными и стара́ются развива́ть их.

1. The mother walked in front and the child *followed* her.
1. "Are you *last* in line?" "No, I am *next-to-last*. A woman is behind me."
2. Now you'll listen to singing, and after that you will see the *next* number on the program–a dance.
2. The woman sadly *followed with her eyes* the departing train.
3. The young *investigator* was assigned *to investigate* the bank robbery. During the *investigation*, suspicion fell on one of the bank employees. They began *to follow* him day and night, and they *tracked down* his secret meeting with criminals. However, the suspect noticed he was *being followed* and suddenly disappeared from the city *without a trace*.
3. You knew that you shouldn't walk with dirty shoes on the light-colored carpet because it leaves *tracks*. When you *left dirty tracks* in the living room, you realized that there would be unpleasant *consequences*. *Consequently*, you aren't surprised that Mom got angry.
4. My sister decided to go to the hospital *to be examined* – to take all the tests and to check the condition of her health.
4. After the death of the father, there remained a large *inheritance*. The sons of the deceased became the *heirs* of the wealth. They *inherited* their father's huge fortune.
5. For several days now, the melody of a stupid popular song *has been pursuing* me. I keep repeating it all the time, even though I don't like it in the least.
5. The scientist began a new series *of experiments*. His colleagues are very interested in the phenomena he has *researched*. Many *supporters* [*followers*] have emerged who consider his ideas correct and are trying to develop them.

СЛЕП[25] *blind*

1. Соба́ка вела́ *слепо́го* старика́ по доро́ге.
2. Сла́быми *подслепова́тыми* глаза́ми ба́бушка не могла́ разгляде́ть карти́ну.
3. С во́зрастом оте́ц на́чал *сле́пнуть*. *Слепота́* бы́стро прогресси́ровала, че́рез год оте́ц *осле́п* соверше́нно.
4. Дверь откры́лась, и мы уви́дели же́нщину *ослепи́тельной* красоты́.
5. В темноте́ мы ничего́ не ви́дели и дви́гались *вслепу́ю*.

1. The dog was leading the elderly *blind* man along the road.
2. With her feeble, *weak-sighted* eyes, Grandma could not make out the picture.
3. Father began *to go blind* with age. The *blindness* quickly progressed, and in a year Father *had gone* completely *blind*.
4. The door opened and we saw a woman of *blinding* beauty.
5. In the darkness we saw nothing and moved around *blindly*.

СЛОВ[44] (слав[14], слы[2]) *word*

1. Е́сли не зна́ешь значе́ние *сло́ва*, посмотри́ в *слова́рь*.
1. Я не хочу́ ссо́риться с тобо́й, устра́ивать *слове́сный* бой.
2. Перево́дчик сде́лал *досло́вный* перево́д англи́йской поэ́мы на ру́сский язы́к.
2. В ру́сском языке́ мно́го *посло́виц* и погово́рок.
3. Изве́стный кри́тик согласи́лся написа́ть *предисло́вие* к кни́ге молодо́го писа́теля, но с одни́м *усло́вием*—не называ́ть и́мени кри́тика. Это вы́глядит так, *сло́вно* просла́вленный кри́тик не хо́чет *прослы́ть* помо́щником неизве́стного литера́тора.
3. Когда́ у актёра был успе́х, все журна́лы *восславля́ли* его́ тала́нт, *прославля́ли* его́ челове́ческие ка́чества. Но когда́ успе́х прошёл, все бы́вшие друзья́-журнали́сты сра́зу ста́ли *бессловéсными*.
4. Не хочу́ соблюда́ть глу́пые обще́ственные *усло́вности*, хочу́ всегда́ де́лать то, что мне хо́чется!

4. Де́вушку несправедли́во *осла́вили* как обма́нщицу и воро́вку.

5. *Усло́вимся* раз и навсегда́ никогда́ не обма́нывать друг дру́га.

5. По рожде́нию он принадлежа́л к *сосло́вию* купцо́в.

1. If you don't know the meaning *of the word*, you can look in the *dictionary*.

1. I don't want to quarrel with you or set up a *verbal* battle.

2. The translator rendered a *literal* translation of the English poem into Russian.

2. In the Russian language there are many *proverbs* and sayings.

3. The famous critic agreed to write a *foreword* to the young writer's book, but with one *condition* – that name the critic not be given. It looks *as if* the *celebrated* critic does not want *to be reputed* as an assistant to an unknown literary figure [writer].

3. When the actor was having success, all the magazines *praised* his talent and *glorified* his good qualities. But when his success passed, all his former journalist friends immediately became *mute*.

4. I don't want to observe stupid social *conventions*. I always want to do what I feel like!

4. The girl was unjustly *defamed* as a fraud and a thief.

5. *Let's agree* once and for all not to deceive each other ever.

5. By birth he belonged to the merchant *class*.

СЛОЙ³⁰ (слай¹⁵) *layer*

1. О́чень вкусны́ пирожки́ из *слоёного* те́ста.

2. О́бщество состои́т из разли́чных социа́льных *слоёв*.

3. Дава́йте *прослои́м* торт: сде́лаем *слой* из бискви́та, пото́м из шокола́да, пото́м у́зенькую *просло́йку* из оре́хов. Бу́дьте внима́тельны, *слое́ние* то́рта—де́ло непросто́е!

4. Худо́жник смеша́л ра́зные кра́ски и нарисова́л со́лнце, но когда́ рису́нок вы́сох, кра́ска ста́ла *слои́ться*. *Отсла́ивалась* кра́ска кра́сного, жёлтого и ора́нжевого цвето́в.

5. В гора́х прокла́дывают доро́гу, по́сле взры́вов видна́ *сло́истость* го́рных поро́д: на песча́нник *наслои́лись* други́е поро́ды. *Наслое́ния* отлича́ются по цве́ту.

1. Pastry pies made from *layered* dough are very delicious.

2. Society is made up of various social *strata*.

3. Let's *layer* the cake. We will make a *layer* of sponge cake, then a layer of chocolate, then a thin *topping* of nuts. Pay careful attention! *Layering* a cake is not a simple thing!

4. The artist mixed different paints and painted a sun. However, when the painting dried out, the paint began *to separate*. The red-, yellow-, and orange-colored paints *were flaking off*.

5. They are building a road in the mountains. After the explosions, the *stratification* of the (mountain) rocks is visible. Different types of rocks *were deposited* in the sandstone. The *layers* differ in color.

СЛОН²⁰ *lean*

1. В бою́ солда́т спас жизнь команди́ру, *заслони́л* его́ от пу́ли.

2. Оте́ц хоте́л обня́ть сы́на, но тот ре́зко *отслони́лся* от отцо́вских рук.

3. Весь день мы бесце́льно *слоня́емся* по го́роду, заходя́ в ка́фе и магази́ны. Нам не на́до никуда́ спеши́ть, мо́жно *прослоня́ться* не́сколько часо́в и *наслоня́ться* на це́лый год.

4. А́рмия—надёжный *засло́н* на пути́ врага́.

5. Незнако́мец внёс в ко́мнату зе́ркало и поста́вил его́ на пол, *прислони́в* к стене́.

1. The soldier saved the life of his commander in battle. He *shielded* him from a bullet.

2. The father wanted to embrace his son, but he abruptly *leaned back* from his father's arms.

3. All day we *have been* aimlessly *rambling* around the city, going into cafes and stores. We don't need to hurry anywhere. We can *loiter about* for several hours and *loiter* the whole year away.

4. The army is a reliable *barrier* in the path of the enemy.

5. The stranger carried a mirror into the room and set it on the floor, *leaning* it *up* against the wall.

СЛУГ⁵ (служ⁷¹) *serve*

1. Окажи́ мне *услу́гу*—принеси́ кни́гу из мое́й ко́мнаты.

2. Встре́ча со ста́рым дру́гом *послужи́ла* толчко́м к воспомина́ниям.

3. За вре́мя *слу́жбы* в а́рмии он *дослужи́лся* до зва́ния майо́ра и *заслужи́л* не́сколько награ́д. *Сослужи́вцы* люби́ли и цени́ли его́, потому́ что он был не тупы́м *служа́кой*, а хоро́шим до́брым челове́ком, отдава́вшим все си́лы *служе́нию* Ро́дине. Его́ *заслу́ги* бы́ли неоднокра́тно отме́чены кома́ндованием.

4. Но́вый рома́н изве́стного писа́теля по́льзуется *заслу́женным* успе́хом у чита́телей.

5. *Слу́жащий* ба́нка пое́хал в *служе́бную* командиро́вку.

1. Do me a *favor*. Bring me a book from my room.

2. The meeting with an old friend *served* as a stimulus for memories.

3. During his *service* in the army, he *rose to* the rank of major and *earned* several decorations. His *fellow servicemen* loved and valued him because he was not a dull witted *yes man*, but a good and kind person, who gave all his strength *to the service* of his homeland. His *service* was recognized more than once by his commandant.

4. The famous writer's new novel is enjoying *deserved* success with readers.

5. The bank *employee* set off on a *business* trip.

СЛУХ[51] (слуш[51], слых[4], слыш[22]) *listen, hear*

1. Но́вая програ́мма ра́дио понра́вилась всем *слу́шателям*.

1. Два го́да наза́д ба́бушка заме́тила, что её *слух* по́ртится.

2. Прочита́й не́сколько предложе́ний *вслух*, гро́мко и ме́дленно.

2. Скажи́те, пожа́луйста, ещё раз погро́мче—я *недослы́шу*.

3. Говори́ ти́ше: я не хочу́, что́бы кто-нибудь *подслу́шал* наш разгово́р. *Слы́шимость* в до́ме сли́шком хоро́шая—в сосе́дней ко́мнате *слы́шно* всё, что мы говори́м, мо́жно *расслы́шать* ка́ждое сло́во. Е́сли кто-нибудь *услы́шит* э́ту бесе́ду, наш план прова́лится.

3. Чем бо́льше я *вслу́шивалась* в го́лос но́вого знако́мого, *прислу́шиваясь* к его́ интона́циям, тем уве́реннее я могла́ сказа́ть, что уже́ *слы́шала* э́тот го́лос когда́-то.

4. Ты удиви́л меня́ свое́й но́востью—я об э́том ничего́ *слы́хом* не *слы́хивала*.

4. Сын растёт *не́слухом*, соверше́нно *непослу́шным* ребёнком.

5. Оте́ц веле́л тебе́ верну́ться домо́й до [11] часо́в ве́чера, а сейча́с уже́ [12]. Как ты могла́ *ослу́шаться* отца́, не *послу́шаться* его́?

5. Му́зыка така́я прекра́сная, что мы *заслу́шались*, забы́в обо всём, *слу́шали* и не могли́ *наслу́шаться*.

1. All the *listeners* liked the new radio program.

1. Two years ago, Grandma noticed that her *hearing* was going bad.

2. Read several sentences *aloud*, loudly and slowly.

2. Please tell me again a little louder–I *can't quite hear* you.

3. Speak quieter–I don't want anyone to *overhear* our conversation. *The likelihood of being heard* in the house too good. In the next room *one can hear* everything we are saying. You can *catch* every word. If anyone *hears* this conversation, our plan will fail.

3. The more *intently* I *listened* to the voice of my new acquaintance, *paying attention* to his intonation, the more positive I was that I *had heard* this voice previously.

4. You surprised me with your news. I *have* not *heard* a *sound* about it.

4. My son is growing up *to be an unruly person* – a completely *disobedient* child.

5. Father instructed you to return home before eleven o'clock p.m., but it is already twelve. How could you *disobey* your father and not *obey* him?

5. The music was so beautiful that we *listened to it intently*. Having forgotten about everything else, we *listened* and couldn't *listen enough*.

СМЕЙ [53] *laugh*

1. Мла́дшая сестра́—о́чень *смешли́вая* девчо́нка, она́ *смеётся* от любо́го сло́ва.

2. Сестру́ легко́ *рассмеши́ть*, потому́ что ей мно́гое ка́жется *смешны́м*.

3. Сати́рик—не *пересме́шник*, для кото́рого любо́е собы́тие—по́вод для скепти́ческой *усме́шки* и́ли

иронических *пересмешек* с друзьями. Сатирик *насмешничает*, *смешит* вас, но за каждым его *смешком* есть боль за людей и желание им помочь.

4. Брат не любит *насмешек*, не любит, когда из человека делают всеобщее *посмешище*, *осмеивают* его.

5. *Насмешив* всех, он может *рассмеяться* громче всех, счастливый, что заставил людей улыбнуться или хоть чуть-чуть *усмехнуться*.

1. My younger sister is a very *easily amused* girl. She *laughs* at anything [any word].
2. It is easy *to make* my sister *laugh* because everything seems *funny* to her.
3. A satirist is not *one who mocks* or for whom any event is grounds for skeptical *sneers* or ironic *banter* with friends. A satirist *scoffs* at things and *makes* you *laugh*, but behind each of his jabs there is sympathy [pain] for people and a desire to help them.
4. My brother does not like *mockery*. He does not like it when they make a complete *laughingstock* out of a person, *mocking* him.
5. *Having made* everyone *laugh*, he might *burst out laughing* louder than everyone, happy that he made people smile or just *grin* a little.

СМОТР⁵³ (смотр³¹) *look*

1. *Посмотри*, кто идёт по дороге!
1. Решение вопроса оставлено на *усмотрение* начальника.
2. Девушка делала вид, что читает, а сама весело *посматривала* на соседа.
2. Завтра дети идут на *осмотр* к врачу.
3. Художник *смотрел* в окно. Дорога, берег реки—кажется, ничего интересного нельзя *высмотреть* в этом обычном пейзаже, но он не мог *насмотреться*, не мог отвести глаз. Художник *засмотрелся* на красоту природы, он *всматривался* в линии речного берега, внимательно *рассматривал* каждый изгиб дороги.
3. Дядюшка—очень *осмотрительный* человек. *Осмотрительность* помогает ему не попадать в смешное положение. Кроме того, он ещё и *предусмотрительный*, умеет *предусматривать* проблемы до того, как они возникнут.
4. Жестокие *надсмотрщики* осуществляли *надсмотр* над рабами в Риме.
4. Сегодня вечером в кинотеатре *просмотр* нового фильма.
5. Вчера я случайно заглянула в комнату и *подсмотрела*, как моя старшая сестра целовалась со своим женихом. Я знаю, что *подсматривать* нехорошо, но ведь я же не нарочно!
5. Пересекая государственную границу, каждый должен пройти таможенный *досмотр*.

1. *Look* who is coming down the road!
1. The solution to the problem has been left to the supervisor's *discretion*.
2. The girl pretended to be reading, but she playfully *glanced from time to time* at her neighbor.
2. Tomorrow the children are going to the doctor for a *check-up*.
3. The artist *looked* out the window. A road, a river bank–it seems that there is nothing of interest *to see* in this ordinary landscape, yet he couldn't *stop looking*. He couldn't take his eyes off it. The artist *became engrossed in* the beauty of nature. He *was gazing* at the lines of the river bank and carefully *scrutinizing* each bend in the road.
3. My uncle is a very *cautious* person. His *caution* helps him to avoid awkward situations. Besides that, he is also *far-sighted*. He can *foresee* problems before they arise.
4. Cruel *supervisors* implemented *supervision* of the slaves in Rome.
4. This evening there will be a *viewing* of the new film in the movie theatre.
5. Yesterday I accidentally peeked in the room and *spied* my older sister kissing her fiancé. I know that it is not righ *to spy*, but, after all, I didn't do it on purpose!
5. When crossing a national border, everyone must go through a customs *inspection*.

СНАСТ¹³ (снащ¹⁸) *equip*

1. Известная фирма *оснастила* новый корабль.

2. Рыбаки́ пригото́вили *сна́сти* для у́тренней ло́вли ры́бы.

3. Кора́бль на́до *переоснасти́ть*, смени́ть устаре́вшую *осна́стку*, потому́ что плоха́я *оснащённость* корабля́ де́лает опа́сным пла́вание.

4. Браслéт был стари́нный, *уснащённый* драгоце́нными камня́ми.

5. На сосéдний стул *приснасти́лся* весёлый молодо́й челове́к, кото́рый я́вно хоте́л завести́ знако́мство.

    1. The well-known firm *equipped* the new ship.

    2. The fishermen prepared their *tackle* for morning fishing.

    3. The ship needs *to be reequipped* and to have its obsolete *rigging* changed because bad *rigging* of a ship makes sailing dangerous.

    4. The bracelet was antique, *adorned* with valuable stones.

    5. A cheerful young man, who clearly wanted to strike-up an acquaintance, *installed himself* on the chair next to mine.

СОБ[51] (саб[4], себ) *self; one's own*

1. На сле́дующей неде́ле в страну́ прие́дет о́чень ва́жная *осо́ба*—короле́ва А́нглии.

2. У него́ нет *со́бственного* мне́ния ни о чём.

3. Иногда́ я в шу́тку зову́ дру́га богачо́м и *со́бственником*. *Со́бственно* говоря́, в э́том нет ничего́ оби́дного, но мой друг *спосо́бен* оби́деться из-за пустяка́. Э́та *осо́бенность* его́ хара́ктера приво́дит к тому́, что в любо́й компа́нии он де́ржится *особняко́м*, момента́льно *обособля́ется*.

4. Сосе́д не мо́жет найти́ рабо́ту, он безрабо́тный и получа́ет от госуда́рства *посо́бие* по безрабо́тице.

5. У де́душки боля́т но́ги, и оте́ц *приспосо́бил* к но́жкам де́душкиного кре́сла ма́ленькие колёсики, чтобы стари́к мог самостоя́тельно предвига́ться по до́му.

5. Удиви́тельна *приспособля́емость* челове́ческого органи́зма, его́ *спосо́бность приспоса́бливаться* к са́мым разли́чным усло́виям и обстоя́тельствам.

    1. Next week, a very important *person* is coming to our country–the Queen of England.

    2. He does not have his *own* opinion about anything.

    3. Sometimes I jokingly call my friend a rich man and a *proprietor*. *Strictly* speaking, there is nothing offensive about this, but my friend *tends* to get offended at trivial things. This *peculiarity* of his personality leads him to keep *to himself* in any group. He immediately *stands apart from others*.

    4. My neighbor cannot find work. He is unemployed and receives unemployment *assistance* from the government.

    5. Grandpa's legs hurt, so Father *fitted* little wheels to the legs of Grandpa's chair so the elderly man could move about the house on his own.

    5. The *adaptability* of the human body is astonishing, as is its *ability to adapt* to the most diverse conditions and circumstances.

СОВ[33] (суй[15]) *shove*

1. Ма́льчик взял де́ньги и бы́стро *су́нул* их в карма́н.

2. Стару́ха откры́ла дверь и *вы́сунула* го́лову в коридо́р.

3. Дверь в ко́мнату закры́та на *засо́в*, но ме́жду стено́й и две́рью есть небольша́я щель. Мы *просу́нули* в щель лист бума́ги, пыта́ясь *всу́нуть* его́ не помя́в и *засу́нуть* поглу́бже в ко́мнату.

4. Ты зна́ешь, что я не хочу́ покупа́ть э́ти ве́щи, заче́м ты мне их *подсо́вываешь*?

5. По́сле боле́зни брати́шка си́льно *осу́нулся*, похуде́л.

    1. The boy took the money and quickly *stuck* it in his pocket.

    2. The old woman opened the door and *stuck* her head *out* into the hall.

    3. The door to the room is *bolted* shut, but between the wall and the door there is a small crack. We *shoved* a piece of paper *through* the crack, trying *to shove* it *in* without crumpling it and *shove* it further into the room.

    4. You know that I do not want to buy these things, so why *are you palming* them *off on* me?

    5. After his illness, my little brother *grew* very *gaunt* and emaciated.

СОЛ[63] (сал[18]) *salt*

1. *Несолёная* еда не очень вкусна, лёгкая *солоноватость* делает пищу приятной на вкус.

2. Насыпь *соль* в *солонку* и поставь на стол, может быть, кто-нибудь хочет *досолить* суп.

3. Когда готовишь еду, важно *посолить* в меру: не *пересолить* и не *недосолить*. Хотя *недосол* не так страшен, всегда можно немного *подсолить* еду, когда она в тарелке. *Пересол* исправить не просто, а ведь многие не могут есть слишком *солёную* пищу.

4. Осенью хозяйки *засаливают* огурцы, помидоры и капусту на зиму. В *солении* может принимать участие вся семья. *Засолка* иногда продолжается несколько дней.

5. Когда-то этот человек мне сильно *насолил*, и я до сих пор обижен на него.

   1. *Unsalted* food is not very good. A light *salting* makes food pleasant to the taste.
   2. Pour the *salt* into the *salt shaker* and place it on the table. Maybe someone will want *to add some salt* to the soup.
   3. When you are preparing food, it is important *to salt* it the right amount. Don't *oversalt* or *undersalt* it, although *undersalting* it is not as bad. You can always *add a little salt* to the food when it is on your plate. Correcting *something that is too salty* is not easy, and you know many people cannot eat food that is too *salty*.
   4. In the autumn, housewives *pickle* cucumbers, tomatoes, and cabbage for the winter. The whole family can participate in the *pickling process*. Sometimes the *pickling* takes several days.
   5. One time this person really *did something to spite* me, and to this day I am offended by him.

СОС[57] (сас[34]) *suck*

1. Маленький ребёнок *сосёт соску*.

2. Весной с крыш свешиваются ледяные *сосульки*.

3. Малыш проснулся, сделал несколько *сосательных* движений ртом и заплакал. Когда ему дали бутылочку с молоком, он *пососал* немного, вздохнул и *засосал* снова, явно получая удовольствие и от еды, и от процесса *сосания*. Через несколько минут малыш *высосал* всё молоко из бутылочки.

4. Новый *пылесос* хорошо чистил ковёр, *всасывая* в себя бумажки, крошки и другой мусор.

5. Месторождение нефти такое богатое, что *насосы* качают нефть из-под земли день и ночь уже много лет.

   1. The young child *is sucking* on a *pacifier*.
   2. In the spring, *icicles* hang from the rooftops.
   3. The baby woke up, made several *sucking* motions with his mouth and began to cry. When they gave him a bottle of milk, he *sucked a little*, breathed in, and *sucked* again, clearly getting satisfaction both from the food and from the *sucking* process. After several minutes the young child *had sucked out* all the milk from the bottle.
   4. The new *vacuum* cleaned the carpet well, *sucking in* papers, crumbs, and other trash.
   5. The petroleum deposits are so rich that *pumps* have been pumping oil from the earth day and night for many years now.

СП[25] (сып[20], соп[1]) [for с[5] see truncation rule 2] *sleep*

1. Целый день я хочу *заснуть* и немного *поспать*, я *засыпаю* прямо за письменным столом.

2. Студенту нужно было *проснуться* в 7 часов утра, но он *проспал* и опоздал на лекцию.

3. Почему вы не даёте мне спокойно *уснуть*, *соснуть* хотя бы часа три-четыре? Мне надо *отоспаться* за все *бессонные* ночи. Я мечтаю о том, что я смогу *проспать* целые сутки.

4. В тюрьме заключённые находятся под постоянным *неусыпным* контролем охраны.

5. На похоронах старика родственники подходили к гробу *усопшего*, прощались с ним. Покойного захоронили в семейной *усыпальнице*, где с давних времён находили последний приют члены семьй.

   1. All day I have wanted *to go to sleep* and *nap* a little. I *am falling asleep* right at my desk.
   2. The student needed *to wake up* at seven in the morning, but he *overslept* and was late for the lecture.
   3. Why won't you let me *fall asleep* in peace, or *take a nap* at least for three or four hours? I need *to get*

caught up on my sleep after all those *sleepless* nights. I dream about being able *to sleep* for days.

4. In prison, the prisoners are under the constant *vigilant* control of the guards.

5. At the elderly man's funeral, his relatives walked up to the casket *of the departed* and bid farewell to him. The deceased was buried in a family *burial vault* where from time immemorial family members have found their final resting place.

СПЕЙ[47] (спех) *succeed; mature*

1. Извини́, я не *успе́л* прийти́ к нача́лу фи́льма, хотя́ о́чень *спеши́л*.

2. Но́вый фильм име́ет большо́й *успе́х*. Осо́бенно *успе́шен* дебю́т молодо́го актёра, кото́рый исполня́ет гла́вную роль.

3. К середи́не ле́та ви́шня в саду́ начина́ет *поспева́ть*, пе́рвые *спе́лые* я́годы появля́ются на ве́тках. Че́рез не́сколько дней *доспева́ют* остальны́е я́годы—мо́жно начина́ть сбор урожа́я. Е́сли не собра́ть ви́шню во́время, она́ мо́жет *переспе́ть*, а *переспе́лая* ви́шня ме́нее вкусна́ и поле́зна.

4. Наш друг неда́вно на́чал занима́ться би́знесом и о́чень *преуспе́л*—у него́ мно́го клие́нтов, фи́рма получа́ет больши́е дохо́ды.

5. В кла́ссе мно́го хоро́ших ученико́в, но есть и *неуспева́ющие* по ра́зным предме́там. Из-за них о́бщая *успева́емость* кла́сса дово́льно ни́зкая.

1. Forgive me. I *was not able* to make it to the beginning of the film, although I really *hurried*.

2. The new film is a big *success*. Especially *successful* is the debut of the young actor who plays the main role.

3. By mid-summer, the cherry trees in the garden begin *to ripen*, and the first *ripe* fruits appear on the branches. After several days, the remaining cherries *ripen* and you can begin gathering the harvest. If you don't gather the cherries in time, they can *overripen*, and *overripe* cherries are less tasty and nutritious.

4. Our friend recently went into business and *has been* very *successful*. He has many clients, and the firm is making large profits.

5. There are many good students in class, but there are also *some who are not doing well* in various subjects. Because of them, the class's overall *progress* is rather low.

СТАР[69] *old*

1. Же́нщина си́льно *постаре́ла* за после́дний год.

2. Муж и жена́ *состари́лись* вме́сте.

3. Гру́стно чу́вствовать, что *старе́ешь*. *Ста́рость* прихо́дит ко всем—*старятся* краса́вицы, превраща́ясь в злых *стару́х* и́ли до́брых *стару́шек*, знамени́тые спортсме́ны стано́вятся беспо́мощными *старика́ми* и́ли бо́дрыми *старичка́ми*.

4. Моде́ль ва́шей маши́ны *устаре́ла*. В сре́днем маши́на *устарева́ет* за два-три го́да. Коне́чно, мо́жно е́здить на *устаре́вшей* моде́ли, но но́вая бо́лее комфорта́бельна.

5. Учи́тель назна́чил *ста́росту* кла́сса—ученика́, кото́рый до́лжен следи́ть за дисципли́ной и во всём помога́ть учи́телю.

1. The woman *has aged* greatly over the past year.

2. The husband and wife *grew old* together.

3. It is sad to feel yourself *getting older*. *Old age* comes to all. Beautiful women *grow old*, turning into nasty *old women* or cheerful *little old ladies*. Famous athletes become feeble *old men* or spirited *old fellows*.

4. Your car's model *has become outdated*. On average, a car *becomes out-dated* in two to three years. Of course you can drive an *out-dated* model, but new ones are more comfortable.

5. The teacher appointed a class *monitor* – a student who should insure discipline and help the teacher with everything.

СТЕГ[34] (стёг[26], стеж[5], стёж[8]) *fasten*

1. На у́лице хо́лодно—*застегни́* пальто́.

2. Уважа́емые пассажи́ры, самолёт идёт на поса́дку, пожа́луйста, *пристегни́те* ремни́.

3. У меня́ есть пальто́ с тёплой *подстёжкой*. Её мо́жно *отстегну́ть*, е́сли пого́да хоро́шая. Иногда́

у́тром я *подстёгиваю* её, а когда́ тепле́ет, не *застёгиваюсь*, хожу́ в *расстёгнутом* пальто́.

4. Изве́стие о том, что на́ши сопе́рники доби́лись больши́х успе́хов, *подстегну́ло* нас, заста́вило рабо́тать лу́чше.

5. Я́ркий со́лнечный свет льётся в ко́мнату че́рез откры́тое *на́стежь* окно́.

    1. It is cold outside. *Do up* your coat.
    2. Respected passengers, the plane is landing. Please *fasten* your seatbelts.
    3. I have a coat with a warm *lining*. You can *unfasten* it if the weather is good. Sometimes in the morning I *fasten it up*, but when it gets warm, I don't *fasten it on*. I go about in an *open* coat.
    4. The news that our competitors had achieved great success *urged* us *on* and forced us to work harder.
    5. The bright sunlight is pouring into the room through the *wide-open* window.

СТЕРЕГ[6] (стереж[1], сторож[25], сторож[4], страж[3]) [for стере́чь[10] see truncation rule 6] *on guard*

1. Он рабо́тает *сто́рожем* в магази́не, зна́чит его́ рабо́та—*стере́чь* това́ры и *сторожи́ть* помеще́ния.

2. С больши́ми *предосторо́жностями* мы вошли́ в дом и ста́ли *осторо́жно* поднима́ться по ле́стнице.

3. Хочу́ тебя́ *предостере́чь*: твой но́вый знако́мый—опа́сный челове́к, *остерега́йся* его́ дру́жбы. Неуже́ли тебя́ не *настора́живает* то, что он обо всех говори́т то́лько плохо́е?

4. Престу́пник *подстерёг* их в тёмном переу́лке, где никто́ не мог ему́ помеша́ть распра́виться с ни́ми.

5. Аресто́ванные вошли́ в зал суда́ в сопровожде́нии вооружённой *стра́жи*. *Стра́жники настороженным* взгля́дом следи́ли за ка́ждым движе́нием аресто́ванных.

    1. He works as a *guard* at the store. That means his job is *to watch over* the goods and *guard* the premises.
    2. With great *caution* we entered the house and began *carefully* going up the staircase.
    3. I want *to warn* you: your new acquaintance is a dangerous person. *Beware* of his friendship. Really, doesn't the fact that he only says bad things about everyone *concern* you?
    4. The criminal *laid in wait* for them on a dark lane where no one could hinder him from making short work of them.
    5. Those who had been arrested entered the courtroom accompanied by an armed *guard*. The *guards* followed the prisoners' every movement with a *watchful* gaze.

СТИГ[15] (стиж[6]) [for стич[4] see truncation rule 6] *reach*

1. Что́бы *дости́гнуть* це́ли, ты до́лжен мно́го труди́ться.

2. Зако́нчить университе́т в 19 лет—это большо́е *достиже́ние*!

3. Че́рез час мы *насти́гли* беглецо́в и верну́ли их домо́й. Я так и не смог *пости́гнуть* причи́ну их побе́га, для меня́ э́то оста́лось *непостижи́мой* та́йной.

4. Полице́йские *засти́гли* престу́пников на ме́сте преступле́ния.

5. Молодо́й учёный ста́вит пе́ред собо́й це́ли, кото́рые всем колле́гам ка́жутся *недостижи́мыми*.

    1. In order *to achieve* a goal, you have to work hard.
    2. To finish the university at age nineteen–that is a big *achievement*!
    3. In an hour we *overtook* the fugitives and returned them home. I could not *grasp* the reason for their fleeing. This remained an *incomprehensible* mystery to me.
    4. The policemen *apprehended* the criminals at the scene of the crime.
    5. The young scientist sets goals for himself which seem *unattainable* to all his colleagues.

СТЛ[24] (стол[29], стел[25], стил[39]) *spread*

1. В *столо́вой* стои́т большо́й деревя́нный *стол*.

2. Хозя́ин *настила́л* деревя́нные полы́ сам, он реши́л *перестла́ть* полы́ во всём до́ме.

3. Ве́чером хозя́йка *постели́ла* нам *посте́ль* на широ́ком ста́ром дива́не. Чтобы бы́ло мя́гче спать, она́ *подстели́ла* вниз то́лстое одея́ло, *застели́ла* его́ простынёй. Све́жее *посте́льное* бельё па́хло чистото́й и со́лнцем.

4. Пол в избу́шке *у́стлан* све́жей траво́й, от её за́паха чуть кру́жится голова́.

5. Москва́—дре́вняя *столи́ца* Росси́и. С да́вних времён в ней находи́лся *престо́л* росси́йских царе́й и

называлась она *Первопрестольной*. Пётр I сделал Петербург *столичным* городом—в России стало два государственных центра.

1. A large wooden *table* is standing in the *dining room*.
2. The owner *laid* wooden floors himself. He decided *to relay* the floors throughout the whole house.
3. In the evening, the lady of the house *spread out bedding* for us on a big old couch. In order to make it softer to sleep on, she *spread* a thick blanket *underneath* and *covered* it with a sheet. The fresh *bedding* smelled of cleanliness and the sun.
4. The floor of the hut is *covered* with fresh grass. From its fragrance one's head spins slightly.
5. Moscow is the ancient *capital* of Russia. Since ancient times, the *throne* of the Russian Tsars was located there and it (Moscow) was called the *First Throne*. Peter I made Petersburg the *capital* city, and in Russia there became two centers of government.

СТОЙ[104] (стай[364]) *stand; cause to stand; be worth*

1. У каждого человека должно быть чувство собственного *достоинства*.
1. Мы идём слишком быстро, видишь, девочки *отстают*.
1. Они очень хотели послушать оперу и даже согласны были не сидеть, а *стоять* три часа, слушая музыку.
2. *Оставим* машину на *стоянке* и пойдём погуляем по городу.
2. Девочка пыталась *вставить* хоть одно слово в разговор, но не могла, так как женщины говорили без *остановки*.
2. Новый сборник стихов поэта *составлен* из произведений, которые издаются впервые.
3. Лидер оппозиции *привстал* с кресла, *приостановил* заседание и *настоятельно* потребовал, чтобы в связи с изменившейся международной *обстановкой* и новыми *обстоятельствами* часть правительства ушла в *отставку*. Однако *представитель* правящей партии заявил, что, *сопоставив* факты, он пришёл к выводу, что любые *перестановки* в правительстве нарушат *устойчивость* политических сил в стране.
3. За *неустанную* работу по *восстановлению* разрушенного войной хозяйства, за борьбу с *отсталостью* в промышленности, за то, что Вам удалось уменьшить *отставание* нашей страны от развитых стран, Вы *удостоены* Государственной премии.
3. Лидер нашей партии—*стойкий* борец за прогрессивные идеи. За *стойкость* его уважают люди. Мы уверены, что он *выстоит* в любых испытаниях, потому что он *достойный* человек и честный политик.
4. Мой муж редко раздражается, обычно он очень спокоен в любой *обстановке*, у него *устойчивая* психика.
4. С тех пор, как мы *расстались*—ты уехал, и я *осталась* одна—я *постоянно* думаю о тебе. Утром мне не хочется *вставать* с постели, я *заставляю* себя начинать новый день. Мне *постоянно недостаёт* тебя.
4. Он всегда *отстаивает* свои взгляды в самых трудных спорах.
5. На танцах к девушке начал *приставать* хулиган, и ей пришлось уйти.
5. У меня болит голова, *перестань*, пожалуйста, играть на гитаре.
5. Почти 20 лет в политической жизни страны царил *застой*: не было ни одной свободной дискуссии, ни одной свежей политической идеи.

1. Every person should have a feeling of *self-respect*.
1. We are going too fast. See, the girls *are falling behind*.
1. They really wanted to listen to the opera and even agreed not to sit, but *stand* for three hours, listening to the music.
2. We'll *leave* the car in the *parking lot* and go walk around the city.
2. The girl tried *to get* at least one word *into* the conversation, but could not since the women spoke without *stopping*.
2. The new collection of the poet's verse is *comprised* of works being published for the first time.

3. The leader of the opposition *arose* from his chair. He *momentarily halted* the meeting and *insistently* demanded that, in connection with international *conditions* and *circumstances* which had changed, part of the government *resign*. However, the *representative* of the ruling party announced that, *having analyzed* the facts, he had come to the conclusion that any *rearrangment* in the government would destroy the *stability* of political power in the country.

3. For your *tireless* work on the *restoration* of our economy which had been destroyed by war, for your battle against *backwardness* in industry, for the fact that you were able to lessen the *gap* between our country and developed countries, you are *awarded* this State prize.

3. The leader of our party is a *staunch* fighter for progressive ideas. People respect him for his *steadfastness*. We are sure that he *will withstand* all ordeals because he is a *worthy* man and an honest politician.

4. My husband rarely gets upset. Usually he is very calm in any *situation*. He has a *stable* personality [psyche].

4. Since we *separated* – you left and I *was left* alone–I *continually* think about you. In the morning I don't want *to get out* of bed, but I *force* myself to begin the new day. I *continually miss* you.

4. He always *stands up for* his own views in the most difficult arguments.

5. A creep began *to pester* the girl at a dance and she had to leave.

5. I have a headache. Please *stop* playing the guitar.

5. *Stagnation* ruled the political life of the country for almost twenty years. There was not one free discussion nor one new political idea.

СТОРОН[10] (стран[49]) *on the (other) side*

1. В Росси́и маши́ны иду́т по пра́вой *стороне́* доро́ги, а в А́нглии—по ле́вой.

1. На пе́рвой *страни́це* кни́ги де́ти уви́дели краси́вую карти́нку.

2. Мать учи́ла ребёнка никогда́ не разгова́ривать на у́лице с *посторо́нними* людьми́.

2. Тебе́ не ка́жется, что в его́ поведе́нии есть *стра́нности*?

3. Ба́бушка счита́ет, что среди́ молоды́х *распространены́* плохи́е мане́ры: они́   *простра́нно* говоря́т, не слу́шая собесе́дника, никто́ из них не поду́мает *посторони́ться* и уступи́ть доро́гу же́нщине.

3. Росси́я—больша́я *страна́*. Её террито́рия включа́ет не то́лько Европе́йскую часть, но и огро́мные *простра́нства* Сиби́ри и Да́льнего Восто́ка. Челове́к, *стра́нствующий* по Росси́и, ви́дит мно́го интере́сного, потому́ что ка́ждое но́вое ме́сто да́рит *стра́ннику* неповтори́мые впечатле́ния.

4. Для успе́ха на́шего совме́стного прое́кта на́до пре́жде всего́ *устрани́ть* всё, что меша́ет по́лному дове́рию.

4. Ребёнок не хоте́л обща́ться с детьми́ в кла́ссе, *сторони́лся* всех, проводи́л вре́мя в одино́честве. Да́же со знако́мыми он вёл себя́ *стра́нно*, не так, как други́е.

5. Неприя́тно улыба́ясь, незнако́мец гру́бо *отстрани́л* меня́ руко́й с доро́ги и прошёл в ко́мнату.

5. В 19 ве́ке рома́н стано́вится одни́м из са́мых *распространённых* литерату́рных жа́нров. Осо́бенно широ́кое *распростране́ние* он получи́л в тво́рчестве вели́ких романи́стов: Ч.Ди́ккенса, В.Гюго́, Ф.Достое́вского и Л.Толсто́го.

1. In Russia, cars drive on the right *side* of the road, but in England, on the left.

1. On the first *page* of the book, the children saw a beautiful picture.

2. The mother was teaching her child never to speak with *strangers* outside.

2. Don't you think that there are *peculiarities* in his behavior?

3. Grandma thinks that poor manners are *prevalent* among young people. They speak *expansively*, not listening to their companion. None of them thinks *to move aside* to make way for a woman.

3. Russia is a big *country*. Its territory includes not only the European part, but the huge *expanse* of Siberia and the Far East as well. A person *traveling* across Russia sees many interesting things because each new place gives the *traveler* unique impressions.

4. For the success of our joint project we must, first of all, *set aside* everything that hinders complete trust.

4. The child did not want to associate with the children in his class. He *avoided* everyone and spent his time in isolation. Even with his acquaintances he behaved *oddly*, unlike the others.

5. Smiling unpleasantly, the stranger rudely *pushed* me *out of the way* with his hand and walked into the

room.

5. In the 19th century, the novel becomes one of the most *widespread* literary genres. It found an especially wide *distribution* in the works of the great novelists C. Dickens, V. Hugo, F. Dostoevsky and L. Tolstoy.

СТРАД[23] [for страст[14] see truncation rule 5] *feel intensely; suffer*

1. Как мно́го ты *страда́ла* в жи́зни! Бе́дная *страда́лица*!
1. Судья́ слу́шал свиде́телей с *бесстра́стным* выраже́нием лица́.
2. Больно́й смотре́л на врача́ *страда́льческим* взгля́дом. На лице́ больно́го врач ви́дел *страда́ние*, но ниче́м не мог ему́ помо́чь.
2. Ко всему́ в жи́зни мой друг отно́сится со *стра́стью*, в любо́м его́ посту́пке чу́вствуется *стра́стность* нату́ры.
3. Судьба́ суро́ва к тебе́: ско́лько ты *перестрада́ла*, ско́лько *настрада́лась* за свою́ жизнь! Я ве́рю, что э́тому пришёл коне́ц, что ты *отстрада́лась* и тепе́рь бу́дешь сча́стлива.
3. Постара́йся быть *беспристра́стным* и объекти́вно разобра́ться в спо́ре. Коне́чно, тру́дно забы́ть ли́чные *пристра́стия*, но *пристра́стный* подхо́д то́лько затрудни́т реше́ние пробле́мы.
4. Мои́ роди́тели *вы́страдали* своё пра́во на сча́стье.
4. В Япо́нии произошло́ землетрясе́ние, число́ *пострада́вших* выясня́ется.
5. Уме́ние *сострада́ть* чужо́му го́рю—ка́чество по-настоя́щему до́брого челове́ка.
5. Ещё в шко́ле брат *пристрасти́лся* к куре́нию и с тех пор не мо́жет бро́сить кури́ть.

1. How much you *have suffered* in life! You poor *sufferer*!
1. The judge listened to the witnesses with an *indifferent* expression on his face.
2. The patient looked at the doctor with a *tortured* gaze. On the patient's face the doctor saw *suffering*, but was unable to help him in any way.
2. My friend approaches everything in life with *passion*. In all he does, you can sense his *passionate* nature.
3. Fate is cruel to you. How much you *have gone through*! How much you *have suffered* during your life! I believe that this has come to an end. You *have suffered enough*, and now you will be happy.
3. Try to be *impartial* and examine the argument objectively. Of course it is difficult to forget personal *biases*, but a *biased* approach will only complicate the solution to the problem.
4. My parents *have earned* their right to happiness *through suffering*.
4. In Japan an earthquake has occurred. The number *of victims* is being determined.
5. The ability *to empathize* with another's grief is a quality of a genuinely good person.
5. While yet in school, my brother *became addicted* to smoking and to this day has not been able to quit.

СТРАХ[26] (страш[18], стращ[12]) *fright*

1. Ребёнку бы́ло *стра́шно* в тёмной ко́мнате, он испы́тывал *страх*, ему́ каза́лись *стра́шными* все зву́ки.
2. Како́й ты *бесстра́шный*, *неустраши́мый* челове́к! Никако́е *страши́лище* не испуга́ет тебя́!
3. Не забу́дьте *застрахова́ть* ваш автомоби́ль на слу́чай ава́рии. *Страхо́вка* помо́жет вам оплати́ть ремо́нт и медици́нское обслу́живание. *Застрахо́ванный*, вы бу́дете чу́вствовать себя́ уве́реннее. Мы сове́туем всем *страхова́ться*, *страхова́ние*—гара́нтия ва́шего бу́дущего.
4. Малы́ш *страши́тся* остава́ться в до́ме в одино́честве, да́же занаве́ски на тёмном окне́ де́йствуют на него́ *устраша́юще*.
5. Он сла́бый челове́к, поэ́тому не на́до его́ си́льно запу́гивать, доста́точно немно́го *пострага́ть*, и он согласи́тся на на́ши усло́вия.
5. Я *перестрахова́лся*: ду́мал, что пого́да испо́ртится, наде́л пальто́ и тяжёлые боти́нки, а день был со́лнечным и тёплым. Я всегда́ хочу́ *подстрахова́ться* на слу́чай неприя́тного разви́тия собы́тий.

1. It was *frightening* for the child in the dark room. He experienced *fear*. Every sound seemed *terrible* to him.
2. What a *fearless*, *valiant* person you are! No kind of *terror* frightens you!
3. Don't forget *to insure* your car against accidents. *Insurance* will help you pay for repair and medical serv-

ices. *Having become insured*, you will feel more confident. We advise everyone *to get insured. Insurance* is a guarantee for your future.

4. The young boy *is terrified* of staying home alone. Even curtains on a dark window have a *frightening* effect on him.
5. He is a weak person, so you don't need to scare him badly. It is enough *to frighten* him a bit, and then he will agree to our conditions.
5. I *was overcautious*. I thought that the weather would be rotten, so I put on a coat and heavy boots, but the day was sunny and warm. I always want *to insure* against an unpleasant development of events.

СТРЕК[25] [for стреч[1] see truncation rule 6] *stroke*

1. В траве́ гро́мко *стрекота́ли* кузне́чики.
2. В жа́ркий ле́тний день в саду́ лета́ли разноцве́тные *стреко́зы* и слы́шалось *стрекота́нье* их кры́лышек.
3. Мотоцикли́ст не мо́жет завести́ мото́р мотоци́кла—снача́ла мото́р *застреко́чет, постреко́чет* не́сколько секу́нд и замо́лкнет. *Стре́кот* мото́ра тако́й сла́бый, что поня́тно: пое́здка не состои́тся.
4. Фаши́сты *подстрека́ют* наро́д к ра́совым и национа́льным столкнове́ниям.
5. Уви́дев полице́йского, хулига́н испуга́лся и дал *стрекача́*, да так бы́стро, что че́рез мину́ту его́ и ви́дно не́ было.

1. The grasshoppers *were* loudly *chirping* in the grass.
2. On a hot summer day, multi-hued *dragonflies* were flying around in the garden, and the *rattling* of their little wings could be heard.
3. The motorcyclist can't start the motorcycle's engine. At first the motor *will begin to rattle*, it *will rattle* for a few seconds, and then it will stop. The *rattling* of the motor is so weak that it is clear the trip will not take place.
4. Fascists *incite* the people to racial and ethnic confrontations.
5. Seeing the police officer, the hooligan became frightened and *took to his heels* so quickly that, a minute later, he was out of sight.

СТРЕЛ[87] *shoot*

1. Суд приговори́л престу́пника к *расстре́лу*.
1. На стене́ до́ма нарисо́вана *стрела́*, пока́зывающая доро́гу.
2. В стари́нном собо́ре высо́кие *стре́льчатые* о́кна и прекра́сные витражи́.
2. Ме́жду солда́тами вра́жеских а́рмий начала́сь *перестре́лка*.
3. Прозвуча́ла кома́нда начина́ть *стрельбу́*, солда́ты *вы́стрелили* из ру́жей, и по́сле пе́рвого же *вы́стрела* команди́ру ста́ло я́сно, что мно́гим из них не дан тала́нт *стрелка́*.
3. Артилле́рия ведёт *обстре́л* пози́ций проти́вника. Вот уже́ *застрели́ли* на́смерть не́сколько челове́к, у други́х *простре́лены* ру́ки и но́ги.
4. Сего́дня у́тром охо́тники *настреля́ли* мно́го у́ток.
4. Сосе́дка рабо́тает на желе́зной доро́ге *стре́лочницей*.
5. Ка́ждый день солда́ты отправля́ются на *стре́льбище*, где прохо́дят специа́льную *стрелко́вую* подгото́вку.
5. В вое́нных де́йствиях принима́ют уча́стие молоды́е *необстре́лянные* солда́ты, никогда́ ра́ньше не быва́вшие в боя́х.

1. The court sentenced the criminal to *death by firing squad.*
1. An *arrow* is drawn on the wall of the building, pointing the way.
2. In the ancient cathedral there are high *arched* windows and beautiful stained-glass panels.
2. A *shooting skirmish* began among the soldiers of the opposing armies.
3. The command sounded to commence *fire*. The soldiers *fired* their rifles, and, after the very first *shot*, it became clear to the commander that many of them were given the gift of *shooting.*
3. The artillery is engaged in *firing* on the enemy's position. Several persons *have* already *been shot* to death, and others have had arms and legs *shot through.*

4. This morning the hunters *shot* a lot of ducks.
4. My neighbor works on the railroad as a *switch operator*.
5. Every day the soldiers go to the *shooting range* where they go through special *infantry* training.
5. Young, *untested* soldiers who have never before been in battle, are participating in the military operations.

СТРЕМ[14] (стрём[1]) *vigorous, rapid movement*

1. По доро́ге *стреми́тельно* дви́гались маши́ны.
2. Же́нщина *устреми́ла* на нас взгляд, по́лный гру́сти.
3. Сын *стреми́тся* получи́ть хоро́шее образова́ние. Все его́ *устремле́ния* свя́заны с учёбой в университе́те. Он не ждёт *стреми́тельного* успе́ха и понима́ет, что придётся мно́го рабо́тать.
4. Бу́дьте осторо́жны, е́сли вы попадёте на *стремни́ну* реки́, ло́дка мо́жет переверну́ться.
5. Наш руководи́тель—удиви́тельно *целеустремлённый* челове́к.

1. The cars were moving *swiftly* along the road.
2. The woman *directed* on us her gaze full of sorrow.
3. My son *is striving* to receive a good education. All his *aspirations* are connected to his studies at the university. He is not expecting *immediate [swift]* success. He understands that he will have a lot of work to do.
4. Be careful. If you end up in the river *rapids*, the boat could turn over.
5. Our leader is an astonishingly *focused* person.

СТРИГ[38] (стриж[11]) [for стрич[23] see truncation rule 6] *trim*

1. Ма́ма сде́лала но́вую *стри́жку* и тепе́рь вы́глядит моло́же.
2. Твои́ во́лосы сли́шком дли́нные, на́до их *подстри́чь*.
3. Я всегда́ хожу́ *стри́чься* к знако́мому парикма́херу. Он *стрижёт* меня́ мно́го лет. Когда́-то он *состри́г* мои́ де́тские коси́чки и *вы́стриг* пе́рвую чёлку. Когда́ я *стри́женная* пришла́ домо́й, роди́тели бы́ли о́чень недово́льны.
4. Же́нщина реши́ла приня́ть *постри́г*, *постри́чься* в мона́хини и жить в монастыре́.
5. Ма́ленькие жеребя́та-*стригунки́* бе́гали по лу́гу.

1. Mom got a new *haircut* and now she looks younger.
2. Your hair is too long. You need *to trim* it.
3. I always go to a hairdresser I know *to get* my *hair cut*. He *has been cutting my hair* for several years. At one time he *clipped off* my childish locks and *cut* my first bangs. When I came home *having gotten my haircut*, my parents were very dissatisfied.
4. The woman decided to take monastic vows [to participate in the *rite of cutting of hair*, signifying acceptance of monastic vows]–*to become a nun* [*to cut one's hair and become a nun*] and live in a monastery.
5. The young *yearling colts* ran around the meadow.

СТРОГ[26] (страг[23], строж[1], струг[39], струж[8]) *plane, carve*

1. Де́душка сиде́л во дворе́ и *строга́л* но́жиком деревя́нную па́лку.
2. Оте́ц рабо́тает пло́тником, он уме́ет по́льзоваться ра́зными *строга́льными* инструме́нтами.
3. Ма́льчик хоте́л *вы́строгать* лоша́дку из куска́ де́рева. Он *перестрога́л* мно́го деревя́нных кусо́чков, *исстрога́л* их до конца́, но из его́ *строга́ния* так ничего́ и не получи́лось.
4. По́сле рабо́ты пло́тников на полу́ лежа́т ку́чи *стру́жки*.
5. По́мнишь, в мо́лодости я был соверше́нно бескомпроми́ссным, но сейча́с я уже́ не тот—жизнь хороше́нько *обструга́ла* мой хара́ктер.

1. Grandpa sat in the yard and *whittled* a wooden stick with a small knife.
2. Father works as a carpenter. He knows how to use different *planing* instruments.
3. The boy wanted *to carve* a little horse *out* of a piece of wood. He *whittled* many wooden pieces and *carved* them *all up*, but, nonetheless, nothing (good) resulted from his *carving*.
4. After the carpenters (finish their) work, piles *of shavings* lie on the floor.

5. You remember that in my youth I was completely uncompromising, but now I am not the same. Life *has smoothed* [*planed around*] my character but good.

СТРОЙ[82] (страй[33]) *in good order*

1. Солда́ты шли ро́вным *стро́ем*.
2. *Стро́ители достра́ивали* одно́ зда́ние и сра́зу же начина́ли *стро́ить* друго́е.
3. Я хочу́ сохрани́ть ста́рое *строе́ние*, но *перестро́ить* его́: измени́ть плани́ро́вку, *надстро́ить* ещё оди́н эта́ж, сде́лать ма́ленькую *пристро́йку* сбо́ку. Ду́маю, *перестро́йка* бу́дет зако́нчена че́рез год. Э́тот срок ме́ньше, чем вре́мя, необходи́мое для *постро́йки* но́вого до́ма.
4. Они́ перее́хали в но́вый дом то́лько вчера́, ещё не успе́ли *устро́иться*.
5. Придя́ на рабо́ту, я узна́л неприя́тную но́вость, и у меня́ сра́зу испо́ртилось *настрое́ние*. *Расстро́енный*, я не мог сосредото́читься на де́ле, поэ́тому день прошёл о́чень непродукти́вно.

   1. The soldiers were walking in regular *formation*.
   2. The *construction workers were finishing* one building and immediately beginning *to build* another.
   3. I want to keep the old *structure*, but *remodel* it. I want to change the layout, *add on* still another floor, and make a small *addition* on the side. I think that the *renovation* will be finished in a year. This amount of time is less than the time necessary for the *construction* of a new home.
   4. They moved to the new house only yesterday. They have still not had time *to get settled in*.
   5. Upon arriving at work, I learned the unpleasant news and my *mood* was immediately spoiled. *Upset*, I couldn't concentrate on the task at hand, so the day passed very unproductively.

СТРОК[1] (строч[28], страч[20]) *line*

1. Прочита́й пе́рвую *стро́чку* те́кста.
2. Сде́лай *подстро́чный* перево́д расска́за с англи́йского на ру́сский язы́к.
3. Я пыта́юсь написа́ть статью́—пока́ написа́л то́лько пе́рвую *строку́*. На́до написа́ть побо́льше, так как пла́тят мне *постро́чно*. Хорошо́ бы́ло в мо́лодости, когда́ я мог *настро́чить* не́сколько страни́ц без остано́вки!
4. Говори́ ме́дленнее: ты так *строчи́шь*, что ничего́ нельзя́ поня́ть.
5. Стрельба́ ути́хла на не́которое вре́мя, но вско́ре на сосе́дней у́лице опя́ть *застрочи́л* пулемёт.

   1. Read the first *line* of text.
   2. Make a *word for word* translation of the story from English to Russian.
   3. I am attempting to write an article. So far I have written only the first *line*. I need to write more, since they pay me *by the line*. It was nice when I was young–I could *scribble up* several pages without stopping!
   4. Speak slower. You *jabber* so fast that it is impossible to understand anything.
   5. The shooting subsided for a short time, but, soon after, a machine gun again *began to bang away* on the next street.

СТРЯП[20] *cook up*

1. Ба́бушка сего́дня *стря́пает* пирожки́—приходи́ на обе́д.
2. Ты называ́ешь себя́ плохо́й *стряпу́хой*, а я люблю́ твою́ *стряпню́*, по-мо́ему, ты гото́вишь са́мую вку́сную еду́.
3. На́до *настря́пать* пирого́в на це́лую семью́. Придётся нача́ть у́тром, чтобы *достря́пать* к обе́ду. Позову́ кого́-нибудь на по́мощь, тогда́ скоре́е *отстря́паемся*.
4. Кто *состря́пал* э́ту на́глую ложь!
5. Ло́вко вы *обстря́пываете* свои́ по́длые дели́шки, никто́ да́же не дога́дывается о них.

   1. Grandma *is cooking up* some pastries today. Come over for lunch.
   2. You call yourself a poor *cook*, but I love your *cooking*. In my opinion, you prepare the most delicious food.
   3. We need *to whip up* some pies for the whole family. We will have to begin in the morning in order *to finish cooking* by lunch. I will call someone to help, and we'll *get everything cooked up* sooner.

4. Who *concocted* this bold-faced lie?
5. You *cook up* your dirty little dealings cleverly. No one even suspects them.

СТУД²⁵ (стуж²¹); СТЫ²⁵ *freezing*

1. В январе́ на у́лице о́чень хо́лодно, стои́т настоя́щая зи́мняя *стужа*.
1. В лицо́ ду́ет *студёный* се́верный ве́тер.
2. Сын гуля́л под дождём, промочи́л но́ги и *простуди́лся*. О́сенью мно́гие боле́ют *просту́дными* заболева́ниями.
2. Де́душка когда́-то в мо́лодости си́льно *застуди́лся*, и с тех пор у него́ боли́т грудь.
3. Закро́й дверь—на у́лице хо́лодно, ты *вы́студишь* дом. Мне нельзя́ *остужа́ться*, так как я то́лько неда́вно попра́вился по́сле си́льной *просту́ды*. Послу́шай, у меня́ го́лос до сих пор немно́го *просту́женный*.
3. Суп сли́шком горя́чий, его́ на́до *студи́ть*. Налей немно́го в таре́лку и дай *осты́ть* не́сколько мину́т. Суп *остыва́ет* дово́льно бы́стро, так что не *пересту́ди* его́, а то бу́дешь есть холо́дным.
4. Ба́бушка свари́ла холоде́ц, кото́рый она́ называ́ла *сту́день*.
4. У челове́ка бы́ли неприя́тные глаза́, похо́жие на *студени́стые* глаза́ ры́бы.
5. От неожи́данности он *засты́л* на ме́сте и не дви́гался не́сколько мину́т.
5. Мне *опосты́лела* моя́ ску́чная рабо́та, за́втра же бро́шу всё и уе́ду!

1. In January it is very cold outside. There is a genuine winter *chill*.
1. A *bitter* northern wind is blowing in my face.
2. My son was walking in the rain. He got his feet soaking wet and *caught a cold*. In the autumn, many people suffer from *cold* illnesses.
2. At one point in his youth, Grandfather *caught a bad cold*. Since then, his chest has hurt.
3. Close the door. It is cold outside. You' *will make* the house *freezing cold*. I'm not supposed *to catch a chill* since I only recently recovered from a bad *cold*. Listen, my voice still sounds a little like I have a *cold*.
3. The soup is too hot. You need *to cool* it down. Pour a little in a dish and let it *cool off* for a few minutes. The soup *cools* quite fast, so don't *cool it down too much* or you will have to eat it cold.
4. Grandma boiled the meat gelatine which she called *aspic*.
4. The man had unpleasant eyes, similar to the *jelly-like* eyes of a fish.
5. He *froze* in place from surprise and did not move for several minutes.
5. My boring work *has become wearisome* to me. Tomorrow I am quitting everything and leaving.

СТУК⁴⁰ (стуч¹¹) *knock*

1. Кто́-то ти́хо *стуча́л* в дверь.
2. На́до *постуча́ть* по арбу́зу, что́бы поня́ть, спе́лый ли он.
3. Оказа́вшись в ка́мере, заключённый услы́шал осторо́жное *посту́кивание*, чуть слы́шный *стук* в сте́ну. Он по́нял, что его́ сосе́д, по́льзуясь осо́бой тюре́мной а́збукой, *выстукивал* своё и́мя. С по́мощью тако́го *пересту́ка* в тюрьме́ передава́ли информа́цию из одно́й ка́меры в другу́ю. Заключённый бы́стро подошёл к стене́ и *отстуча́л* коро́ткое сообще́ние о себе́.
4. В дра́ке мальчи́шку си́льно *сту́кнули* по голове́. Хорошо́ ещё жив оста́лся, а могли́ бы и совсе́м *присту́кнуть*.
5. В кла́ссе не люби́ли ста́росту, говори́ли, что одна́жды ребя́та *засту́кали* его́, когда́ он переска́зывал дире́ктору шко́лы секре́тные разгово́ры однокла́ссников. По́сле э́того его́ счита́ли *стукачо́м*, не доверя́ли ему́, опаса́ясь, что он мо́жет *настуча́ть*.

1. Someone *was* quietly *knocking* at the door.
2. You need *to tap* on a watermelon to know whether it is ripe.
3. Having ended up in a cell, the prisoner heard a cautious *tapping*, a barely audible *tap* on the wall. He understood that his neighbor, using a special prison alphabet, *was tapping out* his name. With the help of that *tapping back and forth* in the prison, information was transmitted from one cell to another. The prisoner quickly went up to the wall and *answered by tapping* a brief communication about himself.

4. In a fight they *knocked* the little boy on the head very hard. It is good he remained alive. They could have *kill*ed him *with the blow.*

5. They didn't like the room monitor in the class. They say that once the kids *beat* him *up* when he passed on to the school director secret conversations of his classmates. After this they considered him an *informer* and did not trust him, fearing that he might *inform* (on them).

СТУП[117] *step*

1. Ле́стница невысо́кая, в ней всего́ три *ступе́ньки.*

1. Что́бы *вступи́ть* в на́шу организа́цию, на́до заплати́ть небольшо́й *вступи́тельный* взнос.

2. Тури́сты уви́дели дли́нный, *ступе́нчатый* подъём в го́ру.

2. Незнако́мец откры́л дверь, останови́лся на поро́ге, зате́м как бу́дто *переступи́л* неви́димую черту́ и вошёл в дом.

3. Вра́жеские войска́ перешли́ в *наступле́ние,* они́ *наступа́ют* по всему́ фро́нту, их *наступа́тельная* си́ла огро́мна. До войны́ мы ду́мали, что оборони́тельные сооруже́ния на на́ших грани́цах *непристу́пны* для любо́го врага́, но мы ошиба́лись. На́ша а́рмия *отступа́ет. Отступле́ние* позо́рно и траги́чно.

3. По́сле шко́лы я *поступи́л* в университе́т, хотя́ мне не хоте́лось сно́ва учи́ться. Я *уступи́л* угово́рам роди́телей, кото́рые счита́ют, что шко́ла, университе́т, аспиранту́ра—три обяза́тельные *ступе́ни* в образова́нии. Из-за своего́ *усту́пчивого* хара́ктера я ча́сто де́лаю не то, что хочу́.

4. В го́роде обнару́жили *престу́пную* гру́ппу. *Престу́пники* напада́ли на пешехо́дов, гра́били и убива́ли их.

4. Де́ти обижа́ли малыша́, никто́ не *заступа́лся* за него́, никто́ не защища́л. А ему́ был ну́жен хотя́ бы оди́н *засту́пник.*

5. Ка́ждый мо́жет *оступи́ться* в жи́зни, соверши́ть дурно́й *посту́пок,* гла́вное, что́бы у челове́ка хвати́ло сил осозна́ть свой *просту́пок* и испра́виться.

5. Геро́и рома́нов Ф.Достое́вского и́щут отве́тов на гла́вные вопро́сы жи́зни не про́сто со стра́стью, но да́же с како́й-то боле́зненной *исступлённостью.*

1. The ladder is not tall. There are only three *rungs* on it.

1. In order *to join* our organization you need to pay a small *induction* fee.

2. The tourists saw a long, *graduated* rise up the mountain.

2. The stranger opened the door and stopped in the doorway. Then, as if *crossing* an invisible line, entered the house.

3. The enemy soldiers have assumed the *offensive.* They *are attacking* along the entire front. Their *offensive* strength is enormous. Before the war, we thought that the defensive installations on our borders were *unassailable* to any enemy, but we were mistaken. Our army *is retreating.* The *retreat* is disgraceful and tragic.

3. After (finishing) school I *entered* the university, even though I did not want to study again. I *yielded* to the persuasions of my parents who think that (high) school, the university, and graduate school are three obligatory *steps* to an education. Due to my *compliant* personality, I often do what I don't want to.

4. A *criminal* ring was discovered in our city. The *criminals* were attacking pedestrians, and robbing and murdering them.

4. The children were teasing the little boy. No one *stood up for* him, and no one defended him. He needed at least one *defender.*

5. Anybody can *slip up* in life and commit a bad *deed.* What is important is that the person has the strength to recognize his *error* and correct it.

5. The heroes of F. Dostoevsky's novels search for answers to life's principle questions not only with passion, but even with a kind of abnormal *obsession.*

СТЫД[27] (стыж[4]) *shame*

1. Како́й *стыд*—ты обману́л това́рища!

2. Де́вочка *стыди́лась* свое́й ста́рой оде́жды. Ей каза́лось, что бе́дность—э́то что́-то *посты́дное.*

3. Учи́тель *пристыди́л* ученико́в, кото́рые обижа́ли но́венького, и де́ти *устыди́лись* своего́ посту́пка. На сле́дующий день им бы́ло *сты́дно* вспомина́ть о своём поведе́нии.

4. Де́вушка о́чень скро́мная и *стыдли́вая*, ей тру́дно вести́ себя́ свобо́дно с незнако́мыми людьми́.

5. Не ве́рю, что ты соверши́л тако́е *бессты́дство*! Ты никогда́ не был *бессты́дником*, а для тако́го посту́пка на́до быть соверше́нно *бессты́жим* челове́ком.

1. What a *disgrace*. You deceived your comrade!
2. The girl *was ashamed* of her old clothing. It seemed to her that poverty was something *shameful*.
3. The teacher *shamed* the students who offended the new boy, and the children *were ashamed* of their actions. The next day they felt *ashamed* to remember their conduct.
4. The girl is very modest and *shy*. It is hard for her to be at ease with strangers.
5. I can't believe that you did such a *shameless thing*! You never were a *shameless person*, but for such an act you must be a completely *brazen* person.

СУД[52] (суж[12], сужд[14]) *judge*

1. В зда́нии городско́го *суда́* идёт *суде́бный* проце́сс. *Су́дят* жесто́кого уби́йцу.

2. Лете́ть на ма́леньком самолёте во вре́мя грозы́—*безрассу́дный* посту́пок. За тако́е *безрассу́дство* мо́жно о́чень до́рого заплати́ть.

3. Посту́пок *подсуди́мого* ка́жется незако́нным и *подсу́дным*, но доста́точно ли э́того, что́бы *осуди́ть* его́ по юриди́ческим зако́нам? На́до внима́тельно и серьёзно *обсуди́ть* ситуа́цию, постара́ться *рассужда́ть* споко́йно. Нельзя́ про́сто *засуди́ть* челове́ка без до́лгих разбира́тельств.

4. Пе́рвую пре́мию в ко́нкурсе *присуди́ли* молодо́й пиани́стке. *Присужде́ние* ей прести́жной пре́мии ста́ло сенса́цией.

5. У меня́ нет де́нег на строи́тельство до́ма, поэ́тому мне на́до получи́ть *ссу́ду* в ба́нке. Наде́юсь, банк смо́жет *ссуди́ть* мне доста́точную су́мму.

1. In the city *court* house, *legal* proceedings are under way. They *are trying* a brutal murderer.
2. Flying in a small airplane during a storm is a *foolish* thing to do. You may pay very dearly for such *foolishness*.
3. The *accused's* act seems illegal and *punishable*, but is this enough *to convict* him according to legal statutes? One must carefully and seriously *consider* the situation. We must try *to reason* calmly. One cannot condemn a person without lengthy examination.
4. The first prize in the competition was *awarded* to a young pianist. The *awarding* of this prestigious prize to her became a sensation.
5. I don't have money to build a house, so I need to get a *loan* from the bank. I hope the bank will be able *to lend* me a sufficient amount.

СУК[6] (суч[59]) *spin*

1. На день рожде́ния де́вушке подари́ли пла́тье из то́нкого голубо́го *сукна́*.

2. *Суко́нное* пла́тье краси́во вы́глядело на то́нкой и стро́йной фигу́ре де́вушки.

3. Когда́-то рабо́чие на тка́цкой фа́брике должны́ бы́ли рука́ми *сучи́ть* нить, де́лая её то́нкой и ро́вной. Рабо́та *сучи́льщиков* и *сучи́льщиц* была́ о́чень тру́дной и вре́дной для здоро́вья. Сейча́с маши́ны не то́лько *сучат* нить, но и сма́тывают *ссу́ченную* нить в больши́е мотки́.

4. Наста́ло вре́мя *засучи́ть* рукава́ и взя́ться за рабо́ту!

5. Не хоте́ла покупа́ть блу́зку, но продаве́ц так ло́вко повёл торго́влю, что суме́л-таки́ *всучи́ть* мне блу́зку—я и не заме́тила, как согласи́лась за неё заплати́ть.

1. For her birthday the girl was given a dress made of thin, light-blue *cloth*.
2. The *cloth* dress looked pretty on the girl's slim and shapely figure.
3. It used to be that workers in a textile factory had *to spin* thread by hand, making it fine and even. The [male and female] *spinners'* work was very difficult and harmful to the health. Now machines not only *spin* the thread, but they also wind the *spun* thread into large skeins.
4. The time has come *to roll up* our sleeves and get down to work!

5. I didn't want to buy the blouse, but the shop assistant was such a cunning salesman that he was able *to palm* the blouse *off on* me anyway. I didn't even notice how I agreed to pay for it.

СУТ⁷ (сущ²¹) *essence; presence*

1. В чём *суть* твоей проблéмы?
1. Какóе стрáнное и очаровáтельное *существó* твоя сестрá!
2. Почемý твой брат *отсýтствовал* на собрáнии? Как мы должны понимáть его *отсýтствие*?
2. На землé *существýет* мнóжество рáзных нарóдов и нáций.
3. На нáшем мúтинге *присýтствуют* представúтели всех пáртий. Настáло врéмя принять *существенные* политúческие решéния. Всем нам извéстна *сýщность* проблéм, все мы понимáем, что странá не смóжет дóлго *просуществовáть*, éсли мы не решúм эти проблéмы немéдленно.
4. Отцý *присýще* осóбое обаяние, котóрое дéлает егó такúм приятным собесéдником.
4. В совремéнном мúре все стрáны должны мúрно *сосуществовáть*.
5. Надéюсь, все нáши плáны *осуществятся* и мы не испытáем тяжёлых разочаровáний.
5. Президéнт обещáет удовлетворúть *насýщные* потрéбности населéния в ближáйшие два гóда.

1. What is the *heart* of your problem?
1. What a strange and charming *creature* your sister is!
2. Why *was* your brother *absent* from the meeting? How should we understand his *absence*?
2. A multitude of different peoples and nations *exist* on the earth.
3. Representatives of all parties *are present* at our meeting. The time has come to make *essential* political decisions. We are all aware of the *essence* of the problems. We all understand that the country will not be able *to last* for long if we don't solve these problems immediately.
4. *Inherent* in Father is a special charm which makes him such a pleasant conversationalist.
4. In the contemporary world, all countries should peacefully *coexist*.
5. I hope that all our plans *will be realized* and that we won't experience serious disappointments.
5. The president promises to satisfy the *urgent* demands of the population in the next two years.

СУХ²⁴ (суш⁷⁸, сох²⁴, сых²¹) *dry*

1. Повéрхность землú состоúт из *сýши* и океáнов.
1. У ребёнка болúт гóрло, высóкая температýра, неприятная *сýхость* во рту.
2. Жéнщина чúсто вымыла пол, *дóсуха* вытерла егó тряпкой.
2. Во дворé на верёвке *сóхнет* выстиранное бельё.
3. Пóсле дождя нáдо *просушúть* одéжду, немнóго *обсóхнуть* у тёплой пéчки, подождáть, покá *высохнут* большúе лýжи на дорóге. Вот выглянуло сóлнце, земля стáла быстро *просыхáть*.
3. Éсли вы любите пить чай с *сухарями*, нáдо научúться *сушúть* хлеб. Éсли вы прóсто остáвите хлеб на столé, чтóбы он стал *сухúм*, то он мóжет *пересóхнуть*. Нáдо нарéзать свéжий хлеб мáленькими кусóчками и *высушить* егó в духóвке. Не стóит слúшком *засýшивать* хлеб, достáточно *посушúть* егó нéсколько минýт. За это врéмя хлеб *подсóхнет*, но не *пересýшится*.
4. Несчáстная любóвь, как тяжёлая болéзнь, *иссушúла* юношу.
4. Зимóй мы варúли суп с *сушёными* грибáми. Óсенью бáбушка *насушúла* их так мнóго, что хватúло на всю дóлгую зúму.
5. Дом был стáрым, деревянные полы *рассóхлись*, поэтому онú скрипéли и трещáли при ходьбé.
5. Нынешнее лéто óчень *засýшливое*, нет дождéй. Дáже рéки *пересыхáют*. Боюсь, что *зáсуха* погýбит урожáй.

1. The surface of the earth is made up of *dry land* and oceans.
1. The child has a sore throat, a high temperature, and an unpleasant *dryness* in his mouth.
2. The woman washed the floor clean and wiped it *dry* with a cloth.
2. The clean laundry *is drying* on the line in the yard.
3. After the rain you need *to dry* your clothes and *dry out* a little by the warm stove. (You need to) wait until the big puddles on the road *dry up*. Look, the sun has already peeked out. The ground has begun

to dry up quickly.

3. If you like to drink tea with *rusks* [*sweet raised bread rings browned in an oven*], you need to learn *to dry* bread. If you just leave the bread on the table to *dry* it out, you could *overdry* it. You need to cut up fresh bread into small pieces and *dry* them *out* in the oven. You don't have *to dry* the bread too much–it is enough *to dry* it for a few minutes. During this time the bread *will get dry enough*, but it won't *dry out too much*.

4. Unhappy love, like a serious illness, *consumed* the youth.

4. In the winter we made soup with *dried* mushrooms. During the fall, Grandma *dried* so many of them that we had enough for the entire long winter.

5. The house was old. The wooden floors *had so dried up [cracked]* that they creaked and cracked when walked on.

5. This summer is very *dry*; there is no rain. Even the rivers *are drying up*. I am afraid that the *drought* will destroy the harvest.

СЫП[96] (соп[2]) *pour particles*

1. В песо́чных часа́х песо́к ме́дленно *сы́плется* из одно́й ча́сти в другу́ю.
1. Ма́ма *насы́пала* по́лный стака́н са́хара.
2. Су́мка порвала́сь, и поку́пки *рассы́пались* по по́лу.
2. Тяжело́ идти́ по сухо́му *сыпу́чему* песку́.
3. В кипя́щую во́ду *всыпь* немно́го крупы́, помеша́й, пото́м *досы́пь* ещё чуть-чуть. *Засыпа́ть* на́до ме́дленно, не торопя́сь. Е́сли уви́дишь, что крупы́ ма́ло, *подсы́пь* ещё.
3. От ре́зкого кри́ка полице́йского мальчи́шки бро́сились бежа́ть *врассыпну́ю*. Бежа́ть бы́ло тру́дно, так как земля́ *осыпа́лась* под нога́ми. Наконе́ц, не́которые из них добежа́ли до железнодоро́жной *на́сыпи* и скры́лись за ней.
4. Го́род Владивосто́к постро́ен на *со́пках*, поэ́тому все у́лицы иду́т ли́бо вверх, ли́бо вниз.
4. На те́ле больно́го появи́лась *сыпь*, врач по́нял, что у больно́го *сыпно́й* тиф.
5. Что́бы у новорождённого ребёнка была́ здоро́вая ко́жа, на́до по́льзоваться де́тской *присы́пкой*.
5. В музе́е стари́нных украше́ний мы уви́дели настоя́щие *ро́ссыпи* драгоце́нных камне́й.

1. In an hourglass[sand clock], sand slowly *runs* from one part to the other.
1. Mom *poured* in a full glass of sugar.
2. The bag tore open and the purchases *scattered* all over the floor.
2. It is difficult to walk across dry, *shifting* sand.
3. *Pour* a little meal *into* the boiling water, stir it, then *add* a little more. You need *to pour it* in slowly, without hurrying. If you see that there is too little meal, *add in a bit* more.
3. At the abrupt shout of the police officer, the boys took to running *in all directions*. It was hard to run since the ground *crumbled* under their feet. Finally, several of them reached the railroad *embankment* and hid behind it.
4. The city of Vladivostok was built on *volcanic mounds*, so all the streets go either up or down.
4. A *rash* appeared on the patient's body and the doctor realized that the patient had *typhus*.
5. In order for a newborn child to have healthy skin, baby *powder* must be used.
5. In the museum of ancient decorative art, we saw actual *heaps* of precious stones [jewels].

СЫТ[18] (сыщ[16]) *full to satisfaction*

1. Нас накорми́ли вку́сным и *сы́тным* обе́дом.
2. Не стесня́йся, ешь *до́сыта*, доба́вь ещё, е́сли хо́чешь!
3. Голо́дный челове́к ника́к не мог *насы́титься*—он ел до́лго и *ненасы́тно*, но чу́вство *сы́тости* всё не приходи́ло.
4. Како́й интере́сной *насы́щенной* жи́знью живу́т э́ти молоды́е лю́ди!
5. Стра́нно ви́деть *пресы́щенность* в тако́м ю́ном челове́ке. Его́ скуча́ющий *пресы́щенный* взгляд говори́т: "Я всё ви́дел, всё зна́ю, ниче́м не интересу́юсь". Как мог э́тот ю́ноша *пресы́титься* всем?

1. They fed us a delicious and *satisfying* dinner.

2. Don't be shy. Eat *to your heart's content*. Add some more if you want!

3. There was no way the hungry man could *get full* – he ate for a long time and *insatiably* , but a feeling *of satisfaction* still did not come.

4. What an interesting, *rich* life these young people live!

5. It is strange to see *overindulgence* in such a young person. His bored, *overindulged* look says: "I have seen everything, I know everything, I am not interested in anything." How could this young man *have been so very indulged* by everything?

СЯГ[10] (сяж[3], сяз[6]) *grasp*

1. Ты ста́вишь пе́ред собо́й *недосяга́емые* це́ли.

2. Дикта́тор *посяга́ет* на свобо́ду гра́ждан страны́.

3. Сего́дня день *прися́ги* молоды́х солда́т. Они́ *присяга́ют* на ве́рность Ро́дине, кляну́тся защити́ть её от *посяга́тельств* любы́х враго́в.

4. В большинстве́ цивилизо́ванных стран существу́ет суд *прися́жных*.

5. У слепы́х люде́й обы́чно о́чень хорошо́ ра́звиты слух и *осяза́ние*. *Осяза́я* предме́т, слепо́й отчётливо представля́ет себе́, как э́тот предме́т вы́глядит.

   1. You are setting *unattainable* goals for yourself.
   2. The dictator *is encroaching* upon the freedom of the country's citizens.
   3. Today is the *swearing-in* day for the young soldiers. They *swear* loyalty to the homeland and vow to protect it from the *encroachment* of all enemies.
   4. The majority of civilized countries have trial *by jury*.
   5. Blind people usually have well developed hearing and *touch*. *Touching* an object, a blind person distinctly imagines to himself what the object looks like.

ТАЙ[38] *conceal*

1. Дава́й сохрани́м наш разгово́р в *та́йне*.

2. Де́ти уве́рены, что в стари́нном за́мке есть *тайни́к*. Они́ пыта́ются найти́ *потайно́й* ход, кото́рый приведёт их в э́то *таи́нственное* ме́сто.

3. Мы с бра́том хоти́м *тайко́м* вы́йти из до́ма, потому́ что мы *утаи́ли* от роди́телей наш план пойти́ в кино́ по́здно ве́чером. Пришло́сь *притаи́ться* в свои́х ко́мнатах, пока́ в до́ме все легли́ спать.

4. По́сле ссо́ры жена́ *затаи́ла* оби́ду на му́жа.

5. И́зредка взгляд бра́та выдава́л его́ *потаённую* любо́вь к э́той же́нщине.

   1. Let's keep our conversation *secret*.
   2. The children are sure that there is a *secret room* in the old castle. They are attempting to find the *hidden* entrance that will lead them to this *mysterious* place.
   3. My brother and I want to leave the house *secretly* because we *kept* our plan *secret* from our parents to go to the movies late at night. We had *to conceal ourselves* in our rooms until everyone in the house went to sleep.
   4. After the argument, the wife *harbored* a grudge against her husband.
   5. Every now and then the brother's look gave away his *secret* love for this woman.

ТАЙ [28] *melt*

1. В ма́рте начина́ет *та́ять* снег.

2. За оди́н день не мо́жет *раста́ять* весь снег, вы́павший за зи́му.

3. *Та́яние* сне́га продли́тся не́сколько неде́ль. В тече́ние э́тих неде́ль иногда́ ка́жется, что зима́ верну́лась: сно́ва ду́ет холо́дный ве́тер, *подта́лины* и *отта́лины* замерза́ют и покрыва́ются льдом.

4. Ба́бушка о́чень серди́лась на вну́чку за ша́лость, но де́вочка так смире́нно проси́ла проще́ния, что стару́шка бы́стро *отта́яла* и всё забы́ла.

5. Де́вочка до́лго боле́ла, с ка́ждым днём всё бо́льше бледне́ла и худе́ла, и вот *иста́яла* и умерла́.

   1. In March the snow begins *to melt*.
   2. All the snow that has fallen during the winter cannot *melt* in one day.

3. The *melting* of the snows will last several weeks. During the course of these weeks it sometimes seems that winter has returned. The cold wind blows again and the *somewhat thawed* and *fully thawed snow* freezes over and gets covered with ice.

4. The grandmother was very angry at her granddaughter for her mischief, but the girl asked forgiveness so humbly that the old woman quickly *thawed-out* and forgot everything.

5. The girl had been ill for quite some time. She grew more pale and thin with each day. And suddenly she *declined* and died.

ТАСК[74] (тащ[30]) *lug*

1. Во́ры *стащи́ли* из магази́на мно́го проду́ктов.

2. Брати́шка сде́лал себе́ шала́ш из ве́ток, *натаска́л* туда́ игру́шек и проводит там всё вре́мя.

3. Же́нщина с трудо́м *вы́тащила* тяжёлый мешо́к из до́ма, *перетащи́ла* его́ че́рез доро́гу, *протащи́ла* по земле́ ещё немно́го, *дотащи́ла* до маши́ны, *втащи́ла* внутрь маши́ны и закры́ла дверь. Ви́дно бы́ло, что она́ не привы́кла *таска́ть тя́жести*.

4. Письмо́ побыва́ло во мно́гих рука́х, полежа́ло во мно́гих карма́нах, пока́ пришло́ по а́дресу— конве́рт был о́чень *зата́сканный* и гря́зный.

5. Сосе́д не ночу́ет до́ма, связа́лся с дурно́й компа́нией, бро́сил рабо́тать, *таска́ется* где́-то це́лыми дня́ми. И вид у него́ стал неопря́тный, несве́жий, *иста́сканный*.

1. The thieves *lugged* many groceries from the store.

2. My little brother made himself a fort from branches, *lugged* some toys in there, and (now) spends all his time there.

3. The woman *lugged* her heavy bag *out* of the house with difficulty, *lugged* it *across* the road, *luagged* it *along* the ground a little more, *lugged* it *to* the car, *lugged* it *inside* the car, and shut the door. It was obvious that she was not used *to lugging* heavy things.

4. The letter had been held in many hands and lain in many pockets before it reached its address. The envelope was very *worn* and dirty.

5. Our neighbor does not spend his nights at home. He has become connected with bad company, quit his job, and *hangs out* somewhere for days at a time. His appearance has become slovenly, weary, and *bedraggled*.

ТВЕРД[29] (тверж[7], твержд[6] твёрд[3]) *firm*

1. Вы *твёрдо* уве́рены, что ви́дели э́того челове́ка?

1. На мя́гкой посте́ли спать лу́чше, чем на *твёрдом* полу́.

2. Всё ле́то не́ было дожде́й, и земля́ *затверде́ла*.

2. Что ты це́лый день *тверди́шь* одно́ и то́ же, переста́нь!

3. Сро́чно *подтверди́те*, что по́дпись на докуме́нте действи́тельно Ва́ша. Без э́того *подтвержде́ния* мы не смо́жем вести́ перегово́ры. Ваш *утверди́тельный* и́ли отрица́тельный отве́т ну́жен нам за́втра у́тром.

3. От оби́д и несча́стий се́рдце моё *отверде́ло*. Я бо́льше не ве́рю *утвержде́ниям*, что есть на све́те доброта́ и любо́вь. За свою́ жизнь я *вы́твердил* друго́е пра́вило: ка́ждый ду́мает то́лько о себе́.

4. Я ничего́ не бою́сь в жи́зни, потому́ что со мной всегда́ *тверды́ня* мое́й ве́ры.

4. *Затверди́* наизу́сть слова́ пе́сни, за́втра бу́дешь их расска́зывать в кла́ссе.

5. Тру́дно бы́ло мне *утверди́ться* на но́вом ме́сте, доби́ться успе́ха.

5. Во вре́мя изверже́ния вулка́на земна́я *твердь* заколеба́лась под на́шими нога́ми.

1. You are *firmly* convinced that you saw this man?

1. It is better to sleep on a soft bed than on a *hard* floor.

2. The entire summer there was no rain, and the ground *became hard*.

2. Why *have* you *been repeating* the same thing all day? Stop it!

3. Immediately *confirm* that the signature on the document is actually yours. Without this *confirmation* we will not be able to carry on the negotiations. We need your *affirmative* or negative answer tomorrow morning.

3. My heart *has become hardened* from hurt and misfortune. I no longer believe *claims* that there are kindness and love in the world. During my life I *have insisted on* a different rule: everyone thinks only of himself.

4. I am not afraid of anything in life because I always have the *firm foundation* of my faith with me.

4. *Memorize* the words of the song. Tomorrow you will recite them in class.

5. It was hard for me *to get firmly established* in a new place and to achieve success.

5. During the eruption of the volcano, the *earth* began to shake under our feet.

ТВОР⁵⁰ (твар³) *create*

1. В *твóрчестве* велúких писáтелей мы нахóдим отвéты на вáжные вопрóсы.

2. Чегó тóлько ни *вытворя́ет* клóун на арéне цúрка! Невозмóжно смотрéть на негó без смéха!

3. Неужéли ты не вúдишь, что *творúтся* с нáшим сы́ном? С дéтства мы *потвóрствовали* всем егó капрúзам, не занимáлись егó воспитáнием. Давáй не бýдем *притворя́ться* и чéстно признáемся в том, что сын вы́рос дурны́м человéком.

4. Увúдев испýганное и виновáтое лицó сыны́шки, мáма сказáла:"Ну, расскáзывай, что ты *натворúл* в шкóле?"

5. У нас большúе и интерéсные плáны, нáдо постарáться *претворúть* их в жизнь.

   1. In the *works* of great writers we find the answers to important questions.

   2. What doesn't the clown *come up with* in the circus ring? It is impossible to look at him without laughing!

   3. Do you really not see what *is happening* to our son? Since childhood we *have indulged* his every whim. We did not concern ourselves with his upbringing. Let's not *pretend*, but honestly admit that our son has grown up to be a bad person.

   4. Seeing her little son's frightened and guilty face, the mother said, "Well, tell me. What *have you done now* at school?"

   5. We have great and interesting plans. We ought to try *to turn* them into practice.

ТВОР³⁸ *close*

1. Он жил одинóко, как *затвóрник*.

2. У́тром сестрá *растворя́ет* окнó спáльни.

3. На стук дверь слегкá *отворúлась*, и мы увúдели блéдное жéнское лицó. Узнáв нáши именá, жéнщина *притворúла* дверь на минýту, но потóм ширóко откры́ла её, впустúла нас в дом и *затворúла* дверь за нáшими спинáми.

4. *Ствóрки* окнá ширóко распáхнуты, на подокóннике сидúт молодáя дéвушка и смóтрит в сад.

5. На урóке хúмии мы изучáем свóйства химúческих *растворóв*.

   1. He lived alone like a *recluse*.

   2. In the morning my sister *opens* the bedroom window.

   3. At our knock, the door *opened* slightly and we saw the pale face of a woman. Having learned our names, the woman *closed* the door again for a minute, but then opened it wide, let us in the house, and *closed* the door tightly behind us.

   4. The window *shutters* are flung wide open. A young girl is sitting on the window sill and looking at the garden.

   5. In our chemistry class we are studying the properties of chemical *solutions*.

ТЕК³⁰ (теч³, тёк⁹, тёч³, ток¹⁸, точ⁷⁴, тач⁶²) *flow; while flowing, carve*

1. С гор *стекáли потóки* воды́.

1. Нáдо *подточúть* карандáш.

2. Чтóбы вы́лечить тебя́, нáдо знать *истóки* болéзни.

2. Рекá Окá—это *притóк* Вóлги.

3. На завóд привезлú *токáрные* станкú, на котóрых мóжно с большóй *тóчностью* обрабáтывать металлúческие детáли. На станкáх рабóтали *тóкари* высóкой квалификáции. Онú моглú

вы́точить дета́ль любо́й сло́жной фо́рмы и *обточи́ть* её до соверше́нной гла́дкости.

3. Во́дный *пото́к тёк* по круты́м го́рным скло́нам, *обтека́я* больши́е ка́мни, *протека́я* че́рез у́зкие прохо́ды ме́жду валуна́ми. Он *втека́л* в пеще́ры, *перетека́л* с одно́й горы́ на другу́ю, *утека́л* вниз, а в доли́не *растека́лся* больши́м кру́глым о́зером.

4. Сейча́с ро́вно 12 часо́в но́чи 31 декабря́, и мы мо́жем сказа́ть, что за *исте́кший* год мно́го хоро́шего произошло́ в на́шей жи́зни.

4. Свои́ неуда́чи ты привы́к объясня́ть *стече́нием* обстоя́тельств. Пора́ поня́ть, что неуда́чи *происте́ка́ют* от твоего́ дурно́го хара́ктера и неуме́ния пра́вильно оцени́ть ситуа́цию.

5. Бою́сь, что е́сли ты не прекрати́шь *расточи́тельство*, семья́ оста́нется без еди́ной копе́йки.

5. Революционе́ров арестова́ли и *заточи́ли* в тюрьму́. Им предстоя́ло провести́ мно́го лет в *заточе́нии*.

1. From the mountains *were flowing streams* of water.
1. One has *to sharpen* the pencil.
2. In order to cure you, we must know the *sources* of the illness.
2. The river Oka is a *tributary* of the Volga.
3. *Lathes* [*Carving machines*] were brought to the factory on which metal components can be processed with great *precision*. Highly skilled *lathe operators* worked on the lathes. They could *turn out* a component of any complex shape and *round* it *off* to perfect smoothness.
3. The *stream* of water *flowed* along the steep mountain slopes, *flowing around* large rocks and *flowing through* narrow passages between boulders. It *flowed into* caves, *flowed across* from one mountain to another, and *flowed away* downward. In the valley it *flowed out in all directions* to form a large round lake.
4. Now it is exactly 12 o'clock on the night of December 31, and we can say that, over the *elapsed* year, many good things have happened in our lives.
4. You have grown accustomed to explaining your failures *by a confluence* of circumstances. It is time to realize that failures *issue* from your bad character and inability to correctly evaluate a situation.
5. I am afraid that if you do not stop your *squandering*, your family will be left without a single kopeck.
5. The revolutionaries were arrested and *confined* to prison. Many years of *confinement* lay before them.

TEM[35] (тём[4], тьм[3], тм[7]) *dark*

1. Ни́зкие *тёмные* ту́чи покрыва́ют не́бо.
1. Ве́чером дере́вья в саду́ зага́дочно *темне́ют*.
2. Со́лнце скры́лось, на зе́млю опусти́лась *тьма*.
2. Мы отпра́вились в путеше́ствие ра́но у́тром, ещё *затемно́*.
3. Ле́том де́ти *дотемна́* игра́ют во дворе́. Вот уже́ совсе́м *стемне́ло*, пора́ идти́ домо́й и ложи́ться спать, но так интере́сно побе́гать *впотёмках*!
3. Вы́слушав но́вость, оте́ц *потемне́л* лицо́м и отверну́лся. Он до́лго всма́тривался в ночну́ю *темноту́* за окно́м, как бу́дто хоте́л что-то рассмотре́ть в *потёмках*.
4. Бунтовщи́к провёл в *темни́це* до́лгие го́ды.
4. Сего́дня но́чью мо́жно наблюда́ть лу́нное *затме́ние*.
5. Молода́я актри́са *затми́ла* свои́м тала́нтом всех уча́стников спекта́кля.
5. Что ты *темни́шь*, скажи́ открове́нно и че́стно, что случи́лось.

1. Low, *dark* clouds are covering the sky.
1. In the evening, the trees in the garden *grow* mysteriously *dark*.
2. The sun was hidden, and *darkness* fell upon the land.
2. We set off on our trip early in the morning *while* it was still *dark*.
3. In the summer the children play in the yard *until dark*. It *has* already *grown* completely *dark*. It is time to go home and go to bed, but it is so interesting to run around *in the dark*!
3. Upon hearing the news, Father's face *darkened* and he turned away. For a long time, he looked at the night *darkness* beyond the window, as if he wanted to make out something *in the dark*.
4. The rebel spent long years in the *dungeon*.

4. Tonight it will be possible to observe a lunar *eclipse*.
5. The young actress *eclipsed* all the participants in the show by her talent.
5. What *are* you *concealing*? Tell me openly and honestly what happened.

ТЕПЛ³⁷ (тёпл²) *warm*
ТОП⁵⁵ (тап²⁵) *warm*

1. Какáя прекрáсная *тёплая* погóда!
1. В жáркий день не проводúте мнóго врéмени на сóлнце, так как мóжно получúть *тепловóй* удáр.
2. До начáла *отопúтельного* сезóна нáдо заготóвить *тóпливо*.
2. *Теплотá* создаёт осóбый микроклúмат внутрú *теплúцы*.
3. Лю́ди устáли от дóлгой зимы́, всем хотéлось *теплá* и сóлнца. В февралé нáчало *теплéть*, но вскóре снóва наступúли морóзы. Наконéц, *потеплéло* по-настоя́щему. Пéрвое *потеплéние* началóсь в начáле апрéля, *óттепель растопúла* снег. К серéдине апрéля на у́лице былá ужé весéнняя *теплы́нь*.
3. В дерéвне хозя́йки *тóпят* пéчи. Онú *затáпливают* печь рáно у́тром, чтóбы *натопúть* дом к томý врéмени, когдá семья́ встáнет. Нáдо умéть бы́стро *растопúть* печь. Для *растóпки* испóльзуют бумáгу и деревя́нные щéпки. Когдá печь *протóпится*, нáдо закры́ть дымохóд, чтóбы *теплó* не уходúло из дóма.
4. Кочегáр подбрáсывал у́голь в *тóпку* паровóза.
4. На зúму в Сибúри *утепля́ют* домá, испóльзуя *утеплúтели*—материáлы, не позволя́ющие хóлодному вóздуху проникáть внутрь помещéния.
5. В нáшем дóме паровóе *отоплéние*, а у бáбушки—печнóе.
5. В цéркви нея́рко *тéплятся* огонькú свечéй.

1. What wonderful *warm* weather!
1. On a hot day, don't spend a lot of time in the sun because you could get *heat* stroke.
2. Before the beginning of the *heating* season, we need to secure a supply of *fuel*.
2. *Warmth* creates a special microclimate inside a *greenhouse*.
3. People were tired of the long winter, and everyone wanted *warmth* and sun. In February, it began *to warm up*, but soon after the cold weather set in again. At last it truly *warmed up*. The first *warm spell* began in early April, and the *warming melted* the snow. By mid-April there was already *warm* spring *weather* outside.
3. In the village, housewives *heat up* the stoves. They *light* the fire early in the morning in order *to heat* the house by the time the family gets up. They have to be able *to kindle* the fire quickly. For *kindling* they use paper and wood chips. When the stove *heats up*, the flue must be closed so the *warmth* doesn't leave the house.
4. The stoker was throwing coal into the *furnace* of the steam engine.
4. In Siberia they *insulate* the houses for the winter using *insulation* – materials which do not allow the cold air to penetrate inside the building.
5. In our building there is steam *heating*, but Grandma has a stove.
5. In the church, the dim flames of the candles *flicker*.

ТЕР²⁵ *lose*

1. Бáбушка чáсто *теря́ет* своú очкú и не мóжет их найтú.
2. Огрóмны человéческие *потéри* в послéдней войнé.
3. Не понимáю, кудá мог *затеря́ться* ключ от машúны. Неужéли я егó *потеря́л*! Не зря женá меня́ называет *растеря́хой*.
4. Услы́шав грóмкий óкрик, ребёнок испýганно и *растéрянно* посмотрéл на учúтеля.
5. У тебя́ совершéнно *потéрянный* вид, что случúлось?

1. Grandmother often *loses* her glasses and cannot find them.
2. The human *losses* in the last war are enormous.
3. I don't understand where my car key could *be lost*. Have I really *lost* it! No wonder my wife calls me a *scatterbrain*.

4. Having heard a loud shout, the child, frightened and *confused*, looked at the teacher.
5. You have a thoroughly *puzzled* expression. What happened?

ТЕРП[28] *bear*

1. Ты уста́л, но *потерпи́* немно́жко, мы ско́ро отдохнём.
2. Учи́тель до́лжен быть зна́ющим, до́брым и *терпели́вым* челове́ком. Без *терпе́ния* и *терпи́мости* не быва́ет настоя́щего преподава́теля.
3. Ра́неный чу́вствовал *нестерпи́мую* боль в ноге́. Он хоте́л *вы́терпеть* все му́ки без сто́на, *дотерпе́ть* до больни́цы. Ему́ каза́лось, что на́до *потерпе́ть* ещё немно́го и боль уйдёт. Но к си́льной бо́ли бы́ло невозмо́жно *притерпе́ться*, и он гро́мко застона́л.
4. Полице́йский отпра́вил *потерпе́вших* в больни́цу и на́чал допра́шивать престу́пника.
4. За после́дние го́ды госуда́рственная поли́тика *претерпе́ла* больши́е измене́ния.
5. Не хоте́ла ссо́риться с тобо́й, но не *стерпе́ла* и наговори́ла ре́зких слов.
5. У молодо́го вина́ был прия́тный *тёрпкий* вкус.

1. You are tired, but *bear up* a little longer. We will rest soon.
2. A teacher should be a knowledgeable, kind, and *patient* person. There is no such thing as a genuine teacher who does not have *patience* and *tolerance*.
3. The wounded man felt an *unbearable* pain in his leg. He wanted *to endure* all the torment without a groan and *bear it until he reached* the hospital. It seemed to him that he would just have *to bear up* a little longer and then the pain would leave. But it was impossible *to tolerate* the intense pain and he began to moan loudly.
4. The policeman sent the *victims* to the hospital and began to interrogate the criminal.
4. During recent years, governmental politics *have undergone* [*endured*] great changes.
5. I did not want to quarrel with you, but I couldn't *hold back* and said many harsh words.
5. The new wine had a nice, *tart* taste.

ТЕС[34] (тёс[47]) *hew*

1. Во дворе́ стари́к нетороп́ли́во *теса́л* топоро́м бревно́.
2. Скали́стый *утёс* поднима́ется вы́ше облако́в.
3. Пло́тник аккура́тно *обтеса́л* до́ску. *Обтёсанная* доска́ вы́глядела гла́дкой, но пло́тник *потеса́л* ещё немно́го, чтобы не оста́лось ни одно́й зазу́брины.
4. Соверше́нно *неотёсанный*, гру́бый и необразо́ванный челове́к!
5. Мне удало́сь *затеса́ться* в толпу́ и незаме́тно прони́кнуть в теа́тр без биле́та.

1. In the yard the old man unhurriedly *hewed* the log with an axe.
2. The rocky *cliff* rises higher than the clouds.
3. The carpenter carefully *hewed around* the board. The *hewed* board looked smooth, but the carpenter *hewed* it a little more so that not one notch remained.
4. (He is a) completely *rough*, rude, and uneducated person!
5. I managed *to cut my way* into the crowd and sneak unnoticed into the theater without a ticket.

ТЕСН[48] *crowded*

1. В ма́ленькой ко́мнате собра́лось мно́го люде́й, бы́ло *те́сно* и жа́рко.
2. Бо́лее си́льные пти́цы *вы́теснили* сла́бого птенца́ из гнезда́.
3. В авто́бусе *теснота́*. Како́й-то мужчи́на *оттесни́л* меня́ в у́гол. На сле́дующей остано́вке пришло́сь ещё *потесни́ться*, чтобы могли́ войти́ но́вые пассажи́ры.
4. Семья́ живёт в о́чень *стеснённых* усло́виях, но роди́тели—скро́мные, *стесни́тельные* лю́ди. Они́ *стесня́ются* проси́ть о по́мощи.
5. В демократи́ческой стране́ никто́ не до́лжен испы́тывать *притесне́ний*.

1. In the small room, many people gathered. It was *crowded* and hot.
2. The stronger birds *crowded out* the weak fledgling from of the nest.
3. In the bus *it is crowded*. Some man *crowed* me into the corner. At the next stop we had *to crowd in* even

more so that new passengers could get on.
4. The family lives in very *astere* circumstances, but the parents are modest, *shy* people. They *are too shy* to ask for help.
5. In a democratic nation, no one should experience *oppression*.

ТЕХ² (теш²⁴) *cheer up*
1. После сме́рти жены́ нет для меня́ *утеше́ния* ни в чём.
2. Щено́к ма́ленький и *поте́шный*. Це́лый день мы *потеша́лись* над его́ смешны́ми проде́лками.
3. Кло́ун уме́ет *распоте́шить* пу́блику. Смотре́ть на него́—*поте́ха*. Его́ шу́тки мо́гут *уте́шить* в гру́стную мину́ту.
4. Ребёнок пла́кал го́рько и *неуте́шно*, се́рдце сжима́лось от его́ *безуте́шного* пла́ча.
5. В про́шлом году́ я вы́играл соревнова́ние, а в э́том не смог заня́ть да́же второ́го ме́ста и получи́л то́лько *утеши́тельный* приз.

1. After the death of my wife, for me there is no *solace* in anything.
2. The puppy is small and *amusing*. All day we *were amused* by his funny tricks.
3. The clown really knows how *to cheer up* the public. It's *fun* to watch him. His jokes can *cheer* you *up* in a sad moment.
4. The child was crying bitterly and *inconsolably*. (My) heart ached at his *inconsolable* cry.
5. Last year I won the competition, but this year I was not able to take even second place and received only a *consolation* prize.

ТИСК⁴⁵ [for тис²³ see truncation rule 3] *squeeze*
1. Друзья́ встре́тились по́сле до́лгой разлу́ки и *сти́снули* друг дру́га в объя́тиях.
2. Де́вочка от смуще́ния *ти́скала* в рука́х плато́чек.
3. Авто́бус перепо́лнен, мне с трудо́м удаётся *вти́снуться* в него́. Пыта́юсь *проти́снуться* вперёд—ничего́ не получа́ется. *Потиска́в* меня́ немно́го, толпа́ *прити́скивает* меня́ к сте́нке авто́буса.
4. Он не настоя́щий писа́тель—ду́мает не о ка́честве свои́х произведе́ний, а о том, как бы *ти́снуть* очередну́ю кни́жку и получи́ть побо́льше де́нег.
5. Стари́нная ме́бель обтя́нута *тиснёной* ко́жей. *Тисне́ние* изобража́ет сце́ны короле́вской охо́ты.

1. Having met after a long separation, the friends *squeezed* each other in hugs.
2. The girl *squeezed* a handkerchief in her hands from embarrassment.
3. The bus is overcrowded. I manage *to squeeze* onto it only with difficulty. I try *to squeeze* forward, but nothing happens. *After squeezing me*, the crowd *squeezes* me against the wall of the bus.
4. He is not a real writer. He thinks not about the quality of his work, but about how he can *dash off* [*squeeze out*] another book and receive more money.
5. The antique furniture is covered with *impressed* leather. The *impression* depicts a scene of a royal hunt.

ТИХ²⁴ (тиш¹¹) *quiet*
1. Он никогда́ не кричи́т, всегда́ разгова́ривает *ти́хим* го́лосом.
2. Кто-то *тихо́нько*, почти́ неслы́шно постуча́л в дверь.
3. Шторм ко́нчился, си́льный ве́тер *стих*, *ути́хла* бу́ря. *Тишь* и поко́й вокру́г.
4. По́сле неде́ли си́льных гроз и проливны́х дожде́й наступи́ло *зати́шье*.
5. Малы́ш *приути́хнет* на не́сколько мину́т, а пото́м опя́ть начина́ет свои́ шу́мные и́гры.

1. He never shouts. He always speaks in a *quiet* voice.
2. Someone *quietly*, almost inaudibly, knocked at the door.
3. The gale has ended, the strong wind *has died down*, and the storm *has subsided*. There is *quiet* and peace all around.
4. After a week of severe thunder storms and very heavy rain, *calm weather* set in.
5. The youngster *will quiet down* for a few minutes, but then he begins his noisy games again.

ТК⁴⁹ (ток², точ¹⁹, тык⁵⁰, тыч¹³) *poke*
1. Он бы́стро протяну́л ру́ку—и я упа́л от ре́зкого и неожи́данного *тычка́* в грудь.

1. На вопро́с, как пройти́ к теа́тру, мальчи́шка небре́жно *ткнул* па́льцем нале́во.
2. У шко́льника не́ было портфе́ля, он *заткну́л* тетра́ди за реме́нь брюк и побежа́л, ве́село разма́хивая рука́ми.
2. Не ве́рилось, что из то́ненькой ве́точки, кото́рую садо́вник *воткну́л* в зе́млю, вы́растет большо́е де́рево.
3. Я взял кно́пку, *проткну́л* е́ю запи́ску и *воткну́л* кно́пку в доску́ объявле́ний. Доска́ ста́рая, *исты́канная* кно́пками.
3. Два косми́ческих корабля́ должны́ провести́ *стыко́вку* в ко́смосе. *Стыкова́ться* корабли́ бу́дут то́чно в назна́ченное вре́мя. *То́чность* выполне́ния всех опера́ций—усло́вие успе́ха. Сейча́с прово́дятся после́дние *уточне́ния* дета́лей.
4. Стари́к шёл ме́дленно, *спотыка́ясь* на ка́ждом шагу́. На пути́ попа́лся ка́мень, стари́к *споткну́лся* так си́льно, что чуть не упа́л.
4. Пья́ница-муж пришёл домо́й, жена́ попроси́ла у него́ де́нег, что́бы купи́ть еды́ де́тям, и услы́шала в отве́т гру́бый о́крик: "*Заткни́сь!*".
5. В незнако́мом го́роде прие́зжий никого́ не зна́ет, де́нег на гости́ницу нет, ему́ соверше́нно не́куда *приткну́ться*. Вдруг, идя́ по у́лице, он *натыка́ется* на шко́льного това́рища, кото́рого не ви́дел мно́го лет. Э́то происхо́дит *точь-в-точь* как в ска́зке.
5. Вопро́с вы́вода войск—*то́чка преткнове́ния* в перегово́рах. Сто́роны не мо́гут прийти́ к соглаше́нию по э́тому вопро́су.

1. He quickly thrust out his hand and I fell from the sharp and unexpected *poke* in the chest.
1. To the question of how to get to the theater, the young boy carelessly *poked* his finger to the left.
2. The schoolboy did not have a satchel, so he *tucked* the notebooks under his belt and began running, cheerfully waving his hands.
2. It was hard to believe that from this thin twig that the gardener *had poked into* the ground, a large tree would grow.
3. I took a pin, *poked* it *through* the note, and *poked* the pin *into* the announcement board. The board is old and *poked all over* with pins.
3. The two space ships are supposed to complete a *docking* in space. The ships will *dock* at exactly the appointed time. *Exactness* in the execution of all operations is a (necessary) condition for success. The final *verification* of details is taking place right now.
4. The old man was walking slowly, *stumbling* with each step. A rock happened to be in his path, and the old man *stumbled* so badly that he almost fell.
4. The drunken husband came home. The wife asked him for money to buy some food for the children and heard in answer a rude shout: "*Shut up!*"
5. The newcomer does not know anyone in the unfamiliar city. He has no money for a hotel and has absolutely nowhere *to stay [perch himself]*. Suddenly, while walking along the street, he *runs into* an old school friend whom he has not seen for many years. This happens *exactly* like in a fairytale.
5. The question of removal of troops is a *point of contention* in the negotiations. The (two) sides cannot arrive at an agreement about this problem.

ТЛ[25] *disintegrate*

1. Те́ло поко́йного *истле́ло* в земле́.
2. В костре́ *тле́ли* уголькѝ.
3. Му́дрые мы́сли не подвла́стны *тле́нию*. Челове́ческая плоть *тле́нна*, но дух никогда́ не преврати́тся в *тлен*.
4. Порногра́фия *растлева́ет* люде́й, де́лает их *растле́нными*.
5. На тако́й *у́тлой* ло́дочке нельзя́ отправля́ться в пла́вание.

1. The body of the deceased *disintegrated* in the ground.
2. The coals *smoldered* in the fire.
3. Wise ideas are not subject *to disintegration*. Human flesh *deteriorates*, but the spirit will never turn to

decay.

4. Pornography *corrupts* people. It makes them *corrupted*.
5. You can't set sail in such a *dilapidated* little boat.

ТОЛК[46] (толч[6], талк[30], толок[6], толоч[20]) *push*

1. Стой споко́йно, не *толка́йся*!
2. Две маши́ны *столкну́лись* на доро́ге. При *столкнове́нии* маши́н пассажи́ры почу́вствовали ре́зкий *толчо́к*.
3. В метро́ в час-пик стра́шная *толку́чка*. В *толчее́* меня́ *втолкну́ли* в ваго́н, не́сколько раз *подтолкну́ли* в спи́ну, *зата́лкивая* в са́мый да́льний у́гол, а пото́м *вы́толкнули* из по́езда на остано́вке.
4. У незнако́мца была́ неприя́тная, *отта́лкивающая* вне́шность.
5. Посоли́те мя́со и посы́пьте *толчёным* пе́рцем.

   1. Stand still. Don't *push*!
   2. Two cars *collided* on the road. At the moment of *collision* of the cars, the passengers felt a sharp *jolt*.
   3. The metro during rush hour is a terribly *crowded place*. In the *crush* I was *pushed into* the train car, *shoved* several times in the back, *being shoved* into the far corner, and then *shoved out* of the train at the stop.
   4. The unfamiliar man had an unpleasant, *repulsive* appearance.
   5. Salt the meat and sprinkle it with *ground* pepper.

ТОЛК[38] (толоч[2]) *interpret*

1. Я им тре́тий день *втолко́вываю*, что на́до де́лать, а они́ ника́к не пойму́т.
2. Ну что ж ты тако́й *бестолко́вый*—ничего́ не мо́жешь сде́лать *то́лком*!
3. Ба́бушка люби́ла чита́ть кни́ги, содержа́вшие *толкова́ния* снов. В них *толкова́тели* сновиде́ний *истолко́вывали* любо́й о́браз любо́го сна. Пра́вда, в ра́зных кни́гах одни́ и те же о́бразы ча́сто *перетолко́вывались* по-ра́зному.
4. Би́блия на протяже́нии веко́в подверга́лась ты́сячам *истолкова́ний*.
5. Что за *бе́столочь*: не́сколько часо́в не могу́ дозвони́ться в больни́цу!

   1. This is the third day I *have been explaining* what needs to be done, but they can't comprehend it for anything.
   2. Well, how in the world can you be so *dense*? You can't do anything *right*!
   3. Grandmother loved to read books containing *interpretations* of dreams. In them, *interpreters* of dreams *deciphered* any image in any dream. True, in different books the same images often *are interpreted* differently.
   4. The Bible has been subjected to thousands *of interpretations* over the course of centuries.
   5. What an *absurdity*! I have not been able to reach the hospital by phone for several hours!

ТОЛСТ[19] (толщ[7]) *stout*

1. Е́сли не хо́чешь *толсте́ть*, на́до бо́льше дви́гаться.
2. Дя́дюшка люби́л пое́сть, поэ́тому бы́стро стал настоя́щим *толстяко́м*.
3. За ме́сяц боле́зни я си́льно *потолсте́ла*. Никогда́ не ду́мала, что ста́ну тако́й *то́лстой*. Когда́ ви́жу в зе́ркале *толсту́шку* с *толсте́нной* та́лией, не хочу́ ве́рить, что э́то я.
4. В ту́ндре вся *то́лща* земли́ промёрзла наскво́зь.
5. Спортсме́н слома́л но́гу, перело́м зажи́л, но на ко́сти оста́лось *утолще́ние*.

   1. If you don't want *to grow stout*, you need to move around more.
   2. My dear uncle loved to eat, so he quickly became a real *porker*.
   3. During the month of my illness I *put on* a great deal of *weight*. I never thought that I would get so *fat*. When I see a *fat woman* in the mirror with a *fat* waist, I don't want to believe that it is me.
   4. In the tundra, an entire *layer* of ground is frozen through.
   5. The athlete broke his leg. The break healed, but a *bulge* remained on his bone.

TOM[43] *tiring*

1. Разгово́р был до́лгим и *утоми́тельным*.
2. По́сле не́скольких часо́в *томи́тельного* ожида́ния нам разреши́ли войти́ в ко́мнату.
3. Ребёнок *переутоми́лся*. Ви́димо, он бы́стро *утомля́ется*, ему́ на́до ча́ще отдыха́ть. Постоя́нное *переутомле́ние* мо́жет привести́ к серьёзной боле́зни. Его́ *утомля́емость* уже́ сейча́с но́сит боле́зненный хара́ктер.
4. В тёплый весе́нний день всё в приро́де по́лно осо́бой *исто́мой*.
5. Де́вушка посмотре́ла на молодо́го челове́ка *то́мным* взгля́дом и коке́тливо отверну́лась.

    1. The conversation was long and *tiring*.
    2. After several hours of *tiring* waiting, we were permitted to enter the room.
    3. The child *became overtired*. Apparently he *tires* quickly and needs to rest more often. Continual *overtiring* can lead to serious illness. His *state of fatigue* already reflects a tendency to illness.
    4. On a warm spring day everything in nature is full of a peculiar *languor*.
    5. The girl looked at the young man with a *languid* glance and flirtatiously turned away.

TOH[25] *thin*

1. Отре́жь мне *то́ненький* кусо́чек хле́ба.
2. Де́вочка заговори́ла сла́бым *то́нким* голоско́м.
3. Сестра́ заболе́ла, мы не ви́делись не́сколько неде́ль, и я с трудо́м узна́л её: черты́ лица́ *истончи́лись*, те́ло каза́лось *тонкова́тым* для её ро́ста. В о́блике появи́лась кака́я-то боле́зненная *утончённость*.
4. У де́вушки прекра́сный *утончённый* вкус и великоле́пные мане́ры.
5. Сове́тую прочита́ть э́ту статью́—каки́е *то́нкие* мы́сли, каки́е глубо́кие наблюде́ния!

    1. Slice me a tiny *thin* little piece of bread.
    2. The girl started to speak in a weak, *thin* voice.
    3. My sister fell ill. We did not seen each other for several weeks, and I only recognized her with difficulty: her facial features *had thinned out* and her body seemed *thinnish* for her height. In her appearance appeared a kind of unhealthy *delicacy*.
    4. The girl has wonderful, *refined* taste and superb manners.
    5. I advise you to read this article–what *subtle* thoughts, what deep observations!

TOП[57] (тап[35]) *stomp*

1. Все спят, постара́йся не *то́пать* нога́ми, ина́че свои́м *то́паньем* ты разбу́дишь весь дом.
2. Рассерди́вшись, де́вушка *то́пнула* ного́й, поверну́лась и бы́стро пошла́ прочь.
3. Но́чью кто-то *истопта́л* всю зе́млю в цветнике́, *вы́топтал* цвето́чные клу́мбы. Э́тот челове́к не то́лько *затопта́л* цветы́, но и *втопта́л* их каблука́ми в зе́млю.
4. Мать вы́мыла пол в ко́мнате, но пришли́ друзья́ сы́на в гря́зной о́буви и *натопта́ли* так, что на́до сно́ва мыть.
5. Не повезло́ с партнёром на та́нцах: тако́й нело́вкий, все но́ги мне *оттопта́л*.

    1. Everyone is sleeping. Try not *to stomp* your feet; otherwise, you will wake the whole house *with* your *stomping*.
    2. Having become angry, the girl *stomped* her foot, turned, and quickly walked away.
    3. During the night someone *trampled* the ground in the flower garden and *stomped out* the flower beds. This person not only completely *stomped all over* the flowers, but he also *stomped* them *into* the ground with his heels.
    4. Mother washed the floor in the room, but her son's friends came in dirty shoes and *tromped so much* that it needs to be washed again.
    5. I was unlucky with my partner for the dance. He is so clumsy. He *tromped all over* my feet.

TOП[31] [for то[4] see truncation rule 2] *drown*

1. Весно́й река́ *затопи́ла* не́сколько дереве́нь.

2. Я плóхо плáваю, поэ́тому на мóре всегдá бою́сь *утонýть*.

3. Огрóмный корáбль *затонýл* во врéмя войны́. Неизвéстно, был ли он *потóплен* врáжеской торпéдой. Покá корáбль *тонýл*, радúст не подавáл никакúх сигнáлов.

4. У негó óчень богáтая семья́, с дéтства он *утопáет* в богáтстве.

4. Дéти тряслúсь от стрáха, слýшая расскáзы об *утóпленниках* и *утóпленницах*.

5. Какáя смешнáя *допотóпная* машúна, где ты её раздобы́л?

1. In the spring the river *inundated* several villages.
2. I don't swim well, so at the seashore I am always afraid of *drowning [to drown]*.
3. The huge ship *sank* during the war. It is not known whether it was *sunk* by an enemy torpedo. While the ship *was going down*, the radio operator sent no signals.
4. He has a very wealthy family. Since childhood he *has been rolling [drowning]* in wealth.
4. The children were trembling from fear while hearing stories of *drowned men* and *women*.
5. What a ridiculous *antediluvian* car. How did you come by it?

ТОРГ[39] (торж[4]) *bargain*

1. Сосéдка *торгýет* овощáми на базáре.

2. Сегóдня нáша фúрма провелá óчень успéшную *торгóвую* операцию.

3. Мáма хóчет, чтóбы я рабóтал в сфéре *торгóвли*, а мне кáжется, что из меня никогдá не полýчится хорóший *торгóвец*. Напримéр, я стесня́юсь *поторговáться*, чтóбы *вы́торговать* бóлее вы́годную цéну.

4. Óчень бы́стро я совершéнно *проторговáлся* и остáлся без дéнег, без товáра, но с большúми долгáми.

5. Оппозиционéры бы́стро *сторговáлись* с правúтельством и забы́ли о свойх избирáтелях. Как протúвно э́то политúческое *торгáшество*!

1. Our neighbor *sells* vegetables at the market.
2. Today our firm carried out a very successful *trade* deal.
3. Mom wants me to work in the field *of commerce*, but I think that I would never make a good *merchant*. For example, I am hesitant *to bargain* in order *to negotiate* a more profitable price.
4. I very quickly *made bad deals* and was left without money and without goods, but with big debts.
5. The opposition quickly *reached a deal* with the government and forgot about its voters. How disgusting this political *petty dealing* is!

ТОРГ[17] (торж[15]) *thrust*

1. Врáжеская áрмия *втóрглась* на территóрию сосéднего госудáрства.

2. Вся семья́ *торжéственно* отмéтила день рождéния отцá.

3. Правúтельство *растóргло* мúрный договóр с сосéдней странóй и приказáло áрмии начáть воéнные дéйствия. *Вторжéние* бы́ло неожúданным и успéшным. Но врагú не дóлго *торжествовáли*, так как вскóре онú бы́ли úзгнаны из страны́. Трýдно описáть *востóрг* победúвшего нарóда.

4. Я вéрю, что в концé концóв прáвда и справедлúвость *восторжествýют*!

5. Муж настáивает на официáльном *расторжéнии* брáка.

1. The enemy army *invaded* the territory of a neighboring state.
2. The whole family *festively* celebrated Father's birthday.
3. The government *annulled* a peace agreement with the neighboring country and ordered the army to begin military actions. The *invasion* was unexpected and successful. But the enemy *did* not *celebrate* for long since soon after they were driven from the country. It is difficult to describe the *elation* of the victorious nation.
4. I believe in the end truth and justice *will prevail*!
5. The husband insists on an official *annulment* of the marriage.

ТОРМОЗ[10] (тормож[2], тормаж[7]) *brake*

1. На скóльзкой дорóге рéзкое *торможéние* опáсно.

2. На поворóтах нáдо *притормáживать*, чтóбы машúна не переверну́лась.

3. Когдá машúна дви́жется с большóй скóростью, невозмóжно мгновéнно *затормози́ть*. Да́же éсли бы́стро нажмёшь на педáль *тóрмоза*, машúна нéкоторое врéмя бу́дет дви́гаться по инéрции. Расстоя́ние, котóрое прохóдит машúна пóсле тогó, как води́тель нáчал *тормози́ть*, называ́ется *тормознóй* путь.

4. Больнóй нéсколько дней принимáет си́льное успокои́тельное лекáрство, поэ́тому у негó таки́е *затормóженные* реáкции. Лекáрство *затормáживает* рабóту нéрвной систéмы.

5. Ты сли́шком мнóго рабóтаешь, ду́маю, что нáдо немнóго *притормози́ть*, а то переутоми́шься.

    1. Sudden *braking* on a slippery road is dangerous.

    2. At turns you need *to slow down a little* so that the car does not turn over.

    3. When the car is moving at high speeds, it is impossible *to stop* suddenly. Even if you quickly press the *brake* pedal, the car will move for some time from inertia. The distance the car passes after the driver begins *to brake* is called the *braking* distance.

    4. The patient has been taking a strong sedative for several days, so that's why he has such *delayed* reactions. The medicine *slows* the functioning of the nervous system.

    5. You work too much. I think that you need *to slow down a little* or you will overtire yourself.

ТОСК[11] (тощ[1]) *yearn*

1. Нет ни друзéй, ни развлечéний—не жизнь, а *тоскá*!

2. Жéнщины пéли мéдленную *тоскли́вую* пéсню.

3. Уéхав от семьи́, я срáзу *затосковáл*, но надéялся, что, *потосковáв* нéсколько дней, привы́кну и перестáну *тосковáть*.

4. Как я *истосковáлся* по женé и дéтям, *стосковáлся* по человéческой лáске!

5. Сегóдня дли́нный дождли́вый осéнний день, и кáжется, что весь мир заполни́ла огрóмная сéрая *тощи́ща*.

    1. I have no friends, no diversions–this isn't life, but a *yearning*!

    2. The women were singing a slow, *melancholy* song.

    3. Having left my family, I immediately *began to miss* them. I hoped, however, that *after yearning* for a few days I would get used to it and stop *feeling homesick*.

    4. How I *was yearning* for my wife and children! How I *pined* for human affection!

    5. Today is a long, rainy, autumn day and it seems that the whole world is filled with an enormous grey *gloom*.

ТР[1] (тер[36], тёр[11], тор[27], тир[108]) *rub*

1. Перестáнь плáкать, *вы́три* слёзы!

1. Крем нáдо осторóжно *втирáть* в кóжу лицá и шéи.

2. Мне тру́дно идти́, так как прáвый боти́нок *натирáет* мне пя́тку.

2. Пóсле урóков прошу́ тебя́ остáться и *оттерéть* все нáдписи, котóрые ученики́ сдéлали на пáрте.

3. Сегóдня с утрá мáма устрóила большу́ю *сти́рку*. Онá реши́ла *вы́стирать* штóры, *перестирáть* все рубáшки отцá, *отстирáть* пя́тна с одéжды детéй, *постирáть* свои́ плáтья. Мáма включи́ла *стирáльную* маши́ну и не выключáла её до вéчера, покá не *достирáла* все вéщи.

3. Мáленькая дéвочка рисовáла человéчка, но случáйно нарисовáла три руки́, онá взялá *стирáтельную* рези́нку и постарáлась *стерéть* ли́шнюю ру́ку.

4. В кóмнату вошёл человéк в пальтó с *потёртым* меховы́м воротникóм.

4. Тру́дно проéхать по гóроду в час-пик: почти́ на кáждом перекрёстке *затóры*.

5. Настоя́щий учёный в свои́х исслéдованиях никогдá не идёт *проторённым* путём, он *тори́т* нóвую дорóгу.

5. Нóвый сотру́дник ведёт себя́, как *втиру́ша*: загля́дывает в глазá, лóвит кáждое слóво, угóдливо улыбáется—я́вно хóчет *втерéться* в довéрие к начáльству.

    1. Stop crying! *Wipe away* your tears!

1. Your must carefully *rub* the cream [lotion] *into* the skin of the face and neck.
2. It is hard for me to walk since my right shoe *is rubbing* against my heel.
2. I ask you to stay after class and *scrub off* all the inscriptions students wrote on the desk.
3. Mom started a big *washing* this morning. She decided *to wash* the curtains, *wash* all of Father's shirts, *wash* the stains *out* of the children's clothing, and *wash* her own dresses. Mom turned on the *washing* machine and did not turn it off until evening, when she *finished washing* all the things.
3. The small girl drew a person, but accidentally drew three arms. She took an *eraser* [*erasing rubber*] and tried *to erase* the extra arm.
4. A man walked into the room in a coat with a *shabby* fur collar.
4. It is difficult to drive through the city at rush hour. There is *congestion* at almost every intersection.
5. A real scientist never goes down the *beaten* path in his research. He *makes* a new road.
5. The new employee is acting like a *toady*. He looks you in the eye, catches every word, and smiles obsequiously. It is obvious that he wants *to worm his way into* the trust of the management.

ТРАВ[104] *grass*

1. Хорошо́ ле́том идти́ босико́м по мя́гкой *траве́*, чу́вствовать ко́жей ка́ждую *трави́нку*.
2. Но́вое пла́тье бы́ло зелёного цве́та, но не я́ркого, а, скоре́е, *травяни́стого*.
3. Ба́бушка лечи́ла все боле́зни *травяны́ми* насто́ями: она́ собира́ла в лесу́ лече́бные *тра́вы* и суши́ла их. Когда́ кто-нибу́дь заболева́л, она́ достава́ла сушёную *тра́вку* и де́лала из нее лека́рство. За э́то ба́бушку и называ́ли *тра́вницей*.
4. Исто́рики счита́ют, что пе́рвая жена́ Ива́на Гро́зного умерла́ не от боле́зни, а от того́, что её *отрави́ли*.
5. У незнако́мца бы́ло худо́е лицо́ и *затра́вленный* взгляд, как у челове́ка, кото́рого до́лго пресле́дуют и *тра́вят*, как зве́ря на охо́те.

1. In the summer it is nice to walk barefoot along soft *grass* and feel each *blade* against your skin.
2. The new dress was green in color, but not bright green–more of a *grassy green*.
3. Grandmother treated all illnesses with *herbal* potions. She gathered medicinal *herbs* in the forest and dried them. When someone fell ill, she got out the dried *herbs*, made a medicine. Because of this, Grandmother was called an *herbalist*.
4. Historians think that the first wife of Ivan the Terrible did not die of an illness, but because she was *poisoned*.
5. The unknown man had a thin face and a *persecuted* look, like a person who has long been pursued and *hounded*, like a wild animal in a hunt.

ТРАТ[22] (трач[12]) *expend*

1. Мы *тра́тим* бо́льше де́нег, чем зараба́тываем.
2. Строи́тельство но́вого моста́ потре́бует больши́х де́нежных *затра́т*.
3. Оби́дно, что мы *затра́тили* так мно́го уси́лий, *истра́тили* огро́мные де́ньги, *потра́тили* не́сколько лет жи́зни, а в результа́те не получи́ли ничего́.
4. С во́зрастом я *утра́тил* все ю́ношеские наде́жды и мечты́. Э́та *утра́та* невосполни́ма.
5. Дире́ктор *растра́тил* обще́ственные де́ньги. Суд приговори́л *растра́тчика* к тюре́мному заключе́нию.

1. We *spend* more money than we earn.
2. The construction of the new bridge will require large monetary *expenditures*.
3. It pains me that we *expended* so much effort, *spent* enormous (sums of) money, *wasted* several years of our lives, yet received nothing as a result.
4. With age I *lost* all youthful hopes and dreams. This *loss* is irreplaceable.
5. The director *embezzled* public funds. The court sentenced the *embezzler* to imprisonment.

ТРЕБ[48] *require*

1. Нам *потре́буется* ме́сяц, что́бы хорошо́ подгото́виться к конце́рту.

1. Прошу́ вас неме́дленно *затре́бовать* дополни́тельную информа́цию.
2. Суд *тре́бует*, что́бы свиде́тели говори́ли то́лько пра́вду. Это *тре́бование* до́лжен выполня́ть
ка́ждый.
2. Учи́тель был до́брый, но *тре́бовательный*, никогда́ не позволя́л нам лени́ться. Его́
тре́бовательность помогла́ нам получи́ть хоро́шие зна́ния.
3. Производи́тели това́ров должны́ учи́тывать интере́сы *потреби́телей*. И́менно учёт *потре́бностей*
населе́ния, его́ *потреби́тельской* спосо́бности определя́ет бо́льшее или ме́ньшее разви́тие о́трасли
произво́дства.
4. Стара́йся не *употребля́ть* в ре́чи гру́бых слов.
4. Во вре́мя войны́ в возду́шных боя́х уча́ствовали самолёты-*истреби́тели*.
5. Пья́ный крича́л и руга́лся са́мыми гру́быми, *непотре́бными* слова́ми.
5. Каки́ми бы тяжёлыми ни́ были обстоя́тельства, в челове́ческой нату́ре *неистреби́мы* доброта́ и
сочу́вствие к бли́жнему.

1. We *will need* a month to prepare well for the concert.
1. I am asking you *to require* immediately additional information.
2. The court *requires* witnesses to speak only the truth. Everyone must fulfill this *requirement*.
2. The teacher was kind, but *demanding*. He never allowed us to be lazy. His *strictness* helped us obtain
good knowledge.
3. Product manufacturers must take into account the interests *of consumers*. Namely, an assessment *of the
needs* of the population, of its *consumption* potential determines the greater or lesser development of a
branch [*line*] of production.
4. Try not *to use* vulgar words in your speech.
4. *Fighter* planes took part in air battles during the war.
5. The drunk man shouted and swore with the coarsest and most *repugnant* words.
5. However difficult circumstances may be, in human nature goodness and compassion for one's neighbor
are *ineradicable*.

ТРЕЗВ[29] *sober*

1. *Тре́звость*—зако́н жи́зни для моего́ прия́теля, он настоя́щий *тре́звенник*.
2. Брат о́чень разу́мно и *тре́зво* су́дит обо́ всём.
3. Хотя́ друзья́ вы́пили нема́ло вина́, на све́жем во́здухе они́ на́чали бы́стро *трезве́ть* и че́рез
не́сколько мину́т *протрезве́ли*. Хо́лод поде́йствовал на них *отрезвля́юще*.
4. У́тром пья́ница просну́лся в милице́йском *вытрезви́теле*, он соверше́нно не по́мнил, что произошло́
накану́не.
5. Пе́рвые же бои́ *отрезви́ли* всех, кто мечта́л о лёгких побе́дах.

1. *Sobriety* is a law of living for my friend. He is a genuine *abstainer*.
2. My brother regards everything sensibly and *soberly*.
3. Although my friends drank not a little wine, in the fresh air they quickly began *to sober up* and after several minutes they *had become sober*. The cold had a *sobering* effect on them.
4. In the morning, the drunk awoke in a police *detoxification cell*. He did not remember at all what had happened the night before.
5. The very first battles *sobered* all those who had dreamed of easy victories.

ТРЕП[51] (трёп[16]) *quiver; rumple*

1. От ве́тра по ли́стьям де́рева пробежа́л *тре́пет*.
1. Почему́ у тебя́ тако́й *встрёпанный* вид?
2. Ка́ждый ли́стик на де́реве *трепе́щет* под ветерко́м.
2. Мальчи́шка за ле́то *истрепа́л* но́вые кроссо́вки, они́ вы́глядят соверше́нно *потрёпанными*.
3. Услы́шав стук в дверь, де́вушка *встрепену́лась*, бы́стро пригла́дила *растрёпанные* во́лосы, что́бы
не вы́глядеть неаккура́тной *растрёпой*, и побежа́ла открыва́ть дверь.

3. Ста́рая руба́шка от до́лгой но́ски *затрепа́лась*, рукава́ *обтрепа́лись*, вид у неё дово́льно *истрёпанный*.

4. Де́вушка подняла́ на люби́мого *тре́петный* ро́бкий взгляд.

4. Нача́льник снисходи́тельно *потрепа́л* меня́ по плечу́.

5. Не верь ему́, он изве́стный *трепа́ч*, никогда́ не говори́т ни сло́ва пра́вды, еди́нственная его́ цель *потрепа́ться* о чём уго́дно.

5. Рассе́рженный оте́ц зада́л сы́ну большу́ю *трёпку*.

1. From the wind a *rustle* ran along the leaves.
1. Why do you have such a *rumpled* look?
2. Each tiny leaf of the tree *quivers* from the breeze.
2. The young boy *wore out* his new sneakers in a summer. They look completely *tattered*.
3. Having heard the knock at the door, the girl *fluttered*. She quickly smoothed her *dishevelled* hair in order to not look like an untidy *sloven* and ran to open the door.
3. The old shirt *was worn out* from long wear. The sleeves *were frayed*, and its appearance was quite *shabby*.
4. The girl cast a *timid*, shy glance at her sweetheart.
4. My supervisor condescendingly *patted* me on the shoulder.
5. Don't believe him. He is a well-known *blatherer*. He never speaks a word of truth. His only goal is *to blather* about whatever he pleases.
5. The angered father gave his son a harsh *scolding*.

ТРЕСК²¹ (трещ¹²) [for трес⁵ see truncation rule 3] *crack*

1. От ста́рости стена́ до́ма *тре́снула*, видна́ глубо́кая *тре́щина*.
2. Во вре́мя разгово́ра по телефо́ну в тру́бке разда́лся *треск* и не́сколько мину́т что-то гро́мко *трещало́*.
3. Дом ста́рый—деревя́нный пол *потре́скался*, *растре́скались* сте́ны и потолки́. Но в ками́не ую́тно *потре́скивают* дрова́, в углу́ слышна́ *трескотня́* сверчка́, и нам стано́вится споко́йно и прия́тно в э́том до́ме.
4. На у́лице сего́дня *треску́чий* моро́з, одева́йтесь тепле́е!
5. Оте́ц рассерди́лся, не сдержа́л гнев—и сын пошатну́лся от си́льной *затре́щины*.

1. The wall of the house *had cracked* from age. A deep *crack* was visible.
2. During our telephone conversation, a *crackling* sounded in the receiver and *crackled* loudly for several minutes.
3. The house is old. The wooden floor *has cracked* and the walls and ceilings *have cracked open*. In the fireplace, however, the firewood *is crackling* cozily, and in the corner the *chirping* of a cricket can be heard. It is becoming peaceful and pleasant for us in the house.
4. Outside today it is *biting* cold. Dress warmly!
5. The father got angry and could not hold back his rage. His son staggered from a powerful *crack* on the ear.

ТРОГ¹¹ (траг⁸) [for тро⁹ see truncation rule 2] *touch*

1. Исто́рия така́я *тро́гательная*, что мо́жно запла́кать.
2. Стару́шка смотре́ла на вну́ков мя́гким *растро́ганным* взгля́дом.
3. Де́тям не разреши́ли ничего́ *тро́гать* на вы́ставке. Но когда́ взро́слые вы́шли, де́ти сра́зу же *перетро́гали* все скульпту́ры, *потро́гали* ра́мы карти́н, *дотро́нулись* до сами́х карти́н, осторо́жно *притро́нулись* к стари́нным кни́гам.
4. В своём выступле́нии президе́нт *затро́нул* не́сколько ва́жных вопро́сов.
5. Де́вочка росла́ о́чень стесни́тельной и оби́дчивой, настоя́щей *недотро́гой*.

1. The story is so *touching* you could cry.
2. The elderly woman looked at her grandchildren with a tender, *deeply moved* gaze.
3. The children were not allowed *to touch* anything at the exhibit. But when the adults left, the children

immediately *touched* all the sculptures, *fingered* the picture frames, even *touched* the pictures themselves, and carefully *touched* the ancient books.
4. In his speech, the president *touched upon* several important questions.
5. The girl grew up to be very shy and easily offended, a genuinely *touchy person.*

ТРУД[33] (труж[7], трудж[3]) *labor*

1. Всю жизнь старик много и *трудно* работал, *трудился* для своей семьи. Он настоящий *труженик.*
2. Меня не пугают жизненные *трудности*: у меня есть *трудовой* опыт, *труд* привычен для меня, поэтому я справлюсь с любыми *затруднениями.*
3. Экономика страны находится в *затруднительном* положении. Для решения проблемы необходимо *сотрудничество* всех партий. Также очень важно, чтобы *трудящиеся* страны знали правду о ситуации.
4. Мне не хочется *утруждать* тебя просьбами.
5. На портрете изображена старая женщина с большими *натруженными* руками.

1. His whole life the old man worked long and *hard*. He *labored* for his family. He is a genuine *hard worker.*
2. Life's *difficulties* do not frighten me. I have *work* experience and I am used to *labor*, so I will be able to cope with any *difficulties.*
3. The country's economy is in a *difficult* state. To solve the problems, the *cooperation* of all parties is necessary. It is also very important that the *labor force* of the country knows the truth about the situation.
4. I don't want *to wear* you *out* with requests.
5. In the portrait is portrayed an old woman with large hands which had *given much work.*

ТРЯС[67] (трях[39]) *shake*
ТРУС[26] (труш[5]) *shake*

1. В газетах много пишут о *землетрясении* в Японии.
2. Прежде чем войти в дом, *стряхни* снег с шапки и *отряхни* пальто.
3. Возьми пыльный коврик, пойди во двор и *потруси* его хорошенько. Постарайся *вытрусить* из него всю пыль. *Вытрушивать* коврик—твоя домашняя обязанность.
4. При падении ребёнок ударился головой и получил *сотрясение* мозга.
5. *Потрясающая* музыка—я не слышал ничего лучше!

1. In the newspapers they are writing a lot about the *earthquake* in Japan.
2. Before you enter the house, *shake* the snow *from* your hat and *shake off* your coat.
3. Take the dusty little rug, go outside, and *shake* it well. Try *to shake* all the dust *out* of it. To shake the little rug is your home task.
4. When falling, the child hit his head and got a *concussion.*
5. (This is) *stunning* music–I have never heard anything better!

ТУГ (туж) *taut*

1. Как я ни *тужился*, стараясь открыть дверь, все мои *потуги* не приносили успеха.
2. Что ты загрустил, *затужил*? Не *тужи*, скоро всё будет хорошо!
3. На поясе платье собрано *тугой* резинкой, растянуть которую можно только с *натугой*. Поэтому платье *натуго* охватывает талию.
4. Говори погромче: дедушка *туговат* на ухо, плохо слышит.
5. Хотя грузчики были сильными, им пришлось *поднатужиться*, чтобы поднять ящик.

1. No matter how I *struggled* while attempting to open the door, my *exertions* did not bring success.
2. Why *have* you *grown* so *sad* and *grief-stricken*? Don't *grieve*. Soon everything will be all right.
3. The dress is gathered at the waist with *taut* elastic, which can be stretched only with *effort*. That's why the dress *tightly* hugs the waist.
4. Speak louder. Grandpa is a *little hard* of hearing. He can't hear very well.
5. Although the freight men were strong, they had *to strain hard* to lift the box.

ТУП[35] *dull*

1. Ты до́лго писа́л карандашо́м, и он *затупи́лся*.
2. Нельзя́ сказа́ть, что мой колле́га соверше́нный *тупи́ца*, он про́сто *тупова́тый* челове́к, кото́рый ме́дленно сообража́ет.
3. От постоя́нного си́льного го́лода происхо́дит *притупле́ние* чувств и жела́ний. Не *притупи́лась* то́лько потре́бность в еде́. Мы́сли ушли́, *ту́пость* овладе́ла мной. Я так *отупе́л*, что не мог ду́мать о дороги́х мне лю́дях, не мог вспо́мнить ми́лые ли́ца.
4. Создала́сь *тупико́вая* ситуа́ция, мы попа́ли в *тупи́к*, из кото́рого нет вы́хода.
5. От смуще́ния де́вушка покрасне́ла, опусти́ла глаза́, *поту́пилась*.

1. You have written with that pencil for a long time and it *has become dull*.
2. It is wrong to say that my colleague is a complete *blockhead*. He is just a *slightly dull-witted* person who grasps things slowly.
3. From continual intense hunger arises a *dulling* of feelings and desires. Not only my need for food *became dulled*. My thoughts left and a *dullness* possessed me. I *grew* so *dull* that I could not think about people dear to me. I couldn't remember their kind faces.
4. A *deadlock* situation was created. We have reached an *impasse* from which there is no escape.
5. The girl blushed from embarrassment, lowered her eyes, and *became downcast*.

ТУХ[20] (туш[15], тх[2]) *break down; decompose*

1. Мы вы́бросили *ту́хлое* мя́со.
1. На обе́д ма́ма пригото́вила *тушёные* о́вощи.
2. В ко́мнате давно́ не открыва́ли о́кна, и во́здух стал *за́тхлым*.
2. В кастрю́ле под кры́шкой *ту́шится* мя́со с овоща́ми.
3. Я *притуши́ла* ла́мпу, что́бы свет не ре́зал глаза́, немно́го почита́ла, *потуши́ла* ла́мпу и легла́ спать.
4. Тебя́ невозмо́жно узна́ть—*поту́хший* взгляд, бле́дное несча́стное лицо́. Что произошло́?
5. По́вар-вор корми́л нас како́й-то *тухля́тиной*.

1. We threw out the *rotten* meat.
1. For lunch Mom prepared *stewed* vegetables.
2. The windows in the room hadn't been opened for a long time and the air became *stagnant*.
2. In the pot under a lid, *is steaming* meat with vegetables.
3. I *dimmed* the lamp so the light wouldn't hurt [cut] my eyes, read a little, (and then) *turned out* the light [*snuffed out*] and went to bed.
4. It is impossible to recognize you with your *lifeless* gaze and your pale, unhappy face. What happened?
5. The thieving cook was feeding us some kind of *rot*.

ТЯГ[86] (тяж[95], тяз[15]) [for тя[43] see truncation rule 2] *pull*

1. Краси́вая де́вушка *притя́гивала* к себе́ взгля́ды мужчи́н.
1. Спорти́вная руба́шка пло́тно *обтя́гивала* пле́чи молодо́го челове́ка.
2. Пылесо́с бы́стро *втя́гивал* обры́вки бума́ги, пыль, грязь, и ковёр станови́лся чи́стым и краси́вым.
2. Ви́димо, ребёнок то́лько что просну́лся: он зева́л и смешно́ *потя́гивался*, как котёнок.
3. Де́вочка вста́ла на цы́почки, си́льно *вы́тянулась* вверх, пыта́ясь *дотяну́ться* до я́блока на ве́тке де́рева.
3. Ба́бушка расска́зывала мне о всех *тя́готах*, кото́рые она́ перенесла́ во вре́мя войны́. *Тяжело́* бы́ло слу́шать э́ти расска́зы, они́ оставля́ли *тя́гостное* впечатле́ние.
4. Пе́ред на́ми дли́нной голубо́й ле́нтой *протяну́лась* река́.
4. Мы когда́-то поссо́рились и с тех пор в *натя́нутых* отноше́ниях.
5. Челове́ка, кото́рого интересу́ет то́лько накопле́ние де́нег, называ́ют *стяжа́телем*.
5. Полице́йский по́нял, что же́ртву преступле́ния пе́ред сме́ртью жесто́ко *истяза́ли*: на те́ле оста́лись следы́ *истяза́ний*.

1. The beautiful girl *drew* to herself men's stares.

1. The sports jersey *fit* tightly *around* [*wrapped around*] the young man's shoulders.
2. The vacuum cleaner quickly *sucked* up scraps of paper, dust, and dirt, and the carpet became clean and beautiful.
2. Apparently the child just woke up. He yawned and *stretched* amusingly, like a kitten.
3. The girl stood on her tiptoes and *stretched* upward as far as she could, trying *to reach* an apple on a branch of the tree.
3. Grandma used to tell me about all the *hardships* she endured during the war. It was *difficult* to listen to these stories. They would leave a *distressing* impression.
4. The river *stretched out* before us like a long, light blue ribbon.
4. One time we quarreled, and since that time we have had a *strained* relationship.
5. A person who is only interested in the accumulation of money is called a *money-grubber*.
5. The policeman could tell that the victim of the crime was brutally *tortured* before his death. Traces *of the torture* remained on his body.

УДАР[18] [from др, *jerk*] *hit*

1. У тенниси́ста си́льный *уда́р* и отли́чная те́хника.
2. Ма́льчик упа́л и *уда́рил* коле́но. *Уда́ренное* коле́но боле́ло не́сколько дней.
3. Поста́вьте *ударе́ние* в ка́ждом сло́ве предложе́ния и подчеркни́те *предуда́рный* слог.
4. Прими́ госте́й получше, не *уда́рь* в грязь лицо́м!
5. Призна́юсь, я немно́го *приуда́рил* за сосе́дкой, но в на́ших отноше́ниях нет ничего́ серьёзного.

   1. The tennis player has a strong *stroke* and excellent technique.
   2. The boy fell and *hit* his knee. His *injured* knee hurt for several days.
   3. Place an *accent mark* on each word in the sentence and underline the *pre-tonic* syllable.
   4. Receive your guests better. Don't *shame yourself* [*hit face-first in the mud*]!
   5. I admit that I *pursued* the neighbor lady a little, but there is nothing serious in our relationship.

УК[1] (уч[107]) *learn; teach*

1. В кла́ссе все *ученики́* должны́ выполня́ть *уче́бные* зада́ния.
2. Ле́гче *научи́ть* челове́ка чему́-то но́вому, чем *переу́чивать* его́.
3. У него́ прекра́сная па́мять: *зау́ченное, вы́ученное* наизу́сть и́ли *изу́ченное* он никогда́ не забыва́ет. В шко́ле он *научи́лся* доводи́ть любо́е де́ло до конца́, *приучи́лся* цени́ть вре́мя. *Уче́ние* дава́лось ему́ легко́. Когда́ он *доучи́лся* до после́днего кла́сса шко́лы, он реши́л, что бу́дет занима́ться *нау́кой* и ста́нет *учёным*.
4. Де́ти *разу́чивали* но́вую пе́сенку, чтобы спеть её во вре́мя пра́здничного конце́рта.
5. Ма́ленький брати́шка ча́сто обма́нывал свою́ сестру́, поэ́тому она́ реши́ла его́ *проучи́ть*: сочини́ла исто́рию, он пове́рил и оказа́лся в глу́пом положе́нии обма́нутого.

   1. In class all the *pupils* must complete their *study* assignments.
   2. It is easier *to teach* a person something new than *to retrain* him.
   3. He has an excellent memory. *That which has been learned, memorized*, or *studied seriously* he never forgets. In school he *learned* to finish anything he started and *learned* to value time. *Learning* came easily to him. When he *finished* his last grade in school, he decided that he would study *science* and become a *scientist*.
   4. The children *were working hard on* a new song to sing during the holiday concert.
   5. The little brother often deceived his sister, so she decided *to teach* him *a lesson*. She made up a story which he believed, and he ended up in the foolish position of one who is deceived.

УМ[73] *mind*

1. Како́й *у́мный* у тебя́ оте́ц!
2. Хоте́лось бы мне *поумне́ть* и стать таки́м *у́мницей*, как мой брат!
3. Профе́ссор всегда́ *изумля́ет* меня́. Он не стара́ется демонстри́ровать свой *ум*, не *у́мничает* специа́льно, чтобы удиви́ть окружа́ющих. Он *уме́ет* досто́йно вести́ себя́ с любы́м челове́ком,

независимо от образова́ния и́ли *у́мственных* спосо́бностей э́того челове́ка.

3. Семья́ дру́га поги́бла в авиакатастро́фе, он *обезу́мел* от го́ря, потеря́л *ра́зум*. Бе́дный *безу́мец* смо́трит вокру́г *недоумева́ющим* взгля́дом *безу́мных* глаз, в кото́рых засты́ло *изумле́ние* пе́ред несправедли́востью судьбы́.

4. По́сле разры́ва с люби́мой де́вушкой прия́тель како́е-то вре́мя *безу́мствовал*: пил, игра́л в ка́рты, пропада́л где-то неде́лями.

4. Что ты *подразумева́ешь*, когда́ говори́шь, что мы не подхо́дим друг дру́гу?

5. Не отвеча́й *наобу́м*, снача́ла поду́май.

5. Ты сам реши́л мне позвони́ть и́ли тебя́ кто-то *надоу́мил*?

1. What a *smart* father you have!
2. I would like *to get smarter* and become as *smart a person* as my brother is.
3. My professor always *amazes* me. He does not try to demonstrate his *intellect* or *to look* especially *clever* just to surprise those around him. He *is able* to behave appropriately around any person, regardless of the education or *intellectual* abilities of that person.
3. My friend's family perished in a plane crash. He *has gone insane* from grief and lost his *mind*. The poor *madman* looks around with a *bewildered* look of *crazed* eyes in which is frozen *amazement* at the injustice of his fate.
4. After breaking up with his girlfriend, my friend *lost his senses* for a while. He drank, played cards, and disappeared for weeks at a time.
4. What *are* you *implying* when you say that we don't suit each other?
5. Don't answer *without thought*. Think a bit first.
5. Did you decide to call me yourself or did someone *give you the idea*?

УХ² (уш³⁷) *ear*

1. Вы́мой пра́вое *у́хо* и про ле́вое *у́шко* не забу́дь!
1. Смешно́й *уша́стый* щено́к понра́вился всей семье́.
2. Зимо́й мы с бра́том но́сим ша́пки-*уша́нки*.
2. Я опусти́л го́лову на мя́гкую *поду́шку* и мгнове́нно усну́л.
3. В де́тстве де́душка *внуша́л*[19] нам с сестрёнкой стро́гие пра́вила поведе́ния. Мы не люби́ли выслу́шивать его дли́нные *внуше́ния*. Наприме́р, он не хоте́л, чтобы мы слу́шали совреме́нную му́зыку, поэ́тому нам приходи́лось надева́ть на *у́ши нау́шники* и слу́шать её тайко́м.
4. Бабу́ся налила́ в большо́й *уша́т* тёплой воды́ и вы́купала вну́чку.
5. Наш руководи́тель вы́глядит о́чень *внуши́тельно*—высо́кий, кру́пный, с уве́ренными мане́рами.

1. Wash your right *ear*, and don't forget about your [*cute little*] left one either!
1. The amusing *floppy-eared* puppy was liked by the whole family.
2. In the winter, my brother and I wear hats with *ear flaps*.
2. I laid my head onto the soft *pillow* and immediately fell asleep.
3. In our childhood, Grandpa *used to try to instill* in my sister and me stern rules of conduct. We did not like to listen to his long *moralizing*. For example, he did not want us to listen to popular music, so we had to put on *headphones* and listen to it in secret.
4. Granny poured some warm water in the large *tub* (carried on poles through handles) and bathed her granddaughter.
5. Our leader looks very *imposing* – tall and large with a confident bearing.

ФОРМ⁵⁹ *form*

1. Жени́х подари́л мне кольцо́ с бриллиа́нтом, небольши́м, но прекра́сной *фо́рмы*.
1. Нам вы́дали *фо́рменную* арме́йскую оде́жду, мы вы́глядим тепе́рь как настоя́щие солда́ты.
2. По́сле тяжёлых боёв полк отпра́вили на *переформирова́ние*.
2. Ве́щи лежа́ли на полу́ *бесфо́рменной* ма́ссой.
3. Худо́жнику-*оформи́телю* поручи́ли *офо́рмить* зал к торже́ственному собра́нию. *Оформле́ние*

---

[19] In Old Russian the preposition **в** (in, into) ended in an **н**. In a few words this **н** remains.

большо́го за́ла тре́бует труда́ и *оформи́тельских* спосо́бностей.
4. За го́ды совме́стной рабо́ты в на́шем отде́ле *сформирова́лся* хоро́ший коллекти́в, кото́рый ну́жно сохраня́ть, а не *расформиро́вывать!*
5. Вам на́до *офо́рмиться* на рабо́ту как мо́жно скоре́е.

1. My fiancé gave me a diamond ring. (The diamond is) not large, but beautiful in *shape*.
1. We were issued *regulation* army clothing. We look like genuine soldiers now.
2. After the fierce battles, the regiment was sent to *regroup*.
2. The items lay on the floor in a *formless* mass.
3. The *decorator* was commissioned *to decorate* the hall for the celebration. *Decorating* a large hall requires labor and *decorating* abilities.
4. Over the years of working together, a good team *has been formed* in our division which needs to be preserved and not *disband*ed!
5. You need *to complete the official hiring process* for the job as soon as possible.

ХВАЛ[43] *praise*

1. Преподава́тель *похвали́л* студе́нта за хоро́ший отве́т. Студе́нту была́ прия́тна *похвала́* преподава́теля.
2. Гость с аппети́том ел суп и *похва́ливал* хозя́йку.
3. Це́лый год писа́теля *хвали́ли* все кри́тики. В журна́лах печа́тались *хвале́бные* рсце́нзии, в кото́рых кри́тики *восхваля́ли* стиль писа́теля, *расхва́ливали* его́ сюже́ты, *нахва́ливали* язы́к его́ рома́нов. Ка́жется, писа́теля *перехвали́ли* и *захвали́ли*: он не пи́шет ничего́ но́вого и счита́ет себя́ еди́нственным ге́нием в совреме́нной литерату́ре.
4. За успе́хи в учёбе до́чка получи́ла *похва́льную* гра́моту.
5. Не люблю́ твоего́ прия́теля за то, что он всегда́ *выхваля́ется*. Все его́ расска́зы и разгово́ры—сплошна́я *похвальба́*.

1. The teacher *praised* the student for his good answer. The *praise* of the teacher was pleasing to the student.
2. The guest heartily [with appetite] *was* eating the soup and *praising* the hostess *from time to time*.
3. The entire year all the critics *praised* the writer. *Complimentary* reviews were printed in journals in which the critics *extolled* the writer's style, *lavished praises on* his plots, and *applauded* the language of his novels. It seems that the writer was *overpraised* and *spoiled by flattery*. He is not writing anything new and considers himself the sole genius of modern literature.
4. For success in her studies, my dear daughter received a certificate of *commendation*.
5. I don't like your friend because he *is* always *tooting his own horn*. All his stories and conversations are sheer *bragging*.

ХВАСТ[16] *boast*

1. С *хвастли́вым* челове́ком неприя́тно разгова́ривать.
2. В шко́ле однокла́ссники не люби́ли мальчи́шку за *хвастовство́*.
3. Подру́жка лю́бит *хва́статься*. Вчера́ она́ *похва́сталась*, что познако́милась со знамени́тым актёром. Сего́дня *расхва́сталась*, что она́ лу́чшая студе́нтка университе́та. Она́ не плоха́я де́вушка, про́сто *хвасту́нья*.
4. Я не обма́нываю, но люблю́ *прихвастну́ть*.
5. Они́ идеа́льно подхо́дят друг дру́гу: о́ба *хвастуни́шки*.

1. It is unpleasant to converse with a *boastful* person.
2. At school classmates did not like the kid because of his *boasting*.
3. My friend loves *to boast*. Yesterday she *was bragging* about meeting a famous actor. Today she *was boasting extravagantly* that she is the best student at the university. She is not a bad girl, just a *braggart*.
4. I don't deceive (anyone), but I like *to boast a bit*.

5. They suit each other ideally. Both are *braggarts*.

ХВАТ[92] *grab*

1. Малы́ш *хвата́л* ру́чками все предме́ты. У него́ был хоро́ший *хвата́тельный* инсти́нкт.
2. Ча́шка упа́ла со стола́, но слуга́ успе́л во́время *подхвати́ть* её.
3. Геро́й *схва́чен*, он в плену́. *Захва́ченный* в плен, геро́й не сдаётся, он *выхва́тывает* из карма́на пистоле́т и побежда́ет всех враго́в. Кака́я *захва́тывающая* исто́рия!
4. Я немно́го просту́жена, вчера́ где-то *прохвати́ло* холо́дным ветерко́м.
5. Во вре́мя Второ́й мирово́й войны́ Герма́ния не скрыва́ла свои́х *захва́тнических* пла́нов, но стра́ны антиги́тлеровской коали́ции, объедини́вшись, смогли́ останови́ть *захва́тчика*.

   1. The baby boy *grasped* all objects with his little hands. He had a good *clutching* instinct.
   2. The cup fell from the table, but the servant managed *to grab* it up in time.
   3. The hero has been *captured*. He is in captivity. *Taken* into captivity, the hero does not give up. He *grabs* a pistol *from* his pocket and overcomes all his enemies. What a *gripping* story!
   4. I have a slight cold. Yesterday I *caught a chill* somewhere from a cold breeze.
   5. During World War II, Germany did not conceal its *aggresive* plans. However, the countries of the anti-Hitler coalition, having united themselves, were able to stop the *aggressor*.

ХИТ[11] (хищ[20]) *seize*

1. Тигр—си́льный и опа́сный *хи́щный* зверь.
2. Из музе́я *похи́тили* карти́ну знамени́того худо́жника. *Похити́телям* удало́сь скры́ться.
3. Состоя́лся суд над *расхити́телями* обще́ственной со́бственности. В тече́ние не́скольких лет они́ *расхища́ли* де́ньги, не принадлежа́вшие им. Суд приговори́л их к суро́вому наказа́нию за *хище́ния* в осо́бо кру́пных разме́рах.
4. Слу́шатели *восхища́лись* но́вой о́перой изве́стного компози́тора. Голоса́ арти́стов то́же вызыва́ли *восхище́ние*.
5. В своём тво́рчестве гениа́льный писа́тель *предвосхити́л* литерату́ру бу́дущего.

   1. The tiger is a powerful and dangerous *predatory* animal.
   2. A picture of a well-known artist *was stolen* from a museum. The *thieves* managed to escape.
   3. A trial took place against some *people who had misappropriated* public property. Over the course of several years they *misappropriated* money not belonging to them. The court sentenced them to a severe punishment for *stealing money* in exceptionally large amounts.
   4. The audience *was enraptured* by the new opera of the famous composer. The voices of the performers also evoked *rapture*.
   5. In his works, the brilliant writer *anticipated* a literature of the future.

ХЛЕБ[20] (хлёб[18]) *gulp*

1. У́тром студе́нт опа́здывает в университе́т, вме́сто за́втрака он успева́ет то́лько па́ру раз *хлебну́ть* ко́фе.
2. Де́вушка говори́ла о́чень бы́стро, торопи́лась и *захлёбывалась* слова́ми.
3. Я осторо́жно *отхлёбываю* горя́чий чай ма́ленькими глотка́ми. Хорошо́ в дождли́вый день сиде́ть у ками́на, нетороли́во *прихлёбывая* чай и чита́я газе́ту.
4. Ма́ленький ребёнок упа́л в бассе́йн, он мог *захлебну́ться* и утону́ть. К сча́стью, всё ко́нчилось хорошо́, хотя́ он и *нахлеба́лся* воды́ из бассе́йна.
5. Ты испо́ртил всю рабо́ту, сам тепе́рь и *расхлёбывай* неприя́тности.

   1. In the morning the student is late (going) to the university. Instead of breakfast he has time only *to take* a couple of *gulps* of coffee.
   2. The girl spoke very quickly. She hurried and *clipped* her words.
   3. I carefully *sip* hot tea in small mouthfuls. It is nice to sit near the fireplace on a rainy day, unhurriedly *sipping* tea and reading the newspaper.
   4. The small child fell into the pool. He could have *choke*d and drowned. Fortunately, everything turned

out well, although he *gulped down* some water from the pool

5. You ruined the whole job. Now you *get yourself out of* [*find a way not to choke on*] this mess.

ХЛЕСТ[34] (хлёст[30]) *whip*

1. Дере́вья в саду́ *исхлёстаны* ве́тром и дождём.

2. Когда́ я уча́ствую в соревнова́ниях, мысль о сопе́рниках *подхлёстывает* моё самолю́бие и заставля́ет лу́чше рабо́тать.

3. Потеря́в терпе́ние, вса́дник си́льно *хлестну́л* ло́шадь по крупу. Ло́шадь поскака́ла быстре́е, но вса́дник продолжа́л *хлеста́ть* её плёткой. Бе́дное *исхлёстанное* живо́тное стара́лось скака́ть быстре́е. Мы ви́дели, как вса́дник удаля́лся, *похлёстывая* ло́шадь вре́мя от вре́мени.

4. Он уме́ет сказа́ть *хлёсткое* словцо́—то́чное, остроу́мное, кото́рое сра́зу запомина́ется. *Хлёсткость* ре́чи привлека́ет к нему́ слу́шателей.

5. Когда́ брат подро́с и на́чал уха́живать за де́вушками, ба́бушка, смея́сь, сказа́ла: "Ну, вот ты и взро́слый, уже́ за де́вушками *ухлёстываешь*".

1. The trees in the garden have been *lashed* by the wind and rain.

2. When I participate in a competition, the thought of my competitors *whips up* my self-esteem and forces me to work harder.

3. Having lost patience, the rider fiercely *whipped* the horse on the rump. The horse began to gallop faster, but the rider continued *to lash* it with his whip. The poor, *flogged* animal tried to gallop faster. We saw the rider disappear into the distance, *whipping* the horse from time to time.

4. He knows how to say a *stinging* word–precise and witty—which immediately lodges in your memory. The *sting* of his speech attracts listeners to him.

5. When my brother grew up and began to date girls, Grandma laughingly said, "Well, here you are grown up. You are already *whipping away* after girls."

ХЛОП[72] *clap*

1. Де́ти лю́бят игру́шки-*хлопу́шки.*

1. Фо́кусник *хло́пнул* в ладо́ши и по́сле э́того *хлопка́* исче́з со сце́ны.

2. Кома́р сел на ру́ку ма́льчика, и тот ло́вко *прихло́пнул* комара́.

2. За окно́м больши́ми бе́лыми *хло́пьями* идёт снег.

3. Арти́ст зако́нчил выступле́ние, зри́тели *захло́пали, похло́пали* немно́го и переста́ли *хло́пать.*

3. Влия́тельный поли́тик *похло́пывал* изве́стного журнали́ста по плечу́, счита́я, что это *похло́пывание*—честь для газе́тчика. Пе́ред други́ми корреспонде́нтами он гру́бо *захло́пнул* дверь.

4. На ю́ге страны́ выра́щивают *хло́пок. Хлопча́тник*—гла́вная сельскохозя́йственная культу́ра в э́том райо́не. *Хло́пковые* поля́ занима́ют больши́е террито́рии.

4. Маши́на неиспра́вна—сли́шком большо́й *вы́хлоп* га́за из *выхлопно́й* трубы́.

5. К бога́тому ро́дственнику пришла́ бе́дная вдова́, кото́рая проси́ла *похлопота́ть* за её сы́на, чтобы тому́ да́ли побо́льше жа́лованье.

1. Children love *clapping* toys.

1. The magician *clapped* his hands and, after this *clap*, he disappeared from the stage.

2. The mosquito landed on the boy's arm. He deftly *slapped* the mosquito.

2. On the other side of the window, the snow is falling in big white *flakes*.

3. The artist finished his presentation. The audience *started clapping, clapped a little* while, and then stopped *clap*ping.

3. The influential politician *slapped* the well-known journalist on the shoulder, thinking that his *slap* was a sign of honor for the newspaper man. He rudely *slammed* the door on other correspondents.

4. In the southern part of the country they grow *cotton*. The *cotton plant* is the chief agricultural crop of this region. *Cotton* fields occupy large territories.

4. The car is defective–there is too much *exhaust* from the *exhaust* pipe.

5. A poor widow came to her rich relative and asked him *to put in a good word* [*to bustle about a little*] for her son so they would give him a higher salary.

ХОД[171] (хож[17], хожд[12], хаж[26]) *go*

1. У́тром мы ви́дели краси́вый *восхо́д* со́лнца.
1. За́втра моя́ семья́ идёт в *похо́д* в го́ры.
2. Ме́жду ру́сским и украи́нским языка́ми есть *схо́дство*, а ру́сский и япо́нский совсе́м не *похо́жи* друг на дру́га.
2. Я не ви́жу реше́ния пробле́мы, ситуа́ция *безвы́ходная*.
2. Мой оте́ц не рабо́тает по суббо́там и воскресе́ньям—э́то *выходны́е* дни.
3. Профе́ссор—*превосхо́дный* ле́ктор—о са́мых сло́жных пробле́мах он уме́ет говори́ть *дохо́дчиво*, *нахо́дит* интере́сные приме́ры, *необходи́мые* для понима́ния вопро́са.
3. Не пойму́, что *происхо́дит*. У му́жа о́чень *отхо́дчивый* хара́ктер, он не уме́ет до́лго серди́ться и́ли расстра́иваться, но вот уже́ второ́й день он пребыва́ет в како́й-то *безысхо́дной* тоске́.
4. —2 часа́ дня—*подходя́щее* вре́мя для уро́ка?—Да, э́то вре́мя о́чень удо́бное, оно́ мне *подхо́дит*.
4. Она́ мо́жет найти́ отве́т на любо́й неожи́данный вопро́с, о́чень *нахо́дчивая* де́вушка.
5. Е́сли хо́чешь, что́бы цветы́ хорошо́ росли́, на́до за ни́ми *уха́живать*.
5. Мой брат *превосхо́дит* меня́ и умо́м, и тала́нтом.
5. У меня́ бы́ли де́ньги, но я купи́ла дорого́е пла́тье и *израсхо́довала* их, тепе́рь у меня́ нет де́нег.

1. In the morning we saw a beautiful sun*rise*.
1. Tomorrow my family is going to the mountains for a *hike*.
2. There are *similarities* between the Russian and Ukrainian languages, but Russian and Japanese are not at all *similar* to each other.
2. I don't see a solution to this problem. The situation is *hopeless*.
2. My father does not work on Saturdays and Sundays–those are days *off* [*going away* days].
3. The professor is a superior *lecturer*. He can speak *resourcefully* about most complicated problems, and he *finds* interesting examples *essential* to an understanding of the question.
3. I can't understand what *is happening*. My husband by nature *does not hold grudges*. He is not able to be angry or upset for a long time. This is the second day, however, that he has been in some kind of *inescapable* anguish.
4. —Is two o'clock in the afternoon a *suitable* time for the lesson?—Yes, that time would be very convenient. It *suits* me.
4. She can find an answer to any unexpected question. She is a very *quick-witted* girl.
5. If you want the flowers to grow well, you need *to take care* of them.
5. My brother *surpasses* me both in intelligence and talent.
5. I had money, but I bought an expensive dress and *expended* it all. Now I don't have any money.

ХОЗ[23] *tend to*

1. *Хозя́йка* с улы́бкой встреча́ла госте́й.
2. В дере́вне у старико́в большо́е *хозя́йство*—фрукто́вый сад, ло́шади, коро́вы.
3. Ты *хозя́йничал* в мое́й ко́мнате? Почему́ ты ведёшь себя́ в мое́й ко́мнате *по-хозя́йски*? Ты здесь гость, а не *хозя́ин*!
4. Мяч, кото́рый валя́ется на у́лице, твой, твои́х сосе́дей и́ли *бесхо́зный*?
5. Каки́е вы *бесхозя́йственные*—де́нег тра́тите мно́го, а *хозя́йствовать* не уме́ете.

1. The *hostess* greeted her guests with a smile.
2. In the village the old men have a large *operation* – a fruit orchard, horses, and cows.
3. *Have* you *been fussing around* in my room? Why are you acting *like you are in charge* in my room? You are a guest here, and not the *owner*!
4. Is the ball that is lying on the street yours, your neighbors', or *no one's*?
5. How *irresponsible* you are–you spend a lot of money, yet you don't know how *to manage things*.

ХОЛОД[31] (холож[2], холаж[8], хлад[19], хлажд[9]) *cold*

1. Зимо́й в Сиби́ри о́чень *хо́лодно*.
1. Мы купи́ли но́вый *холоди́льник*.

2. Пригото́вь тёплое пальто́—за́втра си́льно *похолода́ет*.

2. Закро́й дверь, а то *холо́дный во́здух выхолодит* весь дом!

3. Ма́ма свари́ла *холоде́ц*. Она́ поста́вила его́ на *хо́лод*, чтобы он *охлажда́лся* не́сколько часо́в.

3. Уви́дев отца́, я так и *похолоде́л* от испу́га. Оте́ц смотре́л на меня́ *холоднова́тым* взгля́дом, как на чужо́го. Я почу́вствовал, как *холодо́к* стра́ха забира́ется в се́рдце.

4. Когда́-то я люби́ла му́зыку э́того компози́тора, но бы́стро к ней *охладе́ла*.

4. Слова́ учи́теля о том, что мне никогда́ не уда́стся победи́ть в ко́нкурсе, *расхолоди́ли* меня́, лиши́ли жела́ния рабо́тать.

5. Почему́ ты с тако́й *хо́лодностью* разгова́риваешь со мной?

5. Хва́тит *прохлажда́ться*, пора́ принима́ться за рабо́ту.

   1. In Siberia it is very *cold* in the winter.
   1. We bought a new *refrigerator*.
   2. Get your warm coat ready. Tomorrow it *is going to cool off* considerably.
   2. Close the door; otherwise, the *cold* air *will cool down* the whole house.
   3. Mom made meat *aspic*. She put it *outside* for it *to chill* several hours.
   3. Having seen my father, I *froze* with fear. Father looked at me with a *rather cold* gaze, as if I were a stranger. I felt a *chill* of terror creep into my heart.
   4. I used to like this composer's music, but I quickly *grew tired* of it [*grew cold* towards it].
   4. The teacher's words about my never being able to win the contest *dampened* my *spirits* and deprived me of a desire to work.
   5. Why are you speaking to me with such *coldness*?
   5. That is enough *cooling off* [*resting*]. It is time to get down to work.

ХОРОН[15] (хран[31]) *preserve*

1. Прошло́ мно́го лет, но я *сохрани́л* твоё письмо́.

1. Вся семья́ собрала́сь на *по́хороны* де́душки.

2. Музыка́нты заигра́ли печа́льный и торже́ственный *похоро́нный* марш.

2. Отдаю́ тебе́ э́ти ве́щи на *хране́ние*, береги́ их.

3. У́мер друг отца́, за́втра его́ бу́дут *хорони́ть*. Ро́дственники реши́ли *похорони́ть* его́ на стари́нном кла́дбище и *захорони́ть* ря́дом с моги́лой давно́ уме́ршей жены́.

3. В кни́гохрани́лище храня́тся ре́дкие кни́ги. Моя́ ма́ма рабо́тает *храни́тельницей* колле́кции книг. Помеще́ние колле́кции стро́го *охраня́ется*. Кру́глые су́тки там дежу́рит *охра́на*.

4. Крем *предохраня́ет* ко́жу лица́ от де́йствия со́лнечных луче́й.

4. Учёные обнару́жили на о́строве одно́ из древне́йших *захороне́ний*.

5. Не волну́йся, обеща́ю, что че́рез час я верну́ твою́ маши́ну в це́лости и *сохра́нности*.

5. На стене́ пе́ред вхо́дом в ста́рую це́рковь тури́сты уви́дели *охра́нную* гра́моту, в кото́рой говори́лось об истори́ческой це́нности строе́ния.

   1. Many years have passed, but I *have kept* your letter.
   1. The whole family gathered for Grandpa's *funeral*.
   2. The musicians started to play a sad and solemn *funeral* march.
   2. I am giving you these things for *safekeeping*. Take care of them.
   3. My father's friend died, and tomorrow they are going *to bury* him. The relatives decided *to bury* him in an ancient cemetery, and *to lay* him to rest next to the grave of his long deceased wife.
   3. Rare books *are preserved* in the book *repository*. My mom works *as the curator* of the book collections. The premises of this collection *is* carefully *protected*. A *guard* is on duty there around the clock.
   4. Skin cream *protects* facial skin from the effects of the sun's rays.
   4. On the island, scientists discovered one of the most ancient *burial sites*.
   5. Don't worry. I promise I will return your car in an hour in one piece and *undamaged*.
   5. On the wall before the entrance to the old church the tourists saw a *State Protection* plaque that told of the historical significance of the structure.

ХОТ³⁵ (хоч⁵) *want*

1. Я *хочу* поéхать отдыхáть к мóрю, а мýжу *хóчется* отдохнýть в лесý.
2. Извинú, что звоню́ так пóздно, но вдруг óчень *захотéлось* услы́шать твой гóлос.
3. Он стрáстный *охóтник* и мóжет *охóтиться* весь óтпуск. *Хоть* я и люблю́ лес, но меня *охóта* не привлекáет, у меня нет никакúх *охóтничьих* интерéсов и желáния *поохóтиться* тóже нет. Я дýмаю, мы всё-таки смóжем решúть проблéму óтдыха, *хотя́* э́то и бýдет непрóсто.
4. Сначáла дéти боя́лись заходúть в мóре и плáвать, но постепéнно так *разохóтились*, что не выходúли на бéрег часáми.
5. Напрáсно вы *приохóтили* ребёнка есть так мнóго слáдкого, это врéдно для здорóвья.

1. I *want* to vacation at the seaside, but my husband *would like* to vacation in the forest.
2. Forgive me for calling so late, but all of a sudden I really *wanted* to hear your voice.
3. He is an avid *hunter* and could *hunt* for the entire vacation. *Although* I do love the forest, *hunting* does not attract me. I do not have any *hunting* interests, nor do I have any desire *to hunt*. I think that we will be able to solve our vacation problem anyway, *although* it won't be easy.
4. At first the children were afraid to go into the sea and swim, but gradually they *took* such *a liking to* it that they did not come back onto the shore for hours.
5. It was not a good idea for you *to get* the child *used to* eating so many sweets. It's bad for one's health.

ХРИП¹⁷ *hoarse*

1. Пóсле простýды отéц разговáривает *хрúплым* гóлосом.
2. Гóрло сúльно болéло, я не мог говорúть, тóлько *хрипéл*.
3. Вчерá я слúшком мнóго кричáл на футбóле, поэ́тому к вéчеру немнóго *захрипéл*, а сегóдня совершéнно *охрúп*. Гóлос у меня тепéрь не прóсто с *хрипотцóй*—*хрипотá* такáя сúльная, что никтó не понимáет меня во врéмя разговóра. Млáдшая сестрёнка цéлый день дрáзнит меня *хрипунóм*.
4. У певúцы необы́чный нúзкий *хрипловáтый* гóлос.
5. Из гóрла старикá вы́рвался мучúтельный *хрип*, он вздохнýл и ýмер.

1. After his cold, Father speaks with a *hoarse* voice.
2. My throat hurt badly. I could not speak, only *wheeze*.
3. Yesterday I shouted too much at the soccer game, so by evening my voice *began to be* a little *hoarse*, and today I *have* completely *lost my voice*. My voice is now not only *hoarse*, but the *rasping* is so bad that no one understands me when I speak. My younger sister has been teasing me all day and calling me a *croaker*.
4. The female singer has an unusual, low, *kind of raspy* voice.
5. An agonizing *wheeze* escaped from the throat of the old man. He breathed deeply and died.

ХУД³¹ (хуж¹) *worse*

1. Ситуáция станóвится всё *хýже* и *хýже*. Положéние *ухудшáется* с кáждым днём.
2. Ты мáло ешь, поэ́тому бы́стро *худéешь*. Стал совсéм *худóй* и блéдный.
3. Здорóвье больнóго *ухудшáется*. Рéзкое *ухудшéние* произошлó в суббóту. Больнóй потеря́л аппетúт, *исхудáл*. Его *худобá* вы́глядит ужáсно, он *похудéл* до неузнавáемости.
4. Как ты мóжешь всю жизнь жить в провúнции и рабóтать в такóм *захудáлом* инститýте?
5. Нáдо покупáть нóвые ботúнки, стáрые *прохудúлись*—ды́рки в подóшвах.

1. The situation is growing *worse* and *worse*. Our position *worsens* with each day.
2. You eat very little, and that's why you're quickly *growing thin*. You have become extremely *thin* and pale.
3. The health of the patient *is worsening*. A sudden *turn for the worse* happened on Saturday. The ill man lost his appetite and *became emaciated*. His *gauntness* looks terrible, and he *has grown* so *thin* that he is unrecognizable.
4. How can you live your whole life in the country and work at such a *poverty-stricken* institute?
5. You need to buy new shoes. The old ones *are all worn out* – they have holes in the soles.

ЦАР[23] *rule*

1. На фотогра́фии мы ви́дим всю *ца́рскую* семью́: *царя́, цари́цу,* сы́на-*царе́вича* и до́чку-*царе́вну.*
2. Волше́бник спроси́л пу́тника, из како́го он *ца́рства*-госуда́рства.
3. После́дней *ца́рствовавшей* дина́стией в Росси́и была́ дина́стия Рома́новых. Рома́новы *ца́рствовали* с 17 ве́ка, *воцари́вшись* по́сле Сму́тного вре́мени. При Рома́новых *цари́зм* пережи́л и расцве́т, и зака́т.
4. Же́нщина была́ немолодо́й и некраси́вой, но её *ца́рственная* похо́дка прико́вывала к себе́ взгля́ды.
5. Му́зыка смо́лкла, и в за́ле *воцари́лась* по́лная тишина́.

   1. In the photograph we see the whole *royal* family: the *tsar*, the *tsarina*, the *royal* son and the *royal* daughter.
   2. The wizard asked the traveler which *tsardom*-state he was from.
   3. The last *ruling* dynasty in Russia was the Romanov dynasty. The Romanovs *reigned* from the [17]th century, *having taken the throne* after the Time of Troubles. During the Romanov rule, *tsarism* experienced both its pinnacle and its decline.
   4. The woman was neither young nor pretty, but her *stately* walk drew (people's) attention to her.
   5. The music ceased, and complete silence *reigned* in the hall.

ЦАРА́П[41] *scratch*

1. Во вре́мя игры́ ребёнок *оцара́пал* но́гу, на ко́же оста́лась дли́нная кра́сная *цара́пина.*
2. Я взял о́стрый кусо́чек стекла́ и *вы́царапал* на ка́мне своё и́мя.
3. Котёнок совсе́м ди́кий—куса́ется и *цара́пается.* Вчера́ *перецара́пал* сосе́дских дете́й, *поцара́пал* мне ру́ку и да́же *исцара́пал* сы́ну щёку.
4. Фотогра́фия ста́рая и *поцара́панная*—на ней тру́дно что́-либо разобра́ть.
5. Ты совсе́м не стара́лся писа́ть аккура́тно, про́сто взял ру́чку, *нацара́пал* что́-то за не́сколько мину́т и сдал учи́телю.

   1. During the game, the child *scratched* his leg. A long red *scratch* remained on his skin.
   2. I took a sharp piece of glass and *scratched out* my name in the rock.
   3. The kitten is completely wild–it bites and *scratches.* Yesterday it *scratched all* the neighbor children, *scratched* my arm, and even *scratched all over* my son's cheek.
   4. The photograph is old and *scratched.* It is hard to make out anything in it.
   5. You did not try at all to write neatly. You just took the pen, *scratched out* something in a few minutes, and turned it in to the teacher.

ЦВЕТ[49] (цвеч[11]) [for цвес[7] see truncation rule 5] *color; flower*

1. Вошёл челове́к с неинтере́сным, *бесцве́тным* лицо́м.
2. Мо́жно говори́ть о *расцве́те* жа́нра рома́на в 19 ве́ке.
3. Ра́нней весно́й в саду́ *зацвета́ют* пе́рвые *цветы́* и *цвету́т* до о́сени. Ка́ждую неде́лю *расцвета́ет* како́й-нибу́дь но́вый *цвето́к, цвето́чный* за́пах кру́жит го́лову. Мо́жно уви́деть расте́ния ра́зного *цве́та*—кра́сные, бе́лые, жёлтые. То́лько о́сенью всё постепе́нно начина́ет *отцвета́ть.*
4. В стране́ высо́кий у́ровень жи́зни, ра́звитая эконо́мика—госуда́рство *процвета́ет.* От всей души́ жела́ю ва́шей стране́ и в бу́дущем ми́ра и *процвета́ния.*
5. Каки́м я́рким челове́ком был мой друг в ю́ности, и как *обесцве́тила* его́ жизнь!

   1. A man with an uninteresting, *colorless* face walked in.
   2. You can talk about the *flowering* of the novel genre in the 19th century.
   3. In early spring, the first *flowers bloom* in the garden and they *blossom* until fall. Each week some new *flower blossoms*, and the smell *of flowers* makes your head spin. You can can see plants of various *colors* – red, white, and yellow. Only in the fall does everything gradually begin *to finish blooming.*
   4. There is a high standard of living and a developed economy in this country–the nation *is flourishing.* From the bottom of my heart I wish your country peace and *prosperity* in the future as well!
   5. What a brilliant person my friend was in his youth, but how life *has dulled* him!

ЦЕД[20] (цеж[27]) *strain*

1. Молоко́ ме́дленно протека́ло че́рез *цеди́льный* аппара́т.
2. Что́бы сде́лать чай из сухи́х трав и цвето́в, зале́йте траву́ кипятко́м, да́йте постоя́ть не́сколько мину́т, пото́м *процеди́те*.
3. Крестья́нка до́ила коро́ву, молоко́ то́ненькой стру́йкой *цеди́лось* в ведро́. Когда́ *вы́цедились* после́дние ка́пли молока́ и *нацеди́лось* почти́ по́лное ведро́, крестья́нка аккура́тно закры́ла ведро́ чи́стой тря́почкой.
4. Когда́ мать ко́рмит младе́нца грудны́м молоко́м, ей на́до не́сколько раз в день *сце́живать* молоко́ из груди́. *Сце́живание* стимули́рует проце́сс образова́ния грудно́го молока́.
5. Самодово́льный молодо́й челове́к в разгово́ре ме́дленно и лени́во *цеди́л* слова́, свысока́ погля́дывая на окружа́ющих.

   1. The milk slowly flowed through the *straining* device.
   2. In order to make tea from dried herbs and flowers, pour boiling water over the herbs, let it stand for several minutes, and then *strain* it.
   3. The peasant woman was milking the cow. The milk *drained* in a thin stream into the bucket. When the last drops of milk *had been drained out* and *had* almost strained an entire bucket, the peasant woman carefully covered the bucket with a clean cloth.
   4. When a mother feeds her baby breast milk, she has *to drain* the milk from her breasts several times a day. *Draining* stimulates the production process of breast milk.
   5. During the conversation, the smug young man slowly and lazily *uttered* words *through clenched teeth*, arrogantly looking at the people around him.

ЦЕЛ[49] *whole*

1. *Це́лый* день мы гуля́ли в лесу́.
2. По́сле бо́я в го́роде *уцеле́ло* всего́ не́сколько домо́в.
3. С дре́вних времён лю́ди ле́чатся не то́лько у враче́й, но и у наро́дных *цели́телей*. Мно́гие ве́рят, что лу́чше *исцеля́т* не табле́тки и порошки́, а *целе́бные* тра́вы. Есть больны́е, ве́рящие в чуде́сное *исцеле́ние* с по́мощью ста́рых *цели́тельных* ме́тодов.
4. Влюблённые гуля́ли по го́роду всю ночь, *целова́лись*, мечта́ли о бу́дущем.
5. Мать—о́чень *це́льная* нату́ра, не зна́ющая сомне́ний и рефле́ксий.

   1. We walked the *entire* day in the forest.
   2. After the battle, only a few homes in the city *remained intact*.
   3. Since ancient times, people have been treated not only by doctors, but by folk *healers*. Many people believe that *medicinal* herbs *heal* better than tablets and powders. There are ill people who believe in miraculous *healing* with the aid of old *healing* methods.
   4. The lovers walked around the city all night, *kissing* and dreaming about the future.
   5. Mother has a very *complete* personality which knows neither doubts nor introspection.

ЦЕН[57] *value*

1. Посмотри́, о́чень *це́нная* кни́га и продаётся недо́рого.
2. Я высоко́ *ценю́* твою́ дру́жбу и никогда́ не забу́ду твою́ *неоцени́мую* подде́ржку.
3. Старе́я, мы мно́гое *переоце́ниваем*: каза́вшееся ва́жным *обесце́нивается*, а ра́нее *недооценённому* на́ми мы даём другу́ю *оце́нку*. Для меня́, что бы я ни *оце́нивал* и каку́ю бы *переоце́нку* ни проводи́л, твоя́ дру́жба всегда́ бу́дет *бесце́нным* пода́рком судьбы́.
4. *Це́ны* на това́ры измени́лись: часть веще́й *уцени́ли*, они ста́ли деше́вле, но на бо́льшую часть веще́й произвели́ *наце́нку*, и э́ти това́ры подорожа́ли.
4. Я зна́ю, что мы вряд ли смо́жем купи́ть э́то дорого́е пальто́, но дава́й хоть *прице́нимся*.
5. Я *расце́ниваю* ва́ши слова́ как выраже́ние дру́жбы и благода́рен за них.

   1. Look! That is a very *valuable* book, and it is being sold inexpensively.
   2. I highly *value* your friendship and will never forget your *invaluable* support.

3. Growing older, we *reevaluate* many things. Things that seemed so important to us *lose their value*, and to things we *underestimated* earlier we now give a different *evaluation*. For me, no matter what I *value*, or what *reevaluation* I make, your friendship will always be a *priceless* gift of fortune.

4. The *prices* of the goods were changed. Some things were *reduced*. They became cheaper. The greater part of the goods, however, underwent a *price increase*. These goods became more expensive.

4. I know it's unlikely that we will be able to buy this expensive coat, but let's *check the price* at least.

5. I *consider* your words an expression of friendship and I am grateful for them.

ЦЕП[87] *hook on*

1. Зачём ты *нацепи́ла* на себя́ все э́ти украше́ния? *Отцепи́*, пожа́луйста, ты вы́глядишь смешно́.

1. По доро́ге шёл большо́й грузови́к с тяжёлым *прицéпом*.

2. Он с аппети́том ел дли́нные италья́нские макаро́ны, ло́вко *подцепля́я* их ви́лкой.

2. *Цепля́ясь* за ка́мни, альпини́сты поднима́лись по круто́му скло́ну горы́.

3. Ребёнок боя́лся потеря́ться в толпе́ незнако́мых люде́й, поэ́тому он крéпко *уцепи́лся* за матери́нскую ру́ку и, хотя́ уста́л, стара́лся не *расцепля́ть* па́льцы. Мать всё врéмя чу́вствовала *цéпкость* его́ ма́ленькой ручо́нки.

3. Дом охраня́л огро́мный пёс, он был таки́м злым, что его́ весь день держа́ли на *цепи́*. Э́тот *цепно́й* пёс признава́л то́лько хозя́ина. Пёс момента́льно *вцепля́лся* зуба́ми в любо́го, кто был чужи́м.

4. Пробега́я ми́мо стола́, ма́льчик *зацепи́лся* рукаво́м за о́стрый у́гол и порва́л руба́шку.

4. Бу́дьте внима́тельны, в усло́вии зада́чи есть ма́ленькая *зацéпка*, подска́зывающая пра́вильное реше́ние.

5. По́сле ги́бели сы́на мать *оцепенéла* от го́ря: она́ не éла, не пила́, ни с кем не разгова́ривала, не дви́галась. В *оцепенéнии* прошло́ нéсколько дней.

5. Ты всегда́ несправедли́в ко мне, *цепля́ешься* к тому́, что я говорю́, вот и сейча́с *прицепи́лся* к случа́йному сло́ву и стара́ешься найти́ в нём оби́дный для себя́ смысл.

1. Why did you *put on* all these ornaments? *Unhook* them, please. You look ridiculous.

1. A large truck with a heavy *trailer* was moving along the road.

2. He was eating the long spaghetti heartily [with appetite], deftly *catching hold* of them with a fork.

2. *Clinging* to the rocks, the mountain climbers ascended the steep mountain slope.

3. The child was afraid of getting lost in the crowd of unfamiliar people, so he firmly *took hold* of his mother's hand and, athough he was tired, tried not *to let* his fingers *come loose*. His mother felt the *grip* of his little hand the whole time.

3. The house was guarded by a huge dog. He was so mean that they kept him on a *chain* all day. This *chained* dog accepted only its master. The dog *would* immediately *grab hold* with his teeth of anyone who was alien.

4. Running past the table, the boy *caught* his sleeve on a sharp corner and tore his shirt.

4. Pay attention. In the conditions of the problem there is a tiny *hint* alluding to the correct solution.

5. After her son's death, the mother *grew numb* from grief. She did not eat, drink, speak with anyone, or move. Several days passed in *numbness*.

5. You are always unfair to me. You *latch onto* whatever I say. Just now you *fastened on* an incidental word and are trying to find a meaning offensive to yourself.

Ч[38] [ЧА[38]] (чин[19]) *begin*

1. *Нача́ло* фи́льма о́чень интерéсное, но середи́на и конéц ску́чные.

2. *Начнём* собра́ние с того́, что я предста́влю вам но́вого *нача́льника* предприя́тия.

3. *Понача́лу* мы ду́мали, что *изнача́льная* идéя проéкта—о́чень многообеща́ющая, что мы мо́жем стать *зачина́телями* но́вого направлéния в нау́ке. К сожалéнию, *нача́льство* не согласи́лось с на́шим мнéнием, и рабо́та над проéктом так и оста́лась в *зача́точном* состоя́нии.

4. В осно́ве почита́ния Дéвы Мари́и лежи́т Библéйская исто́рия о непоро́чном *зача́тии*.

5. Мальчи́шка никогда́ не быва́ет *зачи́нщиком* дра́ки, но и́менно он *подна́чивает* други́х дра́ться.

1. The *beginning* of the film is very interesting, but the middle and the end are boring.

2. We *will begin* the meeting by my introducing to you the new *head* of the company.

3. *At first* we thought that the *original* idea of the project was very promising and that we could become the *founders* of a new trend in science. Unfortunately, the *authorities* did not agree with our opinion, and work on the project still remains in the *conceptual* stage.

4. The basis for reverence of the Virgin is the biblical story of the Immaculate *Conception*.

5. The little boy is never the *instigator* of a fight, but he is the one who *eggs* others *on* to fight.

ЧАР²⁴ *charm*

1. У́мный, до́брый, *очарова́тельный* челове́к!

2. Пойми́, что в жи́зни быва́ют не то́лько *очарова́ния*, но и *разочарова́ния*.

3. Де́вушка *очарова́ла* всех мо́лодостью и красото́й. *Чару́ющими* бы́ли её больши́е голубы́е глаза́, *чарова́л* прекра́сный го́лос.

4. Де́ти слу́шали ска́зку как *зачаро́ванные*.

5. Ску́ка и *разочаро́ванность* видны́ в любо́м движе́нии, слышны́ в любо́м сло́ве э́того челове́ка.

1. What a wise, kind, and *charming* person!

2. Realize that in life there are not only *enchantment*, but *disenchantment* as well.

3. The girl *enchanted* everyone with her youth and beauty. Her large blue eyes were *enchanting*. Her beautiful voice *enchanted* [*everyone*].

4. The children listened to the fairytale as though *mesmerized*.

5. Boredom and *disappointment* were visible in every move and heard in every word of this person.

ЧАСТ⁵⁵ (чащ⁷) (*one's*) *part*

1. Раздели́ я́блоко на три́ *ча́сти*.

1. Како́е *сча́стье*, что мы встре́тились!

2. Мне дорога́ да́же ма́ленькая *части́ца* твоего́ внима́ния.

2. Друзья́ смотре́ли друг на дру́га со *счастли́вой* улы́бкой.

3. Дом и *уча́сток* земли́ вокру́г до́ма—*ча́стная* со́бственность. Я наде́юсь когда́-нибудь стать её по́лным владе́льцем, но пока́ мне *посчастли́вилось* то́лько *части́чно* купи́ть её.

3. В семье́ *несча́стье*—у́мер оте́ц. В тако́й тяжёлый моме́нт все чле́ны семьи́ чу́вствуют свою́ *соприча́стность* го́рю. Они́ глубоко́ *несча́стны*. Большо́й подде́ржкой явля́ется *уча́стие*, проя́вленное сосе́дями и друзья́ми. *Уча́стливые* взгля́ды, до́брые слова́ хотя́ бы *отча́сти* облегча́ют го́ре.

4. Он посмотре́л на меня́ скуча́ющим *безуча́стным* взгля́дом.

4. Дорога́я тётушка! Вы нас про́сто *осчастли́вили* свои́м прие́здом!

5. Сле́дствие показа́ло, что у престу́пника был *соуча́стник*. Кро́ме э́того, бы́ли ещё лю́ди, *прича́стные* к преступле́нию.

5. Траги́чна *у́часть* ма́тери, потеря́вшей на войне́ еди́нственного сы́на.

1. Divide the apple into three *parts*.

1. What *good fortune* that we met!

2. Even the smallest *particle* of your attention is dear to me.

2. The friends looked at each other with *happy* smiles.

3. The house and the *plot* of land around the house are *private* property. I hope to become the full owner someday, but in the meantime I *have* only *been fortunate* enough to buy it *partially*.

3. *Misfortune* has befallen the family–the father died. At such a difficult time, all the members of the family feel their *common bonds* of grief. They are deeply *unhappy*. The *concern* shown by neighbors and friends has been a great support. The *sympathetic* looks and kind words lessen the grief, if only *in part*.

4. He looked at me with a bored, *indifferent* look.

4. Dear Auntie! You *have* simply *delighted* us with your arrival!

5. The investigation showed that the criminal had an *accomplice*. Aside from them there were yet other people *connected* with the crime.

5. Tragic is the *fate* of a mother who has lost her only son in the war.

ЧЕРЕД[8] (черёд[3], чред[12], чрежд[6]) *in succession*

1. *Óчереди* за продýктами в Росси́и тепéрь рéдки, затó всё дóрого.

2. Учи́тельница велéла первоклáссникам *поочерёдно* вставáть и называ́ть свои́ именá.

3. Для продукти́вной рабóты в любóм *учреждéнии* нýжно *чередовáть* труд и акти́вный óтдых. Хорошó тáкже, éсли *чередýются* физи́ческий труд с интеллектуáльным.. *Чередовáние* рáзных ви́дов дéятельности поддéрживает высóкую работоспосóбность.

4. В послéдние дни у меня́ сплошны́е неприя́тности, вот и сегóдня получи́ла *очереднóе* неприя́тное извéстие.

5. На *учреди́тельном* собрáнии мы придýмали назва́ние нáшей пáртии и распредили́ли обя́занности члéнов.

1. *Lines* for food are now rare in Russia. On the other hand, everything is expensive.

2. The teacher told the first graders to *take turns* standing and give their names.

3. For productive work in any *establishment* you need *to alternate* labor and active rest. It is also good if physical labor *is alternated* with intellectual. *Alternation* of different forms of activity makes possible a high capacity for work.

4. Over the past few days I have had nothing but unpleasantness. Today also I received *another in a series of pieces* of unpleasant news.

5. At the *constituent* assembly we came up with a name for our party and divided up the responsibilities of the members.

ЧЕРК[25] (чёрк[24]) *mark*

1. У студéнта краси́вый *пóчерк*.

2. Иногдá достáточно бы́стро *черкнýть* пáру слов, чтóбы потóм, гля́дя на зáпись, вспóмнить мнóжество фáктов.

3. Создавáя *óчерк*, *очерки́ст* пи́шет и, недовóльный собóй, *вычёркивает* напи́санное, *зачёркивает* фрáзы, иногдá *перечёркивает* всю страни́цу. *Исчеркáв* рýкопись, устáв от *вычёркиваний* и *зачёркиваний*, он откла́дывает рабóту на врéмя.

4. Стари́нные враги́ и недоброжелáтели с *подчёркнутой* вéжливостью поздорóвались, приподня́в шля́пы.

5. Поклóнница попроси́ла автóграф у знамени́того актёра. Он взял фотогрáфию, бы́стро *расчеркнýлся* на ней, улыбнýлся и отдáл фотогрáфию счастли́вой поклóннице.

1. The student has beautiful *handwriting*.

2. Sometimes it is enough *to jot down* a couple of words quickly so that, later, glancing at the note, (you can) recall a great number of facts.

3. While composing an *essay*, the *essayist* writes, and then, displeased with himself, he *strikes out* what he has written. He *crosses out* phrases, and sometimes *cancels out* an entire page. *After marking up the whole* manuscript and getting tired *of striking out* and *crossing out*, he sets the work aside for a while.

4. The ancient enemies and ill-wishers greeted each other with *exaggerated* [*underlined*] politeness, slightly raising their hats.

5. The [female] admirer asked the famous actor for his autograph. He took a picture, quickly *scrawled* on it, smiled, and gave the photograph back to the happy admirer.

ЧЕРН[58] (чёрн[1]) *dark, black*

1. За кани́кулы дéти загорéли *дочернá*.

2. Лунá спря́талась за тýчи, звёзд нет, вокрýг *черны́м-чернó*.

3. Глазá стáршей сестры́ *и́счерна-си́ние*, глазá срéдней—*черновáто*-кáрие, а у млáдшей *чернотá* глаз такáя, что не ви́дно зрачкá.

4. Не доверя́й э́тому человéку: он старáется *очерни́ть* тебя́ в глазáх начáльника, потомý что хóчет заня́ть твоё мéсто.

4. Мне нрáвится писáть стáрой рýчкой, макáя перó в *черни́льницу*, пóлную *черни́л*.

5. Статья́ ещё не гото́ва, я успе́л написа́ть то́лько *черновик*.

5. По́сле траги́ческой сме́рти му́жа же́нщина мгнове́нно постаре́ла, *почерне́ла* лицо́м от го́ря.

   1. During the vacation, the children got tanned *very darkly*.

   2. The moon has hidden behind the clouds. There are no stars and all around it is *pitch black*.

   3. The older sister's eyes are *blackish*-blue and the middle sister's are a *dark* hazel, but the younger sister has eyes of such *blackness* that you can't see the pupil.

   4. Don't trust that person. He is trying *to blacken* your name in the supervisor's eyes because he wants to take your place.

   4. I like to write with an old-fashioned pen, dipping the stylus in an *ink-well* full *of ink*.

   5. The article is not ready yet. I was able to write only a *rough draft*.

   5. After the tragic death of her husband, the woman instantly aged, and her face *darkened* with grief.

ЧЕРП[49] *scoop*

1. Оте́ц *зачерпну́л* ло́жкой суп, попро́бовал и сказа́л: "О́чень вку́сно!"

2. На строи́тельстве це́лый день рабо́тает *землечерпа́лка*.

3. На́до поскоре́е *вы́черпать* во́ду из я́мы. Снача́ла ду́мали, что мо́жно *отчерпа́ть* всю во́ду за па́ру часо́в, но *черпа́льщики* рабо́тали до́лго, а *дочерпа́ть* до конца́ так и не смогли́.

4. Из бесе́ды с профе́ссором студе́нт *почерпну́л* мно́го ну́жной информа́ции.

5. Вы да́ли *исче́рпывающий* отве́т на поста́вленный вопро́с, я не могу́ ничего́ доба́вить.

   1. Father *scooped up* the soup with a spoon, tasted it, and said, "Very delicious!"

   2. At the construction site an *excavator* has been working all day..

   3. You need *to scoop out* the water from the pit more quickly. At first they thought they could *scoop away* all the water in a couple of hours, but the *excavators* worked for a long time and were not able *to finish scooping* it out.

   4. From the conversation with the professor the student *extracted* a great deal of necessary information.

   5. You gave an *exhaustive* answer to the question which was posed. I cannot add anything.

ЧЕРТ[34] (черч[35]) *draft*

1. Сестри́чка провела́ дли́нную *черту́* кра́сным карандашо́м и коро́тенькую *чёрточку* зелёным.

2. На уро́ке *черче́ния* мы научи́лись *черти́ть*.

3. *Чертёжник* получи́л зака́з: на́до *вы́чертить* чертёж большо́го до́ма. Зака́з сро́чный, поэ́тому на́до *начерти́ть* и *дочерти́ть* всё до конца́ за не́сколько дней. Е́сли зака́зчику не понра́вится рабо́та, на́до бу́дет *перече́рчивать* без дополни́тельной опла́ты.

4. Фатали́сты счита́ют, что су́дьбы люде́й *наче́ртаны* в кни́ге жи́зни и нельзя́ избежа́ть *предначе́ртанного*.

5. В тума́не мо́жно бы́ло рассмотре́ть то́лько *очерта́ния* стари́нного собо́ра.

   1. My little sister drew a long *line* with a red pencil and a short *line* with a green one.

   2. In the *drafting* class we learned *to draft*.

   3. The *draftsman* received an order. He must *draft out* a *plan* of a large building. The order is urgent, so he needs *to make a draft* and *finish* it in a few days. If the client does not like the work, he will have *to redraft* it without additional pay.

   4. Fatalists consider people's fate to be *determined* in the book of life and it is impossible to avoid that which is *predetermined*.

   5. In the fog only the *outline* of the ancient cathedral could be made out.

ЧЕС[47] (чёс[60], чеш[4]) *comb; itch*

1. Подру́га сде́лала краси́вую *причёску*—*зачеса́ла* во́лосы наза́д.

2. Мы уви́дели краси́во *причёсанную* и наря́дно оде́тую же́нщину.

3. Кома́р укуси́л ребёнка в ру́ку, ребёнок *почеса́л* уку́с. Че́рез не́которое вре́мя он почу́вствовал, что уку́с опя́ть си́льно *зачеса́лся*. Ребёнок весь день *почёсывал* ру́ку и к ве́черу *дочеса́л* до того́, что си́льно *расчеса́л* уку́с и появи́лась ра́нка.

4. *Чесо́тка*—э́то ко́жное заболева́ние, при кото́ром поражённое ви́русом ме́сто на ко́же всё вре́мя си́льно *че́шется. Чесо́точные* больны́е зара́зны.

5. Во вре́мя си́льной мете́ли в лесу́ потеря́лся челове́к. Сего́дня отря́ды спаса́телей *прочёсывают* лес киломе́тр за киломе́тром. Наде́емся, что *прочёсывание* ле́са помо́жет найти́ пропа́вшего.

1. My girlfriend styled her hair beautifully. She *combed* her hair back.
2. We saw a woman who[se hair] *was combed* beautifully and who was attired elegantly.
3. The mosquito bit the child on the arm, and the child *scratched* the bite. After a short time he felt the bite again *begin to itch* badly. From time to time all day long the child *scratched* his arm, and by evening he *had scratched* it to the point that he *had scratched* the bite *open* and a little wound appeared.
4. A *rash* is a malady of the skin in which a place on the skin affected by a virus *itches* constantly. People suffering from a *rash* are contagious.
5. During the severe blizzard, a person got lost in the forest. Today teams of rescuers *are combing* the forest kilometer by kilometer. We hope that *combing* the forest will help to find the lost man.

ЧИН[100] *establish order*

1. Ту́фли порва́лись—на́до отда́ть в *почи́нку*.
1. Объясни́ *причи́ну* твоего́ опозда́ния.
2. По́весть Н.В.Го́голя "Шине́ль"—э́то исто́рия о жи́зни ма́ленького *чино́вника* в Росси́и 19 ве́ка.
2. Сестра́ прекра́сно игра́ет на роя́ле, *сочиня́ет* стихи́, поёт.
3. Ве́чером мы бои́мся выходи́ть из до́ма, потому́ что на у́лицах *бесчи́нствуют* хулига́ны. Они́ мо́гут *учини́ть* любо́е жесто́кое *бесчи́нство*. Хулига́ны *причиня́ют* мно́го неприя́тностей прохо́жим.
4. В а́рмии солда́ты *подчиня́ются* офице́рам. *Подчинённый* до́лжен выполня́ть все прика́зы команди́ра.
5. Мой нача́льник—настоя́щий бюрокра́т, бессерде́чный *чину́ша*.

1. The shoes are torn. You need to take them for *repair*.
1. Explain the *reason* for your tardiness.
2. N. V. Gogol's tale "The Overcoat" is the story of the life of a minor *civil servant* in 19th century Russia.
2. My sister plays the piano beautifully, *composes* poetry, and sings.
3. In the evening we are afraid to leave home because hoodlums *run rampant* on the streets. They might *commit* any cruel *excess*. Hoodlums *cause* a lot of trouble for passers-by.
4. In the army, soldiers *are subordinate* to officers. The *subordinate* should fulfill all orders of the commander.
5. My supervisor is a genuine bureaucrat, a heartless *stickler* [for rules].

ЧИСЛ[62] *number*

1. —Како́го *числа́* ты лети́шь в Москву́?—1 ма́я.
1. *Чи́сленность* жи́телей на́шего го́рода—1 миллио́н челове́к.
2. Ка́ждый ме́сяц мы *отчисля́ем* часть на́ших де́нег в фонд по́мощи де́тям-сиро́там.
2. *Вычисли́тельная* маши́на помога́ет де́лать то́чные математи́ческие расчёты.
3. Огро́мное *число́* люде́й интересу́ется хо́дом ми́рных перегово́ров. Невозмо́жно *перечи́слить* всех, для кого́ ва́жен мир на земле́,—их *бесчи́сленное* мно́жество.
3. *Вычисле́ния* вы сде́лали с удиви́тельной *числово́й* то́чностью. Как вам удало́сь так то́чно *вы́числить* результа́т?
4. По́сле вступи́тельных экза́менов прохо́дит *зачисле́ние* абитурие́нтов в институ́ты и университе́ты. *Зачисля́ют* тех, кто успе́шно сдал все экза́мены.
4. По́сле *начисле́ния* зарпла́ты *перечи́слите* её, пожа́луйста, на мой ба́нковский счёт.
5. *Неисчисли́мы* испыта́ния, вы́павшие на до́лю на́шего наро́да.
5. Вы напра́сно *причи́слили* меня́ к свиде́телям происше́ствия—я пришёл по́зже и ничего́ не ви́дел.

1. —What *date* are you flying to Moscow?—The first of May.
1. The *number* of inhabitants in our city is one million people.

2. Every month we *donate [deduct]* part of our money to a charity for orphaned children.

2. A *computer [counting machine]* helps in doing exact mathematical calculations.

3. A huge *number* of people are interested in the progress of the peace negotiations. It is impossible *to number* everyone for whom peace on earth is important–they are an *innumerable* multitude.

3. You did the *calculations* with astonishing *numerical* accuracy. How did you manage *to calculate* the sum so accurately?

4. After the entrance exams, the *enrollment* of applicants into institutes and universities takes place. Those who successfully passed all the exams are *enrolled*.

4. After *figuring* my wage, *transfer* it, please, to my bank account.

5. *Innumerable* are the trials which have befallen our people.

5. You wrongly *numbered* me among the witnesses of the incident. I came later and did not see anything.

ЧИСТ⁵⁹ (чищ³⁴) *clean*

1. В шкафу́ вися́т *чи́стые* руба́шки.

1. Аппара́т *очища́ет* во́здух от вре́дных га́зов.

2. Ма́ма хо́чет, чтобы в до́ме всегда́ была́ *чистота́*.

2. Мы с отцо́м *расчи́стили* доро́жки са́да от сне́га.

3. Пиджа́к загрязни́лся, и муж отда́л его́ в *чи́стку*. Пиджа́к прекра́сно *почи́стили*, *отчи́стили* пя́тна, *вы́чистили* так хорошо́, что он вы́глядит лу́чше но́вого.

3. *Чисти́льщик* о́буви за пла́ту *до́чиста чи́стит* о́бувь, *начища́ет* её до зерка́льного бле́ска.

4. Сла́бый и гре́шный, я мечта́л *очи́ститься* от грехо́в, нача́ть но́вую жизнь. Сейча́с я чу́вствую *очище́ние* от про́шлых заблужде́ний.

4. Дава́й поговори́м *начистоту́*—че́стно и открове́нно.

5. Че́рти, ве́дьмы, ле́шие и про́чая *не́чисть* ча́сто быва́ют персона́жами наро́дных ска́зок.

5. По́сле тяжёлого ране́ния солда́т был *вчисту́ю* демобилизо́ван из а́рмии—бо́льше он не мог воева́ть никогда́.

1. *Clean* shirts are hanging in the closet.

1. The machine *cleanses* the air of harmful gases.

2. Mom wants the house always to be *clean*.

2. Father and I *cleared* the garden paths of snow.

3. The jacket had become dirty and my husband took it *to be cleaned [for cleaning]*. They *cleaned* the jacket wonderfully and *removed* the spots. They *cleaned* it so well that it looks better than new.

3. For a fee the *shoeshine person* will *completely clean* (your) footwear. He *will polish* it to a mirror-like shine.

4. Weak and sinful, I dreamed of *becoming cleansed* from my sins, of beginning a new life. Now I feel a *purification* from my past follies.

4. Let's speak *without equivocation*—honestly and frankly.

5. Devils, witches, forest spirits, and other *evil spirits* are often characters in folk tales.

5. After a terrible injury, the soldier was demobilized *for good* from the army. He could never fight again.

ЧЛЕН²⁸ *member*

1. Я хочу́ стать *чле́ном* ва́шей организа́ции и получи́ть *чле́нский* биле́т.

2. *Чле́нство* в тако́й уважа́емой организа́ции—больша́я честь для меня́.

3. Профе́ссор *расчлени́л* свою́ ле́кцию на не́сколько часте́й. *Члене́ние* материа́ла не меша́ло слу́шателям, а позволя́ло им быстре́е *вычленя́ть* гла́вные иде́и ле́кции.

4. Медици́нский осмо́тр показа́л, что боле́знью пораже́ны *сочлене́ния* косте́й и суста́вов.

5. Э́тот вид насеко́мых называ́ется *членисто́гими*.

1. I want to become a *member* of your organization and receive a *membership* card.

2. *Membership* in such a respectable organization is a great honor for me.

3. The professor *divided* his lecture into several parts. The *separation* of the material did not bother the listeners, but allowed them *to identify* the main ideas of the lecture.

4. The medical examination showed that the *articulation* of the bones and joints were affected by the illness.

5. This type of insect is called an *arthro*pod.

ЧТ[24] (чет[11], чёт[63], чит[133]) [for чес[21] see truncation rule 5] *regard carefully* (*esteem; calculate; read*)

1. Люди *чтят* па́мять геро́ев.

1. *Учти́*, что за́втра я за́нят.

1. У тётушки плохо́е зре́ние, поэ́тому она́ *нечётко* ви́дит предме́ты.

2. Мы *вы́считали*, что до о́тпуска нам оста́лось 3 ме́сяца, 2 неде́ли, 5 дней и 8 часо́в.

2. *Дочита́й* расска́з до конца́, а пото́м *подсчита́й*, ско́лько страни́ц ты *прочёл* за час.

2. Вну́ки с *почте́нием* отно́сятся к герои́ческой биогра́фии де́да.

3. До́чка о́чень лю́бит и *почита́ет* ба́бушку и де́душку. *Почита́ние* ста́рших в ней воспита́ли с де́тства, она́ отно́сится *почти́тельно* и к де́душке, и к ба́бушке. Но когда́ на́до о чём-нибудь попроси́ть, до́чка *предпочита́ет* име́ть де́ло с мя́гкой по хара́ктеру ба́бушкой.

3. Люблю́ *перечи́тывать* уже́ *чи́танные* ра́ньше кни́ги. Ду́маю, что, е́сли внима́тельно *вчи́тываться* в текст хоро́шей кни́ги, всегда́ мо́жно *вы́читать* что́-то но́вое, чего́ не заме́тил при пе́рвом *чте́нии*.

3. Мла́дший брати́шка зна́ет *наперечёт* всех популя́рных певцо́в. Он большо́й *почита́тель* их иску́сства. Мо́жете спроси́ть его́ *насчёт* любо́го конце́рта—и услы́шите подро́бный *пе́речень* имён уча́стников, а́второв му́зыки и слов.

4. Како́й прия́тный, воспи́танный, *учти́вый* молодо́й челове́к!

4. Стару́шку *обсчита́ли* в магази́не: взя́ли за проду́кты вдво́е бо́льше их цены́.

4. Совреме́нной же́нщине тру́дно *сочета́ть* служе́бную карье́ру с необходи́мостью быть хоро́шей ма́терью, жено́й и хозя́йкой до́ма.

5. Мой друг—о́чень *начи́танный* челове́к, ка́жется, что он *перечита́л* все кни́ги на све́те. Сейча́с ре́дко встре́тишь таку́ю *начи́танность*.

5. Наш колле́га—осторо́жный и о́чень *расчётливый* челове́к, он ничего́ не де́лает под влия́нием настро́ения и́ли про́сто из жела́ния помо́чь.

5. Ты наде́ялся испуга́ть меня́, но *просчита́лся*—я не бою́сь твои́х угро́з!

1. People *honor* the memory of heroes.

1. *Bear in mind* that I am busy tomorrow.

1. Auntie has poor vision, so she sees things *indistinctly*.

2. We *calculated* that there were three months, two weeks, five days, and eight hours left until our vacation.

2. *Finish reading* the story, and then *count* how many pages you *read* in an hour.

2. The grandchildren regard the heroic life story of their grandfather with *respect*.

3. My little daughter really loves and *respects* Grandma and Grandpa. *Respect* for elders was cultivated in her from childhood. She treats both her grandmother and grandfather *with respect*. When she needs to ask some favor, however, my daughter *prefers* to deal with her gentle-natured grandmother.

3. I love *to reread* books that *have* already *been read* previously. I think that if you attentively *read deeply into* the text of a good book, you will always *find [read out]* something new that you did not notice in the first *reading*.

3. My little younger brother knows all the popular singers *thoroughly*. He is a big *admirer* of their art. You can ask him *about* any concert, and you will hear a detailed *account* of the names of the participants and the writers of the music and the lyrics.

4. What a pleasant, educated, and *courteous* young man!

4. The old woman was *over-charged* at the store. They took twice the price of the groceries.

4. It is difficult for the contemporary woman *to combine* a professional career with the necessity of being a good mother, wife, and homemaker.

5. My friend is a very *well-read* person. It seems that he *has read* every book in the world. Nowadays you rarely meet such a *well-read* person [such *well-readness*].

5. Our colleague is a very cautious and *calculating* person. He never does anything under the influence of a mood or simply out of a desire to help.

5. You were hoping to frighten me, but you *miscalculated*. I am not afraid of your threats!

ЧУД[36] *wonderous*

1. Э́то *чу́до*, что отца́ не́ уби́ли на войне́.
2. *Чуде́сная* пого́да сего́дня, *чу́дный* све́жий во́здух—пойдёмте гуля́ть!
3. Старика́ счита́ли *чудако́м*. Он и пра́вда был *чудакова́тым*: иногда́ мог *начуди́ть*—наговори́ть стра́нных веще́й, соверши́ть стра́нный посту́пок. Обы́чно, *почуди́в* немно́го, он на вре́мя забыва́л про свои́ *чуда́чества* и жил споко́йно.
4. Как ты мог соверши́ть тако́й *чудо́вищно* жесто́кий посту́пок?
5. На стари́нном ковре́ вы́ткан *причу́дливый* узо́р, удиви́тельный по красоте́ и *причу́дливости*.

   1. It's a *miracle* that Father was not killed in the war.
   2. The weather is *marvelous* today–the air is *wonderful* and fresh. Let's go on a walk!
   3. The old man was considered an *eccentric*. True, he was *a little eccentric*. Sometimes he would *behave oddly* – he would say some strange things or do something peculiar. Usually, *after acting strangely* for a while, he would forget temporarily about his *eccentricity* and live peacefully.
   4. How could you do such a *monstrously* cruel thing?
   5. A *fantastic* pattern was woven in the antique rug, surprising in its beauty and *fantasy*.

ЧУД[7] (чуж[7], чужд[10]) *alien*

1. Будь осторо́жна с *чужи́ми* людьми́, не разгова́ривай с ни́ми на у́лице.
2. В ко́мнате собра́лись ста́рые друзья́, не́ было ни одного́ *чужака́*, все давно́ зна́ли друг дру́га.
3. До́лгие го́ды ты живёшь одино́ко, *чу́ждый* всем. Ты *чужда́ешься* люде́й, не хо́чешь их ви́деть. Ка́жется, что тебя́ не тро́гает ничто́ в жи́зни, что ты всё воспринима́ешь *вчу́же*.
4. Мно́го лет живу́ на *чужби́не*, но до сих пор скуча́ю по родно́й стране́.
5. Что произошло́? Почему́ ты смо́тришь на меня́ таки́м холо́дным, *отчуждённым* взгля́дом?

   1. Beware of *strange* people. Do not speak with them on the street.
   2. Old friends had gathered in the room. There was not one *outsider* (among them)–everyone had known each other for a long time.
   3. For many long years you have lived alone, a *stranger* to all. You *shun* people and don't want to see them. It seems that nothing in life affects you and that you perceive everything *with detachment*.
   4. For many years I have lived in a *foreign land*, but I still miss my native country.
   5. What happened? Why are you looking at me with such a cold, *estranged* look?

ЧУЙ[52] *sense*

1. Любо́вь—прекра́сное *чу́вство*!
1. За́яц *почу́ял* опа́сность и бы́стро убежа́л в лес.
2. Я *чу́вствую*, что твоё отноше́ние ко мне измени́лось.
2. Не ду́мала, что ты ока́жешься таки́м гру́бым и *бесчу́вственным* челове́ком.
3. Учи́тельница—до́брая *чу́ткая* же́нщина. Е́сли учени́к хоть *чу́точку* расстро́ен и́ли огорчён чем-то, она́ придёт на по́мощь. За *чу́ткость* её о́чень лю́бят ученики́.
3. Не́сколько дней у ба́бушки бы́ло *предчу́вствие* бли́зкого несча́стья, она́ ча́сто *предчу́вствует* собы́тия. Сего́дня мы узна́ли, что брат ба́бушки внеза́пно *почу́вствовал* себя́ пло́хо и отпра́влен в больни́цу.
4. —Тебе́ бо́льно?—Нет, *ничу́ть*.
4. В тру́дную мину́ту необходи́мо *сочу́вствие* бли́зких люде́й. Ва́жно понима́ть, что они́ мо́гут *посочу́вствовать* твоему́ го́рю.
5. *Прочу́вствованным* го́лосом он чита́л сентимента́льный расска́з, рассчи́танный на *чувстви́тельных* стару́шек.
5. Встре́тившись по́сле разлу́ки, ста́рые друзья́ так *расчу́вствовались*, что не смогли́ сдержа́ть слёз.

   1. Love is a wonderful *feeling*!

1. The hare *sensed* danger and quickly ran into the forest.

2. I *sense* that your attitude towards me has changed.

2. I did not think that you would turn out to be such a coarse and *insensitive* person.

3. The teacher is a kind, *sensitive* woman. If a student is even *a bit* upset or distressed about something, she comes to their aid. Her students love her for her *sensitivity*.

3. Several days Grandmother felt a *foreboding* of imminent misfortune. She often *has premonitions* of events. Today we found out that Grandma's brother suddenly *felt* ill and was taken to the hospital.

4. Are you in pain? No, *not at all*.

4. During a difficult time, the *sympathy* of people close to you is essential. It is important to realize that they can *empathize* with your grief.

5. In a *deeply emotional* voice he read a sentimental story intended for *sensitive* elderly women.

5. Upon meeting after their separation, the old friends *were so deeply moved* that they could not hold back the tears.

ШАГ²⁰ (шаж²) *stride*

1. Солда́т вы́шел вперёд на два *шага́* и останови́лся.

2. Снача́ла де́ти бежа́ли, но пото́м уста́ли и пошли́ *шаго́м*.

3. Путеше́ственники *зашага́ли* по доро́ге. *Отшага́в* не́сколько киломе́тров, они се́ли отдохну́ть, а пото́м *пошага́ли* да́льше. Бо́дро *выша́гивая*, за день они́ *дошага́ли* до небольшо́го городка́ и реши́ли останови́ться на́ ночь.

4. На сосе́дней стро́йке рабо́тает *шага́ющий* экскава́тор.

5. Измени́в социа́льный строй, страна́ сме́ло *шагну́ла* в бу́дущее.

1. The soldier moved out ahead two *steps* and stopped.

2. At first the children were running, but then they became tired and *set off walking*.

3. The travelers *began walking [stepping]* along the road. *After traversing* several kilometers, they sat down to rest and then *marched off* again [farther]. *Walking* briskly, in a day they *reached* a small town and decided to stop for the night.

4. A *moving [self-propelled]* excavator is operating at a neighboring construction site.

5. Having changed the social system, the country boldly *strode* into the future.

ШАЛ²¹ *act up*

1. Мото́р маши́ны *шали́т*, в любу́ю мину́ту мо́жет слома́ться.

2. Котёнок ма́ленький и *шаловли́вый*. Он лю́бит *пошали́ть*, сде́лать каку́ю-нибудь *ша́лость*.

3. *Нашали́в*, котёнок пря́чется и ждёт, когда́ я переста́ну серди́ться на ма́ленького *шалуна́*. Его́ *шаловли́вость* не се́рдит, а забавля́ет меня́. Но иногда́ он мо́жет *расшали́ться* не в ме́ру, *дошали́ться* до того́, что я быва́ю о́чень недово́льна.

4. В после́днее вре́мя что-то се́рдце ста́ло *поша́ливать*: то ко́лет, то боли́т.

5. Молодо́й оте́ц узна́л, что у него́ родила́сь тро́йня, и стал соверше́нно *шальны́м* от тако́й но́вости: он *ошале́ло* смотре́л вокру́г, пло́хо понима́я, что происхо́дит.

1. The car's motor *is acting up*. It could break down at any minute.

2. The kitten is small and *mischievous*. It loves *to play around* and make any kind of *mischief*.

3. *Having done some mischief*, the kitten hides and waits until I stop being angry at the little *rascal*. His *mischievousness* does not anger, but amuses me. Sometimes, however, he can *really play around* beyond measure and *be naughty* to the point that I become very displeased.

4. Lately, for some reason my heart has begun *to act up*. Sometimes there is a sharp pain and at other times, an ache.

5. The young father learned that triplets had been born to him, and went completely *berserk* from the news. He looked around *wildly*, not really understanding what was going on.

ШАРК²¹ *scuff*

1. Дом вы́глядит ста́рым, *обша́рканным*.

2. Ма́льчик *ша́ркнул* спи́чкой о край спи́чечной коро́бки—зажёгся огонёк.

3. По коридóру ктó-то шёл, *шáркая* по пóлу домáшними тáпочками. Мы не вúдели идýщего человéка, мы тóлько слы́шали *шáрканье.* Человéк *прошáркал* по коридóру до кýхни, *пошáркал* немнóго по кýхне, затéм он вновь появúлся в коридóре и *зашáркал* к своéй кóмнате.
4. Чтóбы кострю́ля стáла чúстой, мáло её прóсто вы́мыть, нáдо *пошáркать* пескóм. Песóк мóжет *отшáркать* грязь и кóпоть.
5. Воспúтанный мужчúна в 19 вéке дóлжен был умéть, знакóмясь úли здорóваясь, немнóго *шáркнуть* ногóй по пóлу. Отсю́да вознúкло выражéние "*расшáркаться* с кем-то úли пéред кем-то". Сейчáс *расшáркивание* не прúнято.
    1. The building looks old and *scruffy.*
    2. The boy *struck* [*scuffed*] the match against the edge of the matchbox and the flame ignited.
    3. Someone was walking down the hall, *shuffling* his house slippers along the floor. We did not see the person walking–we only heard the *shuffling.* The man *shuffled down* the hall to the kitchen, *shuffled around* the kitchen, then again appeared in the hall and *began shuffling* to his room.
    4. In order for the pot to become clean, it is not enough to just wash it. It needs *to* be *scrub*bed with sand. Sand can *scuff off* dirt and soot.
    5. The well-raised man of the 19th century had to know how, when introducing himself or in greeting, *to* slightly *scrape* his foot against the floor. From this the expression arose "*to bow, scraping one's feet* with someone or before someone." Now *scraping one's feet* is not customary.

ШАТ[26] *stagger*

1. Пóсле болéзни он ещё слаб, хóдит *пошáтываясь.*
2. Медвéди зимóй спят, но иногдá медвéдь всю зúму брóдит, *шатáется* по лéсу. Такóго медвéдя называ́ют *шатýн.*
3. Тóлстый человéк сел на *шáткий* стул. Стул под ним сúльно *зашатáлся. Шáткость* стýла застáвила толстякá испýганно встать.
4. Войнá *пошатнýла* эконóмику страны́.
5. Где ты *шатáлся* цéлую недéлю? Я волновáлась, плáкала, нéрвную систéму совершéнно *расшатáла.* Кто тепéрь меня́ на рабóту возьмёт с *расшáтанными* нéрвами?
    1. After the illness he is still weak. He *staggers* when he walks.
    2. Bears sleep during the winter, but sometimes a bear will wander around the whole winter, *staggering* around the forest. Such a bear is called a *staggerer.*
    3. The fat man sat on the *wobbly* chair. The chair *began to wobble* violently beneath him. The *unsteadiness* of the chair forced the fat man to stand up, alarmed.
    4. The war *shook* the country's economy.
    5. Where *did* you *wander about* this whole week? I worried and cried, and my nerves [nervous system] are completely *shattered.* Who will hire me now with my *shattered* nerves?

ШВЫР[45] *fling*

1. Прочитáв письмó, отéц сердúто *швырнýл* бумáгу на стол, а конвéрт *отшвырнýл* в ýгол.
2. Человéк бы́стро двúгался по прохóду, рéзко *отшвы́ривая* с дорóги стýлья.
3. Раздражáясь úли сердя́сь, он всегдá *швыря́ет* вéщи. Мóжет *расшвыря́ть* всё в кóмнате, *зашвырнýть* чтó-нибудь за кровáть úли под дивáн. Он *дошвыря́лся* до тогó, что разбúл любúмую мáмину вáзу.
4. Мы́шке удалóсь *ушвырнýть* от кóшки.
5. Поссóрившись с мýжем, женá *пошвыря́ла* вéщи в чемодáн и уéхала, не попрощáвшись.
    1. Having read the letter, Father angrily *flung* the paper on the table and *flung* the envelope *away* into the corner.
    2. The man was moving quickly down the aisle, angrily *flinging* the chairs *away* from his path.
    3. (When he is) annoyed or angry, he always *throws* things. He may *throw* everything *all over* the room or *fling* something behind the bed or under the couch. He *was flinging things around to the point* that he shattered his mother's favorite vase.
    4. The mouse was able *to hurl himself away* from the cat.

5. Having quarreled with her husband, the wife *threw* her things into a suitcase and left without saying goodbye.

ШЕД¹ (ш²⁴) [for шел⁵ and шест¹⁴ see truncation rules 4 and 5] *gone*

1. А́рмия защити́ла страну́ от вра́жеского *наше́ствия*.
1. В *про́шлом* году́ сын зако́нчил шко́лу.
2. По доро́жке торже́ственно *ше́ствовала* у́тка, а за ней бежа́ли ма́ленькие утя́та.
2. На грани́це пришло́сь заплати́ть большу́ю *по́шлину* за вы́воз це́нных това́ров.
3. *Ше́ствие* демонстра́нтов дли́лось не́сколько часо́в. Демонстра́нтам *предше́ствовали* маши́ны, на кото́рых бы́ли напи́саны ло́зунги демонстра́ции.
3. Стари́к перее́хал в ма́ленький городо́к в *позапро́шлом* году́, но до сих пор он чу́вствует себя́ чужи́м, *при́шлым* среди́ жи́телей го́рода.
4. Друг рассказа́л мне об интере́сном *происше́ствии*, свиде́телем кото́рого он был год наза́д.
4. А.П.Че́хов счита́л свои́м гла́вным враго́м *по́шлость* совреме́нной ему́ жи́зни.
5. До́лгие го́ды он жил *отше́льнической* жи́знью: ни с кем не встреча́лся, проводи́л вре́мя в размышле́ниях, как и поло́жено *отше́льнику*.
5. Како́й *пошля́к* твой но́вый знако́мый! Свое́й *пошлова́той* мане́рой говори́ть о други́х он мо́жет *опо́шлить* любо́й посту́пок, любо́е сло́во.

 1. The army protected the country from an enemy *invasion*.
 1. *Last* year my son finished school.
 2. A duck *marched* solemnly along the path, and little ducklings were running behind her.
 2. At the border we had to pay a large *duty* for the export of the valuable goods.
 3. The *procession* of demonstrators lasted several hours. The demonstrators *were preceded* by cars on which demonstration slogans were written.
 3. The old man moved to the small town *the year before last*, but he still feels like a stranger among the inhabitants of the town–a *new arrival*.
 4. My friend told me about an interesting *event* of which he was a witness a year ago.
 4. A.P. Chekhov considered the *banality* of contemporary life to be his principal enemy.
 5. For many long years he lived a *reclusive* life. He met with no one and spent his time in meditation, as is common for a *hermit*.
 5. What a *vulgar person* your new acquaintance is! In his *crude* way of talking about others he can *vulgarize* any action or any word.

ШЕП²⁴ (шёп¹²) *whisper*

1. Роди́тели говори́ли *шёпотом*, что́бы не разбуди́ть ребёнка.
2. Мальчи́шка что́-то тихо́нько *шепну́л* дру́гу, они́ засмея́лись и вы́бежали из ко́мнаты.
3. Же́нщина бы́стро *зашепта́ла* о чём-то на у́хо подру́жке. *Прошепта́в* не́сколько слов, она́ замолча́ла. Подру́жки посмотре́ли друг на дру́га и сно́ва приняли́сь *перешёптываться*.
4. Как ты мо́жешь ве́рить лю́дям, кото́рые тебе́ *нашёптывают* га́дости обо мне́?
5. Ле́ктор си́льно *шепеля́вит*—пло́хо произно́сит свистя́щие и шипя́щие зву́ки. Из-за *шепеля́вости* его́ тру́дно понима́ть.

 1. The parents spoke *in a whisper* so as not to wake the child.
 2. The little boy quietly *whispered* something to his friend. They started laughing and ran out of the room.
 3. The woman quickly *whispered* something in her friend's ear. *After whispering* several words, she became silent. The friends looked at each other and again started up *whispering back and forth to each other*.
 4. How can you believe people who *whisper* to you foul things about me?
 5. The lecturer *lisps* badly–he pronounces sibilants and hushers poorly. Because of his *lisp*, it is difficult to understand him.

ШИБ⁵⁸ *hit*

1. Мальчи́шка бро́сил ка́мень и *зашиб* но́гу соба́ке.
2. Руководи́тель до́лжен уме́ть *безоши́бочно* оцени́ть ситуа́цию. Ему́ не простя́т *оши́бки*.

3. Во время дра́ки не́сколько челове́к пострада́ло: кому́ *расшибли* нос, кому́ *прошибли* го́лову, кого́ *сшибли* с ног. А одного́ драчуна́ так си́льно толкну́ли, что он спино́й *вышиб* дверь, вы́валился на у́лицу и си́льно *ушибся*. Ка́жется, у него́ серьёзные *ушибы*.

4. Что случи́лось? В после́днее вре́мя у тебя́ како́й-то жа́лкий, *пришибленный* вид.

5. Рестора́н был гря́зный, дешёвый, ни́зкого *пошиба*. У вхо́да стоя́л *вышиба́ла* с гро́зным выраже́нием гру́бого лица́.

1. The little boy threw a rock and *struck* the dog's leg.

2. A leader must be able to evaluate a situation *correctly [without missing the mark]*. He is not forgiven for *mistakes*.

3. During the fight, several people were hurt. One got his nose *punched*, one's head was *struck*, and another was *knocked off* his feet. One fighter was shoved so violently that he *knocked out* the door with his back, sprawled out onto the street and *was* badly *injured*. It looks like he has serious *wounds*.

4. What happened? Lately you have had some kind of pitiful, *crestfallen* appearance.

5. The restaurant was dirty, cheap, and of low *quality*. At the entrance stood a *bouncer* with a threatening expression on his coarse face.

ШИЙ[120] (шв[12]) *sew*

1. Ма́ма прекра́сно *шьёт*, а до́чка не научи́лась *шить*.

2. Вы успе́ете *доши́ть* моё пла́тье к конце́рту?

3. Я могу́ *заши́ть* ды́рку на носке́, *приши́ть* пу́говицу, *наши́ть* эмбле́му и́ли *наши́вку* на рука́в. Но *сши́ть* но́вое пла́тье, *переши́ть* ста́рую блу́зку и сде́лать её бо́лее мо́дной и́ли *уши́ть* ю́бку—всё э́то ка́жется мне сложне́йшей нау́кой.

4. Пра́вда, я люблю́ *вышива́ть*. *Вышива́ние* для меня́—тво́рчество, ка́ждая *вы́шивка*—ма́ленькая карти́на.

5. Мне на́до купи́ть но́вые ту́фли: у ста́рых ды́рка в *подо́шве*.

1. The mother *sews* wonderfully, but her daughter has not learned *to sew*.

2. Will you have time *to finish sewing* my dress before the concert?

3. I can *sew up* a hole in a sock, *sew on* a button, and *sew* an emblem or a *stripe* onto a sleeve. But *to sew* a new dress, *alter* an old blouse to make it more stylish, or *take in* a skirt–this all seems a most complicated science to me.

4. True, I love *to embroider*. *Embroidery* for me is a creative act – each *piece of embroidery* is a small picture.

5. I need to buy new shoes. The old ones have a hole in the *sole*.

ШИР[28] *wide*

1. Морска́я *ширь* расстила́ется до са́мого горизо́нта.

2. Де́вушка смотре́ла на незнако́мца *расши́ренными* от у́жаса глаза́ми.

3. Пе́ред на́ми *широ́кая* река́. Тру́дно сказа́ть то́чно, какова́ *ширина́* реки́. Весно́й река́ разлива́ется *вширь*, и вода́ залива́ет *обши́рные* простра́нства земли́ по о́бе сто́роны от реки́.

4. Мне нра́вится *широта́* его́ души́: всегда́ помо́жет друго́му челове́ку, никогда́ не по́мнит оби́д, не жа́дничает.

5. Автомоби́льное движе́ние стано́вится о́чень интенси́вным—на́до сро́чно *расширя́ть* доро́гу. *Расшире́ние* доро́ги позво́лит сде́лать автомоби́льное движе́ние бо́лее безопа́сным.

1. The *wide expanse* of the sea extends all the way to the horizon.

2. The girl looked at the stranger with eyes *open wide* in terror.

3. Before us is a *wide* river. It is difficult to tell the exact *width* of the river. In the spring, the river overflows its banks [flows way over *in breadth*]and the water flows over a *broad* expanse of land on both sides of the river.

4. I like the *generosity [breadth]* of his soul. He will always help another person, never remembers offenses, and is not greedy.

5. The flow of traffic is becoming very congested–the road needs *to* be *widened* immediately. *Widening* the road will make traffic safer.

ШЛЕП[1] (шлёп[21]) *slap*

1. Де́вочка уда́рила ладо́шкой по воде́—разда́лся гро́мкий *шлепо́к*.
2. Кома́р сел мне на ру́ку, и я бы́стро *пришлёпнул* его́.
3. Ребёнок сиде́л в тёплой ва́нне, ве́село *шлёпал* ру́чками по воде́ и ра́достно пригова́ривал: "*Шлёп - шлёп!*". Мать не серди́лась на ребёнка за это *шлёпанье*. *Пошлёпав* по воде́ ещё не́которое вре́мя, малы́ш *нашлёпался*, уста́л.
4. Ма́льчик запну́лся и *шлёпнулся* пря́мо в лу́жу.
5. Са́мые удо́бные дома́шние та́почки—*шлёпанцы*. У них нет за́дников, поэ́тому они́ немно́го *пришлёпывают* при ходьбе́.

   1. The girl struck the water with her little palm and a loud *little slap* rang out.
   2. The mosquito landed on my arm and I quickly *slapped* it.
   3. The child was sitting in a warm bath. He cheerfully *slapped* his hands on the water and kept joyfully repeating: "*Slap, slap!*" His mother did not get angry at the child for his *slapping*. *Having slapped* the water a little longer, the youngster *had his fill of slapping* and grew tired (of it).
   4. A boy stumbled and *plopped* right into a puddle.
   5. The most comfortable house slippers are *flip-flops*. They don't have backs, so they *flop up and down* a bit when you walk.

ШЛИФ[32] *polish*

1. Рабо́чий занима́ется *шлифо́вкой* дета́лей.
2. В учи́лище мо́жно получи́ть профе́ссию *шлифо́вщика* и́ли *шлифо́вщицы*.
3. Éсли уме́ло *шлифова́ть* металли́ческую дета́ль на *шлифова́льном* станке́, то мо́жно *отшлифова́ть* её до зерка́льной гла́дкости.
4. *Отшлифо́ванные* пове́рхности предме́тов о́чень гла́дкие, к ним прия́тно прикаса́ться руко́й.
5. На́до заня́ться твои́м воспита́нием—*подшлифова́ть* мане́ры, научи́ть хорошо́ держа́ться в о́бществе.

   1. The laborer works on *polishing* parts.
   2. At a vocational school you can obtain the profession of a *polisher (male or female)*.
   3. If you skillfully *polish* a metal component on a *polishing* machine, you can *polish* it to a mirror-like smoothness.
   4. *Polished* surfaces of objects are very smooth. It's pleasant to touch them with your hand.
   5. We must work on your good up-bringing – *polish up* your manners and teach you to behave well in society.

ШУМ[17] *noise*

1. В ко́мнате гро́мко игра́ла му́зыка и бы́ло о́чень *шу́мно*.
2. Де́ти це́лый день игра́ют, *шумя́т*, бе́гают. Мне ка́жется, они́ сли́шком *шумли́вые*, на́до их успока́ивать.
3. Снача́ла бы́ло ти́хо, но вско́ре *зашуме́л* холоди́льник на ку́хне, пото́м немно́го *пошуме́ла* вода́ в ва́нной, а сле́дом *прошуме́л* мото́р проходи́вшей ми́мо маши́ны. *Шум* постепе́нно заполня́л дом.
4. Пропаганди́стская *шуми́ха*, подня́вшаяся вокру́г выступле́ния ли́дера оппози́ции, улегла́сь то́лько че́рез ме́сяц.
5. Ученики́ так *расшуме́лись*, что не слы́шно ни одного́ сло́ва учи́теля.

   1. Music was playing loudly in the room, and it was very *noisy*.
   2. The children have been playing all day, *making noise*, and running around. I think they are too *boisterous*. They need to be calmed down.
   3. At first it was quiet. Soon, however, the refrigerator *began to make noise* in the kitchen, then the water in the bathroom *made a bit of noise*, and afterwards the motor of a passing car *made noise*. *Noise* gradually began to fill the house.
   4. The *stir* caused by the propagandists, which had risen around the presentation of the opposition leader, subsided only after a month.
   5. The pupils *grew so noisy* that not a single word from the teacher could be heard.

ШУТ[22] (шуч[8]) *joke*

1. Хозя́ин до́ма ве́село *шу́тит* с гостя́ми. Он лю́бит *пошути́ть*.
2. Кло́ун снял *шутовску́ю* ма́ску, и все уви́дели молодо́е и симпати́чное лицо́.
3. Ты хоте́л прожи́ть *шутя́*, ничего́ не принима́я всерьёз. То́лько в ста́рости ты по́нял, что жизнь—не *шу́точное* де́ло. Вот и *дошути́лся* до печа́льного конца́.
4. Друг уме́ет остроу́мно *отшути́ться* в отве́т на любо́й, да́же са́мый серьёзный, вопро́с.
5. Сосе́д гру́бо *подшути́л* надо мно́й, пото́м ещё до́лго *вышу́чивал* пе́ред знако́мыми.

   1. The master of the home *is* happily *joking* with his guests. He loves *to joke around*.
   2. The clown took off his *jester's* mask, and everyone saw a young and attractive face.
   3. You wanted to live through life *effortlessly*, taking nothing seriously. Only in old age you realized life is not a *joking* matter. Now you *have joked yourself* to a sad end.
   4. My friend has the ability *to make a* clever and *humorous reply* to any–even the most serious–question.
   5. My neighbor crudely *mocked* me and then *joked* about it in front of our acquaintances for a long time afterwards.

ЩЕЛК[7] (щёлк[34], щелч[1]) *click*

1. Вдруг в телефо́нной тру́бке что́-то *щёлкнуло*, и разгово́р прекрати́лся.
2. Офице́р хоте́л вы́стрелить из пистоле́та, но разда́лся то́лько сухо́й *щелчо́к*, так как пистоле́т не был заря́жен.
3. Две стару́шки *щёлкали* оре́шки. Они́ уже́ *перещёлкали* це́лый паке́т оре́хов, *нащёлкали* мно́го скорлупы́, но не хоте́ли останови́ться. Им нра́вилось болта́ть и одновре́менно *пощёлкивать* вку́сные жа́реные оре́шки.
4. Де́тям о́чень понра́вился бале́т "*Щелку́нчик*".
5. Не забу́дь ве́чером закры́ть дверь на *защёлку*.

   1. Suddenly, something *clicked* in the telephone receiver and the conversation was cut off.
   2. The officer wanted to fire the pistol, but only a dry *click* was heard since the pistol was not loaded.
   3. Two old women *were cracking* nuts. They *had* already *cracked up* an entire package of nuts. They *cracked* many nutshells, but they did not want to stop. They were enjoying chatting and at the same time *cracking* delicious roasted nuts.
   4. The children really liked the ballet *The Nutcracker*.
   5. Don't forget at night to *latch* the door [to close and *latch* the door].

ЩЕП[41] *split*

1. Лесору́б ру́бит де́рево—*ще́пки* летя́т во все сто́роны.
2. Брат уда́рил топоро́м по большо́му куску́ де́рева и *расщепи́л* его́ на две ча́сти.
3. При ру́бке дров топо́р *защепи́ло*, мы не могли́ его́ вы́нуть. Пришло́сь собра́ть все си́лы, что́бы вы́нуть топо́р из *расщеплённого* де́рева.
4. Во дворе́ же́нщина разве́шивает для просу́шки бельё, прикрепля́я ка́ждую вещь к верёвке *прище́пкой*.
5. По́вар взял *щепо́ть* со́ли и бро́сил в суп. Попро́бовал и доба́вил ещё ма́ленькую *щепо́тку*.

   1. The lumberjack is chopping down trees – *chips* are flying in all directions.
   2. My brother struck his axe against a block of wood and *split* it into two parts.
   3. While chopping firewood, the axe *cut in deep* and we could not pull it out. We had to gather all our strength in order to pull the axe from the *split* wood.
   4. In the courtyard a woman is hanging laundry out to dry, fastening each item to the line *with a clothespin*.
   5. The chef took a *pinch* of salt and tossed it into to soup. He tasted it, then added another *small pinch*.

ЩИП[65] *pinch, pluck*

1. Мальчи́шка бо́льно *ущипну́л* меня́ за ру́ку. Э́тот мальчи́шка ча́сто *щи́плется*.
2. Ма́ленькими *щипца́ми* ма́ма доста́ла кусо́чек са́хара из са́харницы.
3. Куха́рка на ку́хне *ощи́пывает* ку́рицу. Си́льными *щипка́ми* она́ *выщи́пывает* пе́рья, *общи́пывает*

ку́рицу со всех сторо́н. *Дощипа́в* пти́цу, куха́рка кладёт её в кастрю́лю и начина́ет вари́ть суп.

4. Брат у́чится в музыка́льном учи́лище по кла́ссу *щипко́вых* инструме́нтов.

5. Что произошло́? Ты вы́глядишь как жа́лкий *ощи́панный* цыплёнок!

     1. The little boy painfully *pinched* my arm. That boy often *pinches*.

     2. *Using small tongs*, Mom took a tiny piece of sugar from the sugar bowl.

     3. In the kitchen the cook *is plucking* the chicken. *With* firm *pinches* she *plucks out* the feathers, *plucking* the chicken from all sides. *After completely plucking* the chicken, the cook places it in a pot and begins to make some soup.

     4. My brother studies in a music school in the section for *stringed* instruments.

     5. What happened? You look like a pitiful, *wretched [plucked]* little chick!

ЩИТ[18] (щищ[2]) *shield*

1. В ста́рые времена́ в одно́й руке́ во́ина был меч, а в друго́й—*щит*.

2. В футбо́льной кома́нде я *защи́тник*, а хочу́ быть напада́ющим.

3. Ста́рший брат всегда́ *защища́ет* мла́дшего. Мла́дший горди́тся э́той *защи́той*, чу́вствует себя́ бо́лее уве́ренно.

4. То́лько о́чень жесто́кий челове́к мо́жет оби́деть *беззащи́тного* ребёнка.

5. Пе́ред судо́м адвока́т встре́тился со свои́м *подзащи́тным*.

     1. In olden times, a soldier had a sword in one hand and, in the other, a *shield*.

     2. I am a *full-back [defender]* on the soccer team, but I want to be a forward.

     3. The older brother always *protects* the younger. The younger is proud of this *protection*, and he feels more confident (because of it).

     4. Only a very cruel person can hurt a *defenceless* child.

     5. Before the trial the lawyer met with his *client*.

ЩУП[36] *feel*

1. Же́нщина осторо́жно *щу́пала* ко́нчиками па́льцев пла́тье из шёлка.

2. В темноте́ мы *ощу́пывали* рука́ми сте́ну до́ма, наде́ясь найти́ дверь.

3. Слепо́й протяну́л ру́ку, *нащу́пал* телефо́нную тру́бку, приложи́л её к у́ху. Осторо́жно *прощу́пывая* кно́пки, набра́л ну́жный но́мер.

4. Мы *о́щупью* пробира́лись по тёмному коридо́ру.

5. Ма́льчик каза́лся ху́деньким и *щу́плым*, но ру́ки у него́ бы́ли си́льные.

     1. The woman *was* carefully *feeling* the silk dress with the tips of her fingers.

     2. In the darkness we *groped* along the walls of the house with our hands, hoping to find the door.

     3. The blind man stretched out his hand, *felt for* the telephone receiver, and placed it to his ear. Carefully *feeling* the buttons, he dialed the necessary number.

     4. We were making our way down the dark hall *by feeling*.

     5. The boy seemed thin and *puny*, but his arms were strong.

ЯВ[62] *appear, become real*

1. Для враче́й бы́ло *я́вным*, что боле́знь опа́сна.

1. Престу́пник сам *яви́лся* в поли́цию и рассказа́л о своём преступле́нии.

2. В газе́те мо́жно проче́сть *объявле́ние* об интере́сном конце́рте.

2. Почему́ ты стесня́ешься откры́то *проявля́ть* свои́ чу́вства?

3. Во вре́мя тяжёлой боле́зни *явь* и сон перемеша́лись в созна́нии больно́го. Ему́ каза́лось, что он *я́вственно* слы́шит голоса́ люде́й, но, придя́ в себя́, он понима́л, что всё происходи́ло не *наяву́*, а во сне́.

3. В мили́цию поступи́ло *заявле́ние* от ва́шего сосе́да. Он пи́шет, что вы *явля́етесь отъя́вленным* пья́ницей и хулига́ном. Е́сли хоти́те, мы мо́жем *предъяви́ть* вам э́тот докуме́нт.

4. Официа́льно *заявля́ю* о своём несогла́сии с ва́шим реше́нием!

4. В каждодне́вной жи́зни, к сожале́нию, существу́ют таки́е *явле́ния*, как обма́н, воровство́, гру́бость. Но ря́дом с ни́ми мы встреча́ем *проявле́ния* чисте́йшей доброты́, благоро́дства и че́стности.

5. Фото́граф вы́нул отсня́тую плёнку из аппара́та и помести́л её в раство́р *проявителя*. Че́рез не́которое вре́мя сни́мки на́чали *проявля́ться*.

5. Поздрави́тельная откры́тка была́ запо́лнена *изъявле́ниями* не́жной любви́.

1. It was *clear* to the doctors that the illness was dangerous.

1. The criminal himself *showed up* at the police station and related his crime.

2. In the newspaper you can read a *notice* about an interesting concert.

2. Why are you shy about openly *showing* your feelings?

3. During the serious illness, *reality* and dream were mixed up in the patient's consciousness. It seemed to him that he *distinctly* heard people's voices. Coming to, however, he realized that everything had occurred not *in an awakened state*, but in a dream.

3. A *statement* from your neighbor has been received by the police. He writes that you *are* an inveterate drunk and a hoodlum. If you want, we can *present* you with this document.

4. I officially *declare* my disagreement with your decision!

4. In everyday life, unfortunately, there exist such *occurrences* as deceit, theft, and rudeness. Along with those, however, we also meet *manifestations* of the purest goodness, nobility, and honesty.

5. The photographer pulled the exposed film from the camera and placed it in a *developing* solution. After a short while, the pictures began *to appear* [*develop*].

5. The congratulatory postcard was filled *with expressions* of tender love.

ЯЗВ[22] *lacerate*

1. Врач осмотре́л больно́го и поста́вил диа́гноз—*я́зва* кише́чника.

2. У твоего́ бра́та *язви́тельная* мане́ра разгова́ривать.

3. Он лю́бит *уязви́ть* челове́ка. Обы́чно его́ слова́ *язвя́т* и обижа́ют люде́й. Ка́ждый раз, *съязви́в*, он ожида́ет, что все восхитя́тся его́ умо́м. Но я не ду́маю, что *язви́тельность*—при́знак ума́.

4. От со́лнечных ожо́гов ко́жа покры́та *я́звами*. *Изъязвлённая* ко́жа постоя́нно боли́т.

5. Есть засте́нчивые, легко́ *уязви́мые* лю́ди. *Уязви́мость* де́лает их незащищёнными от оби́д и разочарова́ний.

1. The doctor examined the patient and gave a diagnosis–an intestinal *ulcer*.

2. Your brother has a *sarcastic* manner of speaking.

3. He loves *to hurt* a person. Usually his words *wound* and offend people. *Having spoken sarcastically*, every time he expects everyone to admire his intellect. But I don't think that *sarcasm* is a sign of intellect.

4. The skin is covered *with sores* from a sunburn. The *blistered* [*ulcerated*] skin hurts constantly.

5. There are some people who are shy and *vulnerable*. Their *vulnerability* makes them defenseless against offenses and disappointments.

ЯСН[55] *clear*

1. Над на́ми *я́сное* голубо́е не́бо.

2. Я не по́нял ва́шу мысль, *поясни́те*, пожа́луйста.

3. Жени́х хоте́л внести́ *я́сность* в на́шу жизнь, *вы́яснить* на́ши отноше́ния. Весь ве́чер мы пыта́лись *объясни́ть* друг дру́гу, почему́ мы ча́сто ссо́римся. Одна́ко все *объясне́ния* не могли́ *проясни́ть* ситуа́цию.

4. Я так и не *уясни́л*, в чём це́нность э́того произведе́ния иску́сства.

5. Красота́ приро́ды наполня́ет ду́шу *неизъясни́мым* восто́ргом.

1. Above us is the *clear* blue sky.

2. I did not understand your idea. *Clarify* it, please.

3. My fiancé wanted to bring a *clarity* into our life, *to clear up* our relationship. All evening we tried *to explain* to each other why we often quarrel. However, all the *explanations* were unable *to clear up* the situation.

4. I just couldn't *fathom* what makes this work of art valuable.

5. Nature's beauty fills the soul with *inexplicable* rapture.

Comparison of Roots with Related Meanings

This section is intended primarily for advanced students interested in nuances among related roots. To locate the "family" to which a given root belongs, find the given root in the following alphabetical list. The Russian root listed to the right of the given root is the arbitrarily designated head root following which the given root will be found.

баб ([older] woman) ЖЕН
берег (protect) БЕРЕГ
бий (beat) БИЙ
блест (shine) БЛЕСТ
блуд (wander) БЛУД
блюд (observe) БЛЮД
бой (fear) БОЙ
бол (hurt) БОЛ
болт (stir up) БОЛТ, ВЕТ
бор (battle) БИЙ
бред (roam) БЛУД
брос (throw) БРОС
быв (being, be) БЫВ
вар (cook) ВАР
вей (waft, blow lightly) ВЕЙ
вед (know, be in the know) ЗНАЙ
вед (lead) ГН
век (long time) ВЕК
верет (turn) ВИЙ
верг (cast) БРОС
верх (top) ВЕРХ
весел (cheerful) ВЕСЕЛ
вет (declare) ВЕТ
вид (see) БЛЮД
вий (wind up) ВИЙ
винт (twist) ВИЙ
вой (fight) БИЙ
влад (power) ВЛАД
волок (drag) ВОЛОК
ворот (turn) ВИЙ
выс (high) ВЕРХ
вяз (bind) КЛЕП
гад (vile) ГРЯЗ
глад (smooth) КОС
глух (muffled) МОЛК
гляд (look) БЛЮД
гн (drive) ГН
гнет (oppress) ДАВ
гни (rot) гни
говор (speak) ВЕТ

год (pleasing) ВЕСЕЛ
говор (speak) ВЕТ
гор (burn) ГОР
готов (prepare) ВАР
град (block off) БЕРЕГ
греб (dig by scraping) ГРЕБ
грей (warm up) ГОР
гром (thunderous) ГРОМ
грыз (gnaw) ГРЫЗ
гряз (filth) ГРЯЗ
гул (stroll) БЛУД
дав (apply pressure to) ДАВ
держ (hold) ВЛАД
дл (long) ВЕК
добр (good, kind) ВЕСЕЛ
долг (long) ВЕК
др (jerk) БИЙ
дрог (shudder) ДРОГ
дуй (blow) ВЕЙ
дум (think) ДУМ
ед (eat) ЕД
жа (reap) ЖА
жар (heat) ГОР
жв (chew) ГРЫЗ
жг (burn) ГОР
жен (woman) ЖЕН
жив (live) БЫВ
жм (press) ДАВ
зд (create) ЗД
зем (earth) МИР
зл (malice) СЕРД
знай (know) ЗНАЙ
зр (see) БЛЮД
зяб (chill) МР
ид (go [by foot]) СТУП
им (have; take) ВЛАД
каз [сказ] (say) ВЕТ
кат (glide [rock, roll, swing]) ДРОГ
кал (grow hot) ГОР
квас (bitter) КВАС

252

кид (toss) БРОС
кис (sour) КВАСклеп (rivet) КЛЕП
кол (strike and pierce) КОЛ
кол (round) КОЛ
колеб (wave; waver) ДРОГ
колот (pound) БИЙ
коп (dig) КОП
кос (mow) ЖА
кос (touch lightly) КОС
крас (beautiful; red) МАЛ
круг (circle) ВИЙ, КОЛ
крут (intense turning) ВИЙ
крый (cover) КРЫЙ
кус (bite) ГРЫЗ, ЕД
лом (break) БИЙ
луч (ray) БЛЕСТ
люб (love) НРАВ
мал (paint) МАЛ
мар (smudge) ГРЯЗ
масл (oil) САЛ
мес (mix) БОЛТ
мет (hurl; sweep) БРОС
мет (take note of) МЕТ
мил (nice) ВЕСЕЛ
мир (world; peace) МИР
мог (power) МОГ
молв (utter) ВЕТ
молк (silent) МОЛК
молот (hammer) БИЙ
мот (wind) ВИЙ
мр (grow cold, dark) МР
мук (torment) БОЛ
мут (murky) БОЛТ
мысл (ponder) ДУМ
нес (carry, bear) ВЕТ
нз (pierce) КОЛ
ник (penetrate) КОЛ
нрав (like) НРАВ
ный (ache) БОЛ
нюх (sniff) НЮХ
облад (control) ВЛАД
огн (fire) ГОР
пал (flame) ГОР
пас (provide security) БЕРЕГ
пах (smell) НЮХ
пачк (sully) ГРЯЗ
пек (bake; grieve) ВАР, СКУК
печат (imprint) ДАВ
пил (saw) КОЛ
пис (write) РИС
пих (shove) ПИХ
пласт (plate) ПЛАСТ
подл (despicable) ГРЯЗ
пор (rip) РВ

порт (ruin) ПОРТ
пр (press against) ДАВ
прей (break down; fester) ГНИ
пряг (harness) КЛЕП
прят (hide) ПРЯТ
пуг (scare) БОЙ
пут (tangle) БОЛТ
пыл (flame) ГОР
раб (work) РАБ
раз (strike and form) БИЙ
рв (tear; dig) РВ, КОП
рез (cut) КОЛ
рек (state) ВЕТ
рис (draw) РИС
руб (chop) КОЛ
рух (ruin) БИЙ, ПОРТ
ряд (in order) РЯД
сал (grease) САЛ
свет (light) БЛЕСТ
свой (one's own) СВОЙ
сек (hack, -sect) БИЙ, КОЛ
серд (anger; heart) СЕРД
сил (strength) МОГ
сказ (say) ВЕТ
скреб (scrape) ГРЕБ
скук (bore; miss) СКУК
слой (layer) ПЛАСТ
смотр (look) БЛЮД
соб (self; one's own)
сов (stick) ПИХ
стег (fasten) КЛЕП
стерег (on guard) БЕРЕГ
стиг (reach) КОС
сторон (on the [other] side) СТОРОН
страд (suffer; feel intensely) БОЛ
страх (fright) БОЙ
стриг (trim) БИЙ
строй (in good order) РЯД
стряп (cook up) ВАР
студ (freezing cold) МР
ступ (step) СТУП
суд (judge) ДУМ
сук (spin) ВИЙ
сут (essence; presence) БЫВ
сяг (grasp) КОС
тай (conceal) ПРЯТ
таск (lug) ВОЛОК
твор (close) КРЫЙ
твор (create) ЗД
тем (dark) ТЕМ
тепл (warm) ГОР
тер (lose) ТЕР
тес (hew) КОЛ
тиск (squeeze) ДАВ

тих (quiet) МОЛК
тк (poke) КОЛ
тл (disintegrate) ГНИ
толк (interpret) ВЕТ
толк (push) ПИХ
том (weary) БОЛ
тоск (yearn) СКУК
трат (expend) ТЕР
треп (quiver; rumple) ДРОГ
треск (crack) ТРЕСК
трог (touch) КОП
труд (labor) РАБ
тряс (shake) ДРОГ
тух (break down; decompose) ГНИ
тяг (pull) ВОЛОК
удар (strike) БИЙ
хват (grab) ХВАТ
хит (seize) ХВАТ
хлоп (clap) БИЙ
хоз (care for) ВЛАД
холод (cold) МР
хорон (preserve) БЕРЕГ, КОП
царап (scratch) ГРЕБ
цеп (hook on) КЛЕП
черед (in succession) РЯД
черк (mark) МЕТ
черн (dark; black) ТЕМ
черт (draft) РИС
чес (itch; comb) ГРЕБ
чин (establish order) РЯД
чужд (alien) СТОРОН
чуй (sense) КОС
шаг (stride) СТУП
шарк (scuff) ГРЕБ
шат (stagger) ДРОГ
швыр (fling) брос
шиб (hit) БИЙ
шлеп (slap) БИЙ
шум (noise) ГРОМ
щелк (click) ТРЕСК
щип (pinch, pluck) РВ
щит (shield) БЕРЕГ
щуп (feel) КОС
язв (lacerate) КОЛ

берег (protect) /**щит** (shield) /**пас** (provide security) /**стерег** (on guard) /**хорон** (preserve) /**град** (block off)

берег, хорон - практически синонимы

щит , град (более устаревш.) - препятствовать нежелательному действию

пас - препятствовать действию, опасному для жизни

стерег- постоянное действие, требующее сосредоточенности и внимания.

1. Мно́го лет я *берегла́* (kept safe) твои́ пи́сьма, *храни́ла* (preserved) их от взгля́дов чужи́х люде́й.
2. Ста́рший брат всегда́ *защища́ет* (defends)сестрёнку - не позволя́ет мальчи́шкам обижа́ть её. Он *огражда́ет* (shields) де́вочку от оби́д и неприя́тностей.
3. В горя́щем до́ме находи́лся ма́ленький ребёнок. К сча́стью, пожа́рные *спасли́* (saved) его́ - вы́несли малыша́ из огня́.
4. Соба́ка *стережёт* (guards) дом: она́ ла́ет на любо́й шум, не пуска́ет в дом чужи́х, *охраня́ет* (preserves) поко́й свои́х хозя́ев.

бий (beat) /**удар** (strike) /**др** (jerk) /**бор** (battle) /**вой** (fight) /**раз** (strike and form) /**сек** (hack, - sect) /**стриг** (trim) / **шиб** (hit) / **шлеп** (slap) /**лом** (break) /**колот** (pound) /**молот** (hammer) /**хлоп** (clap) /**рух** (ruin)

бий - многократно ударить

удар - один раз причинить боль с помощью какого-либо предмета

др - физически противодействовать кому-либо или чему-либо, делать физические усилия, чтобы осуществить что-либо

бор - противодействовать кому-либо или чему-либо, делать усилия, чтобы осуществить что-либо

вой - бороться с конкретным противником

раз - наносить рану или убивать каким-либо оружием

сек - бить чем-то гибким или резать ударом

стриг - резать ножницами концы или верхи чего-либо (чаще всего волосы или шерсть)

шиб - ударить, бросив что-то

шлеп - бить ладонью

лом - разделять на части, намеренно с силой перегибая или ударяя

колот - (разговорн.) часто или регулярно бить

молот - (разговорн.) бить сильно, с жестокостью по одному и тому же месту

хлоп - ударить с коротким звуком

рух - намеренное интенсивное действие для того, чтобы превратить что-либо в развалины

1. Пья́ный си́льно *уда́рил* (struck)соба́ку па́лкой, пото́м *уда́рил* (struck)ещё раз, а пото́м на́чал *бить* (to beat), не счита́я *уда́ров* (blows).
2. Во дворе́ с гро́мкими кри́ками *дра́лись* сосе́дские мальчи́шки.
3. Мно́го ме́сяцев врачи́ *бо́рются* (battle) с эпиде́мией о́спы в стране́.
4. Когда́ начала́сь *война́* (war), оте́ц сказа́л, что его́ долг - идти́ *воева́ть* (to fight) за свою́ страну́.
5. Не ду́мал солда́т оста́ться живы́м в жесто́кой *би́тве* (battle), но не *срази́ла* (struck down) его́ вра́жеская пу́ля, и верну́лся он домо́й.
6. В рука́х у ма́льчика был то́нкий и ги́бкий прут, ма́льчик со зло́бой *сёк* (hacked) э́тим пруто́м цветы́ на клу́мбе.
7. За ме́сяц во́лосы си́льно отросли́, пора́ идти́ в парикма́херскую *стри́чься* (to get a haircut).
8. Стари́к бро́сил ка́мень и *заши́б* (hit) соба́ке но́гу.
9. Дочу́рка смея́лась и ве́село *шлёпала* (slapped) ладо́шками по столу́.
10. Шокола́д был твёрдым, но мне удало́сь *отломи́ть* (break off) от него́ па́ру кусо́чков.
11. Стару́шки люби́ли поговори́ть о сосе́дях, осо́бенно ча́сто они́ обсужда́ли жизньсемьи́, в кото́рой оте́ц-пья́ница почти́ ка́ждый ве́чер, как говори́ли стару́шки, " *колоти́л* (pounded) дете́й и жену́, *молоти́л* (hammered) их кулака́ми по спи́нам".
12. Брат рассерди́лся и вы́бежал из ко́мнаты, гро́мко *захло́пнув* (slamming) за собо́й дверь.
13. В результа́те бомбёжки *ру́хнули* (ruined) дома́ на на́шей у́лице, мно́го *разруше́ний* (destruction)

было и в других районах города.

блест (shine) /**свет** (light) /**луч**(ray)

блест- отражать или излучать яркий свет
свет - отражать или излучать ровный свет
луч - отражать или излучать переливчатый мягкий свет

1. От солнечных *лучей* (rays) стекло ярко *блестит* (is shining), на него можно смотреть только в тёмных очках.
2. Погода прекрасная: тепло, солнце *светит* (is shining), дует лёгкий ветерок.
3. Девушка удивлённо посмотрела на меня тёмно-серыми *лучистыми* (radiant)глазами.

блуд (wander) /**бред** (roam) /**гул** (stroll)

блуд - ходьба без знания направления или цели
бред - медленная или усталая ходьба
гул - ходьба в течение определённого времени, или в определённом направлении, или с определённой целью

1. Солнце зашло, я понял, что сбился с дороги и предстоит всю ночь *блуждать* (to wander) в темноте.
2. Усталые, голодные, мы *брели* (roamed) по улице незнакомой деревеньки.
3. Дети поиграли в парке, *погуляли* (strolled) по его тенистым дорожкам и вернулись домой.

блюд (observe) /**вид** (see) /**зр** (see) /**смотр** (look) /**гляд** (look)

блюд - действие, требующее внимания и определённого периода времени
вид - осознание того, на что смотришь
зр - устаревший синоним *гляд, смотр, вид*
смотр, гляд - практически синонимы

1. Несколько дней психолог *наблюдал* (observed) за поведением пациента, обращал внимание на каждое движение, каждое изменение выражения лица, каждое слово.
2. Много раз мы *смотрели* (looked) на эту картину, но только сегодня по-настоящему *увидели* (saw) её красоту.
3. Не сердись! *Посмотри* (look) на меня, *взгляни* (look up) хоть разочек!
4. Когда-то вместо "*смотреть*" (to look) говорили "*зреть*" (to see), сейчас глаголпочти не употребляется, но существительное "*зрение*" (sight) осталось.

бой (fear)/ **пуг** (scare) /**страх** (fright)

бой, страх - практически синонимы: тревога, беспокойство перед опасностью
пуг - сильная тревога или беспокойство перед конкретной опасностью

1. Отец - *бесстрашный* (fearless) человек и ничего не *боится* (afraid), но при виде пистолета, направленного на ребёнка, даже отец *испугался* (was scared).

бол (hurt) /**страд** (suffer; feel intensely) /**ный** (ache) /**мук** (torment) /**том** (weary)

бол - испытывать боль, чаще всего физическую
страд, мук - испытывать боль, чаще всего нравственную или душевную
ный, том - испытывать длительную, не имеющую одной конкретной причины боль

1. Бабушка простудилась и сильно *заболела* (became sick). Несколько дней у неё*болит* (hurts) горло. Но бабушка *страдает* (suffers) не столько от физической боли, сколько от мысли, что

онá принóсит беспокóйство семьé. Ей кáжется, что онá стáла тяжкой обýзой для всех, и это сильно *мýчит* (torments) её.

2. У меня дурные предчýвствия, весь день как-то *нóет* (aches) сéрдце, на душé неспокóйно - ждите плохих извéстий.

3. Операция длилась дóлго, женé *больнóго* (of the sick man) казáлось, что*томительным* (wearying) часáм ожидáния никогдá не придёт конéц.

болт (stir up) **/мес** (mix) **/пут** (tangle) **/мут** (murky)

болт - действие, связанное с жидкостью
мес - действие, связанное с соединением нескольких ингридиентов
пут - нарушение порядка в соединении
мут - лишать прозрачности, чистоты

1. В стакáне чистая водá, химик добавляет нéсколько кáпель крáсной жидкости, затéм, покáчивая стакáн, *взбáлтывает* (shakes up) вóду, и водá приобретáет рóвный рóзовый цвéт.

2. Положите в кипящий бульóн картóшку, капýсту, моркóвь и лук, возьмите лóжку и хорошéнько *помешáйте* (mix [stir]) суп.

3. Мáма хóчет научить дóчку вышивáть, открывáет корóбку с цветными нитками ивидит, что нитки *перепýтались* (were tangled) и невозмóжно выдернуть однý нúточку из разноцвéтного клубкá.

4. Дожди размыли глинистые берегá óзера, и водá в óзере *замутилась* (became murky).

брос (throw) **/кид** (toss) **/мет** (hurl; sweep) **/швыр** (fling) **/верг** (cast)

брос, кид - практически синонимы
мет - дополнительный оттенок цели, в которую нужно попасть
швыр - дополнительный оттенок раздражения и силы
верг - дополнительный оттенок движения сверху вниз, к земле

1. Почемý ты *разбрáсываешь* (are throwning) и *раскидываешь* (tossing) свои вéщи повсей квартире?

2. Рассердившись, брат *швырнýул* (flung) книгу с такóй силой, что онá улетéла вýгол кóмнаты.

3. На землé нарисóван круг, в цéнтре крýга мáленькая ямка, нáдо размахнýться иметнýть (hurl [shoot]) мячик тóчно в эту ямку.

4. В стáрой скáзке говорится о том, как смéлый вóин удáрил мечóм стрáшного великáна и *повéрг* (cast [threw]) егó на зéмлю.

быв (being, be) **/сут** (essence; presence) **/жив** (live)

быв, жив - практически синонимы
сут - присутствовать в реальности как объект

1. *Жили- были* (Once upon a time [There lived - There were]) старик со старýхой, а детéй у них *нé было* (were none).

2. Хочý не *существовáть* (to exist), а *жить* (to live) яркой, пóлной *жизнью* (life).

вар (cook) **/готов** (prepare) **/пек** (bake; grieve) **/стряп** (cook up)

вар - может быть синонимом *готов*. Дополнительное значение - готовить что-либо
жидкое: суп, компот, кисель, варенье и т.д.
готов - любое действие, связанное с приготовлением пищи
пек - готовить что-либо из теста
стряп - устаревший синоним *готов*. Сейчас практически синоним *пек*

1. На́до *приготóвить* (to prepare) обéд - *сварúть* (to cook) суп, *испéчь* (to bake) пирóг. Суп у меня́ всегда́ получáется хорошó, а вот *стря́паю* (cook things up/bake) я плóхо, придётся просúть мáму помóчь мне сдéлать пирóг.

вей (waft, blow lightly) /**дуй** (blow)
вей - нерéзкое движéние вóздуха
дуй - сúльное движéние вóздуха

1. С утрá *вéял* (blew lightly) прия́тный лёгкий ветерóк, а к полýдню *подýл* (startedblowing) холóдный вéтер.

век (long time) /**долг** (long) /**дл** (long)
долг, дл - практúчески синонúмы
век - нескончáемо длúнный срок

1. Мы *дóлго*, (a long time) часá два, ждáли прихóда пóезда. Бы́ло хóлодно, и ожидáние показáлось нам ужáсно *длúнным* (long). Казáлось, э́тому не бýдет концá - *вéчно* (forever) мы бýдем стоя́ть на мóкрой, холóдной платфóрме и ждать, ждать, ждать.

верх (top) /**выс** (high)
верх - сáмая высóкая часть чегó-лúбо
выс - протяжённость по вертикáли от земли́ вверх

1. *Вершúна* (The peak) сáмой *высóкой* (tallest) горы́ пря́талась в облакáх.

весел (cheerful) /**добр** (good, kind) /**мил** (nice) /**год** (pleasing, pleasing unit of time)
весел - рáдость или хорóшее настроéние, котóрые проявля́ются внéшне
добр - всё, что лишенó зла, идёт на пóльзу
мил - вызывáющее симпáтию, удовóльствие
год - привлекáющее внéшним вúдом

1. Вчерá мы бы́ли в теáтре и смотрéли óчень *весёлый* (cheerful) спектáкль. Пýблика мнóго смея́лась, но осóбенно прия́тно, что э́то был *дóбрый* (goodhearted) смех - без злой насмéшки над персонáжами. Мы запóмнили герóев пьéсы как немнóго стрáнных, но *мúлых* (nice) людéй.
2. Высóкая, стрóйная, *пригóжая* (pleasant-looking) дéвушка встрéтила гостéй на крыльцé дóма.

вет (declare) /**говор** (speak) /**молв** (utter) /**рек** (state) /**толк** (interpret) /**болт** (stir up) /**каз [сказ]** (say) /**нес** (carry, bear)
говор, толк, болт - практúчески синонúмы - вести разговóр, обмéниваться мнéниями в разговóре
толк - дополнúтельное значéние - говорúть на определённую тéму
болт - дополнúтельное значéние - говорúть о несерьёзных вещáх
молв, рек, вет, нес, каз - практúчески синонúмы - вы́разить вслух мысль, мнéние, сообщúть о чём-либо
нес - дополнúтельное значéние - внимáние к звуковóй сторонé рéчи или публúчная речь
молв - (устарéвш.) дополнúтельное значéние - сказáть с усúлием, мéдленно
рек, вет - (устарéвш.) чáсто дополнúтельное иронúческое значéние - говорúть о ерундé как о значúтельных вещáх или говорúть глýпости с ýмным вúдом

1. Войдя́ в гостúную, дéвушка увúдела незнакóмых людéй, зáнятых оживлённым *разговóром* (conversation). Вúдно бы́ло, что нéкоторые из них рáды *потолковáть* (to deliberate) с прия́телями о жúзни, а нéкоторые прóсто вéсело *болтáют* (are chatting) ни о чём. К дéвушке подошлá хозя́йка и привéтливо *сказáла* (said): "Здрáвствуйте! Рáда Вас вúдеть! Как Вас зовýт?"

Хозя́йка *произнесла́* (pronounced) э́ти слова́ прия́тным глубо́ким го́лосом. В отве́т, смути́вшись, де́вушка с трудо́м *вы́молвила* (uttered) своё и́мя. В э́тот моме́нт о́бщее внима́ние привлёк смешно́й челове́к, кото́рый напы́щенным то́ном *изрека́л* (stated) невероя́тные глу́пости, сохраня́я серьёзный вид, как бу́дто он *веща́л* (was declaiming) с ка́федры пропове́дника.

вий (wind up) /**винт** (twist) /**крут** (intense turning) /**круг** (circle) /**ворот** and **верет** (turn) /**мот** (wind) /**сук** (spin)

вий - движение по кольцу
винт - движение по спирали
крут, круг, ворот, верт - круговое движение
крут - дополнительное значение - разговорный стиль
круг, ворот - практически синонимы, дополнительное значение - полное круговое движение
ворот - книжный стиль
мот - навёртывать что-либо на что-то
сук - скручивать, свивать вдвое

1. Посмотри́, каки́е краси́вые *вью́щиеся* (curly) волосы у э́той девчу́шки!
2. Старику́ тру́дно поднима́ться на второ́й эта́ж по у́зкой *винтово́й* (spiral) ле́стнице.
3. От го́лода и уста́лости голова́ *закружи́лась* (started whirling), и я потеря́л созна́ние. Когда́ я пришёл в себя́ и откры́л глаза́, не́которое вре́мя мир продолжа́л *враща́ться* (to spin) передо мно́й в како́м-то безу́мном та́нце.
4. В магази́не ма́льчику хоте́лось уви́деть все игру́шки, он *верте́л* (twisted) голово́й, дёргал мать за ру́ку. Наконе́ц, ма́тери э́то надое́ло, и она́ прикри́кнула на сы́на:"Хва́тит! Не *крути́сь* (spin [fidget])!"
5. Снача́ла попро́буй *ссучи́ть* (spin) кра́сную ни́тку с бе́лой, а пото́м *смота́й* (wind) кра́сно-бе́лую нить в клубо́к.

влад (power) /**облад** (control) /**хоз** (care for) /**держ** (hold) /**им** (have; take)

влад, облад, им - практически синонимы
влад - дополнительное значение - распоряжаться тем, что имеешь
облад - более абстрактное значение
хоз - иметь полный контроль над тем, что имеешь
держ - хранить, не отпускать

1. Оте́ц никогда́ не стреми́лся *име́ть* (to have) мно́го де́нег и́ли мно́го веще́й, *владе́ть* (to possess) заво́дами и́ли фа́бриками. Он не мечта́л о том, как бу́дет *держа́ть* (to hold) нако́пленные миллио́ны в ба́нке. Оте́ц ду́мал, что мир, в кото́ром де́ньги *облада́ют* (controls) бо́льшей вла́стью, чем ра́зум и тала́нт челове́ка, - нездоро́вый мир. Всё, чего́ хоте́л оте́ц, - быть *хозя́ином* (steward) свое́й судьбы́.

волок (drag) /**таск** (lug) /**тяг** (pull)

волок - двигать за собой, не отрывая от земли
таск - с большим усилием двигать по земле или нести
тяг - физическим усилием принуждать к движению вслед за собой

1. Гру́зчики *таска́ют* (are lugging, dragging) из маши́ны в дом больши́е я́щики. Е́сли я́щик о́чень тяжёлый, они́ *волоку́т* (drag) его́ за собо́й по земле́, поднима́я пыль. Иногда́ дво́е гру́зчиков с трудо́м *тя́нут* (pull) огро́мный я́щик, стара́ясь покре́пче ухвати́ться за деревя́нные до́ски, из кото́рых сде́ланы я́щики.

гн (drive) /**вед** (lead)

    вед - стимулировать движение

    гн - принуждать к движению

    1. Ста́ршая сестра́ взяла́ малыша́ за ру́ку и *перевела́* (led across) че́рез доро́гу.

    2. *Прогони́* (Chase away)скоре́е соба́ку, я бою́сь соба́к!

гни (rot) /**тл** (disintegrate) /**тух** (breakdown; decompose) /**прей** (break down; fester)

    гни - разрушаться, разлагаться от сырости, воздуха, тепла

    прей - разрушаться под действием сырости и тепла

    тл - превращаться в прах, в пе́пел

    тух - разлагаться, издавая противный запах

    1. Деревя́нный дом ста́рый, не́которые брёвна *сгни́ли* (rotted), их на́до меня́ть.

    2. За це́лый день никто́ не перепелена́л младенца, и на ко́же малыша́ появи́лись боле́зненные *опре́лости* (sores).

    3. В гробни́це учёные нашли́ скеле́т челове́ка и *полуистле́вшую* (half-disintegrated) ткань оде́жды.

    4. От воды́ в боло́те шёл тяжёлый *ту́хлый* (stagnant) за́пах.

гор (burn) /**огн** (fire) /**пал** (flame) /**жар** (heat) /**жг** (burn) /**пыл** (flame) /**грей** (warm up) /**тепл** (warm) /**кал** (grow hot)

    гор, жар, пыл, кал - иметь или создавать высокую температуру (прямое и переносное значение)

    огн - соединение света и тепла в результате горения (прямое и переносное значение)

    жг, пал - заставлять гореть, причинять боль жжением (прямое и переносное значение)

    грей - создавать более высокую температуру

    тепл - иметь или создавать нормальную для живого существа температуру

    1. На у́лице *тепло́* (warm), а в до́ме хо́лодно - на́до поскоре́е *разже́чь* (kindle) ками́н. Дрова́ постепе́нно *разгора́ются* (catch on fire). Хотя́ *ого́нь* (the fire) ещё не о́чень си́льный, но во́здух в ко́мнате начина́ет *нагрева́ться* (to warm up). Че́рез не́сколько мину́т *ого́нь* (the fire) *жа́рко* (hotly) *пыла́ет* (is flaming), ками́нная решётка *раскалена́* (is red hot) докрасна́, а е́сли наклони́ться к *огню́* (the fire) сли́шком ни́зко, *жар* (heat) *опаля́ет* (burns) лицо.

греб (dig by scraping) /**скреб** (scrape) /**шарк** (scuff) /**царап** (scratch) /**чес** (itch; comb)

    греб - тащить что-либо жидкое, сыпучее или мелкое, не отрывая от поверхности.

    скреб - движение острым предметом по поверхности другого предмета (иногда снимая верхний слой с поверхности предмета)

    шарк - тереть друг о друга

    царап - действие острым предметом, оставляющим след на поверхности другого предмета

    чес - движение в ответ на ощущение кожного зуда

    1. Стари́к ме́дленно шёл, *ша́ркая* (scuffing) подо́швами ту́фель по по́лу.

    2. При паде́нии мальчи́шка *поцара́пал* (scratched) коле́но о гра́вий доро́жки. Ма́ма пома́зала *цара́пины* (scratches) йо́дом, и они́ бы́стро зажи́ли.

    3. Разда́лся ре́зкий неприя́тный звук, как бу́дто кто-то желе́зом *скрёб* (scraped) по стеклу́.

    4. На бульва́ре дво́рник *гра́блями* (with a rake) собира́л опа́вшие ли́стья.

    5. По́сле уку́сов комара́ рука́ до́лго *чеса́лась* (itched).

гром (thunderous) /**шум** (noise)

    гром - хорошо слышный сильный звук

шум - слияние многих звуков, которые могут быть неясными и глухими

1. *Громко* (Loudly) вскрикнула женщина, а затем началась *шумная* (noisy) семейная ссора.

грыз (gnaw) /**жв** (chew) /**кус** (bite)
    грыз - кусать что-либо твёрдое (прямое и переносное значение)
    жв - измельчать зубами с помощью языка и слюны (прямое и переносное значение)
    кус - зубами отделять часть от целого (прямое и переносное значение)

1. Не удивительно, что ты голодный - целый день ничего не ел, только *грыз* (gnawed) морковку и яблоки. Лучше *откуси* (bite off) *кусок* (piece) пирога, хорошо *прожуй* (chew it up) и проглоти - сразу станешь сытым.

гряз (filth) /**гад** (vile) /**подл** (despicable) /**пачк** (sully)/ **мар** (smudge)
    гряз, *пачк* , *мар*- вызывающий отрицательное отношение из-за нечистоты (прямое и переносное значение)
    гад - вызывающий отвращение
    подл - вызывающий отрицательное отношение из-за безнравственности, бесчестности

1. Какой *подлый* (despicable) человек! Настоящий *подлец* (scoundrel)! Сколько *гадостей* (vile deeds) он сделал семье, которая спасла его от голодной смерти. Он позволяет себе *грязно* (in a filthy way) говорить о членах семьи, об их отношениях. Каждое его слово *пачкает* (sullies) память об этих прекрасных людях, *марает* (smudge) их имя.

дав (apply pressure to) /**жм** (press) /**пр** (press against) /**тиск** (squeeze) /**печат** (imprint) /**гнет** (oppress)
    дав - действие тяжести предмета на другой предмет
    жм - большая силы давления, но меньшая продолжительности
    пр - интенсивное воздействие не отдельного предмета, а массы
    тиск - быстрое действие
    печат - оставлять след в результате давления
    гнет - давлением ограничивать свободу или права (прямое и переносное значение)

1. Крышка чемодана не закрывалась, пришлось сильно *надавить* (pressed) на неё руками, когда и это не помогло, *поднажал* (pressed harder) коленом - и чемодан закрылся.
2. Во время сильных дождей плотина не выдержала *напора* (pressure) воды, и наводнение разрушило дома в ближайшем посёлке.
3. Знакомясь, женщина подала руку для *пожатия* (shaking), не ожидая, что молодой человек *стиснет* (would squeeze) её кисть с такой силой, что на коже *отпечатается* (is imprinted) след его пальцев.
4. Девушка хочет поскорее уехать из маленького провинциального городка, её *угнетает* (oppresses) атмосфера сплетен и пересудов, ей надоел *гнёт* (oppression) чужих мнений, она хочет быть свободной и независимой.

дрог (shudder) /**тряс** (shake) /**треп** (quiver; rumple) /**кат** (glide [rock, roll, swing]) /**колеб** (wave; waver) /**шат** (stagger)
    дрог - при прямом значении - сильное (хотя немного слабее *тряс*) движение или состояние, при переносном значении - самое слабое состояние
    тряс - при прямом и переносном значении - самое сильное движение или состояние
    треп - (дополнительный оттенок книжности) при прямом значении - самое слабое движение или состояние, при переносном значении - почти равно по значению *тряс*
    кат - движение из стороны в сторону или сверху вниз
    колеб - значение такое же как *кат*, но движение более лёгкое и плавное

шат - движение из стороны в сторону предмета, который занимает вертикальное положение

1. От порывов сильного ветра маленький домишко *сотрясался* (shook), *дрожали* (shuddered) стены, хлопали ставни окон.
2. От утреннего ветерка листья деревьев слегка *трепещут* (are rustling), а занавеска на открытом окне чуть заметно *колеблется* (is waving).
3. Испуганный ребёнок *трясся* (was shaking) от страха, он был похож на маленького зверька, *трепещущего* (quivering) перед огромным удавом. При взгляде на малыша что-то *дрогнуло* (shuddered) у меня в душе.
4. Бабушка посмотрела на мои растрёпанные волосы и неодобрительно *покачала* (shook) головой.
5. Больной шёл по коридору, *шатаясь* (staggering) от слабости.

дум (think) /**мысл** (ponder) /**суд** (judge)
    дум, мысл - практически синонимы
    мысл - дополнительное значение - сопоставление идей, понятий и т.д., в результате которого делаются важные выводы
    суд - дополнительное значение - оценка идей, понятий, действий и т.д.

1. Ты уже не маленький, пора *подумать* (to think) о твоём будущем, *поразмыслить* (to ponder) хорошенько о том, чем ты хочешь заниматься в жизни.
2. Твои *суждения* (judgments) о книгах всегда интересны и глубоки, поэтому мне нравится *обсуждать* (to discuss) с тобой новинки литературы.

ед (eat) /**кус** (taste; try)
    ед, кус - практически синонимы
    кус - дополнительное значение вежливости или книжности

1. Брат любит пробовать редкие, изысканные *кушанья* (dishes), а я предпочитаю самую простую *еду* (food).

жа (reap) /**кос** (mow)
    жа - понятие, связанное со скашиванием злаков
    кос - понятие, связанное со скашиванием травы

1. Летом в деревне много работы - надо *накосить* (to mow a considerable quanity) побольше травы на зиму для скота, а после *покоса* (mowing) и *жатва* (reaping) не за горами - рожь и пшеницу убирать пора.

жен (woman) /**баб** ([older] woman)
    жен - обозначение пола или рода
    баб - дополнительный оттенок грубости, насмешки или фамильярности

1. Воспитанный мужчина никогда не назовёт *женщину* [a woman] *бабой* [an "old gal"]. Это звучит грубо и неуважительно.

зд (create) /**твор** (create)
    зд, твор - практически синонимы
    твор - создание отвлечённых понятий, духовных ценностей

1. *Творчество* (The creative works) великого художника - пример высокого служения искусству.

Карти́ны, *со́зданные* (created) им, говоря́т о красоте́ ми́ра и челове́ка.

знай (know) /**вед** (know, be in the know)
знай - обладание информацией
вед - дополнительный оттенок знания того, что для большинства является секретом

1. Стару́ха посмотре́ла на го́стя и ти́хо сказа́ла: "Ты учёный челове́к, мно́гое *зна́ешь* (you know). Но ещё бо́льше тебе́ предстои́т *изве́дать*" (come to know).

квас (bitter) /**кис** (sour)
квас, кис - в прямом значении практически синонимы, в переносном *квас* употребляется гораздо реже

1. На зи́му ба́бушка *заква́сила* (pickled) капу́сту. Тушёная *ки́слая* (sour) капу́ста с я́блоками - люби́мое блю́до на́шей семьи́.
2. Почему́ у тебя́ тако́й *ки́слый* (sour) вид? Совсе́м *расква́сился* (have become bitter) из-за ма́ленькой неуда́чи!

клеп (rivet) /**вяз** (bind) /**стег** (fasten) /**пряг** (harness) /**цеп** (hook on)
клеп - соединять металлические предметы, не нагревая, а с помощью скреп
вяз - скреплять концы ткани или верёвки, не сшивая их
стег - тянуть к себе, соединяя или сближая
пряг - натягивать и оставлять натянутым
цеп - ухватить за что-то и держать

1. *Клепа́льщик* (Riveter) взял два металли́ческих листа́, соедини́в, просверли́л в них отве́рстие, в отве́рстие вста́вил то́лстый гвоздь и си́льными уда́рами расплю́щил концы́ гвоздя́. Листы́ бы́ли кре́пко *скле́паны* (riveted).
2. Плато́к стару́шка *завяза́ла* (tied) под подборо́дком больши́м узло́м.
3. То́лстая же́нщина пыта́ется *застегну́ть* (to fasten) узкова́тое для неё пальто́, но *застёжка* (clasp) не выде́рживает и лома́ется, же́нщина смущённо *стя́гивает* полы пальто́ руко́й.
4. Лошаде́й *запрягли́* (were harnessed) в но́вую *у́пряжь* (harness gear).
5. Ве́тки кусто́в *цепля́ются* (catch on) за оде́жду.

кол (strike and pierce) /**нз** (pierce) /**рез** (cut) /**руб** (chop) /**сек** hack; -sect) /**тес** (hew) /**пил** (saw) /**язв** (lacerate) /**тк** (poke) / **ник** (penetrate)
кол, нз, рез, руб, сек, тес, пил - резким движением ввести острый или тонкий предмет вглубь другого предмета
нз - дополнительное значение - с силой и глубоко
рез - дополнительное значение - провести один или несколько раз по поверхности
руб - дополнительное значение - ударить с размаху острым предметом
сек - может быть синонимом *руб*, но может иметь дополнительное значение - резать ударом с размаху
тес - дополнительное значение - рубить дерево не поперёк, а вдоль или наискось
пил - дополнительное значение - резать *пилой* (металлическая полоса с зубьями) многократными движениями туда-сюда
язв - наносить болезненную рану (прямое и переносное значение)
тк - в движении натолкнуться на преграду
ник - проходить сквозь, внутрь

1. Како́й неуда́чный день: оди́н ребёнок *уколо́л* (pricked) па́лец иго́лкой, друго́й *поре́зал* (cut) ру́ку ножо́м, а тре́тий *споткну́лся* (tripped) о ка́мень, упа́л и *рассёк* (sliced) щёку оско́лком

стекла́, кото́рый валя́лся на доро́ге.

2. Солда́т с кри́ком *вонзи́л* (plunged) штык в живо́т проти́вника.

3. Оте́ц *сруби́л* (chopped down) де́рево, топоро́м аккура́тно *стеса́л* (hewed) со ствола́ су́чья и ве́тки. То́лстые ве́тки он отнёс во двор и *распили́л* (sawed) на дрова́.

4. Изба́вь старика́ от твои́х *язви́тельных* (cutting) замеча́ний, он доста́точно страда́ет от физи́ческой бо́ли - у него́ *я́зва* (ulcer) кише́чника.

5. Лу́нный свет *проника́ет* (penetrates) в ко́мнату сквозь неплотные што́ры, я́рким пятно́м лежи́т на полу́.

кол (round) /**круг** (circle)

кол - вблизи чего-либо
круг - во всех направлениях от чего-либо

1. Ма́льчик иска́л поте́рянный ключ и *о́коло* (near) забо́ра, и в траве́ *вокру́г* (around) до́ма.

коп (dig) /**рв** (dig) /**хорон** (preserve)

коп, рв - прямое значение - вынимая, выбрасывать что-либо сыпучее, рыхлое; делать углубление, яму
рв - дополнительное значение - более быстрое движение, более глубокая яма
коп, рв - переносное значение - перекладывать предметы, отыскивая что-то
хорон - закапывать в землю навсегда

1. Це́лый день рабо́чие лопа́тами *копа́ли* (dug) кана́ву, а ря́дом *ры́ли* (excavated) зе́млю экскава́торы. Коне́чно, к ве́черу на одно́м уча́стке бы́ло небольшо́е углубле́ние, а на друго́м появи́лся настоя́щий *ров* (canal).

2. Кто-то *копа́лся* (dug around) в мои́х бума́гах, посмотри́, на пи́сьменном столе́ всё *переры́то* (topsy-turvy)!

3. Ба́бушка проси́ла *похорони́ть* (to bury) её ря́дом с моги́лой поко́йного му́жа.

кос (touch lightly) /**трог** (touch) /**сяг** (grasp) /**стиг** (reach) /**глад** (smooth) /**щуп** (feel) /**чуй** (sense)

кос, трог - действие, которое даёт возможность осязать (прямое и переносное значение)
кос - дополнительное значение - более слабое, лёгкое действие
сяг - способность распознавать что-либо на ощупь, кожей (реже - с помощью других органов чувств)
стиг - в результате усилий получить что-либо
глад - прикасаясь, плавно проводить рукой или каким-либо предметом, как бы выравнивая
щуп - познавать, прикасаясь рукой или каким-то орудием
чуй - воспринимать и распознавать с помощью органов чувств или интуитивно

1. Ветеро́к пробежа́л по са́ду, *косну́лся* (touched lightly) воло́с де́вушки и зати́х.

2. Кто-то *тро́нул* (touched) меня́ за плечо́, я бы́стро огляну́лся и уви́дел ста́рого дру́га. Я был глубоко́ *тро́нут* (touched) э́той встре́чей.

3. У слепы́х люде́й обы́чно прекра́сно ра́звито *осяза́ние* (sense of touch), их па́льцы облада́ют порази́тельной *чувстви́тельностью* (sensitivity).

4. В журна́ле помещена́ статья́ о *достиже́ниях* (achievements) на́шего институ́та в о́бласти хими́ческих иссле́дований.

5. Де́вочка ла́сково *гла́дила* (was petting) котёнка по спи́нке.

6. Слепо́й ме́дленно шёл по у́лице, он слегка́ посту́кивал тро́стью по мостово́й, *нащу́пывая* (feeling for) доро́гу.

7. Я *почу́вствовал* (sensed) за́пах бли́зкого мо́ря.

крый (cover) /**твор** (close)

крый, твор (более устаревш. литературн.) - синонимы в значении преградить доступ или закрыть отверстие с помощью двери, ворот, окна и т.п.

крый - расположить что-то поверх, чтобы защитить, предохранить, сделать незаметным, заслонить

1. Ве́чером слуга́ снача́ла *затвори́л* (closed) широ́кие воро́та во двор, пото́м вошёл в дом и *закры́л* (closed) за собо́й дверь на замо́к.

2. Уви́дев отца́, де́вушка смути́лась и бы́стро *закры́ла* (covered) руко́й запи́ску, лежа́вшую перед ней на столе́.

мал (paint) /**крас** (beautiful; red)

мал - дополнительное значение - грубо, неумело, небрежно красить.

1. Одна́ стена́ ро́вно *покра́шена* (painted) си́ней *кра́ской* (paint), а втора́я *размалёвана* (smattered) разноцве́тными разво́дами. Говоря́т, что любо́й *маля́р* (house painter) мо́жет быть худо́жником в своём де́ле, но э́ту сте́ну *кра́сили* (painted) настоя́щие *маляры́* (house painters).

мет (take note of) /**черк** (mark)

мет - ставить отличительный знак

черк - проводить линию на поверхности

1. *Отме́ть* (Note) страни́цу в кни́ге, но ни в ко́ем слу́чае ничего́ не *подчёркивай* (underline) карандашо́м и́ли ру́чкой - про́сто сде́лай закла́дку.

мир (world; peace) /**зем** (earth)

мир - совокупность всего, что существует, более узкое значение - планета и всё, что на ней существует

зем - совокупность понятий, связанных с жизнью и деятельностью людей на планете

1. Тебя́ беспоко́ят грандио́зные *мировы́е* (world's) пробле́мы, а я бо́лее *земно́й* (earthy) челове́к - ду́маю, чем ве́чером накорми́ть дете́й.

мог (power) /**сил** (strength)

мог - бо́льшая интенсивность

1. Дви́гатель ста́рой моде́ли был дово́льно *си́льным* (strong), но но́вая моде́ль гора́здо *мощне́е* (more powerful).

молк (silent) /**тих** (quiet) /**глух** (muffled)

молк - отсутствие звуков, полная тишина

тих - отсутствие шума, слабый звук

глух - не звонкий, не резкий звук, ослабленный чем-либо

1. В ночно́м саду́ цари́ло *молча́ние* (silence), вдруг послы́шались *ти́хие* (quiet) шаги́, два челове́ка осторо́жно шли по доро́жке и разгова́ривали *приглушёнными* (muffled) голоса́ми.

мр (grow cold, dark) /**холод** (cold) /**зяб** (chill) /**студ** (freezing cold)

мр, холод, студ - низкая температура

мр - дополнительное значение - очень низкая температура

студ - дополнительное значение - самая низкая температура

мр, зяб - чувствительность к низкой температуре

мр в этом значении сильнее, чем *зяб*

1. В конце́ ноября́ си́льно *похолода́ло* (became cold), но по-настоя́щему *моро́зная* (freezing) пого́да установи́лась то́лько в середи́не декабря́, а в январе́ по утра́м была́ така́я *сту́жа* (freezing cold), что не хоте́лось выходи́ть на у́лицу.

2. - *Замёрз* (Did you freeze) на прогу́лке? - Нет, не *замёрз* (freeze), про́сто немно́жко *озя́б* (got chilled).

нрав (like) /**люб** (love)

люб - бо́льшая интенсивность чувства

1. Бра́ту *нра́вится* (likes) слу́шать любу́ю му́зыку, но по-настоя́щему он *лю́бит* (loves) то́лько о́перу.

нюх (sniff) / **пах** (smell)

нюх - чувствовать запах
пах - издавать запах

1. Ро́зы чуде́сно *па́хнут* (smell), *поню́хай* (sniff), како́й прия́тный *за́пах* (fragrance)!

пих (shove) /**толк** (push) /**сов** (stick)

пих, толк - практически синонимы
пих - дополнительное значение - (разговорный стиль) бо́льшая сила, резкость, намеренность действия
сов - дополнительное значение - (разговорный стиль) быстрота или небрежность движения

1. Авто́бус ре́зко затормози́л, пассажи́ры покачну́лись вперёд, кто-то бо́льно *толкну́л* (pushed) меня́ в спи́ну.

2. Мужчи́на, гру́бо *отпи́хивая* (shoved) всех со своего́ пути́, бы́стро пробира́лся к биле́тной ка́ссе.

3. В дра́ке я не заме́тил, кото́рый из парне́й *су́нул* (shoved) мне кулако́м в лицо́ и разби́л нос.

пласт (plate) /**слой** (layer)

пласт, слой - практически синонимы
пласт - чаще о чём-либо твёрдом

1. Срез земли́ пока́зывал, как *пласты́* (strata) твёрдых поро́д сменя́ются *слоя́ми* (layers) песка́ и гли́ны.

порт (damage) /**рух** (ruin)

порт/рух - практически синонимы
рух - дополнительное значение - намеренно портить, намеренно приводить в негодность, намеренно ломать, намеренно делать хуже

1. Глупая и злая сплетня *испо́ртила* (ruined) отно́шения между людьми, *разруши́ла* (ruined) доверие, на котором многие годы держалась дружба.

прят (hide) /**тай** (conceal)

прят - скрыть от других (чаще о конкретных предметах)
тай - содержать в себе что-то неизвестное, держать в секрете

1. Де́вушка *спря́тала* (hid) дневни́к в *потайно́й* (secret) я́щик стола́, она́ с де́тства привы́кла

пря́таться (to hide) от люде́й, *таи́ть* (conceal) свои́ мы́сли и чу́вства от всех.

раб (work) /труд (labor)

раб - занятие чем-либо с конкретной, практической целью
труд - более абстрактное значение - процесс деятельности, требующий больших усилий

1. *Рабо́чий* (The work) день рядово́го *рабо́чего* (worker) на фа́брике дли́тся семь часо́в.
2. *Труд* (The labor) шахтёров о́чень утоми́телен и опа́сен.

рв (tear) /пор (rip) /щип (pinch, pluck)

рв - дёргать или тянуть порывами
пор - делать отверстие, взрезая что-либо или перерезывая нитку
щип - дёргать или рвать, захватывая пальцами, клювом, каким-либо орудием.

1. Шко́льник *вы́рвал* (tore out) из тетра́ди листо́к, на кото́ром бы́ло напи́сано дома́шнее зада́ние.
2. Шов на пла́тье получи́лся неро́вным, пришло́сь его́ *распоро́ть* (rip apart) и сшить за́ново.
3. По дере́вне городски́е де́ти ходи́ли с опа́ской - им сказа́ли, что гу́си мо́гут бо́льно *ущипну́ть* (peck).

рис (draw) /пис (write) /черт (draft)

рис, пис - изображать что-либо на плоскости карандашом, маслом, акварелью и т.д.
пис - дополнительное значение в речи специалистов - рисовать красками
черт - делать линию на поверхности

1. Молоде́ц, *начерти́л* (drew) о́чень ро́вно две паралле́льные ли́нии, не ка́ждый суме́ет э́то сде́лать!
2. До́чка с де́тства лю́бит *рисова́ть* (to draw). В после́днее вре́мя ей осо́бенно удаю́тся *рису́нки* (drawings) углём. Мо́жет быть, когда́-нибу́дь она́ *напи́шет* (will draw) хоро́шую карти́ну.

ряд (in order) /черед (in succession) /чин (establish order) /строй (in good order)

ряд - совокупность чего-то, что расположено друг за другом или друг возле друга
черед - порядок следования, место в порядке следования
чин - установленный для чего-либо порядок или обряд
строй - определённое расположение частей в составе чего-либо

1. К ка́ссе *вы́строилась* (formed) дли́нная о́чередь (line). Лю́ди ра́зного во́зраста стоя́ли *ря́дом* (next to each other) в терпели́вом ожида́нии. Молоды́е обме́нивались шу́тками, толка́лись, а лю́ди поста́рше вели́ себя́ *чи́нно* (in an orderly way), как бу́дто боя́лись вы́глядеть смешны́ми.

сал (grease) /масл (oil)

сал - жир животного происхождения, подкожный жировой слой
масл - любой жир

1. Из коро́вьего молока́ де́лают сли́вочное *ма́сло* (butter), из семя́н подсо́лнечника - подсо́лнечное *ма́сло* (oil).
2. Дед лю́бит жа́рить карто́шку на свино́м *са́ле* (grease) и не ве́рит, что в его́ во́зрасте жи́рная пи́ща вредна́.

свой (one's own) /соб (self; one's own)

свой, соб - практически синонимы
соб - дополнительное значение - не только принадлежать кому-либо, но и находиться в чём-либо распоряжении

1. Наконе́ц-то у нас есть *свой* (our own) дом! В *со́бственном* (our very own) до́ме мы - хозя́ева и мо́жем всё устро́ить так, как мы хоти́м.

серд (anger; heart) /**зл** (malice)

     серд - мо́жет быть ненаме́ренное де́йствие

     зл - бо́льшая интенси́вность, де́йствие наме́ренное

1. У дру́га о́чень мя́гкий хара́ктер, он никогда́ не *се́рдится* (get angry), его́ невозмо́жно *разозли́ть* (provoke) да́же са́мой глу́пой и гру́бой насме́шкой.

скук (miss; bore) /**тоск** (year) /**пек** (gireve; bake)

     скук, тоск - практи́чески сино́нимы

     тоск - дополни́тельное значе́ние - бо́лее си́льное чу́вство или состоя́ние, соедине́ние ску́ки и гру́сти

     пек - душе́вное страда́ние, вы́званное го́рем или сожале́нием о чём-либо

1. Всё надое́ло, *ску́чно* (boring), ничто́ меня́ не интересу́ет. Друзья́ забы́ли обо мне́ - про́сто *тоска́* (yearning)!
2. По́сле сме́рти му́жа *печа́ль* (grief) не покида́ла бе́дную же́нщину.

сторон (on the [other] side) /**чужд** (alien)

     сторон - уклоня́ться от конта́кта или обще́ния

     чужд - уклоня́ться от обще́ния со знако́мыми или бли́зкими

1. Новичо́к *сторони́тся* (kept apart from) однокла́ссников, всегда́ сиди́т оди́н. Учи́тельница узна́ла, что ему́ тру́дно обща́ться да́же с роди́телями, он *чужда́ется* (avoids) да́же бра́тьев и сестёр.

ступ (step) /**шаг** (stride) /**ид** (go [by foot])

     ступ - необходи́ма характери́стика мане́ры передвиже́ния: не спеша́, с досто́инством, осторо́жно, тяжело́, разме́ренно, ва́жно, нетороплИ́во и т.д.

     шаг - передвига́ться разме́ренно, широ́кими шага́ми

     ид - передвига́ться, де́лая шаги́

1. По доро́жке *иду́т* (are walking) три челове́ка. Впереди́ *шага́ет* (strides out) са́мый высо́кий, за ним почти́ бежи́т мужчи́на сре́днего ро́ста, а позади́ ва́жно и нетороплИ́во *выступа́ет* (strolls along) ма́ленький толстячо́к.

тем (dark) /**черн** (dark; black)

     тем - отсу́тствие све́та

     черн - по́лное отсу́тствие све́та

1. Ве́чером бы́стро *темне́ет* (grows dark), в *темноте́* (darkness) мо́жно различи́ть то́лько *чёрные* (black) силуэ́ты дере́вьев.

тер (lost) /**трат** (expend)

     тер, трат - практи́чески сино́нимы

     трат - дополни́тельное значе́ние - бо́льшая интенси́вность, бо́лее кни́жный стиль

1. Ты *потеря́л* (lost) ско́лько лет, занима́ясь никому́ не ну́жным де́лом. Поду́май, на что ты *тра́тишь* (are wasting) свою́ жизнь!

треск (crack) **/щелк** (click)

треск - резкий звук, как будто что-то ломается или рвётся

щелк - отрывистый звук (зубами, языком, пальцами), похожий на хлопок

1. Кто-то си́льно потяну́л меня́ за рука́в руба́шки, мате́рия *затреща́ла* (ripped) - и че́рез секу́нду моя́ руба́шка была́ без рукава́.

2. Фо́кусник улыбну́лся, поклони́лся, *щёлкнул* (snapped) па́льцами и исче́з.

хват (grab) **/хит** (seize)

хват - резким движением взять и держать

хит - присвоить чужое

1. Вра́жеская а́рмия *захвати́ла* (captured) го́род, в тече́ние сле́дующего дня из музе́ев го́рода неизве́стными бы́ли *похи́щены* (seized) ценне́йшие экспона́ты.

Russian - English Correspondences

Introduction

English speakers learning French, German or Spanish find that many of the roots of these languages are similar to those found in English. This makes learning these languages somewhat easier than learning Russian whose root stock seems nearly completely different from that of English. Yet Russian and English are related, and the majority of the roots in this text have corresponding roots in English, though it may at first be difficult to see how they are related.

Russian and English have a single common ancestor, Indo-European (IE), a language that was spoken probably around the Black Sea up to 6,000 years ago. The words or roots of Indo-European have been reconstructed using as a basis its many daughter languages, some of which have died out but many of which are still spoken. Russian and English are both daughter languages of IE and are thus distant relatives. Since most of the roots in *Leveraging* have their origins in IE it is possible to find for many of these roots an English word with a "related" or corresponding root. These correspondences are also called "cognates." Over time the form of the IE roots has been altered in Russian in certain ways and altered usually in different ways in English. Thus, IE -p- generally turns up as -п- in Russian, but as -f- in English, as seen in the pair: ПАД- "fall" - FOOT, both derived from the IE root *pod- "below." (Reconstructed words or roots are preceded by an asterisk.) Because of sound changes and shifts in the use of suffixes and root vowels, some Russian-English cognates seem physically quite disparate today. For example, Russian *два* "two" (root ДВ- "two") and English *two* may seem to resemble each other only in their shortness. However, they both derive from an IE root which has been reconstructed as *duo- meaning "two". This root can be seen in numerous languages of the IE family, in varying forms (for the sake of simplicity of presentation, length and accent marks are not included here):

Sanskrit	dvau	Gothic	twai
Ossetic	duva	Old English	twa
Persian	du	Old Norse	tvau
Russian	dva	Swedish	två
Greek	duo	Dutch	twee
Latin	duo	Danish	to
French	deux	German	zwei
Irish	da	English	two

(Compare these words with three non IE words for "two": Finnish *kaksi*, Japanese *ni futatsu*, Swahili *mbili*.)

All the languages listed in the right hand column belong to the Germanic family of languages, a subgroup of IE. It is easy to see that, with the exception of German, which has undergone further changes, reconstructed IE *d has shifted to -t- in the Germanic languages. The languages in the left hand column represent various subgroups of IE, including Russian, which belongs to the Slavic family. In these languages IE *d has not shifted. In the correspondence Russian *два* - English *two*, the meaning has reamined unchanged from that found in IE. We will see instances where the meaning of the root has also been significantly modified, though not without a trace of the original meaning being retained.

The sound changes that occurred from IE to Russian and from IE to English are fairly consistent. We have seen that IE *p remains a -п- in Russian but often becomes an "f" in English, as seen in the cognates: ПРЫГ- "spring up" - English *frog*. Sometimes, the English meaning is so far distant from that of the Russian, such as ДОБР- "good, kind" - English *fabric*, that the correspondence itself may be of little value as a vocabulary mnemonic. However an acquaintance with the general outline of how these correspondences developed can enrich your comprehension of how the two languages are related.

Sound Correspondences

The following is a list of fundamental Russian - English - Latin consonant correspondences. Sounds after the slash mark refer to secondary sound developments. Latin correspondences are given because a large number of words in English derive from Latin and, as can be seen by comparing the English and Latin sounds in the chart, consonants developed differently in these two languages.

Indo-European	Russian	English	Latin
p	п	f	p
t	т	th	t
b	б	p	b
bh	б	b	f
d	д	t	d
dh	д	d	f
m	м	m	m
n	н	n	n
l	л	l	l
r	р	r	r
k	к/ч/ц	h/Ø	c
k'	с	h/Ø	c
g	г/ж	k	g
g'	з	k	g
s	с	s	s/r

The IE sounds k' and g' are soft (palatalized) and bh, dh are aspirated. (Another set of IE consonants, the labial velars, are simplified in this presentation to, e.g., *ghu-.) Some sound correspondences have more than one variant, such as Russian к/ч/ц from IE *k. Due to sound changes which developed later in the history of Russian we see all three variations where IE had only *k. The root ЛИК- "face" is an instance where all three variants are present in the modern language: облик, лицо, личный.

Note that IE *s- may be found as -r- in Latin or English words borrowed from Latin. This is usually observed when IE *s falls between two vowels; compare s-r alternations in: *justice-jury*, *opus-opera*, *honesty-honor* (from Latin *honorem*). A similar sound change occurs in Germanic words not borrowed from Latin, seen in English *most-more*.

Vowels

Vowel shifts may be extreme and erratic and so are not included in the list of correspondences given above. A word about IE *u, however, may be useful. When this sound occurred before a vowel, then it often turns up as -в- in Russian: IE *k'leu- > Russian СЛОВ-, IE *gou-or- "noise" > Russian ГОВОР-. This sound often shifts to -w- in English. In addition, vowels in late IE may be long or short and differences in vowel length are important to subsequent sound shifts. However, we do not mark vowel length below since it is not critical in determining the existence of Russian and English correspondences. Finally, in regard to vowels, IE had a system of using different vowels in roots to express variations in meaning, or grammatical variations. Very often the vowel -e- was used to express a verbal form of the root, whereas the vowel -o- was used to express the noun form of the same root. A good example of this phenomenon, known as "ablaut", can be seen in the root ДЕЛ- "divide" and its variation ДОЛ- (compare раздe*лить* and *доля*).

Lastly, IE diphthongs containing an -n- or -m-, such as IE *bhl*end*- "confusion, obscurity" sometimes shift to -у- or -я- in Russian as seen in the Russian root derived from the IE *bhlend: БЛУД- "go astray" which is related to English *blunder*.

Word Origins

Words appear in languages from many sources. As shown here, IE serves as the most important source for the roots in this book. In addition, numerous words have been borrowed into Russian and English. Some words were created based upon a resemblence of a sound to the meaning of the word. This phenomenon is called onomatopoeia and can be seen in Russian ШВЫР- "fling" and the non-related English *whistle*. English has IE as a major source of words but in a very large number of cases the English word has come through Greek or Latin. Thus the expected sound correspondence may not match that which is expected in English. For example, IE *dom "building, house" > English *dom*estic, with a -d-, where -t- is the expected correspondence (note -t- does occur in the English cognate *tame*). The words *domestic* and *domicile* are from Latin, where IE *d yields Latin -d-. Since English may have more than one source we sometimes note several English words that correspond to a single Russian root.

Structure of the IE root

IE roots presented below may contain a suffix separated from the root by a dash, e.g. IE *bhod-r- "good, brave". The suffix may or may not be part of either Russian or English cognate. Similarly sounds in parentheses suggest that in some forms the sound is not present. This most often occurs with initial -s- before a consonant, i.e. IE *(s)mol "small animal" yields Russian МАЛ- "small" and E *small*. Some IE roots are given in two or more variants. Usually the variants differ only in the root vowel or in one consonant. In such cases Russian often follows one variation while English follows the other.

Information about Russian-English cognates is presented here in a most abbreviated form. For more detailed discussion of these and other common correspondences, see D. K. Hart: *Guide to Russian-English Correspondences* (forthcoming).

Abbreviations and Symbols

corresp	correspondence
CSl	Common Slavic (a language between IE and Ru)
E	English
F	French
G	German
gen	genitive
Gk	Greek
Gmc	Germanic
IE	Indo-European
Lat	Latin
obs	obsolete
OE	Old English
OHG	Old High German
ON	Old Norse
orig	originally
poss	possibly (correspondence is only suggested, not established)
ProtoSl	Proto Slavic (a language between IE and CSl)
Ru	Russian
Sc	Scandinavian
Skt	Sanskrit
Sl	Slavic
Vulg Lat	Vulgar Latin
w/	with
w/o	without
>	becomes
↔	may be related to (derivation not implied)
;	end subentry, new subentry follows
()	sound is indicated by some languages, not indicated by others

Chief Sources:

Reference to these in the text are enclosed in parentheses.

(A)   Ayto, J. *Dictionary of Word Origins*. Arcade Publishing, New York, 1991.

(B)   Barnhart, R. (ed) *The Barnhart Dictionary of Etymology*. H.W. Wilson Co., 1988.

(Ch)   Черных, П. *Историко-этимологический словарь современного русского языка*. Русский язык, Москва, 1994.

(D)   Даль, В. *Толковый словарь живаго великорускаго языка*. М. О. Вольф, С-Петербург, 1880.

(EM)   Ernout, A and A. Meillet. *Dictionnaire Étymologique de la Langue Latine*. Librairie C. Klincksieck, Paris, 1959.

(F)   Фасмер, М. *Этимологический словарь русского языка*. Прогресс, Москва, 1987.

(Hl)   Halsey, C. An *Etymology of Latin and Greek*. Aristide D. Caratzas, New Rochelle,New York, 1983.

(Hr)   Hart, D. *Guide to Russian-English Correspondences*. Forthcoming.

(M)   Mann, S. *An Indo-European Comparative Dictionary*. Helmut Buske Verlag, Hamburg, 1987.

(MP)   Pei, Mario. *The Families of Words*. St Martins Press, Inc., New York, 1962.

(O)   Onions, C. (ed) *The Oxford Dictionary of English Etymology*. Oxford University Press, London, 1966.

(OED)   *Oxford English Dictionary*, Second Edition. CD-ROM version 2.0. Oxford University Press, London, 2000.

(P)   Pokorny, J. *Indogermanisches Etymologisches wörterbuch*. Francke Verlag, Bern,1959.

(Pr)   Преображенский, А. *Этимологический словарь русскаго языка*. Тип. Лисснер/Собко, Москва, 1910.

(Ts)   Цыганенко, Г. *Этимологический словарь русского языка*. Радянська школа, Киев, 1970.

Russian - English Correspondances

БАБ- *older woman* - onomatopoeic; this is a nursery word, poss based sounds babies make when nursing, cf unrelated E mama

БАЛ- *indulge* < IE *bha-l- "declare, utter" ↔ Ru coll. баять "to speak, talk"; with different suffix > Gk pho-ne "voice, sound" > E *phon*ics, *phon*etic, tele*phone*; > Lat fari "to speak" > E. pre*face*, de*fame*, *fable*, etc.

БД- *rouse* < IE *bheu-dh- "awaken, watch" cf БОДР- and БЛЮД-

БЕГ- *run* < IE *bhegu- "bend, turn, flee" > Lat fugere "flee" > E *fugi*tive; > OE bogan "to bow" > E *beg*

БЕД- *make poorer* < IE *bheidh- "oath, vow" > Lat fidere "trust" > E *fide*lity, con*fide*; > OE boed "ask, demand" > E *bid*. Ru sense "make poor" poss developed via CSl "to require, force to take a vow" related to "neccessity, compulsion, duress", the basis of the modern sense in Ru

БЕЛ- *white* < IE *bhel- "bright, shine" (cf Ru блеск) > E *bald* (< OE ball-ede "characterized by a white patch on the head," cf E pie*bald* "covered with white spots"

БЕРЕГ- *protect* < IE *bherg'h- "mountain, tall cliff" which should give Ru *берез-, thus some hold that this root was borrowed into Sl from Gmc (F); > E *berg* "mountain" as in ice*berg*, > E *barrow* "heap of earth"

БЕС- *evil spirit* < IE *bhois- "fear, horror" (cf Ru бояться); poss ↔ E *boar*, cf OHG bison "wander around madly" ↔ OE beere > E *boar* and poss ↔ E *beast*

БИЙ- *beat* < IE *bhi- "strike, kill" (cf Ru бой with ablaut) ↔ E *beat*, an*vil*

БЛЕСТ- *shine* < IE *bhleig'- "bare, shine, look" > E *bleak* "a small silvery scaled fish", E *bleak* also ↔ E *bleach*, E *blaze*, E *Blitzen* "name of a reindeer" < G blitzen "flash"

БЛИЗ- *close to* < IE *bhlig'- "wound, mark"; poss borrowed into Ru; other IE lgs have the meaning "to strike, hit" (cf Ru близна "a scar from a wound") which ↔ E *conflict* from Latin confligere "strike together"

БЛУД- *wander* < IE *bhlend- "confusion, obscurity" > E *blind*, E *blund*er < ON blundra "shut one's eyes" (A)

БЛЮД- *observe* < IE *bheud "prompt, exhort" (the л is a Sl innovation in this word) > E *bid* "request"; > CSl *блюсти "take care of, defend carefully" ↔ БД-

БОГ- *god, wealth* poss < IE *bhag- "wealth, property" via an ancient Iranian language with sense in Ru: "wealth → master → giver of blessings", or poss < IE *bhag- "enjoy" > Gk. phagein "to eat" > E sarco*phag*us, *phag*ocyte

БОДР- *rouse* < IE *bhod-r- "good, brave", the -r- is a suffix thus ↔ бдительный, будить; > OE bot "advantage" > E to *boot* "remedy, profit", and > E to *boot* "in addition", ↔ Eng *better*

БОЛ- *hurt* < IE *bh(e)ul- "lump, mass" > E *bale(ful)*

БОЛТ- *stir up* < ? poss ↔ IE *bhabh-l- "babble" > E *babble*

БОР- *battle* < IE *bher- "cut, stab" > E *bore*, in the sense "to pierce, perforate, make a hole through"

БР- *take* < IE *bher-/*bhr "carry, lift" (cf Ru бремя "load", беремя "armful", беременная "pregnant") > E *bear* "carry, give birth" and ↔ *birth*, *burd*en. This root is ↔ брак (w/suffix -к) "в применении к женитьбе имел значение "схватить, похитить." Основу брака у древних языческих славян составляло похищение девушки из другого рода или племени" (Ts)

БРАК- *flaw* < G Brack "refuse" ↔ E *break* < IE *bhreg- "break"

БРЕД- *roam* < ? poss < IE *bhredh- "burn, roast" > E *prate*; this root occurs only after the 17th C in Ru; note that E *prate* does not occur before 15th C (OED)

БРЕМ- *burden* see БР-; poss ↔ E *farm*, orig "rented property" < Medieval Lat firma "fixed payment" ↔ Gk pherma "burden" (A)

БРОС- *throw* < ?; the earliest meaning of this root was 'to knock down, break off' as found in some modern dialects; thus poss < IE *bhreuk' "touch, remove sth" ↔ IE *bhreg- "break" > E *break*, Lat fragmentum "piece broken off" > E *fragment*

БРЫЗГ- *splash* onomatopoeic; in Ru only since 18th C; poss ↔ G Brause "sprinkling nozzle" poss ↔ E *brush*

БУД- *rouse* < IE *bheud- "lively intellect" > OE beodan "proclaim, offer" > E *bid* (s.o. to do s.th.), see also БД-

БЫВ- *being, be* < IE *bheu- "be, dwell" ↔ Ru быть > E be. The Ru sense of "add" in the root БАВ- developed from the idea of 'make something be more' in conjunction with prefixes

ВАЖ- *importance* < CSl ВАГ- < IE *ueg'h- "carry, convey" (cf E *wag*on) > E *weigh* (cf also ВЕЗ-)

ВАЛ- *pile* ↔ Lat vallum "wall, fortification of stakes" > E *wall*, orig "a rampart of earth or stone" (OED)

ВАР- *cook* poss < IE *ghuor-m- "heat, burn" > Gk thermos > E *therm*al; or poss < IE *uor "fluid,water" > E *ur*ine via Lat

ВЕД- *know* < IE * uid- "see, notice" > E *wit*, also found in E *ide*a < Gk idein "to see"

ВЕД- *lead* < IE *uedh- "lead, bring, carry"; also connected with IE *uedh- "marry, bride" (cf Ru невеста; E "wed" comes from an IE root meaning "wager, pledge." No reliable E corresp.

ВЕЙ- *waft* < IE *aue/*ue- "blow" with suffix -nt- > Lat ventus > E *vent*; > Gmc wind- > E *wind*

ВЕЗ- *transport* < IE *ueg'h- "move, lead" > E *wagon*

ВЕК- *long time* < OR вѣкъ "life, 100 or 1000 years" < CSl *veku "showing strength, strong, long life" < IE *uik- "show strength" > E *vic*tory via Lat (cf Ru увечить "maim, mutilate, cripple")

ВЕЛ- *great* < IE *uel "wish, command" ↔ IE *uel "great, strong" > E *will, weal, well*

ВЕН- *crown* < IE *uei-n- "wind, twist" poss w/suffix -dh- ↔ E *wind* (verb), cf Ru вить "twist, wind"; evidently orig crowns were plated metal or wreath

ВЕР- *belief* < IE *uer "trust, belief, give heed" > E a*ware*, be*ware*, *war*y; > Lat verus "true, right" > E *ver*ify, *ver*ity

ВЕРГ- *cast* poss < IE *uerg'/*uerg "to act, do" > E *work*

ВЕРЕТ- see ВОРОТ- "turn"

ВЕРСТ- *mark place* < IE *uert- "turn", based on the measure of a furrow from one turn to the next > the idea of a measurement > measurement of time (Ru сверстник) and space (Ru верстá); cf Lat versus "furrow, line, verse" (Ch) > E con*vert*, di*verse*, re*verse*, etc. Same basic IE root *uer "twist, turn" > E *worm* (a twisting, turning creature), > Lat vermin "worm" > E *verm*in

ВЕРХ- *top* prob < IE *uer-s/d- "raised up, high" > E *wart*

ВЕС- see **ВИС**- *hang down*

ВЕСЕЛ- *cheerful* poss ↔ Ru весна́ (Ch) or root borrowed from Gothic or Lat meaning "to eat well, or poss < ON vesheill "be healthy" which also > E *wassail*

ВЕТ- *utter* < IE *uei-k- "speak, call" > Lat invitare "call in" > E in*vite*

ВИД- *see* < IE *ueid "to see, know" > E *wit*, *wit*ness orig "a state of knowing", also > E *vis*ion, *vis*ible, *vid*eo via Lat

ВИЙ- *wind up* < IE *uei- "turn, bend, curve" w/suffix -r- > E *wire* and *wind*.

ВИН- *guilt* < IE *uei-n-/uoi-n- "start forth, chase, pursue, cause fear" (cf Ru воин, война) > Lat vim "strength" w/Lat dicare "proclaim" > Lat vindex "claimant" > E *vind*icate, a*venge*, re*venge*

ВИНТ- *twist* < Pols gwint < G gewinde "winding, coiling"; Ru prob lost initial -g- due to influence of вить (Ch)

ВИС- *hang down* poss < IE *ueip-s- "rock, wave back and forth" > E *vibr*ate

ВЛАД- *power* < IE *ualdh- "to have strength, to be good" (cf E *val*id, *val*ue via Lat) > E *wield*

ВОД- *water* < IE *ud-r- > E *water* (also Ru выдра "otter") and E *hydro*- via Gk; in Ru initial long u- > uo- > vo-

ВОЙ- *fight* see **ВИН**- *guilt*

ВОЛ- *will* < IE *uol-/*uel- "want, desire" (cf Ru велеть) > E *will*; also > E *vol*untary, *vol*uptuous, *wea*lth

ВОЛН- *agitate* < IE *uol-n- "roll" ↔ E *well* as in "well up"

ВОЛОК- *drag* < IE *uel-k- "pull, tug, jerk" poss ↔ E *walk*, cf OED "to the end of the OE period the sense of the verb was 'to roll'"

ВОРОТ- *turn* < IE *uert-/*uort- "turn" see **ВЕРСТ**-; > Lat vertere "turn" > *vert*igo

ВР- *lie* < IE *uer-dh- "speak" (cf Ru врач orig "one who couuld heal by speaking the right words") (Ts) > E *word* and > E *verb* via Lat

ВРЕД- *harm* < IE *uerd- "rouse, anger" ↔ OE werde "to harm, injure" (OED) > E *wart*

ВРЕМ- *time* see **ВОРОТ**- the sense of time < rotation and returning of the sun, moon, and stars

ВТОР- *second* < IE *anter- "second, other" > E *other*, though the loss of -n- in Sl is problematic

ВЫК- *accustom* < IE *uk- "train, accustom, teach" (see **УК**-); initial long -u- > Ru вы-; no reliable E corresp

ВЫС- *high* < IE *ups- > E *up* (IE -ps- > Ru -s-)

ВЯД- *wan* < CSl *uend- "barren, decay, lacking" ↔ E *wane*, *want*

ВЯЗ- *bind* < CSl *venz- < IE *ang'h-/*eng'h- "press, squeeze, strain, confine" (also > Ru уз(кий)) > E *anxious* via Lat angere "choke, distress"

ГАД- *guess* < IE *ghed- "sieze" > E *get* and w/diff suffix > E *guess* orig "to take aim"

ГАД- *vile* < IE *guou-dh- "cow dung, filth" (cf Ru говно); w/o suffix -dh- > E *cow*, and via Lat *bov*ine; w/suffix -gh- > E *quag* as in *quag*mire ↔ E *khaki* orig "dirt colored"

ГАС- *extinguish* < IE *gues-t- "extinguished" > E *waste* orig meaning "emptiness, desolation"; > Lat vastus "empty" > E de*vast*ate, *vast*

ГБ- *bend* < IE *ghubh- "bend in, hollow, curve" (> Ru губа "bay") > Lat cavus "hollow" > E *cave*; "bend, curve" > OE geap "open; bent, deceitful" > E *gap*, *gape* via Sc lgs

ГЛАД- *smooth* < IE *ghladh- "shining, smooth" < IE *ghel "shine" > E w/suffix *gloss*; > OE glaed "clear, shiny, happy" > E *glad* (cf OED glad "bright, shining" obs but poss ↔ E *glade* "a bright, sunny, open place"

ГЛОТ- *swallow* < IE *glut- "gulp, swallow" > E *glutt*on via Lat, also > E *gullet*, *glut*

ГЛУБ- *deep* < IE *glheu(m)bh- "cut open" > E *cleave*

ГЛУХ- *muffled* poss < IE *ghleu- "merry, joyful", no reliable E corresp

ГЛЯД- *look* < IE *ghlendh- "be clear, shine" < IE *ghel- "shine, look" > E *glow*, *gleam*, *glitter*, *glint*

ГН- *drive* < IE *ghuen- "to strike, beat" (cf Ru жать, гнет); this root can be found in Eng via Lat where IE *ghu- > Lat -f-: E de*f*end, of*f*end

ГНЕТ- *oppress* < IE *gnet- "pressure downward" > E *knead*

ГНИ- *rot* < IE *ghnei-d- "grind to little pieces" poss ↔ OE gound "foul matter, pus" > E *nit* once spelled gnit (OED); the connection poss that rotting matter has small creatures in it

ГОВОР- *speak* < IE *gou-or- "raucous noise, buzz" > E *caw* and poss ↔ E *cough*

ГОД- *pleasing* < IE *ghodh- "fit, apt" ↔ E *good*

ГОЛ- *bare* < IE *galu- "bare" poss > E *callow* via Lat; E sense pertains to birds w/no feathers > any inexperienced young person

ГОЛОВ- see ГОЛ- *bare*

ГОЛОД- *hunger* < ?; no reliable E corresp

ГОЛОС- *voice* < IE *gal-s- "call" > E *call*

ГОР- *burn* < IE *ghuer-/*ghuor- "warm, hot" > Lat formus "oven" > E *fur*nace; > Gk thermos > E *ther*mos; > E *warm* (cf ВАР-)

ГОР- *hill* < IE *guor-/*guer- "hill" ↔ E *weir* "a barrier or dam to restrain water" (OED)

ГОРД- *proud* < ?; E *grate*, suggested by some is problematic; no clear E corresp

ГОРОД- *block off* < IE *ghord- "fortified place, walled enclosure" > E *court* and *hort*iculture both via Lat; > E *yard*, *gard*en

ГОСТ- *guest* < IE *ghost- "stranger, guest, enemy" ↔ E *guest*; > Lat hostis "enemy" > E *host* "army"; >

Lat hospes (<host-po-t) "host" > E *host* "one who lodges another" and *hosp*ital

ГОТОВ- *prepare* < ?; no clear E corresp

ГРАН- *limit* < ultimate source unknown; no compelling E corresp.

ГРЕБ- *dig by scraping* < IE *ghrebh- "scrape, dig" > E *grab, grave*

ГРЕЙ- warm up- see ГОР- *burn*

ГРЕХ- *sin* < CSl *groi-s- < ?; poss ↔ ГОР- "heat, warm" (F)

ГРОЗ- *threaten* < IE *gres- "provoke, threaten"; no certain E corresp

ГРОМ- *thunderous* < IE *ghrom- "rage, terror, roar" ↔ E *grum*ble, *grim, grim*ace

ГРУБ- *coarse* < IE *ghreubh- "rough, coarse" > Gmc grob "coarse, rude" > E *grub* "a person of mean abilities" (OED)

ГРУЗ- *load* < IE *gurendh- "swell up" > E *grand* via Lat

ГРЫЗ- *gnaw* < IE *gureu-g'h- "gnaw, grit one's teeth" > E *grit* (one's teeth)

ГРЯЗ- *filth* < poss Baltic; no clear E corresp

ГУБ- *destroy* see ГБ- *bend*

ГУЛ- *stroll* poss ↔ the noun гул "rumble, hum, boom" but semantic connection is unclear and weak; no reliable E corresp

ГУСТ- *thick* < IE *gem-/*gom- "press, squeeze"; poss ↔ Lat com- "with" > E *com*press, *com*pose

ДАВ- *press* < IE *dhou- "press, smother, strangle" > E *die*

ДАЙ- *give* < IE *do- "give" > Lat dare "give" > participle as in 'data Romae' "given at Rome" > E *data, dat*ive, and from other Lat verbs w/the same IE root > E anti*dote, don*ation, *dow*ry, en*dow*

ДАЛ- *far* poss < IE *del- "long, a long time, distant"; prob ↔ E *till* (the soil) < OE tell "a fixed point" (to till in a straight line one must fix a point and plough directly toward that point) and > E un*til* (a combination of ON und "up to" + till "goal").

ДВ- *two* < IE *duo- "two" > E *two*

ДВИГ- *move* < IE *duig- "move, jerk" > E *twitch* (cf OE twitch "to move, stir")

ДВОР- (*court*)*yard* < IE *dhuor-/*dhuer- "door" (cf Ru дверь) > Lat forum > E *for*um; > E *door*; note "court" in Ru is the area before the door

ДЕВ- *maiden* < IE *dhei- "breast-feed, suck" (cf Ru дети) > Lat femina "woman" > E *feminine*

ДЕЙ- *do, put* < IE *dhe- "put, lay" > E *do*; and prob the source of E past tense suffix -*ed* (OED)

ДЕЛ- *divide* < IE *dai-l- "divide" > E *deal* "distribute" and in the E phrase "a good deal more" (= a "lot" more) and > E *dole*; E initial -d- here poss due to borrowing root < Sl.

ДЕРЖ- *hold* < IE *dher-gh- "holding close, support" > Gk thro-nos "seat, chair" > E *thro*ne; > Lat fortis "strong, brave" > E *fort, for*ce

ДЛ- *far* - see **ДАЛ-** *far*

ДОБ- *fitting* < IE *dhabh- "correspond, fit" > Lat faber "artisan working w/ hard metal, i.e. one who fits things together" > Lat fabrica "place where a faber works" > F fabrique "a building to produce textiles" > E *fab*ric

ДОБР- see **ДОБ-** *fulfilling need*

ДОЛБ- *chisel* < IE *dhelbh- "dig, gorge out" > E *delve*

ДОЛГ- *long* < see **ДАЛ-** *far*; poss < IE *dlo(n)g- "long" > E *long* w/ loss of initial IE *d-

ДОЛГ- *debt* < IE *dhlgh- "guilt, obligation" poss a borrowing into Slavic and Celtic, but not directly from IE; no firm E corresp

ДОМ- *home* < IE dom- "building, house" > E *tame* via Lat domestic also > E *dom*estic

ДОРОГ- *high price* < CSl *dorgu poss ↔ IE *do-r- "gift" which poss ↔ *dear*

ДОХ- *spirit, breathe* see **ДУХ-** *spirit, breathe*

ДР- *jerk* < IE *dr-gh- "harras, torment, grieve" poss ↔ E *tr*igger and E *jer*k, but prob ↔ E *tear*

ДРАЗ- *irriate* < IE *dhreg'- "pick at, pull" > E *drag*

ДРОБ- *small entities* < IE *dhrebh- "grind, crumb, fragment" poss ↔ E *drop* (noun)

ДРОГ- *shudder* < IE *dhreugh- "shiver", no clearly established E corresp

ДРУГ- *friend* < IE *dhrou-gh- < IE *dher- "holding close, support"; poss ↔ E *dree* (obs) "to perform service, do someone's will" (OED); no reliable modern E corresp

ДУЙ- *blow* see **ДАВ-, ДУХ-** < IE *dheu- "blow, swirl in the air" (cf Ru дым) w/suffix -m- > Lat fumus "smoke" > E *fume*, per*fume*; w/suffix -s- poss > IE *dheu-s- "faint, lack of breath" > E *dizzy*

ДУМ- *think* < IE *dhomn- "setting, basis" with the idea being that of "setting a judgement, law" ↔ E doom earlier meant "personal or private judgement" and "doomsday" is "the day of judgement" (OED)

ДУР- *bad, foolish* < IE *dheu-er- "spin, turn, rage"; no reliable E corresp

ДУХ- *spirit, breathe* < IE *dheus-/*dhous- "spirit, breath, creature" > OE deor "animal" > E *deer*

ДЫХ- see **ДУХ-** *spirit, breathe*

ЕД- *eat* < IE *ed- "food, eat" > E *eat*, and *ed*ible via Lat

ЕДИН- *single unit* < CSl *jed-inu. The word has two parts. The first part < IE *ed- "this one" as in Ru эт-от, poss ↔ E *it*. The second part < IE *oin- "one" > E *one*.

ЕЗД- *go* < CSl *jezd- prob ↔ IE *it- "go, gait" (though Sl has *ed-, *id-, *xod- throughout) > E ex*it* via Lat, ex*od*us via Gk

ЖАЛ- *pity* < IE *guel- "prick, stab, sting" poss > E *quill*

ЖАР- *heat* < IE *ghuer- "hot" see **ГОР-(1)**; > E *war*m

ЖВ- *chew* < IE *gieu- "chew" > E *chew*

ЖГ- *burn* < CSl *йeg- < Proto Sl *geg (initial -g- by influence of final -g-) < IE *(dh)eghu- "burn, bake" > OE daeg "day" > E day; similar IE root *eghu- (no initial consonant) > E *ig*nite > Ru огонь

ЖД- *wait* < IE *gheidh- "desire, require, thirst" (cf Ru жадный "greedy") ↔ E *get*; see ГАД-

ЖЕН- *woman* < IE *guen- "wife, woman" > E *queen*; > E *gyn*ecology via Gk gyne "woman" w Gk logos "study"

ЖИВ- *live* < IE *guei-u- > Gk bios "live" > E *bio*logy; > Lat vivere "live" > E sur*vive*, re*vive*

ЖИР- *fat* poss ↔ ЖИВ *live* - in an obscure way; poss < IE *guir- "life, energy, force" > Lat virilis "manly" > E *vir*ile

ЖМ- *press* < IE *gem-bh-/*gom-bh- "sieze, grasp" w/-r- infix poss > E *cramp*, *crump*le

ЖН- *reap* < IE *ghuen- "strive, strike, beat"; no clear E correspondence

ЖР- *grub down* < IE *guer- "swallow" (cf Ru горло) > Lat vorare "devour" > E de*vour*; > Lat vorax "greedy" > E *vor*acious

ЗВ- *call, sound* < CSl zuv- "call" (cf Ru звон, звук) < IE *g'h(a)u-t- "call, shout, invoke" > E god (Hr)

ЗВЕР- *beast* < IE *g'huer- "wild animal" > Lat ferus "wild" poss ↔ E *bear* which is < Gmc

ЗВОН- see ЗВ- *call, sound*; no reliable E corresp

ЗВУК- see ЗВ- *call, sound*; no reliable E corresp

ЗД- *create* < IE *g'heidh- ↔ IE *dheig'h "to do, mould clay" > E *dike* and w/different vowel grade > E *dough* and poss > E *dig* (A); non permutation of consonants in the IE forms can be seen in OR дѣжа "kneading trough" > Ru дежа "vat"

ЗДОРОВ- *health* < IE *doru- (w/prix su- in Sl) (cf Ru дерево) poss meaning "strong as a tree" (Ch) > E *tree*; related IE root *dour- "hard, firm" > E *dur*able, en*dure* via Lat

ЗЕВ- *yawn* < IE *g'hei- "yawn, gape" (cf Ru зиять) w/suffix -n- > E *yawn* (cf G gähnen "yawn") initial -g- shifting to -y- in E; w/ IE suffix -b- > E *gape* (with problematic initial *g)

ЗЕМ- *earth* < IE *g'he(u)m- "ground, earth" > Lat humus "earth, soil" > E *hum*us "soil"

ЗИМ- *winter* < IE *g'hei-m- "winter, snow" > Skt hima "snow" + alaya "dwelling place" > E *Him*alaya (OED)

ЗЛ- *malice* < IE *g'heul- "become crooked, bent" poss (initial consonant in Lat is problematic) > Lat fallere "to decieve" > E *fail*, *false*, *fall*ible (P)

ЗНАЙ- *know* < IE *g'no- "to know" > E *know*; > E dia*gno*sis, a*gno*stic via Gk; > E reco*gn*ize, co*gn*ition via Lat

ЗОЛОТ- *gold* < IE *g'hel-t- "yellow" > E *gold*, *gild*; w/o the suffix > E *yell*ow (cf Ru желтый)

ЗР- *see* < IE *g'her- "shine, shimmer" poss ↔ E *gray*

ЗРЕЙ- *mature* < IE *g'er- "old, old man" > Gk geras "old age" > E *ger*iatrics

ЗУБ- *tooth* < IE g'omb- "tooth" > E *comb*

ЗЯБ- *chill* < IE g'embh- "bite, bite through" poss ↔ E *champ* (at the bit), *chomp*; no compelling explanation for development of Ru sense "cold"

ИГР- *play* < IE *aig- "sway, move, swing" poss > E *ag*itate via Lat

ИД- *go* < IE *ei-dh "go" > OE eode (past tense of "go"); the root *ei- occurs with many suffixes which result in words meaning "go", e.g. *eil- > Fr aller "to go", but none in E. See ЕЗД- "go"

ИМ- *have, take* < IE *em "take"; no reliable E corresp

ИМ- *name* < IE *en(o)mn- "name" > Lat nomen "name" > E *nom*inate, *nom*inative (case); > Gk onoma "name" > E a*nonym*ous; > E *name* via Gmc

ИСК- *search* < IE *ais-sk- "wish for, request" > E *ask*

КАЗ- *show* < IE *kueg'- "to appear, to see, to point out"; poss ↔ *quest*ion

КАЛ- *grow hot* < IE *k'el- "freezing, hot" (both in the sense of "burned") > Lat calor "warm" > E *cal*orie

КАП- *drop* evidently this is a strictly Sl root w/no reliable E corresp; poss ↔ КРАП *sprinkle*; poss onomatopoeic in origin

КАТ- *glide* poss < IE *(s)kot-/*(s)kok- "slide, dash, flee" poss > E *skate*

КВАС- *bitter* < IE *k(u)at-s-/*kut-s- "ferment" (cf Ru кыслый) > Lat caseus "cheese" > E *cheese*

КИД- *toss* poss < IE *(s)koid- "throw, dash" > E *shoot*

КИП- *boil* < IE *(k)uep- "smoke, boil, simmer" > OLat uapos > Lat vapor > E *vap*or

КИС- see КВАС- *sour* and КУС- *bite*; no reliable E corresp

КЛАД- *put* < IE *kla-dh- "lay out, pile up" poss > E *lad*en (as also in "bill of lading": a document detailing a ship's load), and in ablaut form E *load*, though there is no trace of an initial -k- in Germanic

КЛЕВ- *peck* < IE *kleu-/*klau- "hook, little peg, something sharp, key" > Lat clavis "key" > *clav*icle "collar bone" because "its form is that of ancient bolts" (OED); > F clef "key" > E *clef* "key (in music)"

КЛЕВЕТ- *slander* poss < IE *kel-/*kol-/*kl "lure, deceive" > Lat calvor "deceive" > Lat calumnia "trickery, artifice" > E *cal*umny

КЛЕЙ- *glue* initial -к- is problematic, but cf Ru dialect глей (and Ru глина) (D) < IE *glei- "sticky, adhere" > E *clay*; note E glue < IE *gloi- "sticky" ↔ E cleave (O)

КЛЕП- *rivet* < IE *gleb- "embrace"; no reliable E corresp

КЛИК- *call* (see КРИК- *shout*); < IE *kl-ik- "shriek, cry" ↔ IE *kl-am "cry" > Lat clamor "shout" > *clam*or; cf also E *clang* < IE *kl-ang "scream, shout"

КЛОК- *clump* poss < IE *pluk'- "fluff, felt, pile" (M) > E *flock* "a lock or tuft of wool or cotton" (OED); the shift of IE *pl- to Sl *kl is (Ch) and (F)

КЛОН- *incline* < IE *kla-n-/*klei-n- "lean, slope, bend" > OE hleonian > E *lean*; > E in*cline*, de*cline*, re*cline* all via Lat; > Gk kli-ma "inclination of ground" > "zone of the earth determined by its slope in regard to the sun" > region > *clim*ate associated with that region

КЛЮЧ- *connect to* < IE *kleu- "hook, little peg" (see КЛЕВ-); > E *clef* via F; > E con*clud*e, pre*clud*e via

Lat

КОВ- *forge* < IE *kou-/*kau- "strike" > E *hew*; also ↔ E *hay*, and E *hoe*

КОВЫР- *pick at* poss < IE *kau- "hollow out, hole" > Lat cavus "hollow" > E *cave*; the sequence -ыр- is problematic in Ru

КОЛ- *prick; fragment* < IE *kol- "to strike, beat" ↔ E *cal*amity < Lat calamitas "damage" < IE *kele- "beaten"

КОЛ- *round* < IE *kuel- "turn, go around" > E *wheel*

КОЛ- *amount* < CSl *kolik "how, how much" poss < IE *kuo- "which"; IE had different suffixes attached to this root, e.g. *kuo-d- > E *what*; *kuo-t- > E *quot*a; *kuo-l- "of what sort" > E *qual*ity

КОЛЕБ- *wave, waver* see **КОЛ**- *round*

КОЛОТ- *pound* see **КОЛ**- *prick, fragment*

КОН- *end* < CSl *kon- "end" poss < IE *koi-n- "sharpen" > E *hone*; > E *cone* via Gk konos; w/suffix -t- (*ken-t-) > E *hind* (as in "behind"; cf Ru начать < на-кин "at the edge"

КОП- *dig* < IE *(s)kep-/*(s)kop- "cut apart, split open" > Lat scapula "shoulder, shoulder blades" > E *scap*ula "shoulder blade"

КОП- *amass* see **КОП** *dig*

КОПТ- *smoke* < IE *kuep- "smoke" ↔ IE *kuap- (see **КИП**- *boil*)

КОР- *bark, crust* IE has several roots dealing with trees and features of trees all with the sequence *k—r-; Ru root КОР- comes from one of these; examples: IE *kar-t- "hard, harsh" > E *hard*; IE *ker- "tree with odorous flowers" > Gk kerasos "cherry" borrowed via Lat > E cherry; IE *kor- "skin, outer layer" > E *cor*tex "bark" via Lat

КОР- *chasten* < IE *(s)ker-/*(s)kor- "cut" > E *shear* and via Norse *score* "cut by notching lines"

КОРЕН- see **КОР**- *bark, crust*

КОРМ- *feed* poss < IE *k'or- "cause to grow" but problematic in Ru; no reliable E corresp

КОРОТ- *short* < IE *(s)kort- "cut, shortened" > Lat curtus "short" > E *curt, curt*ail; > E *short*

КОС- *slanting* poss < IE *kok's- "curved side of the body" > Gk kokkyx "cuckoo" (by the shape of its beak) > Lat coxa "hip" > E *coccyx*; > E *hock* "angle of the joint between the true knee and the fettock of an animal" (OED) as in ham-*hock*

КОС- *mow* see **КОС**- *slanting*

КОС- *touch* < IE *kes-/*kos- "scratch, comb" (also Ru чесать); poss ↔ КОР- "constrain" (cf Ru корь "measles"; poss ↔ IE *k'es "dig at, cut" > E *cas*trate via Lat

КОСТ- *bone* poss < IE *ost(h) "bone" > Gk osteon "bone" > E *osteo*- (prefix of words for bone diseases, e.g. *osteo*porosis); the initial -k- in Ru is problematic

КРАД- *conceal* poss ↔ IE *krou- "cover" (cf Ru кров, крыть); no reliable E corresp

КРАП- *sprinkle* < ?; no reliable E corresp

КРАС- *beautiful*; *red* < ?; no reliable E corresp

КРЕП- *strength* < IE *k(e)rep- "strong, firm; life, form" > Lat corpus "body" > E *corps*e

КРЕСТ- *cross* < Gmc, cf OHG Krist "Christ"

КРИВ- *crooked* < IE *kur-u- "round, curved" > Lat curvus "curved" > E *curve*

КРИК- *shout* < IE *kri-k- "cry, call for help" > E *crick*et, *croak*, see also КЛИК- *call*

КРОВ- *blood* < IE *kru- "thick blood, raw or rough flesh" > E *raw* (cf OE hreaw "raw" (OED)

КРОЙ- *cut out* < IE *(s)krei- "sieve"; the initial meaning was prob "separate one thing from another" as through a sieve; > Gk krisis "trial, decision" > E *crisis*; w/suffix -n- > Lat cernere "separate, distinguish" > E dis*cern*

КРУГ- *circle* < IE *kur-g-/*gur-g- (see КРИВ- *crooked*) w/nasal infix in E *ring* (cf OE hring)

КРУТ- *intense turning* < ?; no reliable E corresp

КРЫЙ- *cover* prob < IE *kru- "cover, top, layer" > Lat crusta "hard surface of a shell" > E *crust*

КРЫЛ- *wing* poss ↔ IE *(s)krei- "fly" but no reliable E corresp

КУП- *buy* poss < Gmc *kaup- "trade, barter" > Goth kaupon "to trade", G kaufen "to buy", > E *cheap* and ↔ F couper "cut" > E *cope* "to deal with successfully", cf OED 1st entry for this word is "to strike, engage, encounter"; compare E idioms "cut a deal", "strike a deal".

КУП- *bathe* < ?; no reliable E corresp

КУР- *smoke* < IE *ker- "burn" (the -y- in Ru is "somewhat unexpected" (Ch)); w/ suffix -dh- > E *hearth*

КУС- *bite* poss borrowing from Gmc into Ru; no reliable E corresp if not related to КУС *taste*, q.v.

КУС- *taste, try* < IE *geus- "taste, try" > Gmc *keus- > E *choose*; > Lat gustare "taste" > E *gust*o (see also КИС- *sour*)

КУТ- *wrap* < IE *(s)keu-t- "cover, wrap" (see Ru чулок) > E *sky* and w/ suffix -k- > E *shoe* (cf OE scoh); > Lat obscurus "dark" > E ob*scure*

ЛАД- *make right* prob < IE *lad- "pleasure, contentment, peace" ↔ IE *ladi "slow down, relax" > E *late* and poss E *let*

ЛАСК- *show affection* < IE *las-k- "desire, long for" > Lat lascivus "playful, wanton" > E *lasc*ivious and poss ↔ E *lus*t from Gmc

ЛГ- *lie* < IE *leugh- "lie" > OE leogan "lie" > E *lie*

ЛЕГ- *lay, lie* < IE *legh-/*logh- "put" > E *lay, lie* via OE licgan

ЛЕЗ- *climb* < IE *leg'-h- "down, low" > Old Icelandic lagr "low" > E *low*

ЛЕК- *heal* < IE *leg' "gather, collect" Ru is borrowned from Gmc (Gothic lekeis "doctor") which poss developed the meaning "doctor" via "collector of medicinal herbs" (Ch); > Lat legere "gather, collect, choose" > E inte*llig*ent (i.e., one who can choose between), co*llect* "gather together", *leg*ume "that which is gathered"

ЛЕН- *lazy* < IE *le-n-t- "easy going, slack, slow" > Fr lent "slow" > E (obs) lent "slow, sluggish", see also

ЛАД- *make right*

ЛЕП- *adhere to* < IE *leip- "to rub w/lard or fat, to glue" > E *leave* in the sense of "leavings, remains" as in "left-overs", i.e. "that which is stuck" (A) and (OED)

ЛЕС- *forest* poss ↔ E *let* as in "a parcel of ground" ↔ Gmc led-swa > E *lease* "pasture"

ЛЕТ- *fly* poss ↔ IE *lek- "extremity of the body" (Ch) > E *leg*; the Ru sense developing from suffixed IE *lek-t- (cf Latvian lekt "jump, go up"; the idea of jumping is also present in Lat locusta "locust" > E *loc*ust, see entries in (Ch) and (F)

ЛИЙ- *pour* < IE *lei-/*loi- "pour, flow" w/suffix -t- > Lat litus "beach, coast" (flowed against) > E *litt*oral "pertaining to the shore" (OED)

ЛИК- *face* < IE *leik- "flexible" (orig Sl meaning poss "cheek" (Ch)) > Lat obliquus "slanting, bent to the side" > E ob*liqu*e

ЛИСТ- *leaf* no reliable E corresp

ЛИХ- *excess* < IE *lei-kus- "abondon, leave, cease"; poss ↔ IE *lei-n- "leave something w/someone" > E *lend*; > Lat linquere "leave, abandon" > Lat relinquere "leave behind" > E re*linq*uish, re*lic*; Ru sense is "that which is in excess is abandoned"

ЛОВ- *catch* < IE *lau- "acquire" > Ru ловкий; > Lat lucrum "gain" > E *luc*re, *luc*rative

ЛОМ- *break* < IE *lem-/*lom- "broken, break" > E *lame* (also E *lam* "hit", *lam*baste)

ЛУК- *bow, bend* < IE *lenk- "bend, bow, curve" prob > E *link* via Old Norse

ЛУК- *connect* prob ↔ ЛУК- *bow, bend* here the meaning is to "bend together, connect" and used w/prefixes to mean e.g. "disconnected, apart"

ЛУП- *peel, pick* < IE *leup- "strip, peel, leaf" > E *leaf*

ЛУЧ- *ray* < IE *leuk- "light" > E *light*; > Lat lucere "be light, shine, be clear" > E trans*luc*ent, *luc*id

ЛЬГ- *light* < IE *leghu- "easy in movement, light weight" > E *light*

ЛЬД- *ice* poss ↔ E s*lide* < IE * (s)leidh- "slippery, glide"

ЛЬЗ- *use* cf ЛЬГ "light (weight)"; Ru нельзя < IE *leug'h "easy"; with no reliable E corresp

ЛЬСТ- *flatter* < Gmc, cf Go lists "craftiness" < IE *leis-t- "track, furrow" > Gmc "to follow, find out" > OE list "art, craft, cunning" (OED); > Lat lira "ridge between two furrows" ↔ OHG lernen "to follow along a track" > E *learn*; poss ↔ E *list* < OHG lista "strip, border"

ЛЮБ- *love* < IE *leubh- "love" > E *love*

МАЗ- *spread* < IE *mag'- "knead, mold, press" > E *make* "to form, create, knead" (OED); > Gk Gk magma "thick unguent" > E *mag*ma

МАЛ- *little* < IE *(s)mol- "small animal" > E *small*

МАЛ- *paint* no reliable E corresp

МАН- *entice* ↔ IE *ma- "give a sign w/one's head" in Sl *ma-n- but cf маять "wave, give a sign, deceive" and махать "wave" with different suffixes, neither w/ E corresp

МАР- *smudge* no reliable E corresp

МАСЛ- *oil* same root as in МАЗ- *spread*, here with the suffix -сл- as seen in число

МАХ- *flap, wave* see МАН- *entice*

МГ- *blink* no reliable E corresp

МЕДЛ- *slow* no reliable E corresp

МЕЖ- *division* < IE *medh-i- "middle" > E *mid, middle*

МЕН- *change* < IE *mei-n- "change, exchange"; in Gmc the root has the meaning "ordinary, common" ("that which is exchanged is common") > E *mean* "low quality, inferior"

МЕН- *less* < IE *men/*min "reduce, decrease" > Lat minus "less" > E *minor, minus, minimum*; > Lat minutus > E *minute*

МЕР- *measure* < IE *me-r- "measure" w/-t- infix via Greek > Lat > metrum "measure" > E *meter*; w/-l- suffix > E *meal* "a measure" obs except in the phrase piece-meal "measured piece by piece"

МЕСТ- *place* < IE *moi-t- < IE *mei- "support, strengthen, column, beam" (poss a source of Lat materia "wood" > E *matter*

МЕТ- *hurl, sweep* < IE *me-t- "movement of the hand in cutting or harvesting" without the -t- suffix > E *mow* and w/ the -t- suffix > E *meadow* "originally a piece of land permanently covered with grass which is mown for use as hay" (OED)

МЕТ- *take note* see МЕР- *measure*

МЗД- *retribution* < IE *med-d- "measure, portion, reward" (see МЕР-); no reliable E corresp

МИЛ- *nice* < IE *me-l-/*mi-l- "mild, soft" (also see МИР *peace*) poss ↔ E *mild* with IE suffix - dh- and ↔ E *melt* and *mellow*

МИР- *peace, world* < IE *mi-l- "mild, soft" (see МИЛ-) poss ↔ IE mi-r "wonder" > Lat mirus "wonderful, marvelous" > Lat mirari "be astonished" > E *miracle*

МК- *adhere* no reliable E corresp

МН- *recall* < IE *mn-/*men- "think" > E *mean* "to have in mind as an intention" (OED); > E *mind*, and via Latin > E *mental*

МНОГ- *much* < IE *men-gh- "abundant" > E *many*

МОГ- *power* < IE magh- "be able, help" > E *may, might*; > Lat magnus "great" > E *magnify, magnificent*

МОК- *wet* no reliable E corresp

МОЛ- *grind up* see МАЛ- *little*

МОЛ- *plead* < IE *meldh- "entreat" > E *meld* "declare (in card games)" (OED)

МОЛВ- *utter* onomatopoeic? (Pr) or ↔ Gk melos "limb, song" > E *melody* (cf. МИЛ- *nice*)

МОЛК- *silent* no reliable E corresp

МОЛОД- *young* < IE *mel-d- "short, soft" > E *melt* (see МИЛ- *nice*)

МОЛОТ- *hammer* < IE *mel-t-/*mol-t- "smash, pound" > Lat mola "mill" > E *mill*

МОРОЗ- *grow cold, dark* < IE *mer-g'-/*mor-g'- "to die" > E *mur*der, *moor* orig "a dead barren land" (OED); > Lat mors (gen. mortis) "death" > E *mor*tal, *mor*tgage orig "if pledge is not redeemed then property pledged is dead (gone)" and from Lat *mor*bus "disease" > E *mor*bid

МОРОК- *grow cold, dark* < IE *mer-k-/*mor-k- "to die" > E *murk*y prob via Old Norse

МОСТ- *surface over* < IE mazd- "pole" > E *mast* (roads in old Russia were sometimes "surfaced over" by poles, producing a corduroy type road.

МОТ- *wind* < IE *met-/*mot- "something marked out, something with a boundary" < IE *me- "measure" (see MEP-); orig Sl word meant to unwind something such as a string to measure something's size ↔ E *meter* via Latin

МР- *grow cold, dark* see МОРОЗ-, МОРОК- *grow cold, dark*

МСТ- *retribution* < IE *mei-t(h)- "exchange" > E *miss* which orig meant "loss, lack"

МУДР- *wise* < IE *mendh-r-/*mondh-r- "be active, cheerful, bright" > E *mentor* via Gk; see MH- *recall*

МУЖ- *man* < IE *man-g- "man" > E *man*

МУК- *torment* < IE *menk- "crumple, press" poss ↔ E *mang*le

МУТ- *murky* < IE *month- "shake up, twirl" and by extension, a projection which is used to turn such as a handle, thus poss ↔ IE *mon "stand out, project" > E *mouth* (cf G Mund "mouth") with the loss of -n- before -th-, poss orig in reference to the projecting jaw (cf. Lat mentum "chin")

МЫЙ- *wash* < IE *meu-t-/*mou-t- "moist, humid, clammy" > E *mud*

МЫСЛ- *ponder* < IE *mudh-l- "mentally strive for, really wish for" ↔ Gk mythos "speech, thought, story" > E *myth*

МЯ- *crumple* < IE *men- "diminish" see MEH- *less* > E *min*ute,dimi*n*ish, etc. via Lat

МЯГ- *soft* ↔ МЯ- *crumple*; poss ↔ E *mink*, which orig referred to the fur rather than the animal (B)

НЕМ- *dumb* ultimately < CSl *mem-, cf Ru мямлить "to mumble" poss ↔ E *mum*ble

НЕС- *carry, bear* < IE *nek' "carry" ↔ IE *e-n(e)k'- "extend to, sufficient" > E *enough*

НЗ- *pierce* < IE neg'h- poss ↔ IE *nek- "perish, destroy" > Lat pernicies "destruction" > E per*nic*ious

НИЗ- *low* < IE *ni-z-/*ni-d- "down" > E *neth*er, be*neath*

НИК- *penetrate* < IE *nei-k- "fall on, attack" > Gk nike "victory" > E Nike (a brand of sports gear)

НОВ- *new* < IE *nou- "new" > E *new*; > Lat novus "new" > E *nov*elty, *nov*el, re*nov*ate, etc; > Gk neos "new" > E *neo-* as on *neo*classical

НОГ- *leg, foot* < IE *nogh- "hoof" (see Ru ноготь) > E *nail* (as in finger-nail)

НРАВ- *like* < IE *ner-/*nor- "vigor, vitality, dare" with -th- infix > Gk anthropos "man" (genitive) > E *anthr*opolgy, also > E A*ndr*ew "man-like" via Gk; cf. Andromeda "man from Media"

НУД- *necessity* < IE *neu-d "sieze something desirable" > E *need*

НЫЙ- *ache* no reliable E corresp

НЫР- *dive* poss < IE *(e)ner- "below, beneath" ↔IE *n(t)er- "between, among" > E *inter*- via Lat

НЮХ- *sniff* < IE *on-s- "smell, odor" (cf Ru обоняние "sense of smell"); in Ru: IE *on-s > s > us > ух- > OR вънухати > -н- palatalized for unknown reasons > нюх- (Ts); the initial *-on is poss ↔ IE *an "breath, spirit" > Lat animus "spirit" > E *an*imal

ОБИД- *offend* < CSl *(obu)-uid- "examine, look over"; Ru meaning poss expresses sense of being looked at critically (Ts); for E corresp see ВИД- *see*; > Lat invidia "envy, hatred" > E in*vid*ious

ОБЛАД- < CSl *obu-vold- see ВЛАД- *power*

ОБЛАК- < CSl *obu-volk- see ВОЛОК- *drag*

ОБОРОТ- < CSl *obu-vort- see ВОРОТ- *turn*

ОБЩ- *in common* < CSl *obu-tj- "spread around" < IE *ob(h)i- "around, over" > Gk epi- "on, upon, around" > E *epi*demic literally "upon the people"

ОБЫК- < CSl *obu-vyk- see ВЫК- *accustom*

ОБЯЗ- < CSL *obu-venz- see ВЯЗ- *bind*

ОК- *eye* < IE *ok- "look, see" > OE eage "eye" > E *eye*; > E wind*ow* "an eye-like opening for admitting wind or air" (A); > Lat oculus "eye" > E bin*ocul*ars; also > E *og*le borrowed from G oegeln "look at often"

ОСТР- *sharp* < IE *ok'-r "sharp" > Lat acer "sharp" > E *eager*, *acrid*, *acer*bic; > Lat acus (w/o suffix) "needle" > E *acu*te, *acu*men

ОТЦ- *father* < IE *at- nursery word meaning "daddy" > E dad(dy); Ru от-ьк (w/diminutive suffix) > от-ьц

ПАД- *fall* < *IE *pod-/ped- "below, foot" > E *foot*; > Lat pedis "foot (gen)" > E *ped*al

ПАЙ- *solder* no reliable E corresp

ПАЛ- *flame* < *IE *pel/*pol-/*plo- "burn" (cf Ru пламя w/-m- suffix) ↔ IE *bhel-m-/-g- > E *flame* via F and w/ other suffix > E *fla*grant via Lat flagare "flame, blaze, burn"

ПАР- *steam* < IE *(s)per-/*(s)por- "spray" > E *spray*

ПАС- *provide security* < IE *pa-s(t)- "nourish, protect" > Lat pastor "shepherd" > *past*or, *past*oral, and < related Lat root E *past*ure

ПАХ- *smell* poss < IE *pu- "stink, foul" > Lat pus "pus" > E *pus*; > Lat putris "stinking, rotten" > E *pu*trid; Ru root vowel is problematic

ПАХ- *plow* poss < IE *(s)pa- "make a quick movement w/feet or hands (as in scattering seed), shake" (H) > Lat w/-l- suffix pala "shovel", palea "chaff", pulvis "dust" > E *pul*verize, *poll*en

ПАЧК- *sully* poss < Finnish paska "dung"; no reliable E corresp

ПЕЙ- *sing* poss < IE *peu- "strike, beat" > Lat pavire "beat, strike" > E *pave*ment; if Ru sense that of beating a cadence, then poss ↔ E an*vil* "beat on" < OE anfelt

ПЕК- *bake, grieve* < IE *peku- "bake" > E *bake*; > Lat coquere "cook" > E *cook*; > Gk pepsis "digestion"

> E dys*pep*sia "stomach upset" and E *Pep*si, orig a drink to settle the stomach

ПЕРЕД- *in front* < IE *per-d- "in front, forward" ↔ IE *per-t- "forward" > E *forth*, w/o suffix > E *fore*

ПЕРЁК- *counter* < IE *per-k- "on top of, above, distant" prob ↔ ПЕРЕД-; > E *far* (w/no suffix)

ПЕСТР- *many-hued* < IE *pik'-r- "mark, paint, adorn" poss ↔ E *fair* cf Gmc fagr- "beautiful" (A); > Lat pictura "painting" > E *picture*; > Lat pigmentum > E *pigment*

ПЕЧАТ- *imprint* < IE *pek-et- "sign or symbol burnt into something" see ПЕК- *bake*

ПИЙ- *drink* < IE *poi-/*pi- "drink" > Lat bibere (< *pi-bo) "drink" > E im*bibe*; > Lat potos participle of "to drink" > E *potion*; w/suffix -t- > E *food*, > Ru пища

ПИЛ- *saw* ↔ E *file* but the relationship is uncertain

ПИН- *stretch* < IE *(s)pin- "pull" > E span orig "distance between tip of thumb to tip of little finger when hand is stretched out" (OED)

ПИС- *write* < IE *(s)peik'- "mark, paint, write"; > w/-dh- suffix E *pied* "many-colored" and ↔ E *pick*, *pike*, *peak*, *spike*

ПИСК- *squeak* < IE *(s)peis-k- "to blow" > E *fizz*, *fizz*le; > Lat spirare "blow, breathe" > E *spir*it, in*spire* ex*pire*, etc.

ПИТ- *nourish* < IE *pei-t- "be fed, fat, juice, drink" (cf ПИЙ- *drink*) > E *fat* ↔ E *feed*, *food*, *fodd*er

ПИХ- *shove* < IE *pei-s- "grind, rub" > CSl pix- (cf Ru пшеница), semantically "grind, rub" > "push, shove" > "cram into"; > E *pest*le via Lat and E *pis*ton via Italian

ПЛАВ- *swim* < IE *pleu- "flow, float, swim" > E *flow*

ПЛАК- *cry* < IE *plak-/*plag- "strike, beat" > E *flake*, *flaw*; the Ru sense from striking one's self in anger or emotion (Ch)

ПЛАСТ- *plate*; *layer* < IE *pla(d)-t-/*pla-d- "wide and flat" (cf Ru поле w/o suffix) > E *flat* (w/o suffix)

ПЛАТ- *pay* < IE *plat- "wide and flat" > CSl "cloth" (cf Ru платье, платок); in Ru meaning developed from the exchange of pieces of cloth for payment (F); see ПЛАСТ- *plate*

ПЛЕВ- *spit* < IE *(s)phieu- "spit" > E *spew*

ПЛЕН- *captivity* no reliable E corresp

ПЛЕСК- see ПОЛОСК *splash*, *rinse*

ПЛЕТ- *weave* < IE *plek'-t- "weave, wind" > Lat plicare "fold together" > E *plait*; > E *fold*

ПЛОД- *fruit* < IE *pel-/*ple- "full, pour out" (see ПОЛН-) poss ↔ IE *bhle- "overflow, swell, flow" > Lat Flora "goddess of flowers" > E *flor*al; w/connection to Ru sense of fruit developing from flowering buds

ПЛОТ- *flesh* ↔ Ru ПЛЕТ- *weave*; both roots ↔ IE *plek'- "to tear" > E *flesh*

ПЛЯС- *dance* < CSl *plens- "dance" poss ↔ IE *ple(u)k'- "feather" > OE fleogan > E *fly*

ПОДЛ- *despicable* < CSl *pod-l- "low, down"; cf ПАД- *fall*

ПОЗД- *late* < IE *pos-t- "immediate, firsthand" > Lat post "behind, after" > E *post* as in postscript, posterior, etc.

ПОКОЙ- *peace* < CSl *po-koj- whose root < IE *kuei-/*kuoi- "resting comfortably > Lat quies (quietus in gen) "rest, quiet" > E *quiet*; with -l- suffix > E tran*quil* (via Lat) and > E *while* as in "while away the hours" which is to "pass time in some easy, pleasant manner"

ПОЛ- *weed* < IE (s)pel "scatter, destroy" > E *spill* (M); poss ↔ E *pull*, see Low German pulen "remove shell or husk, pluck"

ПОЛ- *half* < IE (s)phel-t- "break, split, cut off" > Lat spolium "hide taken from a killed animal" > E *spoil* as in "spoils of war" is a person whose armor is stripped off, cf. "the spoil of an animal" is its skin or hide stripped off; w/suffix > E *split*

ПОЛЗ- *crawl* several possible E corresp (plane, lay, flat, fall) but none are clear

ПОЛН- *full* < IE *pel-/*ple-n- (see ПЛОД- *fruit*); > E *full*; > Lat plenus "full" > E *plen*ty, re*plen*ish

ПОЛОС- *stripe* < IE *polk' "turn" Ru sense from the "track of a wheel" (Ch); > E *fell*oe "the exterior rim of a wheel" (OED)

ПОЛОСК- *splash*, *rinse*; Onomatopoeic in both Ru and E (*splash*), poss ↔ to ПЛЕВ- *spit*

ПОР- *rip* < IE *per-t-/*por-t- "penetrate, take across" > E *ford* and w/o suffix > E *ferry*; > Lat portare "carry" > E trans*port*; the Ru sense "rip, unstitch" is secondary and poss based on the idea of going from one side to another (see ПЕРЕД-)

ПОРОХ- *powder* no reliable E corresp

ПОРТ- *damage* see ПОР- *rip*

ПОТ- *sweat* prob < *pok-t- < IE *pok-/*pek- "bake" (see ПЕК- *bake*); > E apri*cot* via Arabic from Gk and Lat (B) where Lat praecoqua "apricot" is literally "before ripened" (apricots ripen from the inside, so they are ripe before they appear to be so).

ПР- *press against* < IE *(s)por-/*(s)per- "rafter, pole, spear" > E *spar* "a stout pole" (B) and > E *spear*

ПРАВ- *right, direct* < IE *prou- "forward, forth, straight" ↔ IE *pro- "before, forward" > E *prow* via Gk

ПРАЗДН- *resting* no reliable E corresp

ПРЕЙ- *break down*; *fester* rare even in Slavic; no reliable E corresp

ПРЕТ- *forbid* poss < IE *pre-t- "opposite, face to face, against" (see Ru против) > E *price*

ПРОК- *firm up* < IE *pro-k- "be in front of" > Lat reciprocus "turn back the same way" > E reci*proc*al; > Lat proximus "near, next" > E a*prox*imate, *prox*imity; Ru sense from "that which is ahead, kept for the future, was stable, lasting" (Ch)

ПРОС- *request* < IE *prek'- "ask, petition" > Lat precare "ask for, entreat" > *pray*

ПРОСТ- *uncomplicated* < IE * pro-st- "standing straight" see Ru простъ "straight road" (D); the root is *st- "stand" see СТОЙ- *stand, be worth*

ПРУГ- *spring up* < IE *(s)preng- "jerk, twitch, spring" > E *spring* orig meaning "quick movement"

ПРЫГ- *spring up* < IE *preu-g- "hop, jump" > E *frog*

ПРЫСК- *spray* < IE *(s)preu-s "spray" > E *spray*

ПРЯГ- *harness* < same IE root as ПРУГ- *spring up* with the meaning "pull together" w/o initial *s-

ПРЯМ- *straight* < IE *pre-m-/*pro-m- "leading out, leading over, forward" > E *from*: by OE *from*, the notion of "moving forward" had passed into "moving away" (A)

ПРЯТ- *hide* no reliable E corresp

ПУГ- *scare* < IE *peu(n)-g- "strike, beat" poss ↔ E *foe*

ПУСТ- *empty* ↔ ПУСТ- *let go* (Ts, Ch)

ПУСТ- *let go* < IE *paus-t- "let off, empty, few, abandoned"; poss ↔ E *few*

ПУТ- *mix* no reliable E corresp

ПУТ- *path* < IE *pen-t- "tread, meet with" > Lat pontis (gen) "bridge" > E *pont*oon "floating bridge"; poss ↔ E *path*, but connection has not been established

ПУХ- *puff* < IE *pouk-s- "soft, furry" > E *fox*

ПЫЛ- *dust* < IE *pu-l-"fine meal, dust" > Lat pollen "milldust, fine flour" > *pollen* ↔ E *pul*verize, cf. also ПАХ- *plow*

ПЫТ- *try* < IE *peu-t- "beat, strike, cut" Ru sense developing from CSl (where the root meant "to ask") related to the sense "to try by ordeal"; > Lat amputare "cut around, cut off" > am*put*ate; with suffix -n- > Lat punire "punish" > E *pun*ish

ПЫХ- see ПУХ *puff*

ПЯТ- *back* < IE *pin-t- "track, proceed, foot-print" (cf ПУТ- *path*) > E *find*

РАБ- *work* < IE *orbh- "orphaned; ready to do any labor" > Gk orphanos > E *orph*an

РАЗ- *strike and form* < IE *ureg'-/*urog'- "break, rip, destroy" > E *wreak* as in "wreak havoc"; see also РЕЗ- *cut*, also Ru враг

РАС- *grow* < IE *ordhu- "grow, tall" > Lat arbos (Lat -b- < *dhu) "tree" > E *arbor*etum; (In Slavic IE *ordhu → rod- → ros-t-; see РАБ- *work* for a similar phonological shift)

РВ- *tear, dig* < IE *ru- "rip apart, separate" poss ↔ E *ru*in via Lat

РД- *red, rust* < IE *reudh- "red" > E *red*; see РУД- *ore, arms*

РЕВН- *jealous* < IE *er-/*or- "start moving, rise, strive" > IE *reiu as in Lat rivalis "rival" derived from Lat rivus "stream, brook" > E *rival* orig sense being "a person using the same stream as another"

РЕЗ- *cut* < IE *ureg'- "rip" (cf РАЗ- *strike*) > E *wreck*

РЕК- *state* < IE *rek-/*rok- "define, suggest, arrange" > E (obs) recche "to tell, say" (OED) and poss ↔ E *reck*on < OE gerecenian "count up, relate" (OED)

РЕТ- *find* no reliable E corresp

РЕШ- *decide* < IE *roi-s- "to loosen something by unwinding; to come undone"; no reliable E corresp

РИС- *draw* borrowed < Gmc: OHG rizan "draw" ↔ E *write* (OED)

РОВ- *even* < IE *(e)reu- "open, uncover, make spacious"; E adds suffix -m- *room* "space"; Ru sense poss developed from "even handed" < "open"

РОД- *birth, genesis* < IE *ure-dh-/*ure-t- "grow, ascend, arrive, spread" > Gk orthos "standing straight" > E *orth*odox, *orth*ography "correct writing"; > Lat ortus "origin, birth" > Lat abortus "miscarriage" > ab*ort*ion

РУБ- *chop* < IE *rembh-/*rombh- "chop, make an incision" > E *rump* "hind part of an animal" (via Swedish)

РУГ- *curse* < IE *ure(n)g- "turn, twist, rotate, bend" > E *wrench*; Ru sense is secondary

РУД- *ore, arms* < IE *reudh- "red" > E *red, rust*; Ru meaning "arms" based on the use of metal weapons, knives, swords, spears, etc.

РУК- *hand, arm* no reliable E corresp

РУХ- *ruin* no reliable E corresp

РЯД- *order* poss borrowed < Lithuanian rinda "order, line"; poss ↔ Lat ordo "row, rank, series" > E *ord*er but this is problematic

САД- *set, sit* < IE *sed- "plant, set" > E *sit*, and with various suffixes > E *sett*le, *sadd*le, *seat, siege*

САЛ- *grease* < CSl *sadlo "fat, lard" < IE *sad-/*sed- "set"; Ru sense developed expressing that which sits on meat (Ch); cf САД- *set*

СВЕТ- *light* < IE *k'ueit- "white, light" > E *white*

СВИСТ- *whistle* < IE *k'huei-s- onomatopoeic of a whistling sound > E w/various sufixes *whistle, whisper*

СВОЙ- *one's own* < IE *sue-/*suo- "self, apart" > Lat suus "of one's self" > E *sui*cide; IE has a variant *se- "self" poss > Gmc *se-lbh- "self" > E *self*

СВЯТ- *holy* no reliable E corresp

СЕЙ- *sow* < IE *sei- "to sow" > E *sow*

СЕК- *hack* < IE *sek- "cut" > E *scythe*; > Lat secare "cut" > E w/various suffixes *sick*le, *sec*tion, *sec*tor, etc.

СЕЛ- *settle* < IE *sel- "living place" (prob not < IE *sed-l- "set, sit" though some Sl lgs show a - d- these are held to be contaminated by *sed- words, while IE *sel- was original; instead this root is related to IE *sei- "sow"; OHG sal "house, abode" > Vulg Lat *sala "room" > Fr salone "large room" > E *saloon* (A)

СЕМ- *seed, family* < IE *sei-men- "seed, something sown" > Lat semen "seed" > E *semen, semin*ar, dis*sem*inate

СЕРД- *heart, anger* < IE *k'rd-/*k'erd- "heart, center" < IE *k'er- "heat, love" (cf Ru ГОР- *burn*) > E *heart*; > Gk kardia "heart" > E *cardiac*

СЕРЕД- *middle* see СЕРД- *heart, anger*

СИЛ- *strength* no reliable E corresp

СКОК- *leap* < IE *skek-/*skeg- "spring, jump" > E *shake*

СКОЛЬЗ- *slip* < IE *skelg'-/*skolg'- "spring, jump" poss ↔ IE * (s)leig' "creep, move" > E *slick* and w/o initial *s Ru > Ru лыжи ↔ E *sleigh*

СКОР- *speed* poss < IE *sker-/*skor- "cut" > E *shear*

СКРЕБ- *scrape* < IE *skreb- "scrape" > E *scrape*

СКУК- *bore*; *miss* orig obscure; (Ch) suggests < IE *skeu- "shoot, hunt" relating it to > OE shey > E *shy* but the semantic development in both Ru and Eng has not been established

СЛ- *send* < IE *s(e)l- "take away, seize" > E *sell*

СЛАБ- *weak* < IE *(s)lab- "faint, weak, limp" > E *sleep*

СЛАД- *sweet* < IE *(s)sol-d- "salt, sea-salt" > E *salt*; cf Ru солод "malt" (used in brewing to convert starches to sugars); Ru соль < same IE root w/o suffix -d-

СЛЕД- *follow, track* < IE *(s)leidh- "slippery" > E *sledge* > E *sled*; E *slide*; Ru sense may have developed from "following" the tracks of a sled (Ch)

СЛЕП- *blind* prob < IE *(s)leip- "lubricate, smear" > E *slip, slipp*ery; > Lat lippus "inflamed eyes" and Lat (loss of -p-) linimentum "liniment" > E *li*niment (H); Ru sense is secondary

СЛОВ- *word* < IE *k'leu- "hear" > OE hlud > E *lou*d; > Lat cluens "one who hears" ↔ Lat cliens "follow-er" > E *cli*ent in the sense of "follower" (H)

СЛОЙ- *layer* ↔ Ru лить; the с in слой is a prefix; see ЛИЙ- *pour* poss ↔ E *lay*er < IE *lei-gh- < IE *lei- "to pour"

СЛОН- *lean* < IE *k'lein- "lean, slant" > OE hleonian "lean " > E *lean*

СЛУГ- *serve* - no reliable E corresp

СЛУХ- *listen, hear* see СЛОВ- *word*; ↔ Lat clarare "make clear, illuminate" > de*clare*

СМЕЙ- *laugh* < IE (s)mei-l- "laugh, smile" > E *smile* and (w/ different suffix) E *smirk*

СМОТР- *look* no reliable E corresp

СНАСТ- *equip* poss ↔ IE *(s)nodh-t- "protection" which is poss ↔ IE *nod- "twist together" > E *net*

СОБ- *self* see СВОЙ- *one's own*

СОВ- *stick* < IE *sk'eu- "fling, push, project, impel" related to roots w/various suffixes: *skeu-d > E *shoot*; IE *skeul "cover under some projection" > E shiel "shepherd's hut" (OED); IE *skeu-bh- > E *shove*

СОЛ- *salt* see СЛАД-

СОС- *suck* < IE *seu- (doubled in Ru: *seu-s(eu)) "suck"; in Gmc suffix -g- is added > E *suck*; w/suffix -p- > E *sip*

СП- *sleep* < IE *sup- "sleep" > Gk *hyp*-notikos "sleepy, drowsy" > E *hypnotic*; Lat > sopor "deep sleep" > E *soporific*; > Lat in "not" w/ somnus "sleep" (p > m before n) > E in*som*nia (cf Ru сон < CSl *sup-n)

СПЕЙ- *succeed* < IE sp(h)e- "thrive, grow fat, succeed" > w/suffix -dh- > E *speed*; w/suffix -r- > Lat sper-are "hope" > E pro*sper*

СТАР- *old* < IE *sta-r- "large (same root as in СТОЙ-) > E (obs) stour "great in size" poss ↔ E *stur*dy

СТЕГ- *fasten* < IE *steig- "prick, sting, puncture" > E *stick* and w/infix -n- *sting*; > Gk stig-ma "spot, mark burnt in, tattoo" > E *stigma*; > (-g- drops out before consonant) Lat stilus "a pointed instrument for writing" > E *styl*us; > Lat stimulus "goad for driving cattle" > E *sti*mulus; > Lat instigare "urge, incite" > E in*stig*ate

СТЕРЕГ- *guard* < IE *sterg- "shelter, protect" (see Ru сторож) > E *stark* "hard, unyielding" (OED)

СТИГ- *reach* < IE *steigh-r- "step, hurry, rise" > E *stair*

СТЛ- *spread* < IE *stel-/*ster- "spread out" > Lat stratus "spread out" > E *stratus*; > Lat latus (earlier stlatus) "broad, wide" > E *lat*itude

СТОЙ- *stand, be worth* < IE *stai-n- "stand" > E *stand*; w/various suffixes > E *stable, stage, stall, stamina, state, statue*, etc. (A)

СТОРОН- *on the side* < IE *ster-/stor- "widen" (cf СТЛ-, СТРОЙ-) > E *strew*; Ru sense developing from "a wide place" > "an adjacent place" > "a different side"; cf also Ru про*стор* "wide expanse"

СТРАД- *feel intensely, suffer* < IE *stre-dh-/*stro-dh- "become coarse, hard, numb, stiffen up" w/ -n- suffix > E *stra*ngle from Gk strangalan "strangle" via Lat

СТРАХ- *fright* no reliable E corresp

СТРЕК- *stroke* < IE *streig- "touch, pass over lightly, rub" > E *strike, stroke*

СТРЕЛ- *shoot* no reliable modern E corresp

СТРЕМ- *vigorous, rapid movement* < IE *stre-m- "become hard, stiffen up" (cf СТРАД- *feel intensely* prob ↔ E *stern* and *stare* (B)

СТРИГ- *trim* < IE *streig- "taught, coarse, twist, bind" ↔ СТРАД- *feel intensely* > Lat prae*stig*ia "delusion, illusion" literally "bind (dazzle) someone opposite" > E pre*stig*e

СТРОГ- *plane, carve* < IE *stre-g- "become coarse, hard, numb, stiffen up" (cf СТРАД- *feel intensely*) > E *stretch*; > E *strict* via Lat and ↔ E *strain*, dis*stress*, re*strict* all via Lat

СТРОЙ- *good order* < IE *ster-/*str- "spread out" > IE *streu "spread, diffuse" > E *strew, straw*

СТРОК- *line* < IE *ster-/*str- "spread out" (cf СТРОЙ-) > E *straight*

СТРЯП- *cook up* < IE *(s)ter-mp-/*(s)tre-mp- "move slowly, cause to clump up" (Ch); the non- suffixed root > E *stir*

СТУД- *freezing cold* no reliable E corresp

СТУК- *knock* < IE *(s)teuk- "jab, poke, prod, hit" > Gk toxikos "regarding bow or arrows" (via Ancient Iranian) > Gk toxikon pharmakon "poison used on arrows" > E *tox*ic via Latin toxicum "poison used on arrows" (B) (H)

СТУП- *step* < IE *steb-/*step- "tread, trample" > E *step*

СТЫД- *shame* ↔ СТУД- *cool* but origin is not known

СУД- *judge* < CSl *son-dhe- (prefix *son- > Ru су- "joining, uniting" see Ru dial сусед "neighbor"); root is *dhe- "put, set up, place"; the basic meaning of the word is "putting together, causing agreement"; CSl prefix *son < IE *k'om > Lat cum, con "with" as in E *comm*une, *comm*unicate, etc. via Lat

СУК- *spin* no reliable E corresp

СУТ- *essence, presence* < CSl *sont- "being" ↔ Lat essentia "being, essence" from Lat esse "to be" > *essential*; ↔ E *sooth* "truth" as in "sooth-sayer"

СУХ- *dry* < IE *saus "dry" > OE sear "dried up" > E *sear* "char the surface of something"

СЫП- *pour particles* < IE *sup- "throw, scatter" > Lat dissipare "disperse" (from *dis+supare) > E *dissipate*; poss ↔ E *sweep, swift* both from OE, but ultimate orig unknown

СЫТ- *full to satisfaction* < IE *seu-t- (thus ↔ IE *seu- "suck" see COC- *suck*) "juice, squeezed out; satiety" > E *sad* (orig "tired of, weary of"); > Lat satis "enough" > E *satisfy, satiety*

СЯГ- *grasp* < IE *seng- "touch, attach to"; no reliable E corresp

ТАЙ- *melt* < IE *tai-/*tau- "melt, liquify" > E *thaw*

ТАЙ- *conceal* < IE *(s)tai- "do something secretly, steal" (see Ru татьба); poss ↔ E *thief*

ТАСК- *lug* < IE *tai-sk- "steal"; see ТАЙ- *hide*; no reliable E corresp

ТВЕРД- *firm* < IE *tuer-d- "enclose, press, grip"; see ТВОР- *close*

ТВОР- *create* < IE *tuor- "enclose, frame, hold" see ТВОР- *close*; Ru sense poss < CSl *tverti "give form to, fashion, give something firmness" (Ts)

ТВОР- *close* < IE *tuor- "enclose, frame" poss ↔ IE *ster-/*stor- "rigid" > E w/varous suffixes *starch, stare, stern*

ТЕК- *flow, carve* < IE *teku "run, flow"; no reliable E corresp

ТЕМ- *dark* < IE *tm- "dark, gloomy" prob ↔ E *dim* which may also ↔ Ru дым

ТЕПЛ- *warm* < IE *tep-/*top- "warm" > Lat tepere "be warm" E *tep*id "lukewarm"

ТЕР- *lose* see ТР- *rub*; the sense "to lose" developed from the sense "to cause a decline, be destroyed, ruined" (Ch) but this is uncertain

ТЕРП- *bear* < IE *(s)tr-p- "endure, want, lack, grow numb" > Gk atrophia "want of food" > E *atrophy*; > Lat torpere "be stiff, numb" > E *torpor* "sluggishness"

ТЕС- *hew* < IE *tek'- "weave" > Gk tekton "carpenter" > E *tec*tonic; > Lat texere "weave, fit together" > Lat textus "texture" > *text*

ТЕСН- *crowded* ↔ Ru (w/different suffixes) тискать "press, squeeze", тесный "tight"; no reliable E corresp

ТЕХ- *cheer up* < IE *teis "satisfy, calm, quiet" ↔ IE *tis > Ru тихий; no reliable E corresp

ТИСК- *squeeze* see ТЕСН- *crowded*

ТИХ- *quiet* see ТЕХ- *cheer up*

ТК- *poke* < IE *(s)tu-k "jab, poke, prod" (see Ru стук) > Lat subtilis (<IE *tik-) "finely woven" > E *sub*tle; > Lat textilis "woven" > E *text*ile

ТЛ- *disintegrate* < IE *tl- "be quiet, unnoticed, flat" > E theal "a floor, plank" obs. (OED)

ТОЛК- *push* < IE *telk-/*tolk- "push, shove, thrust"; no reliable E corresp

ТОЛК- *interpret* < IE *tolku- "make sense" > Lat loquor (< *tloqu-or) "talk, argue" > *loqu*acious, co*llo*-*qui*al, e*loqu*ent

ТОЛСТ- *stout* < IE *(s)telg'h- "let flow, let run" Ru sense developing from "swollen"; no reliable E corresp

ТОМ- *weary* < IE *tem-/*tom- "dull, blunt, stupify" > Lat abstemious "free from wine" > E abs*tem*ius "temperate in eating and drinking" (abs- "free from" temetum "strong (stupefying) drink"

ТОН- *thin* < IE *ten "stretch out" > E *thin*; > Lat tendere "stretch, extend" > E *ten*uous and w/other suffixes > E *ten*d, *ten*se

ТОП- *stomp* prob onomatopoeic in origin, < IE (s)tu(m)p- "strike" > E *thump, stamp, stomp, stub*; > Lat tympanum "drum" > E *timp*ani

ТОП- *drown*<? no reliable E corresp

ТОП- *warm* - see ТЕПЛ- *warm*

ТОРГ- *commerce* poss borrowed from Central Asian lg; no reliable E corresp

ТОРГ- *thrust* < IE *ter-gh- "attract, pull" (see Ru терзать "pull, tear to pieces") ↔ IE *der- "rend, rip, flay" > E *tear* see ДР- *yank*

ТОРМОЗ- *brake* prob borrowed from Gk tormos "a hole into which a plug of any sort is placed" but poss ↔ IE *ter- "rub, wear" with strange suffix; see ТР- *rub*

ТОСК- *yearn* no reliable E corresp

ТР- *rub* < IE *ter-/*tor- "rub, wear" w/suffix -l- > E *dr*ill

ТРАВ- *grass* < IE *tru- "rub, wear down" cf ТР-; this root has taken on a secondary meaning of "wound, threaten with harm" in western IE lgs, cf G drohen "threaten, menace", Gk trauma "wound" > E *trau*ma, E *threat*; Ru травить "poison"

ТРАТ- *expend* no reliable E corresp

ТРЕБ- *require* < IE *tr- "rub, wear down" > Lat tribulare "oprress, afflict" (i.e. wear someone down) > E *trib*ulation

ТРЕЗВ- *sober* prob < IE *trs-/*trz- "dry" > E *thirst*, though Ru -в- is problematic

ТРЕП- *quiver, rumple* < IE *trep- "step, take small steps" > Lat trepidus "agitated, trembling" > E *trep*idation; ↔ IE *dreb- "run, step on" > E *trip*

ТРЕСК- *crack* < IE *tre-sk- "trample, stamp" > E *thresh* > E *thrash*; Ru sense poss developed from orig "make a crashing noise by stamping"

ТРОГ- *touch* < IE *trg-/*terg- "become rigid, cause to become rigid" > Lat trahere "pull, drag" > E *trac*-tion; but not ↔ E drag which is ↔ Ru дорога (OED)

ТРУД- *labor* <? no reliable E corresp

ТРЯС- *shake* < IE *trem(s)- "shake" > Lat tremere "shake, tremble" > E *trem*ble; *trem*or, *trem*endous (to be trembled at) (H)

ТУГ- *taut* < IE *ten-gh- "pull" ↔ IE *ten-k- "draw out, draw together" > OE thing "meeting" w/secondary development of meaning in E of "subject discussed at a meeting" > E *thing* (A) see **ТЯГ-** *pull*

ТУП- *dull* < IE *ten-p- "pull, extend outward, stretch" > In Ru the meaning "blunt" developed from the sense of "extended side as opposed to a sharp side" (Ch); in Lat the sense was generalized to include a stretch of space or time > Lat tempus "time, season" > *temp*orary; in Gmc the sense of "blunt, thick" is seen in words derived from the related IE root *teu-m- "swell up" > E *thumb*

ТУХ- *break down, decompose*; no reliable E corresp

ТЯГ- *pull* < IE *ten-gh- "pull, stretch" cf **ТУГ-** *taut*; > E *tense* "stretched tight" via Lat

УДАР- *hit* < IE *der-/*dor- "stab, prick, chop, strike" prefixed in Ru; see **ДР-***yank*

УК- *learn, teach* < IE *uk- "get used to, train onself, trust in" (cf Ru **ВЫК-**); no reliable E corresp

УМ- *mind* < IE *au- "to sense"; Sl adds the suffix -m- (Ch); > Lat w/suffix -d- audire "hear, understand" > E *audio, audible, audience, audit* (H)

УХ- *ear* < IE *us- "ear" > OE eare > E *ear*; > Lat auris "the ear" > E *aural*

ФОРМ- *form* borrowed from a western european language, poss < Lat forma "face, structure, figure, shape" > *form*

ХВАЛ- *praise* < IE *(s)kuel-/*(s)kuol- "call, ring" prob > E *swell* (with loss of interconsonantal -k-) orig meaning "pride, arrogance" (F)

ХВАСТ- *boast* evidently a Sl root w/no European corresp

ХВАТ- *grab* poss ↔ **СВОЙ-** *one's own*; no reliable E corresp

ХИТ- *sieze* ↔ **ХВАТ** *grab*

ХЛЕБ- *gulp* prob borrowed < Gmc hleib "loaf" > OE hlaf > *loaf* (Ru initial -x- normally does not corresp w/ Gmc initial -h-, thus the root is considered borrowed)

ХЛЕСТ- *whip* onomatopoeic; no E corresp

ХЛОП- *clap* onomatopoeic; no E corresp

ХОД- *go* < IE *(s)ed-/*(s)od- "sit" (cf **САД-** *sit*); modern sense developed from "sit next to" > "approach" > "go to"; cf Gk hodos "passage" > E *od*yssey, E ex*od*us

ХОЗ- *tend to* < Persian khadzhe "Lord"; cf also Heb hazzan "prayer leader" > E *chazzan* (OED), also E *khoja* "professor in a Muslim college" (OED)

ХОЛОД- *cold* < IE *gol-d- > E *cold*

ХОРОН- *preserve* (Ch) connects this root to IE *(s)ker- "cut, food, feed" > E *score* "cut deep" cf Ru кормить, Lat caro "meat" > E *car*nal, but semantic connections are weak

ХОТ- *want* poss ↔ Ru **ХВАТ-** *grasp* (Ch); no reliable E corresp

ХРИП- *hoarse* onomatopoeic in Sl (Ch), cf unrelated E creak

ХУД- *worse* no clear E corresp

ЦАР- *rule* < Gothic kaisar "king" < Lat Caesar but orig of this word in Lat is unclear; poss Lat caesaries "head of hair", cf Roman custom of basing surnames on physical peculiarity; if so < IE *kais- "shaggy" with no Sl corresp

ЦАРАП- *scratch* < word of unknown origin; poss orig meaning "break open" cf E rip; no reliableE corresp

ЦВЕТ- *color, flower* < IE *kuei-t- "light" > E *wheat* (orig "the light or white grain") (A)

ЦЕД- *strain* < IE *(s)kei-d-/*(s)koi-d- "cut, separate, chop" > E *sheath*; same root w/different suffix > E *schism* via Lat and Gk

ЦЕЛ- *whole* < IE *kai-l- "whole, healthy" > E *heal, whole*

ЦЕН- *value* < ? no reliable E corresp

ЦЕП- *hook on* < IE *(s)kei-p- "splinter, split, detach" (Ru sense orig derived from "easily detached" > E *shiver* "fragment, chip, splint" (OED)

ЧАР- *charm* < IE *kuer- "do, make, perform, act" poss ↔ Lat carmen "song, incantation", OE charmen "cast a magic spell" > E *charm*

ЧАСТ- *one's part* < IE *(s)kei-n- "cut" > Lat scind- "rip apart, separate" > E re*scind*

ЧЕРЕД- *in succession* < IE *kerdh- "row; herd" > OCS чрѣда "order; herd" > Ru учреждать, очередь; > E *herd*

ЧЕРК- *mark* prob ↔ ЧЕРТ-; no reliable E corresp

ЧЕРН- *dark, black* < IE *ker-n "black"; no reliable E corresp

ЧЕРП- *scoop* < IE *(s)ker-p- "cut, separate, rip apart" > E *harv*est; > E ex*cerp*t from Lat ex "out" w/ carpere "pluck"

ЧЕРТ- *draft* < IE *(s)ker-t- "cut, chop" (Ru sense orig "to cut symbols into wood") > E *shear*

ЧЕС- *comb, itch* < IE *kes-/*kos- "scratch, scrape" > E *hards* "coarse part of flax" (OED)

ЧИН- *establish order* <? no reliable E corresp

ЧИСЛ- *number* ultimately ↔ ЧТ- *regard carefully*; no reliable E corresp

ЧИСТ- *clean* < IE *(s)k(e)i-t- "cut", w/this root orig meaning "cut off the unnecessary" (Ch); see ЦЕД- *strain*

ЧЛЕН- *member* < IE *kuel-n- "turn, twist" (same IE root derives Ru колено) > E *wheel*; orig Sl meaning was a part of the body which turned or twisted > any part of a body or a member of the body or of an organization; член was borrowed into Ru from Church Slavic

ЧН- *begin* < CSl *cen- < IE *kin-/*ken-/*kon- "appear" (on one end or another, on one side or another) see Ru конец; > Lat recens "fresh" > E re*cent*; poss ↔ E *hind* as in be*hind*

ЧТ- *regard carefully* < IE *(s)kuei-t- "esteem, understanding, intelligence" prob ↔ IE *kuei- "look, observe" > Lat cavere "be on one's guard, watch carefully" > E *cav*eat "warning" and E *cau*tion

ЧУД- *wonderous* < IE *keu-d- "noticeable, glorious, reputation" (cf ЧУЙ- *feel*) > Gk kydos "glory, fame, renown" > E *kudos* "praise, accolade"

ЧУД- *alien* borrowed from Gothic thiuda "folk, the people" < IE *teu-t- "the people, land" > E *Teuton* "masters of the land"; borrowed into Sl to mean "not Slavic" (Ch)

ЧУЙ- *sense* < IE *(s)keu-s- "hear, perceive, observe" > E *hear* (rhotacism)

ШАГ- *stride* <? no reliable E corresp

ШАЛ- *act up* < IE *(s)kel-t- "cut, separate" (see Ru щель); > E *shield* (i.e. a separator); Ru sense, now metaphorical, poss developed from orig "causing sharp pain by cutting" (Ch)

ШАРК- *scuff* onomatopoeic; no E corresp

ШАТ- *stagger* < IE *(s)ket- "jump, hop" (in Slavic -sk- > -ks- > -кх- > -х-) > E *shad* (a kind of fish) and poss ↔ E *shake* w/different suffix

ШВЫР- *fling* onomatopoeic; cf unrelated E whish

ШЕД- *gone* This root derives ultimately from ХОД- *go*, q.v. < IE *sed- > ProtoSl *sid- > CSl *xid- > CSl шьд- > Ru шед-, the -д- is lost before -л-: шедл > шел

ШЕП- *whisper* onomatopoeic; cf unrelated E whisper, whistle

ШИБ- *hit* <? no reliable E corresp

ШИЙ- *sew* < IE *si-/*su- "sew" > E *sew*

ШИР- *wide* poss < IE *(s)kei-r- "cut, separate" > in Gmc languages a notion of "clean, pure" (cf ЧИСТ- *clean*): Gmc schier "clean, pure", E *sheer*; Ru sense developed from an unobstructed, i.e. clean, expanse

ШЛЕП- *slap* onomatopoeic; cf ХЛОП-*clap*

ШЛИФ- *polish* borrowed from Gm schleifen "grind, polish, slide" ↔ E *slip*

ШУМ- *noise* poss < IE *seu- "sigh, pant, gasp" w/-m- suffix in Sl as seen in дым, ум; > E *sigh*

ШУТ- *joke* < IE *seu-t- "boil, seethe, be fitful, impetuous" > E *seethe*

ЩЕЛК- *click* < onomatopoeic?, no reliable E corresp

ЩЕП- *split* < IE *(s)kep-t- "break off, cut off w/a sharp instrument" > E *shaft* "a pole cut to the right size" and ↔ E *shave* and E *shape*

ЩИП- *pinch, pluck* < IE *(s)kei-p- "split apart" cf ЩЕП- and ЦЕП-; poss ↔ E *chip* (A, B)

ЩИТ- *shield* < IE *(s)kei-t- "cut apart, separate" poss > Spanish escotilla "an opening in a ship's deck" > E *scuttle* "an opening in a ship's deck" and E *scuttle* "to cut a hole for the purpose of sinking a ship"

ЩУП- *feel* poss < IE *(s)teu-p- "strike, push, shove" > Lat stupidus "struck senseless, amazed" > E *stupid*

ЯВ- *appear* < IE *au "sense" > CSl *jav- "show itself, appear" (cf УМ- *mind*) > Lat avidus "longing" > E *avid*; > Lat avarus "covetous" > E *avarice*

ЯЗВ- *lacerate* <? no reliable E corresp

ЯСН- *clear* < IE *j-au-s-n-; see УМ- *mind*

Root Dictionary

Roots listed in large capital letters (i.e. БАБ) represent basic root forms located in the main part of this text.

Roots listed in lowercase letters (i.e. бадр) are variants of basic forms. The basic form is listed next in large capital letters on the same line (i.e. БОДР).

Roots listed in small capital letters (i.e. БАГР) are less productive/significant but are included here for the convenience of those using this root dictionary as a reference. These roots are not listed or illustrated with Russian / English examples in the main part of this text.

БАБ (*older*) *woman*
бав, БЫВ *being, be*
БАГР *crimson*
бадр, БОДР *rouse*
БАЙ *enthrall*
бал, БОЛ *hurt*
БАЛ *indulge*
балт, БОЛТ *stir up*
бв, БЫВ *being, be*
БД (бж) *rouse*
БЕГ (беж) *run*
БЕД (бежд) *make poorer*
беж, БЕГ *run*
бежд, БЕД *make poorer*
БЕЛ *white*
бер, БР *take*
БЕРЕГ (береж, береч, брег, бреж, бреч) *protect*
БЕРЕГ (береж, бреж) *river bank*
береж, БЕРЕГ *protect*
берем, БРЕМ *burden*
береч, БЕРЕГ *protect*
БЕС (беш) *evil spirit*
БЕСЕД *converse*
беш, БЕС *evil spirit*
бж, БД *rouse*
БИЙ (бой) *beat*
БИНТ *bandage*
бир, БР *take*
БЛАГ (блаж) *bless*
БЛЕДН *pale*
блес, БЛЕСТ *shine*
блеск, БЛЕСТ *shine*
БЛЕСТ (блес, блеск, блёск, блёст, блист) *shine*
блёск, БЛЕСТ *shine*
блёст, БЛЕСТ *shine*
ближ, БЛИЗ *close to*
БЛИЗ (ближ) *close to*
блист, БЛЕСТ *shine*
БЛУД (блужд) *wander*

блужд, БЛУД *wander*
БЛЮД (блюс, блюст) *observe*
блюс, БЛЮД *observe*
блюст, БЛЮД *observe*
БОГ (бож) *god; wealth*
БОДР (бадр) see БД, *rouse*
бож, БОГ *god; wealth*
БОЙ (бай) *fear*
бой, БИЙ *beat*
БОК (боч) *side*
БОЛ *more*
БОЛ (бал) *hurt*
БОЛОТ (болач, болоч) *swamp*
БОЛТ (балт) *stir up*
БОР *battle*
бор, БР *take*
БОРОД *beard*
БР *shave*
БР (бер, бир, бор) *take*
БРАК *flaw*
БРАН *curse*
брас, БРОС *throw*
БРАТ *brother*
брег, БЕРЕГ *protect*
БРЕД (брес, брод, брож) *roam*
бреж, БЕРЕГ *protect*
БРЕМ (берем) *burden*
брес, БРЕД *roam*
бреч, БЕРЕГ *protect*
брод, БРЕД *roam*
брож, БРЕД *roam*
БРОС (брас, брош) *throw*
брош, БРОС *throw*
брыз, БРЫЗГ *splash*
БРЫЗГ (брыз) *splash*
БРЮЗГ (брюзж) *grumble*
БРЮХ (брюш) *belly*
БРЯК (бряц) *clang*
БУД (бужд) see БД, *rouse*

бужд, БУД *rouse*
БУЙ *wild*
БУКВ *letter*
БУНТ *rebel*
БУР *storm*
БУР *drill*
БУХ *swell*
БУШ *rage*
БЫВ (бв, бав) *being, be*

ваг, ВАЖ *importance*
ВАД (важ) *conform*
ВАЖ (ваг) *importance*
важ, ВЕД *lead*
важд, ВЕД *lead*
ВАЛ *pile*
ВАР *cook*
вастр, ОСТР *sharpen*
ВЕД (веж, вежд, вест, вещ) *know, be in the know*
ВЕД (важ, важд, вес, вод, вож, вожд) *lead*
веж, ВЕД *know, be in the know*
вежд, ВЕД *know, be in the know*
ВЕЗ (вож, воз) *transport*
ВЕЙ *waft (blow lightly)*
ВЕК (веч) *long time*
ВЕЛ *great*
вел, ВОЛ *will*
ВЕН *crown*
ВЕР *belief*
вер, ВЕРЕТ *turn*
ВЕРБ *enlist*
ВЕРГ (верж) *cast*
веред, ВРЕД *harm*
ВЕРЕТ (вер, верт, верч, вёрт) *see* ВОРОТ, *turn*
верж, ВЕРГ *cast*
ВЕРСТ (вёрст) *mark place*
верт, ВЕРЕТ *turn*
ВЕРХ (верш) *top*
верч, ВЕРЕТ *turn*
верш, ВЕРХ *top*
вёрст, ВЕРСТ *be in place*
вёрт, ВЕРЕТ *turn*
вес, ВЕД *lead*
ВЕС (веш) *hang down, weigh (transitive); hang
    (intransitive)*
ВЕСЕЛ (весёл) *cheerful*
весёл, ВЕСЕЛ *cheerful*
ВЕСН (весен, вешн) *spring*
вест, ВЕД *know, be in the know*
ВЕТ *branch*
ВЕТ (веч, вещ) *declare*
ВЕТР (ветер) *blowing*
ВЕТХ (ветош, ветш) *ancient*
веч, ВЕК *long time*

веч, ВЕТ *declare*
ВЕЧЕР (вчер) *evening*
веш, ВЕС *hang down, weigh; hang*
ВЕЩ *structured*
вещ, ВЕД *know, be in the know*
вещ, ВЕТ *declare*
ВИД (вист) *see*
ВИЗГ (визж) *squeal*
ВИЙ (вой, вьй) *wind up*
ВИЛ *see* ВИЙ, *wind up*
ВИН *guilt*
ВИНТ (винч) *twist*
винч, ВИНТ *twist*
вир, ВР *lie*
ВИС *see* ВЕС, *hang*
вист, ВИД *see*
ВЛАГ (влаж, волаж, волг, волож) *damp*
ВЛАД (власт, волост) *power*
власт, ВЛАД *power*
влач, ВОЛОК *drag*
влек, ВОЛОК *drag*
влеч, ВОЛОК *drag*
ВНУК (внуч) *grandchild*
вод, ВЕД *lead*
ВОД (вож) *water*
вож, ВЕД *lead*
вож, ВЕЗ *transport*
вож, ВОД *water*
вожд, ВЕД *lead*
воз, ВЕЗ *transport*
ВОЙ *fight*
вой, ВИЙ *wind up*
ВОЙ (вы) *howl*
ВОЛ (вел) *will*
волак, ВОЛОК *drag*
ВОЛН *agitate*
ВОЛОК (волоч, волак, влач, влек, влеч) *drag*
ВОЛОС (влас) *hair*
волост, ВЛАД *power*
волоч, ВОЛОК *drag*
ВОР *steal*
ворач, ВОРОТ *turn*
ВОРК (ворч) *grumble*
ВОРОН *raven, crow; black*
ВОРОТ (ворач, вороч, врат, вращ) *turn*
ВОРОХ (вораш, ворош) *stir; pile*
вороч, ВОРОТ *turn*
ВОСЕМ *eight*
ВОСК *wax*
востр, ОСТР *sharp*
вотч, ОТЦ *father*
ВР (вир) *lie*
врат, ВОРОТ *turn*
вращ, ВОРОТ *turn*

ВРЕД (веред, вреж, врежд) *harm*
вреж, ВРЕД *harm*
врежд, ВРЕД *harm*
ВРЕМ *time*
ВС (вес) *all, entire*
ВТОР *second*
ВЫК (выч) *accustom*
ВЫС (выш) *high*
выч, ВЫК *accustom*
выш, ВЫС *high*
вьй, ВИЙ *wind up*
вя, ВЯД *fade*
ВЯД (вя) *fade*
вяж, ВЯЗ *bind*
ВЯЗ (вяж) *bind*

г, ГБ *bend*
ГАД *guess*
ГАД (гаж) *vile*
гаж, ГАД *vile*
ГАЗ *gas; aerate*
гал, ГОЛ *bare*
гар, ГОР *burn (intransitive)*
ГАС (гаш) *extinguish*
гаш, ГАС *extinguish*
гащ, ГОСТ *guest*
ГБ (гиб, ги, г) *bend*
ГВОЗД (гвожд) *nail*
ги, ГБ *bend*
гиб, ГБ *bend*
глав, ГОЛОВ *head*
ГЛАД (глаж) *smooth*
глад, ГОЛОД *hunger*
глаж, ГЛАД *smooth*
ГЛАЗ, *eye*
глас, ГОЛОС *voice*
глат, ГЛОТ *swallow*
глаш, ГОЛОС *voice*
ГЛИН *clay*
глод, ГОЛОД *hunger*
ГЛОТ (глат, глощ) *swallow*
глох, ГЛУХ *muffled*
глощ, ГЛОТ *swallow*
ГЛУБ *deep*
ГЛУП *stupid, silly*
ГЛУХ (глох, глуш) *muffled*
глуш, ГЛУХ *muffled*
гля, ГЛЯД *look*
ГЛЯД (гля) *look*
ГН (гон) *drive*
гнай, ГНИ *rot*
ГНЕВ *anger, wrath*
ГНЕЗД (гнёзд) *nest*
гнес, ГНЕТ *oppress*

ГНЕТ (гнес, гнёт) *oppress*
гнёт, ГНЕТ *oppress*
ГНИ (гна, гно) *rot*
гной, ГНИ *rot*
ГОВ *of or relating to fasting*
говар, ГОВОР *speak*
ГОВОР (говар) *speak*
ГОД (гож, гожд) *pleasing, pleasing unit of time*
гож, ГОД *pleasing, pleasing unit of time*
гожд, ГОД *pleasing, pleasing unit of time*
ГОЛ (гал) *bare*
голав, ГОЛОВ *head*
ГОЛОВ (глав, голав) *head*
ГОЛОД (глад, глод) *hunger*
ГОЛОС (глас, глаш) *voice*
ГОЛУБ *pigeon; light blue*
ГОМОН *noise*
гон, ГН *drive*
ГОР *hill*
ГОР (гар) *burn (intransitive)*
гораж, ГОРОД *block off*
ГОРБ *hump, hunch*
ГОРД *proud*
ГОРЛ *throat*
ГОРОД (гораж, горож, град, гражд) *block off*
горож, ГОРОД *block off*
ГОСТ (гощ, гащ) *guest*
готав, ГОТОВ *prepare*
ГОТОВ (готав) *prepare*
гощ, ГОСТ *guest*
граб, ГРЕБ *dig by scraping*
ГРАД *reward*
град, ГОРОД *block off*
гражд, ГОРОД *block off*
ГРАН *limit*
ГРЕБ (граб, грес, грёб, гроб) *dig by scraping*
ГРЕЙ *warm up*
ГРЕК (грец, греч) *Greek, buckwheat*
грем, ГРОМ *thunderous*
грес, ГРЕБ *while scraping dig*
ГРЕХ (греш) *sin*
греш, ГРЕХ *sin*
грёб, ГРЕБ *dig by scraping*
гроб, ГРЕБ *dig by scraping*
грож, ГРОЗ *threaten*
ГРОЗ (грож) *threaten*
ГРОМ (грем) *thunderous*
ГРОМАД (громожд, громозд) *mass; vast*
ГРОХ *crash, rumble*
ГРУБ *coarse*
груж, ГРУЗ *load*
ГРУЗ (груж) *load*
ГРУНТ *soil; priming*
грыж, ГРЫЗ *gnaw*

ГРЫЗ (грыж) *gnaw*

ГРЯЗ *filth*

ГУБ *destroy*; see ГБ, *bend*

ГУД *hum; hoot*

ГУЛ *stroll*

ГУСТ (гущ) *thick*

гущ, ГУСТ *thick*

дабр, ДОБР *good, kind*

ДАВ *apply pressure to*

ДАЙ *give*

ДАЛ *far*

далб, ДОЛБ *chisel*

далж, ДОЛГ *debt*

ДВ *two*

дви, ДВИГ *move*

ДВИГ (дви, движ) *move*

движ, ДВИГ *move*

ДВОР *(court)yard*

ДЕВ *maiden*

ДЕВЯТ *nine*

ДЕЙ (дё) *do; put*

ДЕЛ (дол) *divide*

ДЕНЕЖ (деньг, деньж) *money*

дер, ДР *jerk*

дерг, ДР *jerk*

ДЕРЖ *hold*

ДЕСЯТ *ten*

ДЕТ *children, youth*

ДЕШЕВ (дешёв) *cheap*

дё, ДЕЙ *do; put*

дёр, ДР *jerk*

дёрг, ДР *jerk*

ДИВ *wonder, marvel*

ДИК (дич) *wild*

дир, ДР *jerk*

ДЛ (дол) *long*

ДН (ден, дён) *day*

ДН (дон) *bottom*

ДОБ *fitting*

ДОБР (дабр) *good, kind*

ДОЖД *rain*

ДОЙ *milking*

дол, ДЕЛ *divide*

дол, ДЛ *long*

ДОЛБ (далб) *chisel*

ДОЛГ (долж) *long*

ДОЛГ (долж, далж) *debt*

долж, ДОЛГ *long*

долж, ДОЛГ *debt*

ДОМ *home*

дор, ДР *jerk*

ДОРОГ *road*

ДОРОГ (дорож, драж) *of high price*

дорож, ДОРОГ *of high price*

ДОХ (дош) see ДУХ *spirit; breathe*

ДОЧ (дч, дщ) *daughter*

дош, ДОХ *spirit; breathe*

ДР (дир, дер, дерг, дёр, дёрг , дор) *jerk*

драг, ДРОГ *shudder*

драж, ДОРОГ *of high price*

драж, ДРАЗ *irritate*

ДРАЗ (драж) *irritate*

ДРЕМ (дрём) *drowsiness, sleep*

ДРОБ *small entities*

ДРОГ (драг, дрож) *shudder*

дрож, ДРОГ *shudder*

ДРУГ (друж) *friend*

друж, ДРУГ *friend*

ДУБ *oak; tanned*

ДУД *pipe*

ДУЙ *blow*

ДУМ *think*

ДУР *bad; foolish*

ДУХ (душ) *spirit; breathe*

душ, ДУХ *spirit; breathe*

ДЫМ *smoke*

ДЫХ (дыш) see ДУХ, *breathe*

дыш, ДЫХ *breathe*

ЕД (ес, яд) *eat*

ЕДИН (один) *single unit*

ЕЖ (ёж) *bramble; hedgehog*

ЕЗД (езж, ех) *go (by vehicle)*

езж, ЕЗД *go (by vehicle)*

ем, ИМ *have; take*

ЕРОШ (ерш, ёрш) *ruffle; stick up*

ес, ЕД *eat*

ех, ЕЗД *go (by vehicle)*

ём, ИМ *have; take*

жа, ЖМ *press*

жа, ЖН *reap*

ЖАД (жажд) *greed*

ЖАЛ *pity*

ЖАР *heat*

ЖВ (жев, жёв) *chew*

ЖГ (жж, жеч, жиг, жог) *burn (transitive)*

ЖД (жид) *wait*

жев, ЖВ *chew*

ЖЕЛ *desire, wish*

ЖЕЛТ (желч, жёлт, жёлч) *yellow*

ЖЕН (жён) *woman*

ЖЕСТК (жесток, жесточ, жёстк) *harsh*

жеч, ЖГ *burn (transitive)*

жёв, ЖВ *chew*

жён, ЖЕН *woman*

жж, ЖГ *burn (transitive)*

ЖИВ *live*
жиг, ЖГ *burn (transitive)*
жид, ЖД *wait*
ЖИД (жиж) *liquid*
жим, ЖМ *press*
жин, ЖН *reap*
ЖИР *fat*
жир, ЖР *grub down*
ЖМ (жа, жим) *press*
ЖН (жа, жин) *reap*
жог, ЖГ *burn (transitive)*
жор, ЖР *grub down*
ЖР (жир, жор) *grub down*
ЖУЛ *thief; underhand*

ЗАБОТ (забоч) *concern, worry*
ЗАД *back*
зар, ЗР *see*
ЗАТЕЙ *undertaking, involved*
ЗВ (зов, зыв) *call; sound*
зван, ЗВОН *call; sound*
ЗВЕЗД (звёзд) *star, celestial*
звен, ЗВОН *call; sound*
ЗВЕР *beast*
ЗВОН (зван, звен) see ЗВ, *call; sound*
ЗВУК (звуч) see ЗВ, *call; sound*
звуч, ЗВУК *call; sound*
ЗД (зид, зижд, зод) *create*
здорав, ЗДОРОВ *health*
ЗДОРОВ (здорав, здрав) *health*
здрав, ЗДОРОВ *health*
ЗЕВ (зёв) *yawn*
ЗЕЛ *green*
ЗЕМ (зём) *earth*
зер, ЗР *see*
ЗЕРН (зёрн) *grain*
зёв, ЗЕВ *yawn*
зём, ЗЕМ *earth*
зид, ЗД *create*
зижд, ЗД *create*
ЗИМ *winter*
зир, ЗР *see*
ЗЛ *malice*
злат, ЗОЛОТ *gold*
злащ, ЗОЛОТ *gold*
ЗНАЙ *know*
зов, ЗВ *call; sound*
зод, ЗД *create*
золач, ЗОЛОТ *gold*
ЗОЛОТ (злат, злащ, золач, золоч) *gold*
золоч, ЗОЛОТ *gold*
зор, ЗР *see*
ЗР (зар, зер, зир, зор) *see*
ЗРЕЙ *mature*

ЗУБ *tooth*
ЗУБР *cram; notch*
ЗЫБ *unstable*
зыв, ЗВ *call; sound*
ЗЯБ *chill*

и, ИД *go (by foot)*
ИЗБ *hut*
ИГЛ (игол, ыгл) *needle*
ИГР (ыгр) *play*
ИД (и, йд, ыд) *go (by foot)*
ИК *hiccup*
ИМ (ем, ём, йм, ним, ня, ым, я) *have; take*
ИМ (ым) *name*
ИН *other*
ИСК (ищ, ыск, ыщ) *search*
ИСТ *true, genuine*
ищ, ИСК *search*

йм, ИМ have, take
йд, ИД go (by foot)

каж, КАЗ *show*
кажд, КАЗ *show*
КАЗ (каж, кажд) *show*
КАЗЁН *treasury; convention*
КАЙ *repent*
КАЛ *grow hot*
кал, КОЛ *strike and pierce*
КАЛЕК (калеч) *cripple*
КАМ *stone*
кан, КОН *end*
КАП *drop*
кап, КОП *dig*
кап, КОП *amass*
капч, КОПТ *smoke*
кар, КОР *chasten*
КАРАУЛ *guard*
карм, КОРМ *feed*
КАРТ *card*
кас, КОС *touch lightly*
КАТ (кач) *glide (rock, roll, swing)*
кач, КАТ *glide (rock, roll, swing)*
каш, КОС *mow*
каш, КОС *slanting*
КАШЛ *cough*
кащ, КОСТ *bone*
КВАС (кваш) *bitter*
кваш, КВАС *bitter*
КВИТ *slip*
ки, КИД *toss*
КИД (ки) *toss*
КИП *boil*
КИС *sour*

КЛАД (клаж, клас) *put*
клаж, КЛАД *put*
клан, КЛОН *incline*
клас, КЛАД *put*
КЛЕВ (клёв, клю, клюв) *peck*
КЛЕВЕТ see КЛЕВ, *peck*
КЛЕЙ *glue*
КЛЕП (клёп) *rivet*
клёв, КЛЕВ *peck*
клёп, КЛЕП *rivet*
КЛИК (клиц, клич) *call*
КЛИН *wedge*
клиц, КЛИК *call*
клич, КЛИК *call*
КЛОК (клоч) *clump*
КЛОН (клан) *incline*
клоч, КЛОК *clump*
КЛУБ *tuber; strawberry*
клю, КЛЕВ *peck*
клюв, КЛЕВ *peck*
КЛЮЧ *connect to*
КЛЯТ (кляс) *oath*
КНЯГ (княж, княз) *prince; reign*
КОВ (куй) *forge*
КОВЫР *pick at*
КОЖ *skin*
КОЗ *goat*
КОЛ (кал) *strike and pierce*
КОЛ *round*
КОЛ *amount*
колач, КОЛОТ *pound*
КОЛД *enchant*
КОЛЕБ *wave; waver*
КОЛЕН *knee; joint*
КОЛОС (колош, колаш) *ears*
КОЛОТ (колач, колоч) *pound*
колоч, КОЛОТ *pound*
КОМ *clump, ball*
КОН (кан) *end*
КОП (кап) *dig*
КОП (кап) *amass*
копот, КОПТ *smoke*
КОПТ (капч, копот, копч) *smoke*
копч, КОПТ *smoke*
КОР *bark; crust*
КОР (кар) *chasten*
корач, КОРОТ *short*
КОРЕН (корн) *root*
КОРМ (карм) *feed*
корн, КОРЕН *root*
КОРОБ *box*
КОРОБ *warp*
КОРОВ *cow*
КОРОТ (корач, крат, кращ) *short*

КОРЧ *stub*
КОС *shaggy*
КОС (каш, кош) *mow*
КОС (каш, кош) *slanting*
КОС (кас) *touch lightly*
КОСТ (кащ, кощ) *bone*
КОТ *cat*
КОТЕЛ *boiler*
КОЧ *stiff*
КОЧ *nomad*
кош, КОС *mow*
кош, КОС *slanting*
кощ, КОСТ *bone*
КРАД (краж, крас) *conceal*
краж, КРАД *conceal*
край, КРОЙ *cut out*
КРАП (кроп) *sprinkle*
крас, КРАД *conceal*
КРАС (краш) *beautiful; red*
крат, КОРОТ *short*
КРАХМАЛ *starch*
краш, КРАС *beautiful; red*
кращ, КОРОТ *short*
КРЕП *strength*
КРЕС (креш) *resurrect, revive*
КРЕСТ (крещ, крёст) *cross*
крещ, КРЕСТ *cross*
крёст, КРЕСТ *cross*
КРИВ *crooked*
КРИК (крич) *shout*
крич, КРИК *shout*
КРОВ *blood*
кров, КРЫЙ *cover*
КРОЙ (край) *cut out*
КРОМ *outside of, edge*
кроп, КРАП *sprinkle*
КРОТ (крощ) *mild, meek*
КРОХ (крош) *crumble, small*
КРУГ (круж) *circle*
круж, КРУГ *circle*
КРУП *large, huge*
КРУТ (круч) *intense turning*
круч, КРУТ *intense turning*
КРУШ *ruin, wreck*
КРЫЙ (кров) *cover*
КРЫЛ *wing*
КРЮК (крюч) *hook*
ку, КУП *bathe*
КУВЫР *turn over*
куй, КОВ *forge*
КУК (куч) see СКУК, *long for*
КУЛАК (кулац, кулач) *fist; cam*
КУП *buy*
КУП *together, entirety*

КУП (ку) *bathe*
КУПОР *seal, plug*
КУР *fowl, chicken*
КУР *smoke*
КУС (куш) *bite*
КУС (куш) *taste; try*
КУСТ (кущ) *shrubbery*
КУТ *wrap*
КУЧ *group*
куч, КУК *long for (something else)*
куш, КУС *bite*
куш, КУС *taste; try*

ЛАВ *shop*
лав, ЛОВ *catch*
лаг, ЛЕГ *lay; lie*
ЛАД (лаж) *make right*
лаж, ЛАД *make right*
лаз, ЛЕЗ *climb*
ЛАЙ *bark*
ЛАК *varnish*
лам, ЛОМ *break*
ЛАП *paw*
ЛАСК (ласт, лащ) *show affection*
ласт, ЛАСК *show affection*
лащ, ЛАСК *show affection*
ЛГ (лж, лож) *lie*
ЛЕВ *left*
ЛЕГ (лаг, леж, леч, лёг, лёж, лог, лож) *lay; lie*
лег, ЛЬГ *light*
лед, ЛЬД *ice*
леж, ЛЕГ *lay; lie*
ЛЕЗ (лаз, лес) *climb*
лез, ЛЬЗ *use*
лей, ЛИЙ *pour*
ЛЕК (леч) *heal*
ЛЕН *lazy*
ЛЕП (лип, ль) *adhere to*
ЛЕС (леш) *forest*
лес, ЛЕЗ *climb*
лест, ЛЬСТ *flatter*
ЛЕТ (лёт) *fly*
леч, ЛЕК *heal*
леч, ЛЕГ *lay; lie*
леш, ЛЕС *forest*
лещ, ЛЬСТ *flatter*
лёг, ЛЬГ *light*
лёг, ЛЕГ *lay; lie*
лёд, ЛЬД *ice*
лёж, ЛЕГ *lay; lie*
лёт, ЛЕТ *fly*
лж, ЛГ *lie*
ЛИЗ *lick*
ЛИЙ (лей) *pour*

ЛИК (лиц, лич) *face*
ЛИН *line*
лип, ЛЕП *adhere to*
ЛИСТ *leaf*
ЛИХ (лиш) *excess*
лиц, ЛИК *face*
лич, ЛИК *face*
лиш, ЛИХ *excess*
ЛОБ *front, forehead*
ЛОВ (лав) *catch*
лог, ЛЕГ *lay; lie*
лож, ЛЕГ *lay; lie*
лож, ЛГ *lie*
ЛОМ (лам) *break*
ЛОП *burst*
ЛОСК *shine, glossy*
ЛОХМ *ragged*
ЛОШ *horse*
ЛУК (луч) *bow; bend*
ЛУК (луч) *connect*
ЛУН *moon*
ЛУП *peel; pick*
ЛУЧ *ray*
луч, ЛУК *bow; bend*
луч, ЛУК *connect*
ЛЫС *bald*
ль, ЛЕП *adhere to*
ЛЬГ (лег, лёг) *light*
ЛЬД (лед, лёд) *ice*
ЛЬЗ (лез) *use*
ЛЬСТ (лест, лещ, льщ) *flatter*
льщ, ЛЬСТ *flatter*
ЛЮБ *love*
ЛЮД *person, people*
ЛЯГ (ляж) *frog*
ЛЯП *make hastily*

ма, МАН *entice*
МАЗ *spread*
МАК *dip, dunk*
МАК *poppy*
МАЛ *little*
МАЛ *paint*
мал, МОЛ *plead*
мал, МОЛ *grind up*
малк, МОЛК *silent*
малч, МОЛК *silent*
МАН (ма) *entice*
МАР *smudge*
мар, МР *grow cold, dark*
МАСЛ *oil*
МАСТ *mastery, skill*
МАСТ (мащ) *color*
МАТ *mother*

мат, МОТ *wind*

МАХ (маш) *flap*, *wave*

мач, МОК *wet*

маш, МАХ *flap*, *wave*

мащ, МОСТ *surface over*

МГ (ми, миг) *blink*

МЕБЕЛ *furniture*

МЕД *copper*

МЕДЛ *slow*

МЕЖ (межд) *division between*

межд, МЕЖ *division between*

мезд, МЗД *payment*

МЕК (мёк) *hint, indicate*

мел, МОЛ *grind up*

МЕН *change*

МЕН *less*

МЕР *measure*

мер, МОРОК *grow cold, dark*

мер, МР *grow cold, dark*

мерек, МОРОК *grow cold, dark*

мереч, МОРОК *grow cold, dark*

мерз, МОРОЗ *grow cold, dark*

мерк, МОРОК *grow cold, dark*

мерц, МОРОК *grow cold, dark*

МЕС (меш) *mix*

мес, МЕТ *hurl, sweep*

МЕСТ (мещ) *place*

мест, МСТ *retribution*

МЕТ (ме, мес, мёт) *hurl, sweep*

МЕТ (меч) *take note of*

меч, МЕТ *take note of*

меш, МЕС *mix*

мещ, МЕСТ *place*

мещ, МСТ *retribution*

мёр, МР *grow cold, dark*

мёрз, МОРÓЗ *grow cold, dark*

мёт, МЕТ *hurl,* sweep

МЗД (мезд) *payment*

ми, МГ *blink*

миг, МГ *blink*

МИЛ *nice*

МИН *pass, go by*

мин, МН *recall*

мин, МЯ *crumple*

МИР *peace; world*

мир, МР *grow cold, dark*

МК (мок, моч, мык, мыч) *adhere*

млад, МОЛОД *young*

МН (мин, мя) *recall*

МНОГ (множ) *much*

множ, МНОГ *much*

мов, МЫЙ *wash; lather*

МОГ (мож, моч, мощ) *power*

мож, МОГ *power*

МОЗГ *brain*

мой, МЫЙ *wash; lather*

мок, МК *adhere*

МОК (мач, моч) *wet*

МОЛ (мал, мел) *grind up*

МОЛ (мал) *plead*

молаж, МОЛОД *young*

молач, МОЛОТ *hammer*

МОЛВ *utter*

МОЛК (малк, малч, молч) *silent*

МОЛОД (млад, молаж, молож) *young*

молож, МОЛОД *young*

МОЛОТ (молач, молоч) *hammer*

молоч, МОЛОТ *hammer*

молч, МОЛК *silent*

МОР *sea*

мор, МР *grow cold, dark*

мораж, МОРОЗ *grow cold, dark*

морач, МОРОК *grow cold, dark*

морож, МОРОЗ *grow cold, dark*

МОРОЗ (мерз, мёрз, мораж, морож, мраз) see
     МР, *grow cold, dark*

МОРОК (мер, мерек, мереч, мерк, мерц, морач,
     мороч, мрак, мрач) see МР, *grow cold, dark*

мороч, МОРОК *grow cold, dark*

МОРЩ *crease*

МОСТ (мащ, мощ) *surface over*

МОТ (мат) *wind*

МОХ (мош, мш) *mossy, shaggy*

моч, МК *adhere*

моч, МОГ *power*

моч, МОК *wet*

мощ, МОГ *power*

мощ, МОСТ *surface over*

МР (мар, мер, мёр, мир, мор) *grow cold, dark*

мраз, МОРОЗ *grow cold, dark*

мрак, МОРОК *grow cold, dark*

мрач, МОРОК *grow cold, dark*

МСТ (мест, мещ, мщ) see МЗД, *retribution*

МУДР *wise*

МУЖ *man*

МУК (муч) *torment*

МУТ (муч, мущ) *murky*

муч, МУК *torment*

муч, МУТ *murky*

мущ, МУТ *murky*

МЧ *rush*

мщ, МСТ *retribution*

МЫЗГ *soil, crumple*

МЫЙ (мой, мов) *wash; lather*

мык, МК *adhere*

мысел, МЫСЛ *ponder*

МЫСЛ (мысел, мышл) *ponder*

МЫТ *ordeal; afflict*

мыч, МК *adhere*
МЫШ *mouse*
мышл, МЫСЛ *ponder*
МЯ (мин) *crumple*
мя, МН *recall*
МЯГ (мяк) *soft*
мяк, МЯГ *soft*
МЯС *meat, flesh*

НАГ (наж) *bare*
наш, НЕС *carry, bear*
НЕЖ (нег) *tender*
НЕМ *dumb [incapable of speech]*
НЕС (наш, нос, нош) *carry, bear*
НЗ (низ, нож, ноз) *pierce*
ниж, НИЗ *low*
НИЗ (ниж) *low*
низ, НЗ *pierce*
НИК (ниц, нич, нк) *penetrate*
ним, ИМ *have; take*
ниц, НИК *penetrate*
нич, НИК *penetrate*
нк, НИК *penetrate*
НОВ *new*
НОГ (нож) *leg, foot*
нож, НЗ *pierce*
нож, НОГ *leg, foot*
ноз, НЗ *pierce*
ной, НЫЙ *ache*
норав, НРАВ *like*
норов, НРАВ *like*
нос, НЕС *carry, bear*
НОЧ (нощ) *night, nocturnal*
нош, НЕС *carry, bear*
НРАВ (норов, норав) *like*
НУД (нуж, нужд) *necessity*
нуж, НУД *necessity*
нужд, НУД *necessity*
НУР *tire out*
НЫЙ (ной) *ache*
НЫР *dive*
НЮХ (нюш) *sniff*
нюш, НЮХ *sniff*
ня, ИМ *have; take*

ОБИД (обиж) [об-вид] ([об-виж]) see ВИД,
    offense
обиж [об-виж], ОБИД *offense*
ОБЛАД (област) [об-влад (об-власт)] *control*
ОБЛАК (облач, оболоч) [об-влак (об-влач, об-
    волоч)] *cloud* see ВОЛОК, *drag*
област [об-власт], ОБЛАД *control*
облач [об-влач], ОБЛАК *cloud*
оболоч [об-волоч], ОБЛАК *cloud*

оборач [об-ворач], ОБОРОТ *turn*
ОБОРОТ (оборач, обрат, обращ) [об-ворот (об-
    ворач, об-врат, об-вращ)] see ВОРОТ, *turn*
обрат [об-врат], ОБОРОТ *turn*
обращ [об-вращ], ОБОРОТ *turn*
ОБЩ *in common*
ОБЫК (обыч) [об-вык, об-выч] see ВЫК, *accus-
    tom*
обыч [об-выч], ОБЫК *accustom*
ОБЯЗ [об-вяз] see ВЯЗ, *bind*
ОГН *fire*
ОДИН (одн) *one, single*
ОК (оч) *eye*
ОРУД (оруж) *armament; tool*
ОСТР (вастр, востр, ощр) *sharp*
отец, ОТЦ *father*
отеч, ОТЦ *father*
ОТЦ (вотч, отец, отеч, отч) *father*
отч, ОТЦ *father*
оч, ОК *eye*
ощр, ОСТР *sharp*
ОЩУТ (ощущ) *sensation, perceive*

п, ПИН *stretch*
па, ПАД *fall*
ПАД (па, паж, пас) *fall*
паж, ПАД *fall*
пазд, ПОЗД *late*
пай, ПИЙ *drink*
ПАЙ (пой) *solder*
ПАК (пач) *pack*
ПАК *dirty*
ПАЛ *flame*
пал, ПОЛ *weed*
ПАМЯТ *memory*
ПАР *steam*
пар, ПОР *rip*
пар, ПР *press against*
ПАС *providing security*
пас, ПАД *fall*
ПАХ (паш) *smell (intransitive)*
ПАХ (паш) *plow*
ПАЧК *sully*
паш, ПАХ *smell (intransitive)*
паш, ПАХ *plow*
ПЕЙ (пой) *sing*
ПЕК (печ, пещ, пёк) *bake; grieve*
ПЕЛЕН (пелён) *wrap*
ПЕН *foam*
ПЕР (пёр) *feather*
пер, ПР *press against*
ПЕРЕД (переж, перёд, пред, преж, прежд) *in
    front*
переж, ПЕРЕД *in front*

переч, ПЕРЁК *counter*
перед, ПЕРЕД *in front*
ПЕРЕК (переч, прек, преч, прёк) *counter*
ПЕС *sand*
ПЕС (пёс, пс) *canine*
ПЕСТР (пещр, пёстр) *many-hued*
ПЕТЕЛ *loop, hole*
ПЕХ (пеш) *foot*
печ, ПЕК *bake; grive*
ПЕЧАТ *imprint*
пещ, ПЕК *bake; grieve*
пещр, ПЕСТР *many-hued*
пёк, ПЕК *bake; grieve*
пёр, ПР *press against*
пёстр, ПЕСТР *many-hued*
ПИЙ (пай, пой, пьй) *drink*
ПИЛ *saw*
ПИН (п, пон, пя) *stretch*
пир, ПР *press against*
ПИС (пиш) *write*
ПИСК (пищ) *squeak*
ПИТ (пич, пищ) *nourish*
ПИХ (пх) *shove*
пич, ПИТ *nourish*
пиш, ПИС *write*
пищ, ПИСК *squeak*
пищ, ПИТ *nourish*
ПЛАВ (плыв) *swim*
ПЛАК (плач) *cry*
ПЛАМ (полым) *flame*
ПЛАСТ *plate, layer*
ПЛАТ (плач) *pay*
ПЛАТ (полот) *cloth*
плач, ПЛАК *cry*
плач, ПЛАТ *pay*
плач, ПЛЕТ *weave*
ПЛЕВ (плёв, плю) *spit*
ПЛЕН (полон) *captivity*
плес, ПЛЕСК *splash; rinse*
плес, ПЛЕТ *weave*
ПЛЕСК (плес, плёск) *splash; rinse*
ПЛЕТ (плач, плес, плёт, плот, плоч) *weave*
плес *weave*
ПЛЕЧ (плёк) *shoulder*
ПЛЕШ *bald*
плёв, ПЛЕВ *spit*
плёск, ПЛЕСК *splash; rinse*
плёт, ПЛЕТ *weave*
ПЛОД (плож) *fruit*
плож, ПЛОД *fruit*
плот, ПЛЕТ *weave*
ПЛОТ (площ) *flesh*
плоч, ПЛЕТ *weave*
площ, ПЛОТ *flesh*

ПЛУТ *cheat, swindle*
плыв, ПЛАВ *swim*
плю, ПЛЕВ *spit*
ПЛЮС (плюск, плющ) *flatten*
ПЛЯС *dance*
ПОГАН *unclean*
ПОДЛ *despicable*
ПОЗД (пазд) *late*
пой, ПАЙ *solder*
пой, ПЕЙ *sing*
пой, ПИЙ *drink*
покай, ПОКОЙ *peace*
ПОКОЙ (покай) *peace*
ПОЛ *floor*
ПОЛ *field*
ПОЛ *Polish*
ПОЛ *half*
ПОЛ (пал) *weed*
поласк, ПОЛОСК *splash; rinse*
ПОЛЗ *crawl*
ПОЛК (полч) *military order*
ПОЛН *full*
полон, ПЛЕН *captivity*
ПОЛОС *stripe*
полос, ПОЛОСК *splash; rinse*
ПОЛОСК (поласк, полос) see ПЛЕСК, *splash; rinse*
ПОЛОХ (полош, полых) *blaze*
пон, ПИН *stretch*
ПОР (пар) *rip*
пор, ПР *press against*
поражн, ПРАЗДН *resting*
пораш, ПОРОХ *powder*
порожн, ПРАЗДН *resting*
ПОРОС *piglet*
ПОРОХ (пораш, порош, прах) *powder*
порош, ПОРОХ *powder*
ПОРТ (порч) *damage*
ПОРХ (парх, порш) *flutter*
порч, ПОРТ *damage*
ПОТ *sweat*
ПОЧК (почеч) *bud*
ПОЯС *belt, waist*
ПР (пар, пер, пёр, пир, пор) *press against*
ПРАВ *right; direct*
пражн, ПРАЗДН *resting*
ПРАЗДН (поражн, порожн, пражн) *resting*
прах, ПОРОХ *powder*
праш, ПРОС *request*
ПРЕЙ *break down, fester*
пред, ПЕРЕД *in front*
преж, ПЕРЕД *in front*
прежд, ПЕРЕД *in front*
прек, ПЕРЁК *counter*

ПРЕТ (прещ) *forbid*
преч, ПЕРЁК *counter*
прещ, ПРЕТ *forbid*
прёк, ПЕРЁК *counter*
ПРОК (проч) *firm up*
ПРОС (прош, праш) *request*
ПРОСТ (прощ) *uncomplicated*
ПРОТИВ *against, opposite*
проч, ПРОК *firm up*
прош, ПРОС *request*
прощ, ПРОСТ *uncomplicated*
ПРУГ (пруж) see ПРЫГ, *spring up*
ПРУД (пруж) *dam, block*
пруж, ПРУГ *spring up*
ПРЫГ (прыж) *spring up*
прыж, ПРЫГ *spring up*
прыс, ПРЫСК *spray*
ПРЫСК (прыс, прыщ) *spray*
прыщ, ПРЫСК *spray*
ПРЯД (пря, пряж, пряс) *spinning*
ПРЯГ (пряж, пряч) *harness*
пряж, ПРЯГ *harness*
ПРЯМ *straight*
ПРЯТ *hide*
пряч, ПРЯГ *harness*
ПУГ (пуж) *scare*
ПУДР *powder*
пуж, ПУГ *scare*
ПУЗ *bubble*
ПУК (пуч) *bulge*
ПУП *navel*
пуск, ПУСТ *let (go)*
ПУСТ (пуск, пущ) *let (go)*
ПУСТ (пущ) *empty*
ПУТ *tangle*
ПУТ *path*
ПУХ (пуш) *puff*
пуш, ПУХ *puff*
пущ, ПУСТ *empty*
пущ, ПУСТ *let (go)*
пх, ПИХ *shove*
ПЫЛ *dust*
ПЫЛ *flame*
ПЫТ *try*
ПЫХ (пыш) *puff*
пыш, ПЫХ *puff*
пьй, ПИЙ *drink*
пя, ПИН *stretch*
ПЯТ *five*
ПЯТ (пяч) *back*
пяч, ПЯТ *back*

Р (ре, ри, ро) *flutter, zeal*
РАБ *work*

рав, РОВ *even*
РАД *glad, joy*
раж, РАЗ *strike and form*
РАЗ *different, various*
РАЗ (раж) *strike and form*
РАМ *frame*
РАН *wound, injury*
РАС (ращ, рос, рощ) *grow*
ращ, РАС *grow*
РВ (ров, ры) *tear; dig*
РД (рж) *red; rust*
РЕБ *child*
РЕВ (рёв) *howl, roar*
РЕВН *jealous; zealous*
РЕД (реж) *rare*
реж, РЕЗ *cut*
РЕЗ (реж) *cut*
РЕЗИН *rubber*
РЕК (реч, риц, рок, роч) *state*
РЕП *turnip*
рес, РЕТ *find*
РЕТ (рес) *find*
реч, РЕК *state*
РЕШ *decide*
РЕШЕТ (решёт, решеч) *sieve; lath*
рж, РД *red; rust*
РИС *draw*
риц, РЕК *state*
РОВ (рав) *even*
ров, РВ *tear; dig*
РОГ (рож) *horn*
РОД (рож, рожд) *birth; genesis*
рож, РОД *birth; genesis*
рожд, РОД *birth; genesis*
РОЗ *rose*
рок, РЕК *state*
рос, РАС *grow*
РОС (рош) *dew*
роч, РЕК *state*
рощ, РАС *grow*
РУБ *chop*
РУГ *curse*
РУД (руж) see РД, *ore; arms*
руж, РУД *ore; arms*
РУК (руч) *hand, arm*
РУЛ *steering*
РУМЯН *redden, flush*
РУС *Russian*
РУХ (руш) *ruin*
руч, РУК *hand, arm*
руш, РУХ *ruin*
ры, РВ *tear; dig*
РЫБ *fish*
РЫГ (рыж) *belch*

РЫС (рыск) *trot*
РЫХЛ *loose, crumbly*
РЯБ *pit, pock*
РЯД (ряж) *in order*
ряж, РЯД *in order*

с, СП *sleep*
саб, СОБ *self; one's own*
САД (саж, сажд, сед, сес, сид, сиж, сяд) *set, sit*
саж, САД *set, sit*
сажд, САД *set, sit*
САЛ *grease*
сал, СОЛ *salt*
САП *nasal, nozzle*
сас, СОС *suck*
САХАР *sugar*
свай, СВОЙ *one's own*
СВЕЖ *fresh*
СВЕРЛ *bore, drill*
СВЕТ (свес, свеч, свещ) *light*
свес, СВЕТ *light*
свеч, СВЕТ *light*
свещ, СВЕТ *light*
СВИН *swine*
СВИНЦ (свинец, свинч) *lead*
СВИСТ (свищ) *whistle*
свищ, СВИСТ *whistle*
СВОБОД (свобожд) *free*
СВОЙ (свай) *one's own*
СВЯТ (свящ) *holy*
свящ, СВЯТ *holy*
себ, СОБ *self; one's own*
сед, САД *set, sit*
СЕЙ *sow*
СЕК (сеч) *hack, -sect*
СЕЛ (сёл) *settle*
СЕМ *seed; family*
СЕМ (седм, седьм) *seven*
СЕР *grey, sulphur*
СЕРД (серж) *heart; anger*
СЕРЕБР (сребр) *silver*
СЕРЕД (сред) *middle*
серж, СЕРД *heart; anger*
сес, САД *set, sit*
СЕТ (сещ) *visit*
сеч, СЕК *hack, -sect*
сёл, СЕЛ *settle*
сид, САД *set, sit*
сиж, САД *set, sit*
СИЛ *strength*
СИН *dark blue*
СИП *hoarse*
СИР *abandoned, lonely*
скак, СКОК *leap*

СКАЛ *rock face*
скальз, СКОЛЬЗ *slip*
скач, СКОК *leap*
СКВОЗ (скваж) *porous; through*
СКОБЛ (скабл, скобел) *scrape*
СКОК (скак, скач, скоч) *leap*
скольж, СКОЛЬЗ *slip*
СКОЛЬЗ (скальз, скольж) *slip*
СКОР *speed*
СКОРБ *grief, sorrow*
скоч, СКОК *leap*
СКРЕБ (скрес, скрёб) *scrape*
скрес, СКРЕБ *scrape*
скрёб, СКРЕБ *scrape*
СКРИП *squeak, squeal, scrape*
СКУД *scanty, meager*
СКУК (скуч) *bore; miss*
скуч, СКУК *bore; miss*
СЛ (сол, сыл) *send*
СЛАБ *weak*
слав, СЛОВ *word*
СЛАВ (слов) *Slavic*
СЛАД (слажд, сласт, слащ, солод) *sweet*
слажд, СЛАД *sweet*
слай, СЛОЙ *layer*
сласт, СЛАД *sweet*
слащ, СЛАД *sweet*
СЛЕД (слеж) *follow, track*
слеж, СЛЕД *follow, track*
СЛЕЗ (слёз) *tear*
СЛЕП *blind*
СЛОВ (слав, слы) *word*
СЛОЙ (слай) *layer*
СЛОН *lean*
СЛУГ (служ) *serve*
служ, СЛУГ *serve*
СЛУХ (слуш, слых, слыш) *listen; hear*
слуш, СЛУХ *listen; hear*
слы, СЛОВ *word*
слых, СЛУХ *listen; hear*
слыш, СЛУХ *listen; hear*
СЛЮН *saliva*
СМАЛ (смол) *resin, tar*
сматр, СМОТР *look*
СМЕЙ *bold, courageous*
СМЕЙ *laugh*
СМОРОД *stink; currant*
СМОТР (сматр) *look*
СН (сон) *sleep, dream*
СНАСТ (снащ) *equip*
снащ, СНАСТ *equip*
СНЕГ (снеж) *snow*
СНОВ *base, foundation; warp*
СОБ (саб, себ) *self; one's own*

СОБАК (собач) *dog*
СОВ (суй) *stick*
СОК (сач, соч) *juice*
СОКОЛ *falcon*
СОЛ (сал) *salt*
сол, СЛ *send*
солод, СЛАД *sweet*
соп, СП *sleep*
соп, СЫП *pour particles*
СОР *litter, trash*
СОС (сас) *suck*
СОТ (ст) *hundred*
сох, СУХ *dry*
СП (с, сып, соп) *sleep*
спар, СПОР *lean against*
СПЕЙ (спех) *succeed; mature*
спех, СПЕЙ *succeed; mature*
СПИРТ *alcohol, spirituous*
СПОР (спар) [from с-пор (с-пар)] see ПР, *quarrel*
СРАМ *shame*
сред, СЕРЕД *middle*
ССОР *quarrel*
стай, СТОЙ *stand; cause to stand*
СТАР *old*
СТЕБ *stem, stalk*
СТЕГ (стеж, стёг, стёж) *fasten*
стеж, СТЕГ *fasten*
СТЕКЛ (стёкл, стекол) *glass*
стел, СТЛ *spread*
СТЕН *wall*
СТЕПЕН *degree; staid*
СТР (стёр, стир, стор) *extend; space*
СТЕРВ *mad, furious*
СТЕРЕГ (стереж, стереч, сторож, стораж, страж) *on guard*
стереж, СТЕРЕГ *on guard*
стереч, СТЕРЕГ *on guard*
стёг, СТЕГ *fasten*
стёж, СТЕГ *fasten*
СТИГ (стиж, стич) *reach*
стиж, СТИГ *reach*
стил, СТЛ *spread*
стич, СТИГ *reach*
СТЛ (стел, стил, стол) *spread*
СТОГ (стож) *stack*
СТОЙ (стай) *stand; cause to stand; be worth*
стол, СТЛ *spread*
СТОЛБ *pillar*
стораж, СТЕРЕГ *on guard*
сторож, СТЕРЕГ *on guard*
СТОРОН (стран) *on the (other) side*
страг, СТРОГ *plane, carve*
СТРАД (страст) *feel intensely; suffer*
страж, СТЕРЕГ *on guard*

страй, СТРОЙ *in good order*
стран, СТОРОН *on the (other) side*
страст, СТРАД *feel intensely; suffer*
СТРАХ (страш, стращ) *fright*
страч, СТРОК *line*
страш, СТРАХ *fright*
стращ, СТРАХ *fright*
СТРЕК (стреч) *stroke*
стреч, СТРЕК *stroke*
СТРЕЛ *shoot*
СТРЕМ (стрём) *vigorous, rapid movement*
стрём, СТРЕМ *vigorous, rapid movement*
СТРИГ (стриж, стрич) *trim*
стриж, СТРИГ *trim*
стрич, СТРИГ *trim*
СТРОГ (страг, строж, струг, струж) *plane, carve*
строж, СТРОГ *plane, carve*
СТРОЙ (страй) *in good order*
СТРОК (строч, страч) *line*
строч, СТРОК *line*
струг, СТРОГ *plane, carve*
струж, СТРОГ *plane, carve*
СТРУН *string*
СТРЯП *cook up*
СТУД (стуж) *freezing cole*
стуж *shame*
стуж, СТУД *freezing cold*
СТУК (стуч) *knock*
СТУП *step*
стуч, СТУК *knock*
СТЫ *cool*
СТЫД (стыж) *shame*
стыж, СТЫД *shame*
СУД *vessel, ship*
СУД (суж, сужд) *judge*
суж, СУД *judge*
сужд, СУД *judge*
суй, СОВ *stick*
СУК (суч) *spin*
СУЛ *promise*
СУТ (сущ) *essence; presence*
СУХ (сох, суш, сых) *dry*
суч, СУК *spin*
суш, СУХ *dry*
сущ, СУТ *essence; presence*
сыл, СЛ *send*
СЫН *son*
СЫП (соп) *pour particles*
сып, СП *sleep*
СЫР *damp, raw; cheese*
СЫТ (сыщ) *full to satisfaction*
сых, СУХ *dry*
сыщ, СЫТ *full to satisfaction*
СЯГ (сяж, сяз) *grasp*

сяд, САД *set, sit*
сяж, СЯГ *grasp*
сяз, СЯГ *grasp*

ТАЙ *conceal*
ТАЙ *melt*
ТАК *such*
талк, ТОЛК *push*
ТАНЦ (танец) *dancing*
тап, ТОП *stomp*
тап, ТОП *warm*
ТАС *shuffle (cards)*
ТАСК (тащ) *lug*
тач, ТОК *flow; while flowing, carve*
тащ, ТАСК *lug*
твар, ТВОР *create*
ТВЕРД (тверж, твержд, твёрд) *hard*
тверж, ТВЕРД *firm*
твержд, ТВЕРД *firm*
твёрд, ТВЕРД *firm*
ТВОР *close*
ТВОР (твар) *create*
ТВОРОГ (твораж, творож) *curd*
ТЕК (тач, теч, тёк, тёч, ток, точ) *flow; while flow-ing, carve*
ТЕЛ (тёл) *calf*
ТЕМ (тём, тм, тьм) *dark*
ТЕПЛ (тёпл) *warm*
ТЕР *lose*
тер, ТР *rub*
тереб, ТРЕБ *require*
ТЕРЗ *tear*
ТЕРП *bear*
ТЕС (тёс) *hew*
ТЕСН *crowded*
ТЕХ (теш) *cheer up*
теч, ТЕК *flow; while flowing, carve*
теш, ТЕХ *cheer up*
тёк, ТЕК *flow; while flowing, carve*
тём, ТЕМ *dark*
тёпл, ТЕПЛ *warm*
тёр, ТР *rub*
тёс, ТЕС *hew*
тёч, ТЕК *flow; while flowing, carve*
тир, ТР *rub*
тис, ТИСК *squeeze*
ТИСК (тис) *squeeze*
ТИХ (тиш) *quiet*
тиш, ТИХ *quiet*
ТК (ток, точ, тык, тыч) *poke*
ТЛ *disintegrate*
тм, ТЕМ *dark*
то, ТОП *drown*
ТОВАР *commodity, ware*

ток, ТЕК *flow; while flowing, carve*
ток, ТК *poke*
ТОЛК (талк, толок, толоч, толч) *push*
ТОЛК (толоч) *interpret*
толок, ТОЛК *push*
толоч, ТОЛК *push*
толоч, ТОЛК *interpret*
ТОЛСТ (толщ) *stout*
толч, ТОЛК *push*
толщ, ТОЛСТ *stout*
ТОМ *weary*
ТОН *thin*
тон, ТОП *drown*
ТОП (тап) *stomp*
ТОП (тап) *warm*
ТОП (то) *drown*
ТОПЫР *bristle*
тор, ТР *rub*
ТОРГ (торж) *bargain*
ТОРГ (торж) *thrust*
торж, ТОРГ *bargain*
торж, ТОРГ *thrust*
тормаж, ТОРМОЗ *brake*
тормож, ТОРМОЗ *brake*
ТОРМОЗ (тормаж, тормож) *brake*
ТОРОП (тороп) *hurry, rush*
ТОСК (тощ) *yearn*
точ, ТЕК *flow; while flowing, carve*
точ, ТК *poke*
ТОЩ *thin, scanty*
тощ, ТОСК *yearn*
ТР *three*
ТР (тер, тёр, тир, тор) *rub*
ТРАВ *grass*
траг, ТРОГ *touch*
ТРАПЕЗ *refectory*
ТРАТ (трач) *expend*
трач, ТРАТ *expend*
ТРЕБ (тереб) *require*
ТРЕВОГ (тревож) *alarm*
ТРЕЗВ *sober*
ТРЕП (трёп) *quiver; rumple*
трес, ТРЕСК *crack*
ТРЕСК (трес, трещ) *crack*
трещ, ТРЕСК *crack*
трёп, ТРЕП *quiver; rumple*
тро, ТРОГ *touch*
ТРОГ (траг, тро) *touch*
ТРОСТ (тращ, трощ) *cane, reed*
ТРУБ *tube, horn*
ТРУД (труж, труждъ) *labor*
труж, ТРУД *labor*
труждъ, ТРУД *labor*
ТРУС (труш) *shake*

труш, ТРУС see ТРЯС, *shake*
ТРЯП *rag*
ТРЯС (трях) *shake*
трях, ТРЯС *shake*
ТУГ (туж) *taut*
туж, ТУГ *taut*
ТУМАН *cloud*
ТУП *dull*
ТУХ (туш, тх) *breakdown; decompose*
туш, ТУХ *breakdown; decompose*
ТУК (туч) *bash, bonk*
тх, ТУХ *breakdown; decompose*
тык, ТК *poke*
тыч, ТК *poke*
тьм, ТЕМ *dark*
ТЮК (тюч) *bale, package*
тя, ТЯГ *pull*
ТЯГ (тя, тяж, тяз) *pull*
тяж, ТЯГ *pull*
тяз, ТЯГ *pull*
ТЯП *hit, chop*

УГЛ (угл) *coal, carbon*
УД (уж) *fish, angle*
УДАР *strike*
УЗ *narrow*
УЗ *bind, tie*
УЗД *bridle*
УК (уч) *learn; teach*
УМ *mind*
УСТ (усь, ущ) *oral, mouth*
УТР *morning*
УТР *womb, inside*
УТЮГ (утюж) *press*
УХ (уш) *ear*
уч, УК *learn; teach*
уш, УХ *ear*

ФОРМ *form*

ХАБ *foul-mouthed*
хаж, ХОД *go*
ХАЛ *lackey*
ХАМ *boorish, rude*
ХАП *grab, seize*
ХВАЛ *praise*
ХВАСТ *boast*
ХВАТ *grab*
ХВОР (хвар) *sick, ill; stick*
ХВОСТ *tail*
ХИТ (хищ) *seize*
ХИТР (хищр) *sly, cunning, crafty*
хищ, ХИТ *seize*
хлад, ХОЛОД *cold*

хлажд, ХОЛОД *cold*
ХЛЕБ *grain; bread*
ХЛЕБ (хлёб) *gulp*
ХЛЕСТ (хлёст) *whip*
хлёб, ХЛЕБ *gulp*
хлёст, ХЛЕСТ *whip*
ХЛОП *clap*
ХЛЫСТ (хлыщ) *whip; Khlyst*
ХМЕЛ *tipsy, intoxicate; hops*
ХОД (хаж, хож, хожд) *go*
хож, ХОД *go*
хожд, ХОД *go*
ХОЗ *care for*
холаж, ХОЛОД *cold*
ХОЛОД (холож, холаж, хлад, хлажд) *cold*
холож, ХОЛОД *cold*
ХОЛОСТ (холащ, холощ) *bachelor; castrate*
ХОРОН (хран) *preserve*
ХОРОШ (хораш) *good*
ХОТ (хоч) *want*
ХОХОТ *robust laughter*
хоч, ХОТ *want*
хран, ХОРОН *preserve*
ХРАП *snore; ratchet*
ХРИП *hoarse*
ХРОМ (храм) *lame*
ХРЯСК (хряст, хрящ) *cartilage, gristle; grit*
ХУД (хуж) *worse*
хуж, ХУД *worse*

ЦАП *snatch; scratch*
ЦАР *rule*
ЦАРАП *scratch*
цвес, ЦВЕТ *color; flower*
ЦВЕТ (цвеч, цвес) *color; flower*
цвеч, ЦВЕТ *color; flower*
ЦЕД (цеж) *strain*
цеж, ЦЕД *strain*
ЦЕЛ *aim, goal*
ЦЕЛ *whole*
ЦЕН *value*
ЦЕП *hook on*
ЦИНК *zinc*

Ч (чин) *begin*
ЧАЙ *expect, wait*
ЧАЛ *tie up*
ЧАР *charm*
ЧАС *hour, time*
ЧАСТ (чащ) *often, frequent*
ЧАСТ (чащ) *(one's) part*
ЧАХ *feeble, weak*
чащ, ЧАСТ *(one's) part*
ЧЕКАН *stamp, press*

ЧЕЛОВЕК (человеч) *human being, mankind*
ЧЕРВ *worm; red*
ЧЕРЕД (черёд, чред, чрежд) *in succession*
ЧЕРЕП *hard shell; tile*
черёд, ЧЕРЕД *in succession*
ЧЕРК (чёрк) *mark*
ЧЕРН (чёрн) *dark, black*
ЧЕРП *scoop*
ЧЕРСТВ (чёрств) *stale*
ЧЕРТ (черч) *draft*
черч, ЧЕРТ *draft*
ЧЕС (чеш, чёс) *comb; itch*
чес, ЧТ *regard carefully (esteem; calculate; read)*
ЧЕСТ (чещ) *honor*
чет, ЧТ *regard carefully (esteem; calculate; read)*
ЧЕТЫР (четвёр, четвер) *four*
чеш, ЧЕС *comb; itch*
чёрк, ЧЕРК *mark*
чёрн, ЧЕРН *dark, black*
чёрт, ЧЕРТ *draft*
чёс, ЧЕС *comb; itch*
чёт, ЧТ *regard carefully (esteem; calculate; read)*
ЧИН *establish order*
чин, Ч *begin*
ЧИР *chirp*
ЧИСЛ *number*
ЧИСТ (чищ) *clean*
чит, ЧТ *regard carefully (esteem; calculate; read)*
ЧИХ (чох, чх) *sneeze*
чищ, ЧИСТ *clean*
ЧЛЕН *member*
ЧН [see Ч]
чред, ЧЕРЕД *in succession*
чрежд, ЧЕРЕД *in succession*
ЧТ (чес, чет, чёт, чит) *regard carerfully (esteem; calculate; read)*
ЧУД *wonderous*
ЧУД (чуж, чужд) *alien*
чуж, ЧУД *alien*
чужд, ЧУД *alien*
ЧУЙ *sense*
ш, ШЕД *gone*
ШАГ (шаж) *stride*
шаж, ШАГ *stride*
ШАЛ *act up*
ШАР *grope, feel out*
ШАРК *scuff*
ШАТ *stagger*
шв, ШИЙ *sew*
ШВЫР *fling*
шев, ШИЙ *sew*
ШЕВЕЛ *move, stir*
ШЕД (ш, шел, шест) *gone*
ШЕЙ *neck*

шел, ШЕД *gone*
ШЕЛУХ (шелуш) *peel*
ШЕП (шёп) *whisper*
ШЕРСТ (шёрст) *wool*
ШЕСТ *six*
шест, ШЕД *gone*
шёп, ШЕП *whisper*
ШИБ *hit*
ШИЙ (шв) *sew*
ШИР *wide*
ШИФР *cipher*
ШКОЛ *school*
ШЛЕП (шлёп) *slap*
шлёп, ШЛЕП *slap*
ШЛИФ *polish*
ШНУР *lace*
ШПАР *scald*
ШПИЛ *spire, pin*
ШТОП *darn*
ШТРИХ *stroke, line, draw*
ШТУКАТУР *plaster*
ШУМ *noise*
ШУТ (шуч) *joke*
шуч, ШУТ *joke*
шюв, ШИЙ *sew*

ЩЕГОЛ (щёгол) *fop, foolish person*
ЩЕЛ (щёл) *crack*
ЩЕЛК (щелч, щёлк) *click*
щелч, ЩЕЛК *click*
ЩЕМ *squeeze, pinch*
ЩЕП *split*
ЩЕТ (щёт) *bristle*
щёлк, ЩЕЛК *click*
ЩИП *pinch, pluck*
ЩИТ (щищ) *shield*
щищ, ЩИТ *shield*
ЩУП *feel*
ЩУР *screw up, narrow*

ыгр, ИГР *play*
ыд, ИД *go (by foot)*
ым, ИМ *name*
ым, ИМ *have; take*
ыск, ИСК *search*
ыщ, ИСК *search*

я, ИМ *have; take*
ЯВ *appear, become real*
яд, ЕД *eat*
ЯЗВ *lacerate*
ЯЗЫК (язич) *tongue; language*
ЯР *fury; brilliance*
ЯСН *clear*